D0275204

Barbara Wood

SAMANTHA'S DROOM

Vertaald door M.V. Versluys

Uitgeverij Luitingh – Utrecht

© MCMLXXXIII Barbara Wood
© MCMLXXXIV Nederlandse vertaling: Uitgeverij Luitingh B.V., Utrecht
Alle rechten voorbehouden
Oorspronkelijke titel: 'Domina'
Omslagontwerp: Wouter van Leeuwen/Elisabeth Koelman

CIP-gegevens

Wood, Barbara

Samantha's droom / Barbara Wood ; vert. [uit het Engels]
door M.V. Versluys. – Utrecht : Luitingh
Vert. van: Domina. – Garden City, N.Y. : Doubleday, 1983.
ISBN 90-245-0981-5 geb.
UDC 82-3 UGI 450
Trefw. : romans ; vertaald

Dr. Samantha Hargrave heeft niet echt bestaan. In haar zijn verschillende vrouwelijke doktoren verenigd die in de tweede helft van de 19de eeuw hebben geleefd, en ze is een produkt van mijn verbeelding.

Twee vrouwelijke artsen die in dit boek voorkomen, dokter Elizabeth Blackwell en haar zuster Emily, hebben in die jaren wèl geleefd en praktijk uitgeoefend. Ik heb ernaar gestreefd hun gesprekken zo realistisch en – historisch gezien – zo nauwkeurig mogelijk weer te geven, onder andere aan de hand van citaten uit hun dagboeken en brieven; verder heb ik geprobeerd me voor te stellen wat ze gezegd zouden kunnen hebben.

President Grant is tijdens een bal bij de Astors inderdaad een ongelukje zoals beschreven overkomen, zij het in een ander jaar. Alle andere personen zijn denkbeeldig; alle gebeurtenissen, op medisch en niet-medisch gebied, heb ik zelf bedacht, hoewel ze zijn gebaseerd op ware voorvallen.

De ruimte ontbreekt me om iedereen die me heeft geholpen te bedanken: Harvey Klinger, mijn agent, die me heeft aangespoord; dr. Norman Rubaum, die me goede raad heeft gegeven, en mijn man, George, die weet wat me heeft bewogen.

DE SCHRIJFSTER

Inhoud

Ze had raar gedroomd. De inhoud van de droom was verdwenen nu de heldere ochtendzon door het raam naar binnen scheen. Maar de duistere, onbestemde sfeer bleef hangen. In haar slaap was ze ergens doodsbang voor geweest, maar ze kon zich niet meer herinneren wat het was. Voorspelden dromen de toekomst? Ze schudde haar hoofd en sprong uit bed. Klinkklare onzin! Dromen waren gewoon dromen, en meer niet.

Op deze bijzondere dag was ze zo opgewonden als een kind en Samantha kon de verleiding niet weerstaan eventjes uit het raam te kijken voordat ze zich door de gang naar de badkamer zou haasten. Ze hield zich bescheiden op de achtergrond terwijl ze de katoenen gordijnen opzij schoof en naar buiten keek. Beneden op straat was het een drukte van belang, wat zeer ongebruikelijk was voor het ingeslapen Lucerne! Rijtuigen ratelden voorbij, paardehoeven klikten op de keien, kinderen en honden renden rond en op het trottoir wemelde het van de deftige mannen in pandjesjassen en met hoge hoeden op.

Er was geen vrouw te bekennen.

Met gefronste wenkbrauwen trok Samantha zich terug.

De vrouwen kwamen dus niet . . .

Twee jaar daarvoor hadden de vrouwen in Lucerne een gesloten front gevormd, vastbesloten Samantha buiten te sluiten; ze hadden geweigerd haar onderdak te verlenen, hadden haar met de nek aangekeken als ze voorbijkwam en hadden haar opgenomen met dat speciale soort rechtschapen minachting die bestemd is voor vrouwen van twijfelachtige reputatie. Toen, in die eerste dagen, had Samantha Hargrave bij de vrouwen in de stad woede opgeroepen en bij de mannen wellustige nieuwsgierigheid: Wat voor jonge vrouw zat er nu in een klaslokaal vol jonge kerels, in manlijk gezelschap, te luisteren naar colleges over onderwerpen die niet geschikt waren voor vrouwenoren? Het was zonneklaar dat Samantha Hargrave was gekomen om de morele opvattingen van de jeugd te ondermijnen.

Maar dat was twee jaar geleden en Samantha had gehoopt dat die angsten en vooroordelen nu opzij waren gezet. Als de vrouwen echter weigerden vandaag de promotieplechtigheid bij te wonen, was dat een bewijs dat ze haar nog steeds met afkeuring bekeken.

Gekwetst, maar vastbesloten zich op deze bijzondere dag door de boycot niet te laten deprimeren, verzamelde Samantha Hargrave al de volwassenheid en onverstoorbaarheid waarover een eenentwintig-jarige beschikt, haalde eens diep adem om weer kalm te worden en ging zich klaarmaken. Terwijl ze water uit de porseleinen kan in de kom goot, nam Samantha even de tijd om haar spiegelbeeld te bestuderen; het verbaasde haar dat er die nacht geen wonderbaarlijke verandering had plaatsgevonden. Vreemd genoeg zag ze er nog precies hetzelfde uit. Gewoonlijk beleefde ze wel genoegen aan haar knappe uiterlijk, maar nu dacht ze met een vleugje ironie, tè knap. En ze voegde er nog aan toe, ik ben nog niet oud genoeg.

Een vrouwelijke arts moest voortdurend om erkenning vechten, maar een vrouwelijke arts die jong en mooi was, maakte bijna helemaal geen kans.

Proloog

NEW YORK

1881

Alsof ze naar het gezicht van een vreemde keek, probeerde Samantha haar trekken objectief te beoordelen: het hoge, gewelfde voorhoofd, de smalle neus, de gebogen wenkbrauwen, de vriendelijke mond die een tikje pruilend stond – allemaal nadelen voor een jonge vrouw die haar best deed in de mannenwereld iets te bereiken. Ze vroeg zich af, zullen ze me ooit als dokter serieus nemen?

Uiteindelijk richtte haar blik zich op de ogen. Ze wist dat die haar sterkste punt waren. Ze had opvallende ogen, amandelvormig, een beetje scheefstaand, met lange, donkere wimpers; en de vreemde, dierlijk aandoende irissen van een licht, bijna kleurloos grijs met een randje zwart eromheen, maakten op sommige mensen de indruk alsof ze scherper zag dan anderen. Het waren eerlijke, openhartige ogen die je doordringend aankeken, groot, helder en glanzend; en als Samantha naar iemand keek, zag die man of vrouw uit haar blik een sterke, vastberaden geest naar buiten stralen.

Samantha ging verder en waste zich zoals de meeste vrouwen dat deden: ze stond op een rubber matje en sponsde zich af, waarbij ze een kom water en een waslap met zeep gebruikte. En, net als de meeste vrouwen, spoelde ze zich niet af. Het zitbad, nog steeds een uiterst omstreden nieuwtje (doktoren waarschuwden ervoor dat zitten in water slecht voor de gezondheid was), werd alleen bij welgestelde en vooruitstrevende mensen aangetroffen. Haar handen trilden een beetje toen ze haar korset van katoenen keper pakte. Ze nam even de tijd om tot rust te komen, daarna reeg ze zich in, maar niet zo strak dat ze er last van zou krijgen. Gelukkig had Samantha een smal middeltje (dat kwam van die maanden dat ze honger had geleden), want vele vrouwen hadden een dosis morfine nodig nadat het korset zó strak was aangetrokken dat ze de door de mode voorgeschreven wespetaille hadden. Toen ze in haar geborduurde onderbroek stapte en die over haar lange, goed gevormde benen trok, kwam er een herinnering boven die haar een glimlach ontlokte. Hoewel ze er toentertijd niet om had kunnen lachen.

Twee jaar daarvoor, op haar eerste dag aan de Medische Academie in Lucerne, was Samantha door haar medestudenten met wreed gezang begroet:

'Venus bevond zich als godin
In een wereld vol met mannengoden,
Daarom maakte ze haar keursje open
om haar gunsten te verkopen.'

Wat leek dat lang geleden! Wat was zij veranderd, wat was de *wereld* in die twee korte jaren enorm veranderd! Op die dag, in oktober 1879, was een bange, schuchtere Samantha als een lam de collegezaal binnengegaan en had gewenst dat ze zich in haar beschermende hoed kon terugtrekken om de onbescheiden blikken van de mannen in de rijen banken boven haar niet te hoeven zien. O, wat waren ze gemeen geweest; achteraf kon Samantha nauwelijks geloven dat het allemaal echt was gebeurd! Wat was er sindsdien veel veranderd.

Haar handen rustten even op de knoopjes van haar linnen jurk en er ging

een steek door haar hart. Wat zou het heerlijk zijn als *hij* kwam.
Samantha liet haar gedachten even naar hem afdwalen, ze zag hem voor zich en dacht vol liefde aan hem, waarna ze verder ging met de vele knoopjes, van haar borst tot aan de zoom van de jurk; ze zuchtte gelaten. Nee, Joshua kwam niet. Dat was verlangen naar het onmogelijke.
Ze had nog nooit eerder zo'n jurk gehad. Ze was haar hele leven arm geweest, had iedere week met moeite de eindjes aan elkaar weten te knopen en had hier een penny bespaard en daar een kostbare dollar – Samantha Hargrave had spartaans geleefd en had zichzelf altijd voorgehouden dat haar opofferingen eens beloond zouden worden. En vandaag was het zover.
De naaister in Canandaigua had vrijwel volmaakt werk geleverd.
Ze hadden duifgrijs gekozen, de kleur van haar ogen, en hadden de nieuwste modetijdschriften doorgebladerd, zoekend naar een model dat ze konden namaken. Ze hadden een creatie van Worth uitgezocht, de beroemdste ontwerper uit die tijd, en hadden het patroon aangepast aan Samantha's lange, ranke en soepele gestalte. De queue de Paris, die in chique kringen in Europa de neiging had steeds omvangrijker te worden, hadden ze bescheiden gehouden, en ook lieten ze de zoom tot op de grond vallen in plaats van even boven haar schoenen, zoals 'men' in het choquerende Parijs deed. De jacquard zijde was gemodelleerd in een strak lijfje dat tot onder de taille viel en vanuit de heupen waren meters grijze stof gedrapeerd als salongordijnen, terwijl het materiaal aan de achterkant over een baleinen queue zat. De strakke manchetten en het hoge kraagje waren afgezet met fijn geplooide Valenciennes kant, en de talrijke knoopjes, van haar hals tot ver beneden haar platte buik, waren geïmporteerd uit Spitalfields.
Samantha completeerde haar toilet met hoge knooplaarsjes, een kleine veren toque op de kroon van zwarte krullen die ze hoog had opgestoken, en tenslotte een camee aan de hals. Samantha bedacht met angstig kloppend hart dat ze nu alleen nog maar haar handschoenen hoefde aan te trekken en de deur uit hoefde te lopen.
Maar ze wachtte nog even, sloot de ogen, vouwde haar lange, tengere handen ineen en zei in zichzelf een methodistengebed op dat ze zich nog uit haar jeugd herinnerde. Vluchtig en bedroefd dacht ze even aan haar vader, wensend dat hij deze dag had mogen meemaken, en dankte toen God dat hij haar had geholpen dit moment te bereiken.
Daarna voelde ze zich rustiger, ze pakte haar grijze suède handschoenen, controleerde even of er in haar nek geen krullen waren losgesprongen, en zonder nog eenmaal in de spiegel te kijken liep ze resoluut naar de deur.
Deze dag stond in het teken van de overwinning, maar het zou niet gemakkelijk zijn.

Professor Jones wachtte in de salon op haar. Hij liep daar al een halfuur te ijsberen als een vader vlak voor een bruiloft, en toen hij zich omdraaide en Samantha in de deuropening zag staan, kwam er een stralende glimlach op zijn gezicht.

Ze glimlachte; ook voor hem was dit een bijzondere dag. Aller ogen waren gericht op deze gezette man met zijn roze, kale hoofd en zijn bakkebaardjes, die het had aangedurfd de maatschappij en de conventie te tarten; voor het eerst in de geschiedenis van de academie zouden verslaggevers de promotieplechtigheid bijwonen. De nerveuze professor, directeur van de Medische Academie in Lucerne, knipperde een paar maal snel met zijn ogen achter de montuurloze bril, en kon geen woord uitbrengen.

Daarom zei Samantha in zijn plaats: 'Zullen we gaan?'

Toen ze op de stoep bij de voordeur stonden, bleef Samantha plotseling staan en streek even met haar hand over haar ogen alsof de zon haar hinderde. In werkelijkheid verzamelde ze moed om de blikken van de mannen daarbuiten te weerstaan – ze stonden haar allemaal aan te gapen. Het lag voor de hand dat ze even verblind was: het meer van Canandaigua, dat zich uitstrekte achter de grazige hellingen die aan de andere kant van Main Street naar beneden glooiden, glinsterde oogverblindend wit op. Samantha haalde haar hand voor de ogen weg, ze zag het meer en het omringende landschap in al de glorierijke lentepracht: de zachtglooiende heuvels rond het meer waren bedekt met een smaragdkleurige lappendeken van boerderijen en wijngaarden; de appelbomen, die in het wilde weg om het meer en in het stadje groeiden, bloeiden uitbundig; de hemel was strakblauw, het was warm en de tuintjes langs Main Street waren één bonte kleurenpracht. Even stokte Samantha de adem in de keel. Toen zag ze de mannen naar haar staren en ze keerde terug tot de werkelijkheid.

Ze stak haar arm door die van professor Jones, liep met elegante pasjes de trap af en ging op weg naar de academie.

Ik wou dat de vrouwen niet wegbleven, dacht Samantha terwijl ze onder het bloeiende dak van de appelbomen door naar het pleintje voor de academie liep. Waarom kunnen ze niet inzien dat het net zo goed hun overwinning is als de mijne?

Maar het had geen zin. De vrouwen zouden niet komen; er waren niet eens kleine meisjes op straat.

Toen zij en dr. Jones het houten voetgangersbruggetje over het riviertje opliepen, dat de scheiding vormde tussen het academieterrein en de stad, beving Samantha een gevoel van treurnis. Vandaag liep ze hier voor het laatst. Terwijl professor Jones zenuwachtig de gezichten afzocht naar een man die hij niet zag, dacht Samantha weemoedig terug aan de eerste keer dat ze naar het hoofdgebouw had gekeken.

Het gebouw stond op een plek die uit de ruige wildernis was opengekapt, een 150 kilometer ten westen van het Mohawk-reservaat, op de plaats waar vroeger een indianenbegraafplaats was geweest (er werd gefluisterd dat het spookte op de academie); het imposante complex was nogal opvallend en paste niet bij het simpele houten grensstadje. Het enorme bakstenen gebouw telde drie verdiepingen met een unieke klassieke gevel boven een brede, naar binnen gelegen ingangspartij tussen ronde pilaren. Het geheel werd gedomineerd door een glanzend witte koepel; binnen bevond zich

een netwerk van collegezalen, amfitheaters, sectielaboratoria, een bibliotheek en kantoorkamers. Er werd beweerd dat Thomas Jefferson het had ontworpen, die een voorkeur had voor de zware, wat logge Romaanse stijl. Samantha had het walgelijk pretentieus gevonden.
Twee jaar geleden had ze op deze zelfde plek staan luisteren naar dr. Jones' versie van de indiaanse legende. Twee ongelukkige gelieven uit de stam van de Irokezen hadden op deze plaats tragisch de dood gevonden en men zei dat hun geesten hier nog rondwaarden en elkaar riepen. Soms, als ze 's avonds laat in het anatomielaboratorium werkte, had Samantha geheimzinnige geluiden gehoord die na onderzoek onverklaarbaar bleven.
Het was niet zo vreemd dat ze op dit moment aan geesten dacht, want ze werd erdoor omringd. Ze waren allemaal gekomen om getuige te zijn van haar overwinning: haar vader, Samuel Hargrave, de onverzettelijke en harde dienaar Gods; haar broers, rusteloze, ongelukkige geesten; Isaiah Hawksbill en dierbare Freddy. Was haar moeder er ook? Voelde Samantha in de zacht geurende lentelucht de aanwezigheid van een lieve, meegaande persoonlijkheid?
Toen dacht ze aan Hannah Mallone, en even viel er een schaduw over Samantha's gedachten. Dit is voor jou, dierbare vriendin, dit is òns succes. De andere studenten liepen voor het gebouw onrustig heen en weer, in de schaduw van de enorme ingangspartij. Als jonge paarden, nauwelijks getemd en rukkend aan de teugels, hadden de jonge mannen zin om te stoeien en te roepen, en hun hoed in de lucht te gooien, maar de plechtigheid van het ogenblik en de eisen gesteld door de traditie hielden hen in bedwang. De professoren verzamelden zich, en een paar fatterige verslaggevers in geruite colbertjes en met bolhoeden op mengden zich onder de mensen. Dr. Jones excuseerde zich en mompelde iets over een zekere meneer Kent, waarna Samantha zich bij een groepje studenten voegde dat rustig samen stond te praten.
De arme dr. Jones liep handenwringend door de menigte heen en zocht dan hier, dan daar. Waar voor de duivel zat Simon Kent!
Het probleem werd eigenlijk veroorzaakt door Samantha Hargrave, al was ze zich daar niet van bewust. Een paar weken geleden had een van de professoren dr. Jones erop gewezen dat het gebruikelijke diploma helemaal niet geschikt was voor juffrouw Hargrave: de diploma's waren in het Latijn gesteld en de hele tekst was afgestemd op het manlijk geslacht. De nieuwe titel van een afgestudeerd medicus was *domine,* wat meester betekent. Bestond er, had de andere professor geïnformeerd, een vrouwelijke versie? De hele staf had zich erover gebogen en uiteindelijk werd men het eens over een aanvaardbaar alternatief. Ze zou *domina* worden genoemd.
Het volgende probleem was het opmaken van een dergelijk stuk. Alle perkamenten diploma's waren al voorgegraveerd, en alleen de plaats waar de naam van de afgestudeerde moest komen was nog open. Men had dus iemand nodig die een mooi handschrift had en die een zelfde diploma kon opstellen, met de nodige veranderingen. Simon Kent, een plaatselijke

boer, had de opdracht gekregen. Hij had het diploma de dag daarvoor al aan dr. Jones moeten afleveren, maar hij was er nu nog niet.

Het zou meer dan gênant zijn als Kent niet kwam opdagen, het zou verschrikkelijk zijn! De Medische Academie van Lucerne maakte vandaag geschiedenis en aller ogen waren gericht op dr. Henry Jones. (Er was zelfs een verslaggever helemaal uit Michigan gekomen!) Het al dan niet slagen van zijn vermetele en fel omstreden experiment – om een vrouw op een medische school voor mannen toe te laten – hing af van wat er vandaag gebeurde; de talrijke critici zouden maar al te graag zien dat hij jammerlijk faalde. Dr. Jones bleef naar Simon Kent zoeken.

'Mag ik er even langs? Pardon!'

Samantha draaide zich om en zag dat een forse man, wiens dophoed naar achteren geschoven op zijn hoofd stond, zich een weg baande naar haar toe. 'Juffrouw Hargrave! Kan ik u even spreken?' Hij had een potlood in de ene en een notitieblok in de andere hand. 'Jack Morley, van de Baltimore *Sun*. Ik zou u graag een paar vragen stellen.'

'De plechtigheid begint zo dadelijk, meneer Morley.'

'Hoe voelt het om de eerste vrouwelijke arts te zijn die haar doktersbul behaalt?'

'Ik ben de eerste niet, meneer Morley. Dr. Elizabeth Blackwell was me dertig jaar voor.'

'O jazeker, zij was de allereerste, maar sindsdien is niemand haar gevolgd. Dr. Blackwell is door stom geluk binnengekomen en nadat zij was afgestudeerd, heeft die school haar deuren voor vrouwen gesloten. Ik heb begrepen dat u uw uiterste best hebt gedaan om Harvard binnen te komen.'

'Ik heb me daar aangemeld, maar werd geweigerd.'

'Mag ik vragen waarom u deze ambitie koestert? Waarom wilt u per se naar een mannenschool? Er zijn toch genoeg scholen voor vrouwen?'

Samantha stak haar kin in de lucht. 'Mijn wens was, meneer, om de allerbeste medische opleiding te volgen die er is. Daar we in een mannenwereld leven, waar mannen het beste van alles in handen hebben, heb ik de conclusie getrokken dat een school voor mannen mij die opleiding zou verschaffen. Misschien verandert dat nog wel eens.' Ze wendde zich af.

'U praat al net als Lucy Stoner!' riep hij haar na.

De stoet werd gevormd; ze moesten in rijen van twee de kerk binnenkomen. Samantha's plaats in de stoet was aanleiding geweest tot uitgebreide discussies: waar moest ze lopen? Eenstemmig was men van oordeel dat ze voorop moest gaan, aan de arm van dr. Jones, maar Samantha had verzocht haar geen bijzondere behandeling te verlenen omdat ze een vrouw was; ze had bij het afstuderen de derde plaats van haar groep bereikt, ze zou dus als derde in de stoet lopen.

Terwijl de anderen zich in rangorde opstelden, vijftig in getal, wrong professor Jones zich nogmaals de handen en keek nog één keer rond. O, waar bleef die Simon Kent toch?

Plotseling klonken er koperen hoorns, en dr. Jones haastte zich naar de eerste rij; hij gaf het sein tot vertrek. De indianen, in hun buckskin broeken en met adelaarsveren getooid, speelden blikkerig het volkslied op trompetten, trombones en tuba's. Het vredige, beboste land kwam tot leven toen de stoet zich in beweging zette: lijsters en leeuweriken vlogen op uit de dicht bebladerde iepen en esdoorns, konijntjes scharrelden door het kreupelhout en de plechtige rij, bestaande uit in het zwart geklede mannen en een jonge vrouw in het grijs, schreed voort.

De presbyteriaanse kerk, waar alle diensten van de gemeente werden gehouden, lag aan de rand van het stadje, ongeveer 500 meter van het hoofdgebouw. De stoet had tien minuten nodig om die afstand af te leggen, en in die tijd zag Samantha kans wat tot rust te komen. Toen de enorme menigte mannen voor de kerk echter in zicht kwam, voelde ze haar zelfvertrouwen wankelen.
Er stonden rijtuigen en allerlei soorten wagentjes, paarden, honden en kleine kinderen, verslaggevers en fotografen met camera's op statief; het was net een circus. En dat voornamelijk omdat een slanke, vriendelijke jonge vrouw samen met mannen was afgestudeerd. Je zou denken dat ze een wereldwonder was: men was mijlenver uit de omtrek gekomen om een glimp op te vangen van dit vreemde menselijke wezen. Een vrouw die met mannen afstudeerde!
Voordat men de trap opging, stond de stoet stil, om de fotografen de gelegenheid te bieden foto's te nemen. Terwijl ze haar hoofd stilhield, liet Samantha haar ogen over de menigte dwalen, en zag de nieuwsgierige blikken van de boeren in hun eenvoudige plunje, getuigen van een gebeurtenis waarover ze jaren later tijdens winteravonden nog konden praten.
Plotseling maakte haar hart een sprongetje. Joshua!
Maar nee... De man op de trap draaide zich om en ze zag dat het helemaal Joshua niet was, alleen maar iemand die net zo lang was, dezelfde brede schouders had en dezelfde kleur haar. Wat dom van haar om te denken dat hij zou komen. Het was anderhalf jaar geleden dat ze plechtig had beloofd hem nooit weer te ontmoeten.
Samantha rechtte haar schouders. Boven het bonzen van haar hart uit hoorde ze de kerkdeuren openzwaaien en ze dacht, als ik *hem* niet kan krijgen, dan hoef ik helemaal geen man.
Terwijl ze gespannen afwachtte tot de stoet de kerk binnenging, bepeinsde Samantha dat een bruid zich waarschijnlijk net zo voelde. In zekere zin, dacht ze, trouw ik inderdaad. Ik ga de kerk binnen als juffrouw Hargrave en ik kom er als dokter Hargrave weer uit. Dit is mijn huwelijksdag, een andere komt er niet.
Haar zenuwen waren zo tot het uiterste gespannen, dat ze zou gaan gillen als de stoet niet gauw in beweging kwam. Samantha had het gevoel alsof ze aan een grote, mistige zee stond en dat ze honderden kilometers had gelopen om deze oever te bereiken, alleen om tot de ontdekking te komen dat ze nog verder moest. Zo veel was er bereikt, zo veel overwinningen waren er

17

behaald, zo veel obstakels waren uit de weg geruimd, en toch...
Ze voelde dat achter die deuren haar toekomst lag. Nieuwe strijd, nieuwe obstakels, en nieuwe (nee, daar moest ze niet aan denken) mannen. Dit is het einde van die ene lange weg; een nieuwe, in een andere richting, strekt zich voor haar uit. Maar waar voert die weg heen? Naar welke geheimzinnige, onbekende bestemming?
Waren de vrouwen maar gekomen. Waarom, waarom waren die weggebleven?

Deel een

ENGELAND

1860

1

Voor de dertigste keer dat uur gilde de vrouw het uit. Haar laatste kreet verscheurde de ragfijne, vredige sfeer van de lenteavond en deed het huis als het ware op zijn grondvesten trillen. Een zwart silhouet stond over haar heen gebogen, mevrouw Cadwallader voerde een schimmenspel op boven de jammerende Felicity Hargrave.

'D'r is iets mis,' mompelde de vroedvrouw. Ze legde een mollige hand onder in haar rug, richtte zich op en rekte zich eens lekker uit. Toen reikte ze naar de fles drank, die ze voor die arme Felicity had meegenomen, en nam zelf een fikse slok.

Deze bevalling ging bepaald niet vlot en aan *hem* daar beneden had je ook al niets. Welke man zou zijn vrouw een hartversterkertje ontzeggen om haar pijn wat te verlichten? Maar Samuel Hargrave had het gebruik van alle medicijnen die de bevalling zouden vergemakkelijken uitdrukkelijk verboden. En dat was reuze jammer, want mevrouw Cadwallader bezat de best voorziene uitrusting van alle vroedvrouwen in Londen. Er zat opium en belladonna in; moederkoren om de weeën op gang te brengen en om bloedingen te stoppen; een sortering kruiden en huismiddeltjes, plus een fles jenever van het sterkste soort. Mevrouw Cadwallader deed de kurk weer op de fles met hartversterker, zette hem op de grond en boog zich naar voren om met haar stevige handen over de gezwollen buik te wrijven. 'Kom, kom nou,' vleide ze. 'Goed zo, liefje, werk maar flink mee.'

Felicity – haar haar zat vochtig tegen haar gezicht en het kussen geplakt – kreunde en slaakte vervolgens een snerpende kreet, die, naar mevrouw Cadwalladers overtuiging, helemaal in Kent was te horen.

Ze rechtte haar rug en tuitte haar lippen. 'Ze is nu twintig uur bezig,' mompelde ze in zichzelf. 'En dit is haar derde. D'r klopt iets niet.' Haar omvangrijke boezem hief zich in een zucht. 'Ach, ik doe het niet graag, maar ik moet haar een handje helpen.'

De vroedvrouw hijgde een beetje toen ze haar tas pakte en er een veer en een flesje uithaalde. Ze maakte het flesje open, doopte de veer helemaal in het verpulverde witte nieskruid, ging toen op haar knieën zitten, reikte over de enorme, zwoegende buik en stopte de veer regelrecht in een van Felicity's neusgaten. 'Toe maar, snuif maar op, liefje.'

Mevrouw Cadwallader ging gauw weer zitten en bereidde zich voor op het onvermijdelijke resultaat – een nies en de plotselinge uitdrijving van de baby.

Felicity Hargrave kromp ineen toen er weer een felle wee kwam opzetten, haalde diep adem, strekte haar lichaam zodat het de lakens niet meer raakte en niesde zo hard en explosief dat het haar van de vroedvrouw in de war raakte. Tegelijkertijd kwam er een beentje te voorschijn uit het geboortekanaal, dat mevrouw Cadwallader met ganzevet had ingesmeerd.

De korte, gedrongen vrouw trok de wenkbrauwen op. 'Zit dat zo? Dan kan ik er ook niets meer aan doen.'

Drie sombere gestalten zaten om de eettafel, met de handen gevouwen voor zich, en de hoofden gebogen. Er stonden geen borden of mokken meer op het geboende tafelblad; het was leeg, op de spermaceetolielamp in het midden na die een vale gloed op de drie gezichten wierp. Samuel Hargrave, Felicity's man, zat te bidden; Matthew van zes staarde met ogen als zwarte schoteltjes naar het vlammetje in de lamp en James van negen zat afwisselend krampachtig zijn handen te wringen of op zijn wang te kauwen. Hij keek zijn vader aan en verwachtte enige geruststelling van hem, maar die kreeg hij niet.

Samuel Hargrave, diep in contact met God, had zijn handen zo vast gevouwen dat de knokkels wit zagen; zo zat hij al vier uur, en hij vertoonde nog geen tekenen van vermoeidheid. Zijn concentratie was zo intens, dat hij mevrouw Cadwallader niet naar binnen hoorde komen.

'Vader,' fluisterde James, doodsbenauwd vanwege de grimmige uitdrukking op het gezicht van de vroedvrouw.

Samuel had moeite zijn gedachten te bepalen. Hij rukte zich los uit zijn verheven goddelijke meditatie en keek de vroedvrouw strak aan.

'Het lukt niet, meneer. Het is een stuitligging, en dan ook nog van het ergste soort. Eén beentje komt naar beneden, het andere ligt langs het hoofdje.'

'Kunt u de baby niet keren?'

'Deze niet, meneer. Daarvoor zou ik mijn hand helemaal naar binnen moeten steken en dat gaat niet omdat die arme vrouw van u zo te keer gaat en me tegenhoudt. Ze heeft een echte dokter nodig, meneer.'

'Nee,' antwoordde Samuel zo snel en vastberaden dat de oude vrouw ervan schrok. 'Ik vind het onbetamelijk dat een man mijn vrouw zo te zien krijgt.'

Mevrouw Cadwallader keek de man doordringend aan met haar kraaloogjes. 'Als u het me niet kwalijk neemt dat ik het zeg, meneer, maar het is geen zonde om een *dokter* naar uw vrouw te laten kijken. Het zijn echte heren, meneer, en ze hebben totaal geen belangstelling voor dat soort dingen, als u begrijpt wat ik bedoel...'

'Geen dokter, mevrouw Cadwallader.'

De vroedvrouw rechtte haar schouders en snoof verachtelijk. 'En als ik het zeggen mag, meneer, we hebben geen tijd om erover te strijden, want uw vrouw en de baby zijn er allebei slecht aan toe. Er is haast bij, meneer!'

Toen Samuel overeind kwam, was het alsof zijn lange, magere gestalte de kamer vulde; de kleine Matthew en James keken naar hem op. Hun vader liep altijd wat gebogen als gevolg van zijn werk bij het stadsarchief waar hij zat op een hoge kruk aan een bureau met leggers, maar vanavond was het alsof zijn hele rug zich kromde onder een onzichtbare last. Samuel haalde een zakdoek uit zijn zak en depte zijn voorhoofd.

Mevrouw Cadwallader wachtte vol ongeduld. Ze mocht Samuel Hargrave niet – er waren maar weinig mensen die hem wel mochten – vanwege die strenge vroomheid en zo; ze was alleen maar gekomen omdat ze Felicity zo'n lieve vrouw vond.

Samuels stem klonk alsof hij van de kansel sprak: 'Mevrouw Cadwallader, mijn vrouw zou zich dood schamen als een man haar christelijke kuisheid benaderde. Het is haar wens net zo goed als de mijne...'

'Vraag het haar maar, meneer Hargrave, of ze een dokter wil of niet!'

Hij sloeg zijn gekwelde blik op naar het plafond, en toen er opnieuw een kreet uit de slaapkamer daarboven klonk, vertrok zijn gezicht als in pijn. De negen jaar oude James, die vol verwondering opkeek naar zijn vader die hoog boven hem uitstak en die zelfs thuis gekleed was in een zwarte pandjesjas, een zwarte broek, en een wit overhemd met gesteven witte bef, voelde dat zijn jonge hartje sneller ging kloppen. Hij had nog nooit eerder gezien dat zijn vader door twijfel werd bevangen.

Terwijl mevrouw Cadwallader haar benen een eindje uit elkaar plantte en haar handen op haar heupen zette alsof ze de aanval van een stier moest opvangen, liet de kleine James zich geluidloos en onopgemerkt van zijn stoel glijden. 'De waarheid is, meneer Hargrave, dat uw vrouw een dokter nodig heeft! Nu woont er aan Tottenham Court Road, aan de andere kant van Great Russell Street, een keurige man. Een man van eer, die dokter Stone, daar valt niets op af te dingen. Ik heb hem heel vaak meegemaakt...'

'Nee, mevrouw Cadwallader.'

Terwijl de vroedvrouw de boven haar uit torenende man met opgekropte verontwaardiging bekeek, sloop de jonge James zachtjes naar de donkere schaduw van de gang. 'Heus, meneer Hargrave, uw vrouw heeft hulp nodig!'

Samuel keek abrupt neer op de oude vrouw en zijn blik was zo woedend, dat ze een stapje achteruit deed. 'Dan stel ik voor, beste vrouw, dat u weer naar uw post gaat en haar helpt.' Hij draaide zich met een ruk om en zocht steun bij zijn stoel. 'En *ik* zal bidden.'

Mevrouw Cadwallader beende naar de trap en Samuel boog zijn hoofd weer over zijn gevouwen handen – niemand had opgemerkt dat James was verdwenen.

Toen enige tijd later de voordeur zachtjes openging en samen met James, flarden late lentemist binnenliet, had Samuel zo intens zitten bidden dat het zweet hem over het gezicht liep. James bleef stokstijf stilstaan, doodsbang, en keek aandachtig naar zijn vaders gebogen hoofd. Toen fluisterde hij: 'Vader.'

Samuel had moeite zijn zware oogleden te openen en knipperde een paar keer toen hij naar het ongewoon witte gezichtje van de jongen keek. James hijgde, want hij had heen en terug gehold. 'Vader, ik heb hulp gehaald.'

Samuel knipperde nog eens met zijn ogen. 'Wat zei je, James?'

'Ik heb een dokter gehaald. Hij komt zo.'

Het begon Samuel te dagen. Zijn vroomheid verdween en hij werd vervuld van een stijgende woede. Langzaam kwam hij overeind. 'Jij hebt een dokter laten komen?'

James kromp in elkaar. 'J-ja, vader. Ik dacht dat u niet wist wat u moest doen...'

Hij had zijn vader nog nooit zo snel zien reageren. Samuel stond in een oogwenk aan de andere kant van de tafel en het enige wat James zag voordat de sterretjes hem voor de ogen dansten, was de grote hand die werd opgeheven. Hij schreeuwde het uit, meer van verbazing dan van pijn, en legde meteen zijn hand tegen zijn linkeroor. Samuel pakte de jongen bij de arm, trok de beschermende hand weg en verkocht hem nog een krachtige mep tegen zijn hoofd. James probeerde zich los te worstelen, terwijl de enorme hand steeds weer klappen uitdeelde, tot een stem vroeg: 'Ben ik hier bij de familie Hargrave?'

De jongen tilde zijn bonzende hoofd op en zag door zijn betraande ogen dokter Stones gestalte in de gang staan.

'We hebben uw hulp niet nodig, meneer,' zei Samuel toonloos.

Dr. Stones ogen, klein en opmerkzaam achter zijn bril, keken naar James' bloedende oor. 'Zo te zien kom ik net op tijd.'

Samuel keek neer op zijn zoon en het was alsof hij even van zijn stuk was gebracht, toen liet hij de jongen los die meteen onder tafel kroop. Samuel rechtte zijn rug. 'Dit is vrouwenwerk, meneer. Ik vind het niet goed dat een man in de kraamkamer komt.'

Zonder een uitnodiging af te wachten stapte dokter Stone de kamer binnen. Hij was een kleine, pezige man van een jaar of zestig, met een lange, scherpe neus en bakkebaarden. Hij sloeg met zijn hoge hoed tegen zijn bovenbeen om de mistdruppeltjes eraf te schudden en zei: 'De jongen vertelde dat het een stuitligging was en dat mevrouw Cadwallader niets kan doen.'

De vroedvrouw, die James had horen schreeuwen, verscheen onder aan de trap. 'Wat fijn dat u bent gekomen, dr. Stone,' zei ze. 'Ze is al bijna een dag en een nacht bezig; het is haar derde, en dat klopt niet. Die stuitligging is nog niet alles; de navelstreng zit om het halsje en Felicity vindt het niet goed dat ik het kind keer. Ze kan er niets aan doen, de arme ziel.'

Dr. Stone tuitte zijn lippen. 'Ik zal zien wat ik kan doen.'

'Wacht eens even, meneer,' zei Samuel. 'Ik wil niet dat u naar mijn vrouw toe gaat.'

'Als hij niet gaat, komt de Engel des Doods!' zei mevrouw Cadwallader.

Dr. Stones stem klonk vriendelijk. 'Ik heb al heel wat bevallingen gedaan, meneer Hargrave. Geloof me, ik ben op en top een heer en ik begrijp volkomen dat u zich zorgen maakt over de kuisheid van uw vrouw.'

'In dit huis helpt de Here ons!'

'Ik dien de Heer, meneer Hargrave. Per slot van rekening was genezen Zijn beroep, ja toch?'

Op Samuels gezicht verscheen een gekwelde uitdrukking. Het gekreun van zijn vrouw daar boven ging hem door merg en been.

'Misschien ben ik het antwoord op uw gebeden,' zei de dokter troostend. 'Misschien heeft de goede God mij wel gestuurd. Meneer Hargrave, laat me tenminste even gaan kijken.'

Samuel haalde sidderend adem. Zijn geteisterd brein probeerde een bijbeltekst te vinden die op de situatie van toepassing was, maar tevergeefs. 'Goed dan,' antwoordde hij tegen zijn zin. 'Mevrouw Cadwallader, u zorgt er toch wel voor...'

'Natuurlijk, meneer Hargrave, ik blijf erbij, maakt u zich niet bezorgd.'

Dr. Stone liet zijn hand zwaar op Samuels schouder rusten. 'Ik verzeker u dat alles in orde komt. Tegenwoordig lukt dat altijd wel, nu we over die nieuwe slaap beschikken.'

Samuels gezicht versomberde. 'Wat zei u? Nieuwe slaap?'

Dr. Stone hield zijn zwarte leren tas omhoog. 'Ik ben een moderne dokter, meneer Hargrave. Ik ben overgestapt op chloroform, zodat uw dierbare vrouw in vrede van haar baby verlost kan worden.'

'Wat!' Samuel deed een stapje naar achteren.

Er rinkelde een waarschuwend belletje in het hoofd van de dokter; hij had er niet aan gedacht dat dit soort mensen nog bestond, sinds de lieve kleine koningin zelf zeven jaar geleden chloroform had gebruikt bij de geboorte van de prins. 'Het is volkomen veilig, meneer Hargrave. Ik dien de chloroform toe, uw vrouw valt in slaap, haar lichaam ontspant zich, en dan kan ik het kind gemakkelijk keren. Het wordt tegenwoordig overal toegepast.'

'Maar niet bij mijn vrouw!'

'Het is de enige manier, meneer Hargrave. Gezien de toestand van uw vrouw loopt u het risico hen allebei te verliezen.'

Samuels stem trilde. 'De smart bij het kinderen baren is ons door de Almachtige opgelegd. Het voorkomen daarvan is heiligschennis en uw slaapgas, dokter, is een lokmiddel van de duivel. Geboortepijn is de vloek van God voor de zonde van de vrouw in de hof van Eden, en geen enkele godvrezende christelijke vrouw zal ontkomen aan deze gerechtvaardigde straf die alle vrouwen is opgelegd sinds Eva Adam de verboden vrucht aanbood.' Hij hief een bevende vinger ten hemel. ' "Tot de vrouw zeide Hij: Ik zal zeer vermeerderen de moeite uwer zwangerschap; *met smart zult gij kinderen baren!*" '

Dr. Stone deed zijn best zijn ongeduld te verbergen. Hij had gedacht dat deze redenering, die eens Londen als een stormvlaag had ingenomen, dood en begraven lag. Het was tien jaar daarvoor wel gebeurd dat hij en zijn collega's in verhitte debatten gewikkeld raakten over de kwestie van chloroformgebruik bij bevallingen. Een poosje had het ernaar uitgezien dat de Schrift het ging winnen, maar toen had John Snow koningin Victoria met behulp van chloroform van prins Leopold verlost en op slag was de wereld van mening veranderd. Het bleek echter dat er hier en daar bij bepaalde groeperingen nog weerstand bestond. Dr. Stone merkte rustig op: ' "Toen deed de Here God een diepe slaap op de mens vallen en terwijl deze sliep, nam Hij een van zijn ribben en sloot haar plaats toe met vlees." '

'Hoe durft u in mijn huis zo oneerbiedig te zijn, dokter! Om de Here te vergelijken met een chirurg en de belachelijke veronderstelling te uiten dat hij chloroform nodig zou hebben om iemand te laten slapen! U vergeet, dokter, dat het wonder van Adams rib plaatsvond *voordat* pijn zijn intrede deed op de wereld, toen men nog onschuldig was.'

Een nieuwe kreet verscheurde de avondstilte. De twee mannen keken op. Samuel vervolgde in volle ernst: 'De kreten van een barende vrouw klinken de Here als muziek in de oren. Ze vervullen Zijn hart met vreugde. Het zijn de kreten des levens en tekenen van de christelijke levensdrang. Mijn kinderen zullen niet als een slang de wereld binnen glippen terwijl de slapende moeder zich onbewust is van de heilige daad die zij heeft verricht. En daarmee dr. Stone, is de discussie gesloten.'

Neville Stone nam de man die voor hem stond eens taxerend op en woog de situatie af, waarna hij tot de conclusie kwam dat hij nooit, nog niet na eindeloze debatten met de man, de verstarde denkbeelden van deze strenge methodist zou kunnen veranderen. Daarom zei hij: 'Goed dan,' en liep met bruuske pas naar de trap.

De aanblik van het tafereel dat hem wachtte deed hem even stilstaan: de vrouw lag languit en naar adem snakkend op bed, de op en neer gaande buik, de bebloede benen gespreid, en een klein wit voetje stak door het donkere krullerige haar naar buiten. Neville Stone trok haastig zijn jas uit, overhandigde hem aan mevrouw Cadwallader, en rolde zijn hemdsmouwen op.

Nadat hij tussen Felicity's benen was gaan zitten, bracht dr. Stone voorzichtig twee vingers in haar vagina, langs het koude, magere beentje dat uit de baarmoederhals hing. Na een snel onderzoek kwam hij overeind. 'U heeft gelijk, mevrouw Cadwallader.'

Dr. Stone maakte zijn tas open en pakte zijn instrumenten eruit; hij legde ze zo aan Felicity's voeten neer dat hij er gemakkelijk bij kon: de verlostang ontworpen om rond het hoofdje van de baby te kunnen passen; een lange, gebogen spuit die hij mevrouw Cadwallader met water liet vullen voor het geval hij de baby *in utero* zou moeten dopen; een stel scherpe scalpels voor het geval hij – moge God het verhoeden! – een keizersnede zou moeten doen; en ten slotte een instrument waarmee de baby kon worden gedood, in stukken gesneden en uit het geboortekanaal kon worden getrokken.

Hij werkte stil en zwijgend, en luisterde naar de moeizame ademhaling van Felicity. Dr. Stone voelde dat het zweet hem over zijn hele lichaam uitbrak. Het geval stond hem helemaal niet aan. Een behendig verricht onderzoek had hem duidelijk gemaakt dat het kind niet op de normale wijze gekeerd kon worden, en daar Samuel Hargrave het gebruik van chloroform had verboden, betekende dat dat Neville Stone tot een beslissing werd gedwongen die hij niet wilde nemen. Er stonden hem maar twee wegen open: een keizersnede, of het kind doden en het stukje bij beetje naar buiten halen om de moeder te redden.

Hij voelde mevrouw Cadwalladers omvangrijke aanwezigheid naast zich; haar moederlijke boezem ging zenuwachtig op en neer. Hij hoorde Felicity's hijgende ademhaling en voelde haar zwakke pols. Hij dacht aan de man daar beneden, die de handen in gebed gevouwen hield, en aan zijn eigen zwakheid en sterfelijkheid.

Toen dwaalde dr. Stones blik naar zijn zwarte tas.

Tien jaar geleden zou hij het niet zo moeilijk hebben gehad: hij zou een van de twee afgrijselijke mogelijkheden hebben gekozen en zou zich van zijn taak hebben gekweten met al het stoïcisme van zijn jarenlange medische ervaring. Hoevele vrouwen waren er niet in het kraambed gestorven voordat chloroform werd toegepast! Maar nu – verdomme nog aan toe! – nu bestond er een eenvoudige oplossing waarmee levens werden gered en die hem de vreselijke verantwoording voor de gevreesde beslissing uit handen nam. Een paar druppeltjes wondervloeistof en zowel moeder als kind kon worden gered...

Plotseling nam hij een besluit (de consequenties zou hij later wel onder ogen zien) en pakte een flesje uit zijn tas. Terwijl mevrouw Cadwallader zich dichter naar hem toe boog, haalde hij een zakdoek uit zijn zak en rolde die op tot een soort trechter. Toen hij het flesje openschroefde, hoorde hij de vroedvrouw fluisteren: 'Gaat u dat spul gebruiken?'

Hij knikte bars, stond op en ging naast Felicity staan. Hij boog zich over haar heen, fluisterde troostende woordjes en zette vervolgens het brede gedeelte van de trechtervormige zakdoek over haar neus en mond. Daarna liet hij er druppelsgewijs chloroform op vallen.

'Hoe werkt het eigenlijk?' fluisterde de vroedvrouw, die geboeid toekeek terwijl een ziekmakende, zoete geur vrijkwam.

'Terwijl de vloeistof op de zakdoek vervliegt, ademt Felicity de damp in, waardoor ze in een diepe slaap valt.'

'Hoe noemt u zoiets?'

Neville Stones stem klonk mild en geruststellend, terwijl Felicity de eerste damp opsnoof. Hij sprak eerder om haar te troosten dan om de vroedvrouw wijzer te maken. 'Vier jaar geleden heeft een Amerikaan, Oliver Wendell Holmes, ons het woord gegeven dat we nodig hadden om deze nieuwe slaap te beschrijven. Het wordt anesthesie genoemd.'

Mevrouw Cadwallader bracht haar mouw naar haar neus. 'Hmm, een yankee? Nu, dan weet ik nog niet...'

'Sstt.' Hij richtte zich op, maar liet het kapje op Felicity's gezicht staan. 'Ze is nu weg. Zodra ze diep genoeg slaapt zal ik de baby halen.'

Het zweet droop hem van het voorhoofd en viel in dikke druppels op tafel; zijn handen waren zo vast gevouwen dat ze trilden. Hij boorde al zijn reserves aan, ontspande alle spieren en zenuwen, en deed zijn uiterste best zich aan zijn fysieke banden te ontworstelen, om een uitsluitend denkend wezen te worden, dat zich niet bewust was van de stoel waarop hij zat en van het jongetje dat in elkaar gedoken onder tafel zat, met zijn hand over een bloedend oor. Een wezen dat zich zelfs niet bewust was van het feit dat er plotseling geen enkel geluid meer uit de slaapkamer kwam. Hij concentreerde zich op het contact met de Heer.

Maar Samuels concentratie was niet zo sterk als zijn wil, want tussen zijn gebeden slipten verwarde gedachten: waar haalde hij het geld vandaan voor wéér een kind dat gevoed moest worden; hoe kwam hij aan een betrouwbare huishoudster die voor hen zorgde terwijl Felicity herstellende was; hoe moest hij de belasting betalen die hij binnenkort verschuldigd was. Hij kreeg een brok in de keel en slikte moeizaam. En dan het ondenkbare: stel dat Felicity stierf...

Er ontsnapte hem een snik en plotseling zakte Samuel in elkaar – hij viel voorover op tafel, met zijn armen gespreid als was hij een kruisbeeld; zijn gezicht lag met een wang op tafel en zijn ogen hield hij stijf gesloten. Zijn gedachten gingen met hem op de loop. Hij liet ze hun gang gaan, te zwak om zijn greep erop te behouden. Zijn gedachten vlogen – en dat was niet te verwonderen – regelrecht naar de oorzaak van Samuel Hargraves ellende. Hij wist dat hij geprobeerd had de naakte, ondraaglijke waarheid te ontlopen. Hij wist dat hij zich in zijn gebeden had verdiept, niet zozeer vanwege Felicity's verlossing, als wel voor de zijne; en wat hij nu duidelijk inzag was de nijpende, onontkoombare waarheid dat hij, Samuel Hargrave, als enige verantwoordelijk was voor deze nacht vol ellende.

Nu die gedachte er eenmaal was, probeerde Samuel er niet langer voor op de loop te gaan. De herinnering: die nacht, negen maanden terug, die hem en Felicity tot deze nachtelijke hel had verdoemd.

Sinds hij een volwassen man was, had Samuel nooit geweten wat begeerte was. Als jongen was zijn enige experiment met masturbatie door zijn vader stevig afgestraft. Als opgroeiende jongeman en later als jonge klerk bij het stadsarchief, had hij zijn onwillekeurige nachtelijke zaadlozingen weten te voorkomen door een touwtje om zijn penis te binden. Als tijdens zijn slaap dat verraderlijke orgaan tot erectie kwam, maakte de restrictie van het touwtje hem wakker en Samuel kon zich dan met koud water afspoelen. De huwelijksnacht met Felicity was de grootste beproeving van zijn zelfbeheersing geweest: hij had zijn huwelijksplicht snel en omdat het moest uitgevoerd, zonder ook maar eenmaal de vleselijke geneugten te genieten – zijn enige vreugde was de wetenschap dat hij een nieuwe christen voor de Heer schiep. En de kleine, onderdanige Felicity was, God zij geprezen, nooit een verleiding voor Samuel geweest. Slechts twee keer hadden ze de daad uitgevoerd, en beide keren was ze zo gelukkig geweest zwanger te worden. Het leek Samuel zoiets eenvoudigs dat hij niet begreep en niet kon tolereren dat andere mannen vleselijke lusten kenden.

Maar toen, na negen jaar rechtschapen en onkreukbaar huwelijksleven, was er iets rampzaligs gebeurd.

Felicity had zich een paar weken lang miserabel gevoeld; ze was lusteloos en dromerig geworden, en verwaarloosde haar huishoudelijke plichten. Samuel werd 's nachts diverse keren wakker omdat zijn vrouw lag te woelen, rusteloos zuchtte en af en toe kreunde. Hij had toegegeven en was tot de conclusie gekomen dat het doktershonorarium een remedie waard was, maar de man in Harley Street had zijn hoofd eens geschud en zijn schouders opgehaald en had absoluut niet geweten hoe hij Felicity's lusteloosheid moest verklaren.

Toen op een nacht, vlak na het middernachtelijk uur waarop eerzame Londenaars met een slaapmuts op veilig onder hun donzen dekens lagen, was Samuel wakker geschrokken. Hij had zijn ogen opengedaan en had een slaperige, glimlachende Felicity gezien, wier adem naar laudanum rook. Samuel had iets willen zeggen, maar ze had haar vingertoppen op zijn mond gelegd terwijl ze met de andere hand over zijn borst streelde, wat hem een opwindend gevoel verschafte. Samuel had geprobeerd zich ertegen te verzetten, haar door elkaar te schudden om haar tot rede te brengen, maar de opium beheerste haar brein en bij de aanblik van haar dikke zwarte krullen die verleidelijk over haar blonde borsten vielen, bleven hem de woorden in de keel steken.

Samuel herinnerde zich maar weinig van wat er daarna was gebeurd; stukje bij beetje kwam het terug: haar vochtige lippen op zijn mond, de zoete tong die zich tussen zijn tanden drong, de opwindende aanraking van haar vingers op zijn stijve lid, en vervolgens een duizelingwekkende duisternis en een kolkende werveling, waarna de nacht hen omsloot in een razernij van hartstocht en extase.

De volgende ochtend was Felicity weer de oude geweest, alsof de duivels waren uitgebannen; ze verrichtte vredig haar wereldse plichten, zorgde geduldig voor haar twee zoontjes en zat gedwee met haar gebedenboek bij het vuur, maar Samuel was veranderd. Bitter vernederd door wat hij had gedaan, en zichzelf vergelijkend met de ongelukkige Adam die zo onnozel was geweest zich door Eva tot zonde te laten verleiden, had Samuel Hargrave zich in een ongekende religieuze toewijding gestort. Hij ging voortaan iedere avond naar bijeenkomsten in het bedehuis, waar hij zelf vaak de kansel beklom. Hij begon verhandelingen te schrijven die hij onder de armen verspreidde: preken over het kwaad van de sterke drank, van het gokken, en van het vlees. Hij werd een strenge vader voor zijn jongens, vastbesloten hen te behoeden voor dezelfde goddeloosheid waaraan hij ten prooi was gevallen. En toen Felicity hem een paar weken later vertelde dat ze zwanger was, was Samuel ontzet.

Dus nu strafte de Heer hem. Ze had een gemakkelijke bevalling moeten hebben, want na de eerste baby ging alles vlot. Er was geen andere verklaring voor deze nachtmerrie dan dat het de daad van een wraakzuchtige god was. Voor andere mannen lag het misschien anders, maar Jehova was een strenge leermeester en eiste voorbeeldig gedrag van Zijn uitverkoren predikers. Negen maanden geleden was hij op de proef gesteld en Samuel had volstrekt gefaald – daarom werd nu de straf uitgemeten.

Langzaam en moeizaam stond Samuel op; de tafel was nat van zijn tranen. Hij wreef met zijn handen over zijn gezicht. En toen pas viel het hem op: het was stil in huis.

Mevrouw Cadwallader stond handenwringend en vol verbazing te kijken naar wat de dokter aan het doen was.

Felicity had zich eindelijk zodanig ontspannen dat de vagina wijd open stond; Neville Stone had de baarmoeder kunnen bereiken om de baby te keren. Zonder dat Felicity ook maar één keer met de ogen knipperde! En nu lag het kind op zijn rug tussen Felicity's benen – het kleine, broodmagere lichaampje had iets van een gevilde rat.

Vreemd genoeg huilde de baby niet.

Terwijl dr. Stone de navelstreng afbond en doorsneed, pakte de vroedvrouw de verbazingwekkend lichte baby van het bed en wilde zich al omdraaien, toen dr. Stone, die heftig transpireerde, zei: 'O, mijn god!'

Mevrouw Cadwallader sperde haar ogen wijd open toen ze het bloed zag, helderrood en dun, dat uit de vagina stroomde.

Dr. Stones hand reikte pijlsnel naar zijn tas en tastte naar een klem, terwijl zijn andere hand haastig een handdoek in de opening duwde. 'Het is de placenta, mevrouw Cadwallader! De moederkoek is losgeraakt!'

'God bewaar me!' riep de vrouw uit en klemde instinctief de stille baby tegen haar boezem. 'Ze bloedt dood!'

'Misschien kan ik nog iets doen.' Dr. Stone stak een hand in de vagina, met de andere duwde hij in haar buik, en begon de baarmoeder te masseren.

Het geluid van zware voetstappen op de trap wekte Samuel uit zijn onsamenhangende meditatie. Moeizaam kwam hij overeind.

Dr. Stone liep de kamer door, ging pal voor de man staan en zei: 'We hebben al het mogelijke gedaan.'

Een vluchtig ogenblik dacht Samuel, de baby is dood!

'Het spijt me, meneer Hargrave, uw vrouw was niet meer te redden.'

Samuel staarde de dokter niet-begrijpend en als met stomheid geslagen aan, terwijl Neville Stones stem vriendelijk vervolgde: 'De placenta zat bij uw vrouw op een ongebruikelijke plaats vast, waardoor hevige bloedingen zijn opgetreden. Maar' – hij legde zijn hand op Samuels arm – 'we hebben de baby kunnen behouden.'

Samuel staarde hem sprakeloos aan. 'Mijn Felicity? Dood?'

'U moet dat niet te zwaar opnemen, meneer Hargrave. Uw vrouw is niet voor niets gestorven. U hebt het kind nog.'

Met een plotseling ruw gebaar schudde Samuel de hand van de dokter van zich af, vloog langs hem heen en rende de trap op. In de slaapkamer gekomen liet hij zich naast Felicity op de knieën vallen.

Ze zag eruit alsof ze gewoon lag te slapen: een kuise, sluimerende engel; haar hoge voorhoofd glansde van transpiratie en de dichte, donkere wimpers rustten op de bleke wangen, nu de oogleden zich voorgoed over haar grijze ogen hadden gesloten. Het was alsof het kussen een halo vormde rond haar verwarde haren; ze lag er zo vredig bij, en zo vergankelijk jong. Een gesmoord geluid ontsnapte Samuels lippen en hij veegde snel een traan van zijn wang. Hij haalde diep adem om kalmer te worden en voelde zich even wat licht in zijn hoofd, waarna een sterke geur in zijn neusgaten drong die hij niet kon thuisbrengen. Fronsend keek hij naar het nachtkastje en probeerde in het licht van de olielamp te onderscheiden wat erop stond. Toen zag hij het duidelijk: een flesje met vloeistof en een zakdoek.

Hij vloog overeind, zijn lichaam sidderde heftig. Dr. Stone zei snel: 'Dat was de enige manier waarop ik de baby kon redden, meneer Hargrave. Als ik geen chloroform had gebruikt, waren beiden gestorven en dan zou u nu geen troost vinden in uw nieuwe kind.'

Samuel leek op een standbeeld dat dreigt om te vallen. *'U hebt haar vermoord!'*

'Zeer zeker niet, meneer! Uw vrouw verkeerde in een toestand waarin alle geneeskunst van de hele schepping haar niet had kunnen redden! Zonder de verdoving zou u de baby samen met haar hebben moeten begraven!'

Samuels gezicht verduisterde dreigend; een rode gloed verspreidde zich vanaf zijn boord tot aan zijn haargrens, waar de aderen op zijn voorhoofd zichtbaar klopten. Dr. Stone werd bang; Samuel Hargrave zag eruit als iemand die een hartaanval gaat krijgen. Maar de rode gloed trok weg, het trillen werd minder, en het was alsof Samuel in elkaar zakte. 'Nee,' zei hij toonloos, 'het is niet uw schuld, dokter. De verantwoordelijkheid voor Felicity's dood ligt alleen bij mij. Waar u zich schuldig aan hebt gemaakt, dokter, is het tarten van Gods wil. Ze zouden beiden hebben moeten sterven vanavond, want dat was Zijn straf voor mij. Het kind is het voortbrengsel van mijn zonde. Dokter, u hebt een kind gered dat het recht niet had te leven.'

'Hoor eens even hier, meneer!' Maar mevrouw Cadwallader bracht de dokter met een waarschuwend handgebaar tot zwijgen.

'Als u er zich niet mee had bemoeid, dokter, zou ik van mijn zonden zijn schoon gewassen. Maar nu, vanwege u en dat boze chloroform van u, zal ik een levende herinnering behouden aan deze nacht...'

Dr. Stone keek de man ontzet aan, waarna hij zich omdraaide om naar het trillende wezentje te kijken dat in dekens gewikkeld in de armen van de vroedvrouw lag. Voelde het in welke ellende het terecht was gekomen, en had het daarom nog geen geluid gegeven?

'Neemt u me niet kwalijk, meneer Hargrave,' zei de dokter iets vriendelijker, 'maar de baby moet nog een naam hebben. Het was uw vrouws laatste wens, die ze in haar laatste ademtocht uitte, dat de baby naar u zou worden genoemd. Als dokter en als gentleman heb ik de morele en ethische plicht ervoor te zorgen dat die wens wordt vervuld, voordat ik hier vanavond vertrek.'

Samuel wendde zich af en keek neer op het serene witte gezichtje op het kussen. 'Dan moet het Samuel worden.'

'Maar daar zit hem het probleem, meneer Hargrave. Uw vrouw dacht dat de baby een jongen was.'

Toen Samuel zijn blik weer op de dokter vestigde, stond Neville Stone versteld van wat hij zag: in de donkere ogen was een wilde haat en walging te lezen. Maar voor wie? 'Dan zal *zij* mijn naam dragen, dokter.'

'Kom, meneer, dat kunt u toch zeker niet menen! Een meisje opzadelen met een mannennaam!'

Samuel slaakte een kreet en draaide zich snel af, waarna hij naast het bed neerknielde; hij legde zijn armen over Felicity heen en begroef zijn gezicht aan haar borst. Zijn gebogen rug schokte van geluidloze snikken, zodat de dokter en de vroedvrouw zich in het donkere gedeelte van het vertrek terugtrokken.

'Wat zielig voor het wurm,' mompelde mevrouw Cadwallader. 'Om te beginnen al moederloos, en nu nog vaderloos ook.'

'Hij draait wel bij. Ik heb in uren van verdriet vele verwensingen gehoord die later worden vergeten. Allereerst moeten we deze arme man helpen en de wens van zijn stervende vrouw inwilligen.'

'Maar wat kunt u eraan doen, meneer? De man heeft intens verdriet, en wie weet hoe lang het duurt voordat hij bijdraait. En het arme kind heeft nog niet eens een naam!'

Verstrooid krabde Neville Stone in zijn witte bakkebaardjes, terwijl hij het tragische tafereel bij het bed bestudeerde. En toen kreeg hij een lumineus idee. 'Wij zullen onze christenplicht doen, mijn beste. Haalt u alstublieft wat vers water voor de doop.' Hij liep de kamer uit, waar Samuel zachtjes zat te huilen bij het lichaam van zijn vrouw, en ging de trap af naar de twee vergeten jongetjes in de salon – één stond met grote ogen naast het bijna gedoofde vuur, de ander zat nog als een hond onder tafel gedoken. Dokter Stone liep regelrecht op de familiebijbel af en sloeg het schutblad op, waar met sierlijke, krullerige, felgekleurde letters en goudfiligrain stond: Het Familieregister. Onder de regel gedateerd 14 juni 1854, de geboorte van Matthew Christopher Hargrave, schreef dokter Stone: *Geboren uit Samuel Hargrave en zijn beminde vrouw Felicity (verscheiden op deze dag) 4 mei 1860, Samantha Hargrave*....

2

Toen ze bijna vier was, had het meisje nog nooit één woord gezegd.

Ze was geboren in een somber en stil huis, waar haar enige gezelschap bestond uit een afschrikwekkende man in het zwart, die iedere morgen vroeg wegging en iedere avond laat terugkwam, twee norse, gesloten jongens en een huishoudster met een slechte spijsvertering. De gehuurde hulp voelde zich niet op haar gemak bij het kind, dat altijd in de schaduw leek te staan en haar met grote ogen als van een dier stond aan te staren. Ze geloofde dat het kind achterlijk was en niet de goede verzorging van een normaal kind nodig had. Daarom zette ze het meisje buiten op de stoep, opdat ze haar niet voor de voeten liep.

St.-Agnes Crescent was een kale, rondlopende straat die net paste in de hoek gevormd door Charing Cross en High Holborn, op de grens tussen Soho en Covent Garden. Toen Samuel Hargrave hier jaren geleden met zijn bruid kwam wonen, lag St.-Agnes Crescent in een keurige middenstandswijk met terrasvormig aangelegde straten, waar hardwerkende protestanten zoals de Hargraves woonden. De bevolking was echter enorm toegenomen, en een grote toevloed van halfverhongerde Ierse immigranten was de al overvolle wijken Seven Dials en Covent Garden binnengetrokken. St.-Agnes Crescent lag op het pad van deze grote volksaanwas, en werd overstroomd met meer bewoners dan de straat aankon, de bevolking vervijfvoudigde binnen een paar jaar. Hierdoor was St.-Agnes Crescent in de tijd dat de overwerkte huishoudster Samantha op de stoep neerpootte, een krioelende achterbuurt.

Aan het begin en het einde van de straat bevond zich een kroeg: de King's Coach en de Iron Lion. In de erker op de eerste verdieping van het buurhuis stond een bordje met vervaagde letters erop: MANGELEN, 2 P PER KEER, wat zonder enige betekenis was omdat de eigenaars van de mangel allang waren verhuisd. Niemand had de moeite genomen het bordje weg te halen. Aan de overkant was een rokerig eethuisje, waar arbeiders en hoertjes uit het raam hingen, en langs de hele Crescent stonden groentekraampjes, voddenboeren, straatschooiertjes en bedelaars.

De huishoudster, die het liefst thee zat te drinken met de wasvrouw uit de straat, klaagde altijd dat ze maar niet begreep waarom meneer Hargrave, die toch bij het archief een redelijk loon kreeg, hier bleef wonen in plaats van te verhuizen naar een van die leuke nieuwe huizen aan Brixton Road, zoals zijn oude buren. Dit was nog maar één van de ellendige problemen waar de geplaagde huishoudster mee zat: het meisje was ook een moeilijk geval.

'Zorg dat ze er netjes uitziet, zegt hij tegen me,' vertelde ze op een dag bij de thee met cake. 'En dat zegt hij nota bene, terwijl hij doet alsof ze niet bestaat! Toen ik hier bijna vier jaar geleden kwam werken, gaf hij me twee opdrachten: ik moest het kind rustig houden, zorgen dat het hem niet voor de voeten liep, en ze moest er netjes uitzien. Nu, het is geen kunst het meisje zoet te houden, want ze praat niet. Ze is niet goed bij haar hoofd, zo is dat. En ik krijg het op mijn zenuwen van d'r! Ze houdt zich altijd schuil in donkere hoekjes, en als je je omdraait staat ze je soms aan te staren alsof ze je in de gaten houdt of zoiets. Ik vind het niet leuk dat ze er is, zo is dat. En ik moet zorgen dat ze er keurig bijloopt, maar mijn baas is zo gierig dat hij me geen nieuwe kleren voor haar laat kopen. Ze heeft maar twee jurkjes en ik moet ze steeds verstellen en uitleggen, zo snel groeit ze. Ik heb hem geld gevraagd om stof te kopen, dan kan ik iets voor haar maken, maar die kerel schilt nog liever een aardappel in zijn zak dan dat hij hem met je deelt!'

Terwijl haar vriendin zich nieuwsgierig voorover boog, vervolgde de huishoudster: 'En er is nog iets geks met dat kind. Ik mag nooit aan haar haar komen, nooit. Ze maakt al vreselijk misbaar als ik de kam alleen maar in mijn handen neem. Het is net alsof ze weet dat er iets met haar hoofd aan de hand is, ze wil niet dat iemand eraan komt. Daarom laat ik haar met pieken lopen. Hoe moet ik op díe manier het kind netjes houden?'

Dat lukte haar dus niet, en toen de kleine Samantha moed vatte om met de wildebrassen in de straat mee te doen, werd ze dan ook vanwege haar onverzorgde uiterlijk direct geaccepteerd.

Nu Matthew en James, inmiddels tien en dertien, iedere dag naar de rijksschool gingen en 's avonds met hun neus in de boeken zaten, of met hun vader de bijbel bestudeerden, vond de kleine Samantha op straat een surrogaat familie. Ze was een snelle leerlinge. Zonder een woord te zeggen rende ze achter het groepje aan, en volgde de oudere, wijzere kinderen; ze ging op ontdekkingstocht in steegjes en vuilnisbakken, zwaaide aan waslijnen en speelde verstoppertje en diefje-met-verlos. Ze leerde een wilde, onbegrensde vrijheid kennen, ze ontdekte regen en zonneschijn, ze werd een lenige acrobate, en hoewel niemand wist hoe ze heette, want ze kon niet praten, dwong ze al gauw de bewondering van het groepje kinderen af.

Haar beste vriend en beschermer was een jongen van negen, Freddy, wiens moeder, een Ierse kosteres, haar pasgeboren baby in kranten had gewikkeld en in een vuilnisbak had achtergelaten. Een oude kattenmepper die toevallig voorbijkwam en de ijle kreetjes hoorde, dacht dat hij een goede vangst had gedaan. Hij ontdekte de in de steek gelaten baby, kreeg medelijden met hem en nam het kind mee naar huis. De oude man, die een karig bestaan vergaarde door er 's avonds met een stok en een zak op uit te gaan om katten te zoeken, voedde de weesjongen op en leerde hem zijn vak. Hij overleed aan longontsteking toen Freddy zeven was, zodat de jongen van toen af aan zelf de strijd om het bestaan moest voeren. Hij sliep op een zak in een gat dat hij onder een schuur had gegraven en bedelde of stal zijn eten bij elkaar. De negenjarige jongen was, ondanks ondervoeding en enkele ontbrekende tanden, een knappe, ridderlijke jongen, die het hoofd boven water wist te houden door zijn goede verstand en zijn deskundigheid op het gebied van het kattenvangen. Van de oude man had hij geleerd hoe hij een kat levend moest villen, want die vellen brachten het meeste op; hij pochte vaak dat hij eens zijn eigen kroeg zou hebben.

Het was Freddy die Samantha aan het praten kreeg.

Ze was hun lievelingetje, dat stomme meisje van vier met die betoverende glimlach, en ze volgde de schooiertjes op al hun avontuurlijke tochten. Laat op een middag, nadat ze in de Dials uien en worstjes hadden gepikt, liepen Samantha en Freddy door een duister steegje, toen Freddy plotseling stilstond; Samantha botste tegen hem op.

'Luister!' siste hij, terwijl hij zijn hoofd heen en weer bewoog.

Samantha spitste haar oren en hoorde, tegen de achtergrond van het grotestadslawaai, een zacht miauwend geluidje.

'Het is een kat!' riep Freddy uit. 'Kom op, meid, we gaan hem vangen, villen en verkopen. Dan koop ik een paar varkenspootjes voor je, dat is lekker!'

Verbaasd liep Samantha vlak achter Freddy aan, terwijl hij voorzichtig naar een gat in een schutting kroop. Hij liet zich op zijn knieën zakken en tuurde erdoorheen. 'Ik had wel gelijk! Hij is ook al gewond! Ik hoef er niet eens achteraan te jagen om hem te vangen. Ik kan hem zó villen!'

Toen hij naar zijn mes aan zijn touwceintuur greep, knielde Samantha neer en gluurde door de opening. Een oude cyperse kat, vies en broodmager, lag op zijn zij. Hij had een wond aan zijn poot.

Toen Freddy een beweging maakte, schoot Samantha's hand naar voren en greep hem bij zijn vuist. De kracht van haar greep verbaasde hem. 'Wat-is-ser?'

Ze schudde heftig van nee, zodat haar zwarte krullen heen en weer schudden.

Hij probeerde zijn hand los te trekken. 'Kom, liefje. Dan kan ik weer eens lekker eten.'

Ze deed haar mond open en er klonk een schor geluid.

Hij keek haar fronsend aan. 'Wat zeg je?'

Het klonk als hees gefluister. 'Gewond!'

Freddy's wenkbrauwen schoten omhoog. 'Je kunt praten!'

'Gewond!' zei ze nogmaals, en bleef zijn pols vasthouden en met haar hoofd schudden.

'Ja, meid, ik weet wel dat die kat gewond is. Dat maakt het gemakkelijker om...'

'Helpen, Freddy, helpen.'

Hij sperde zijn ogen open en trok zich een beetje terug. 'Wil je dat ik die rotkat *help?*'

Ze knikte heftig van ja.

'Je bent niet snik!'

Tranen sprongen haar in de ogen. 'De kat... helpen. Alsjeblieft...'

Hij keek naar het lieve gezichtje en voelde zijn hart smelten toen hij in die mooie grijszwarte ogen keek. 'Hoor eens, ik wilde hem net een doodsteek geven. Maar hij vindt het heus niet goed dat je hem aanraakt, dat is zeker. Hij krabt ons, reken maar, dat doen gewonde dieren nu eenmaal altijd.'

Weer schudde ze haar hoofd en bukte zich. Ze glimlachte naar de goudkleurige ogen in het donkere gat en stak haar hand uit. De oude kat liet toe dat ze zijn stugge vacht streelde.

Freddy bleef gehurkt zitten. 'Wel heb ik van m'n leven...'

Een week lang brachten ze de kat melk die ze bij Samantha uit de kast pikten en probeerden hem aan het eten te krijgen. Ze pakte wat beschimmeld brood uit een blik dat de huishoudster om de een of andere geheimzinnige reden altijd had staan, en deed de groene, harige schimmel op de wond, precies zoals ze de huishoudster eens bij Matthew had zien doen toen die een snee in zijn arm had. Iedere ochtend nadat haar vader was weggegaan, ontmoetten ze elkaar, renden naar de steeg en verzorgden de kat. Daar de poes zich alleen door Samantha liet aanraken (hij krabde Freddy toen hij het een keer probeerde), stond Freddy ongeduldig tegen de schutting geleund terwijl zijn vriendinnetje de poes aaide, te eten gaf en hem met haar pas ontdekte stemmetje zachtjes toesprak. Tot uiteindelijk de ochtend aanbrak dat de poes was verdwenen.

Freddy was ook de eerste die de kleine Samantha voor Isaiah Hawksbill waarschuwde.

Vlak bij de hoek stond een donker, rustig huis, een en al geheimzinnigheid. Hoewel het huis was dichtgespijkerd, woonde er een oude man alleen die de fantasie van de kinderen prikkelde met visioenen van toverij en hekserij. Niemand zag de oude Hawksbill ooit, maar de mensen die iedere week zijn karige voedselrantsoen afleverden, fluisterden rond dat ze een glimp van hem hadden opgevangen (pakjes moesten achter op de stoep worden gelegd, waar geld in een blikje werd gestopt, en een paar dappere zielen waren in de buurt blijven rondhangen om zoveel mogelijk van de beruchte figuur op te vangen) en hij was inderdaad afgrijselijk om te zien: verschrompeld, knokig, en met een gezicht zó lelijk dat de trein naar Brighton ervoor zou stoppen. Terwijl de naam Hawksbill bij de kinderen van St.-Agnes Crescent angst opriep (ze staken altijd de straat over als ze bij zijn huis kwamen), was de naam voor de volwassenen reden tot wantrouwen. Een paar jaar daarvoor had het verhaal de ronde gedaan dat Hawksbill iets onvoorstelbaar vreselijks had gedaan met een klein meisje.

Samantha stond altijd met Freddy's beschermende arm om haar magere schoudertjes naar de dicht gespijkerde ramen aan de overkant te kijken, terwijl de andere kinderen rot fruit tegen Hawksbills deur gooiden, waar het tegenaan bleef kleven, opdroogde en pas verdween als de regen het wegwaste. En zo vergleden haar dagen: rondzwervend over straat met een horde wilde, dakloze kinderen, om 's avonds thuis te komen waar ze eten kreeg van de huishoudster die haar naar bed stuurde – een vreemd wezentje, dat geduld werd door haar koude, liefdeloze familie.

Maar toen kwam de dag dat zij haar vader voor het eerst zag, en hij haar. Ze was zes jaar oud en droeg een opgelapt jurkje dat te strak om haar magere lijfje zat en dat zo kort was dat het niet netjes meer was. Haar benen en blote voeten waren vies en haar haar hing in slordige strengen tot aan haar middel. Ze zat op de stoep van hun huis toen Samuel, die vroeg thuis kwam omdat het koninginnedag was en zijn kantoor om twaalf uur was dichtgegaan, de treden van de trap opliep. Hij voegde Samantha iets onaardigs toe, in de veronderstelling dat ze een buurkind was, en duwde haar met zijn voet opzij, toen ze ineens naar hem opkeek en zijn blik ontmoette. Ze verstarden allebei, hij lang en donker, met zijn hand aan de deurkruk, zij ineengedoken en smerig aan zijn voeten, met haar gezichtje naar hem opgeheven als een groezelige zonnebloem. Ze keken elkaar lang en strak aan – beiden ontdekten de ander voor het eerst, beiden uitdrukkingsloos en bewegingloos; en toen welde er ineens een golf lang verdrongen gevoelens in Samuel Hargrave op. Hij keek neer op het gezichtje van zijn geliefde Felicity.

Het duizelde hem en hij rilde van afschuw. Samuel zag een klein vies handje dat zich naar zijn broekspijp uitstrekte, en als vanzelf deed hij een stap terug. Abrupt draaide hij zich om, snelde het huis in, struikelde over de drempel en men kon hem met bulderende stem om de huishoudster horen roepen. Er volgde een heftige woordenwisseling.

'Ze is zo vies als een straatmeid!'

'Wat kan het u schelen, u besteedt nooit aandacht aan haar!'

'Ik heb u in dienst genomen om goed voor haar te zorgen!'

'Voor die vijf rot-shillings per week kunt u toch niet verwachten dat ik...'

De huishoudster kon vertrekken.

Een buurvrouw, moeder van twaalf kinderen, werd erbij gehaald; ze kreeg

één shilling om het kind eens degelijk te wassen en nog eens tweeënhalve shilling om wat kleren en schoeisel voor haar te kopen. Terwijl Samantha zwijgend de hardhandige boenpartij en het borstelen van haar haar onderging, was ze in gedachten bezig met het wonder dat was gebeurd.
Hij had haar opgemerkt...

3

Er kwam een nieuwe huishoudster en 's avonds nam Samuel persoonlijk Samantha's godsdienstlessen ter hand. Daar, bij het vuur in de woonkamer, ontdekte Samantha haar onuitputtelijke vermogen tot liefhebben. Ze beschouwde de strenge man als een reddende engel, alsof ze een vondeling was, want had hij haar niet van straat gehaald en zorgde hij nu niet voor haar? In haar koortsachtige wil hem te behagen, worstelde Samantha met de letters van het alfabet, en inwendig was Samuel onder de indruk van de snelheid waarmee ze de dingen leerde. Maar dat liet hij niet merken. Hij behandelde het meisje alsof ze het kind van een vreemde was, inderdaad een vondelingetje, en hij vervulde zijn normale christenplicht door ervoor te zorgen dat ze netjes gekleed ging, goed gevoed werd en de Schrift leerde. Haar twee norse metgezellen, jongens die ze nauwelijks kende (Freddy was meer een broer voor haar dan James of Matthew), volgden hun lessen en gingen vervolgens naar bed, zonder zich om haar te bekommeren.
Overdag rende Samantha nog steeds vrij rond met haar medeschepselen in dat ongebreidelde, leerzame straatleven, maar nu ging ze vroeg bij hen weg om zich thuis gauw te wassen, te verkleden en verlangend op de terugkeer van haar vader te wachten.
Samantha was in één opzicht uniek onder de belhamels van de Crescent: ze bleef onbedorven. Het deed er niet toe aan hoeveel ondeugende streken of verboden escapades ze meedeed, de kleine Samantha zag kans een eenvoudig en ongecompliceerd gevoel te behouden voor wat eerlijk was. Dit ging gepaard met haar onschuldig vertrouwen in de wezenlijke goedheid van de mens: alle andere mensen zagen alleen de buitenkant van iemand, de prostituée of de lijkenrover. Het kleine meisje Hargrave echter, met al het mededogen geërfd van een zachtaardige moeder die ze nooit had gekend, zag achter die buitenkant altijd een goede inborst, een vrouw die pech had gehad of een man die probeerde zijn hongerende gezin te eten te geven. Samantha geloofde stellig dat de mensen tot slechtheid werden gedwongen, en dat niemand van nature slecht was.
In het begin vond Freddy dat ze niet goed snik was en dat zei hij ook vaak tegen haar, want ze had medelijden met de worstenmakers van wie ze gapten. Freddy probeerde haar uit te leggen dat het gewoon een kwestie was van wie de snelste was. En als ze medelijden had met de veteranen zonder armen uit de Krimoorlog, die op Piccadilly Circus bedelden, en hun gaf wat ze die dag had gestolen, probeerde Freddy haar aan haar verstand te brengen dat er een heleboel bedriegers bij waren, die hun armen onder

hun kleren verborgen en die een gemakkelijk leventje leidden omdat er zulke gekken als zij bestonden. Maar na een tijdje probeerde Freddy niet meer haar tot andere gedachten te brengen, want hij zag wel dat ze nooit zou veranderen en dat Samantha, vergeleken met de gewetenloze, rauwe klanten met wie hij optrok, een dierbaar, zeldzaam wezentje was.

En als Samantha al geen kwaad zag in de ongelukkige bewoners van de Crescent (in haar hart was ze zelfs niet bang voor de oude Hawksbill), haar vader en redder beschouwde ze als de verpersoonlijking van het goede. Ze wenste niets anders ter wereld dan zijn goedkeuring. Na een paar weken worstelen met de letters van het alfabet, waarin ze haar uiterste best deed hem een complimentje te ontlokken, gebeurde er echter niets, en daarom zocht de kleine Samantha een manier om het hem naar de zin te maken. Ze torste moeizaam met een emmer water van de pomp aan het eind van de Crescent, want haar huis bezat geen waterleiding, toen Freddy haar achterop kwam en het handvat beetpakte. Hij grijnsde haar toe, waarbij zijn gehavende gebit zichtbaar werd. 'Ik zie je haast nooit meer, krijg je kapsones?'

Samantha haalde alleen haar schouders op en ze liepen de straat verder uit, met de emmer klotsend tussen hen in. Freddy begreep niet wat het was om een vader te hebben. Toen ze bij de stoep voor haar huis waren, begon Freddy op te scheppen over een heleboel pennies die hij kort geleden had buitgemaakt.

'En waar haalt zo iemand als jij die dan wel vandaan?' vroeg ze.

'De leerlooier verderop.' Sloom tilde hij zijn arm op en wees. 'Hij geeft een halve penny per emmer. Hij heeft het nodig voor het looien.'

'Een emmer met wat?'

Freddy hield zijn handen tegen zijn magere lijf en brulde het uit van het lachen. 'Een emmer met wat? Waarom vraag je het hem zelf niet, met al je kapsones.'

Terwijl hij lachend de straat uit rende, stond Samantha hem nadenkend na te kijken, en toen kreeg ze ineens een geweldig idee: als ze een paar pennies had, kon ze iets moois voor haar vader kopen.

De leerlooier, zo bleek, had hondepoep nodig voor zijn werk, en hij betaalde een halve penny voor een volle emmer. Het kostte een hele dag om een emmer vol te krijgen en daar vele kinderen het deden, was de concurrentie fel. Worstelend met de zware bak en het schepje dat de looier haar had gegeven, stroopte Samantha de laantjes en steegjes af, ervoor zorgend dat ze Hawksbills huis omzeilde, al lag zijn ongebruikte stoep aan de voorkant vol met hopen. Tegen zonsondergang sjouwde ze naar de looierij, terwijl haar vriendjes haar honend toezongen: '*Wij* eten altijd vla over de rabarber!'

Samantha drong zich onaangedaan tussen hen door, maar liet haar tranen de vrije loop toen een schooiertje haar de halve penny die ze van de looier had gekregen, uit handen griste en ermee vandoor ging. Toen werd ze helemaal uitgejouwd en iemand waagde het zelfs aan haar haar te trekken. Op dat moment vloog er een rotte aardappel door de lucht, die de groep schreeuwend uiteenjoeg, en een grijnzende Freddy verscheen.

Terwijl hij met haar naar huis liep, luisterde hij naar haar droeve verslag van die dag (ze was doodop en smerig, en, wat nog erger was, platzak) en onder aan de stoep bleef hij met zijn handen op zijn heupen staan. 'Je bent niet snik, Samantha Hargrave, al lees en schrijf je nog zo veel. De anderen werken ook niet zo hard. Er is niet genoeg poep voor iedereen. Je had er je eigen wel bij kunnen doen, dan lijkt het wat meer. De looier ziet het verschil toch niet. Je bent onnozel, hoor, blauwkous, je kunt niet eens je eigen stront verkopen!' Gierend van het lachen rende hij de straat uit.

Vijf minuten later trok Samuel zijn neus op toen hij zijn dochter zag, inspecteerde de bruine vegen op haar handen en jurk, en droeg haar over aan de zuinig kijkende huishoudster, die haar een stevig pak rammel gaf en haar zonder eten naar bed stuurde.

Twee dagen later vertrok de zestienjarige James naar Rugby. Op de ochtend van zijn vertrek kwam hij in zijn zondagse pak beneden, met een veel gebruikte tas in de hand. Na zijn vader stijfjes gedag te hebben gezegd, liep James de stoep af en verdween.

Het jaar daarop kwamen er brieven, korte epistels waarin nauwelijks meer vermeld stond dan een verslag van zijn leven op school. 'Vorige week heb ik cricket gespeeld en moest werpen; na één bal moest ik van het veld, want de captain zei dat als de bal niet was gevangen, hij vèr uit zou zijn geweest.' Daar hij vanwege zijn beschadigde gehoor niet aan sport kon meedoen, stortte James zich helemaal op zijn studie. Hij moest harder werken dan de andere studenten, omdat hij door zijn doofheid de lessen moeilijk kon volgen.

En toen, even plotseling als hij was vertrokken, kwam James weer thuis. Hij was een jaar ouder en wijzer, en liet trots een wiskundediploma zien. Samantha vond het fijn dat haar broer weer terug was, want hij was lang en knap geworden, en leek veel op vader. Maar lang bleef hij niet, want al gauw na zijn terugkeer ging James naar Oxford, en deze keer ging vader met hem mee.

Op de ochtend van hun vertrek naar een bestemming die ze Paddington Station noemden, zat Samantha op de stoep voor het huis, en steunde haar kin in de kom van haar handen. Uit het niets, dat was nu eenmaal zijn stijl (een talent waardoor hij uit handen van de politie wist te blijven), kwam Freddy opduiken. Hij liet zich onhandig naast haar zakken, want hij was nu veertien, en lang en slungelig, en zei: 'Waarom kijk je zo?'

'Mijn vader en broer zijn met de trein weg en ik wou dat ik mee had gekund.'

'Waar zijn ze naar toe?'

'Oxford, wat dat dan ook zijn mag.'

'Waarvoor?'

'Weet ik niet. Ze hadden het over medicijnen en studeren. Freddy, hoe kun je een flesje medicijnen bestuderen?'

Haar metgezel sloeg zich op de knie, die door de tot op de draad versleten stof van zijn broek stak, en schaterde het uit. 'Je studeert niet een *flesje* me-

dicijnen, stomkop, maar de *wetenschap* van de medicijnen!'
Ze hief haar gezichtje naar hem op. 'Wat betekent het dan dat mijn vader en mijn broer naar Oxford zijn gegaan?'
'Ik denk dat dat betekent dat je broer dokter gaat worden.'
'Waarom moet hij dan naar Oxford? Een dokter doet niets anders dan vieze rommel in je mond stoppen.'
Met glinsterende ogen boog Freddy zich dichter naar haar toe, en zei op samenzweerderige toon: 'Ooo, aan dokteren zit nog wel meer vast! Ze snijden de mensen in stukjes, net als spek, dàt doen ze!'
Samantha stak haar sensuele onderlip naar voren. 'Dat mag je niet zeggen! Mijn broer zou zoiets nooit doen!'
'Als hij dokter wordt wel. Dat vinden ze chic!'
'Hoe weet je dat allemaal?'
'Ik zal het je laten zien.' Freddy sprong op en keek breed lachend op haar neer. 'Ga je mee, liefje?'
Ze nam hem wantrouwend op. 'Waar naartoe?'
'Naar de plek waar dokters aan het snijden zijn!'

4

Ze liep met hem mee door Londen, langs Charing Cross Road tot die in Tottenham Court Road overging, en vervolgens langs University Street. Het North London Hospital met zijn vier verdiepingen stond tegenover de universiteit en was zo indrukwekkend dat Samantha even haar adem inhield. Het was tien uur in de ochtend en bij de ingang aan de voorkant was het druk. Freddy wenkte Samantha en ze liepen om het gebouw heen naar een terrein aan de achterkant, dat vol karren en rijtuigen stond.
Een dicht opeengepakt groepje medische studenten stond vlak bij de achterdeur, allemaal even recht van lijf en leden, en knap; ze praatten zachtjes met elkaar. Freddy fluisterde: 'Die doen hetzelfde als je broer, Sam. Zo is James ook.' Weggedoken achter een sleperswagen keken Samantha en Freddy naar de studenten. Even later zagen ze drie jongedames zenuwachtig het terrein op komen lopen. Toen ze wat angstig en hysterisch giechelden, legde een jongeman zijn vinger tegen de lippen, stak zijn hand door de arm van een van de meisjes en begeleidde haar naar binnen. Toen ze allemaal de deur door waren gegaan, kwamen Samantha en Freddy achter de kar vandaan en glipten de achterdeur binnen.
Toen haar ogen zich aan het halfduister hadden aangepast, zag Samantha dat ze in een smalle, betegelde gang stond, met aan beide kanten dubbele deuren. Die aan haar linkerhand stonden op een kier; ze wierp snel een blik naar binnen en de adem stokte haar in de keel. Uitgestrekt op een lange tafel lag het lijk van een jonge man, naakt en gelig wit. Vier mannen stonden om hem heen, met opgerolde hemdsmouwen, en prikten in een holte die Samantha niet kon zien. Een reusachtige man met grijzend rood haar en een met bloed besmeurd slagersschort voor, kennelijk de leider van

het groepje, legde rustig iets uit.

Vlak bij haar oor fluisterde Freddy: 'Wil je liever naar huis, bangerd?'

Ze slikte moeizaam en schudde langzaam van nee, waarna ze achter hem aan de gang door liep, naar een enkele, kleinere deur, waardoor de medische studenten waren verdwenen. Ze liep op haar tenen over de tegels, trok beschroomd de deur open en stond onder aan een donkere, smalle trap. Bovenaan stond weer een deur open; er scheen licht doorheen en ze hoorden stemmen.

'Dit mag vast niet, Freddy,' fluisterde ze.

Hij stond achter haar, met zijn hand in haar zij. 'Ik wist wel dat je het lef niet zou hebben. Je bent een bange schijterd, dat dacht ik allang.'

'Niet waar!'

'Stil nou, anders gooien ze ons eruit. Nou, als je niet bang bent, ga dan naar boven.'

Samantha liep de trap op. Bovenaan stond ze stil en gluurde om het hoekje van de deurpost. Ze stond boven in een amfitheatergewijs ingerichte operatiezaal. De onderste drie rijen zaten vol studenten, dokters en verpleegsters, schouder aan schouder, aandachtig over metalen relingen gebogen; ze waren een en al oog voor de lege operatietafel daar beneden, alsof ze stonden te wachten op een voorstelling die ging beginnen. Op de bovenste rij, wat verderop, zaten de medische studenten met hun nerveuze, giechelende jongedames.

Samantha bleef in het hoekje tegen Freddy's stevige lijf aangedrukt staan en zag hoe beneden hen de dubbele deuren openzwaaiden. De reusachtige, roodharige man kwam erdoorheen, nog steeds met het slagersschort uit de sectiekamer voor. Zijn komst dwong onmiddellijke stilte af. Dit was Bomsie, professor in de chirurgie. Hij werd vergezeld door de drie assistenten die ook bij de autopsie aanwezig waren geweest, hun handen en armen nog vol donkere bloedvlekken, en direct daarachter droegen twee mannen een rieten mand met de patiënte de operatiezaal binnen.

Het was een mager, broos vrouwtje, dat trilde van angst. Terwijl ze op de tafel werd geholpen, vlogen haar ogen over de onpersoonlijke gezichten die op haar neerkeken. Een van de mannelijke assistenten begon haar jurk los te knopen en Bomsie richtte zich met luide stem tot de toeschouwers: 'De patiënte is van het vrouwelijk geslacht, vijfentwintig jaar oud, en verder in goede gezondheid; ze is dienstmeisje in Notting Hill. Ze werd door haar werkgever naar dokter Murray gezonden toen ze klaagde over hevige pijn in de rechterborst. Onderzoek bracht een ingetrokken tepel aan het licht, die voortdurend bloedt, en een knobbel ter grootte van een appel. Zonder operatie zal ze zeker binnen het jaar sterven.'

Bomsie knikte naar een van zijn assistenten. De jongeman liep naar een kast die tegen een van de wanden stond en koos Bomsies favoriete instrumenten uit: twee scalpels, een tenaculum (wondspreider), een paar klemmen en een schaar. Hij legde ze op een blad naast het hoofd van de vrouw. De patiënte, die nu met ontblote borst lag, smeekte te worden losgelaten, maar werd vastgebonden.

North London Hospital onderscheidde zich van andere ziekenhuizen in Engeland door als eerste tijdens een operatie verdoving toe te dienen. Dat betekende echter niet dat dit al een ingeburgerde gang van zaken was geworden. De vraag of er al dan niet chloroform werd gebruikt, werd voor ieder geval helemaal aan de betreffende chirurg overgelaten, en Bomsie verkoos het niet toe te dienen. Zijn reden daarvoor werd door vele collega's gedeeld: er stierven te veel patiënten aan het inademen van chloroform en ether. Het risico dat ze aan de narcose stierven was te groot – en dat alleen om hen een paar minuten pijn tijdens de operatie te besparen. Dat verklaarde Bomsie in het openbaar. De eigenlijke reden voor het verwerpen van de narcose moest echter worden gezocht in zijn leeftijd – hij was over de zestig – en het feit dat hij een uitmuntend, bijna legendarisch chirurg was.

In de dagen vóór het toepassen van narcose, nog niet zó lang geleden, was de beste chirurg hij die het snelst werkte, en de patiënt zoveel mogelijk lijden bespaarde. In zijn lange, illustere carrière had Gerald Bomsie zich de naam verworven een van de snelste chirurgen van Engeland te zijn. Met de komst van de narcose echter, nu de patiënt zich niet langer gillend verzette tegen het vastbinden maar vredig lag te slapen, konden de chirurgen de tijd nemen. De maatstaven voor roem veranderden: niet langer werd de *snelste*, maar de *vaardigste* geprezen, en hoewel Gerald Bomsie in het eerste opzicht legendarisch was, ontbrak hem de laatste kwalificatie. Narcose beroofde hem van zijn titel. En daar vele oudere chirurgen nog steeds op de oude manier opereerden, zonder narcose, trok niemand in de zaal, op die frisse ochtend in mei, Bomsies methode in twijfel.

Gerald Bomsie klemde de scalpel tussen zijn tanden, zodat hij met zijn handen door zijn manen kon strijken. Hij negeerde de doodsbange smeekbeden van de jonge vrouw die voor hem lag uitgestrekt, spreidde zijn vingers over de aangetaste borst zodat de huid strak stond, en sneed hem in één soepele handbeweging open.

Zakhorloges kwamen te voorschijn terwijl iedere toeschouwer de tijd bijhield. Samantha hoorde iemand zachtjes zeggen: 'Houd je ogen goed open, hij is de snelste sinds Liston! Ik heb eens gezien hoe hij in één snede het been van de patiënt, zijn testikels, drie vingers van zijn assistent en de slippen van de jas van een toeschouwer verwijderde!'

Samantha's duifgrijze ogen verwijdden zich en ze keek zowel geboeid als gehypnotiseerd toe. De borst werd van de romp gescheiden, en het bloed liep met straaltjes in de met zaagsel gevulde emmers onder de tafel. Toen de klomp gelig, bloederig vlees op de grond viel, legden Bomsies grove handen snel hechtingen aan, waarna hij water over de glinsterend rode spieren goot en vervolgens de huid met stroken pleister bij elkaar haalde.

Samantha werd uit haar verdoving wakker geschud door een donderend applaus. Ze zag dat de patiënte gelukkig was flauwgevallen, evenals de metgezellinnen van de medische studenten.

Toen de vrouw werd weggedragen, waste Bomsie zijn handen, iets wat chirurgen alleen *na* een operatie deden, en richtte zich weer tot het publiek.

Maar Freddy en Samantha bleven niet luisteren. Ineengedoken liepen ze de trap weer af en haastten zich de gang op om te zien waar de patiënte naar toe werd gebracht.

Terwijl ze achter de mannen met hun mand de gang doorliepen, besteedde niemand enige aandacht aan de twee sjofele kinderen die erachter aan renden. Ze kwamen in een hal waar het wemelde van de doktoren en studenten, patiënten die tegen de muur leunden of op de grond zaten, en bezoekers met hoge hoeden op en met ruisende crinolines aan. De rieten mand werd door een van de deuren die op deze hal uitkwamen gedragen.

Freddy grijnsde Samantha boosaardig toe. 'Je ziet wat pips, liefje. Je kunt er niet meer tegen, hè?'

Ze had moeite iets te zeggen. 'Als jij het kunt, kan ik het ook.'

Ze glipte onopgemerkt de ziekenzaal op.

Het eerste dat hen tegenhield was de stank. Samantha sloeg een tip van haar sjaal voor haar neus en nam het tafereel in zich op: een lange zaal met aan een kant een open haard, en aan weerszijden een rij bedden. Terwijl ze probeerde haar misselijkheid te onderdrukken, liet ze haar blik verbijsterd over de bedden met vrouwen dwalen: sommigen kreunden, sommigen gilden het uit, sommigen smeekten te mogen sterven, een paar lagen god zij dank bewusteloos. Naar deze zaal werden de vrouwen na een operatie heen gebracht; allen waren op de een of andere manier verminkt en verkeerden in verschillende stadia van infecties.

Naast de open haard stond een tafel waaraan een zuster van de orde van All Saints zat; ze droeg een jurk van ongebleekt linnen, een witte kap en een wit schort en ze zat thee te drinken. Op de wand achter haar hing een bordje: LAKENS MOETEN EENS PER MAAND WORDEN VERSCHOOND, OF DAT NU NODIG IS OF NIET. In de ruimte tussen de twee rijen bedden en tussen de zieken in wijdden zaalzusters zich aan hun plichten: ze leegden po's, draaiden patiënten om, legden papjes op wonden en veegden de vloer aan. Een andere zuster stond bij een kast de voorraad op te nemen en iets in een notitieboekje te krabbelen.

Samantha wist niet wat erger was, het lawaai of de stank. Geen martelkamer leverde zo'n meelijwekkend scala van menselijk lijden op. En toch kon ze haar handen niet voor haar oren houden, want ze moest haar neus beschermen. Nergens, zelfs niet in de achterafsteegjes op een warme zomerdag, was ze ooit zo'n overweldigende stank tegengekomen. Samantha zag de oorzaak van de vunzige dampen: de etterende zweren, de lekkende wonden, het wegrottende vlees, de straaltjes groen pus. Het was de stank van levende lijken die lagen te vergaan.

Haar aandacht werd getrokken door de rieten mand, die nu leeg was, want het meelijwekkende wezentje, met haar bovenlijf nog steeds ontbloot waardoor haar ene goede borst en de bloedende rode snee zichtbaar waren, was in bed gelegd. Bij het bed ernaast zag Samantha een chirurg en drie medische studenten een knap tienermeisje onderzoeken. Haar been was onder de knie afgezet en de stomp was op een blad gelegd om het pus op te vangen. Terwijl hij tekst en uitleg gaf, verwijderde de chirurg het verband –

een vierkant stukje brokaat, druk bewerkt met een monogram: de liefdadige gift van een rijke familie. Hij haalde het vieze verband eraf, trok eraan waar het bleef plakken, en gooide het aan het voeteneind van het bed. Direct pakte een verpleegster het op, nam het mee naar het bed ernaast, waar de vrouw met de ene borst onbeheerst lag te huilen, en legde het vieze lapje over de bloedende snee, waarna ze het met pleister vastmaakte.

Terwijl twee zusters haar te hulp kwamen, kreeg een van hen de kinderen in de gaten en ze riep: 'Hé jullie daar! Wegwezen!'

Freddy en Samantha draaiden zich om en renden weg, vlogen door de drukke hal en snelden de trap voor het gebouw af. Ze renden zo hard ze konden, behendig, jong en ervaren als ze waren, over schuttingen en door goten, tot ze uitgeput en hijgend tegen een muur geleund bleven staan. Freddy begon te lachen. 'Ik moet het je nageven, Sam, ik had nooit gedacht dat je het zou uithouden! Ik heb nog nooit een vrouw gezien die bij zóiets niet flauwviel.'

Toen ze wat op adem was gekomen, keek ze zwijgend en strak naar de beroete muur aan de overkant. Toen Freddy ook tot rust was gekomen, zei ze zachtjes: 'Het is niet goed, Freddy.'

'Ach, kom nou toch, Sam, doe niet zo laf! Iedereen sluipt wel eens het ziekenhuis binnen...'

'Dat bedoel ik niet.' Ze keek hem met haar grote grijze ogen aan, verbazingwekkend volwassen voor zo'n jong meisje. 'Ik bedoel wat zich daar afspeelt. Dokters horen te helpen, niet te martelen.'

'Ze bedoelen het goed, Sam. Misschien weten ze niet beter.'

Ze wendde haar hoofd abrupt af en verzonk in diepe, kwellende gedachten.

Nog weken daarna had ze nachtmerries en werd overdag achtervolgd door levendige beelden van het ziekenhuis. Maar ze werd niet geplaagd door angst of afschuw, zoals Freddy dacht, maar door het vreselijke gevoel dat het *verkeerd* was.

Toen Samantha's gedachten zo zeer in beslag werden genomen door het ziekenhuis dat het een regelrechte obsessie werd, gebeurde er iets wat haar afleiding bezorgde.

Samuel Hargraves religieuze ijver nam toe naarmate de zomer plaats maakte voor een winter die Londen onder een deken groezelige sneeuw bedekte. In dat jaar, als ze niet met Freddy over straat zwierf, werd Samantha ingeschakeld om haar vader bij zijn goddelijke taak te helpen: zij moest pamfletten in elkaar naaien.

Samuel was niet langer tevreden met af en toe op zondag een beurt op de kansel en hij begon zijn preken op straat af te steken. Gewapend met bijbelse verhandelingen die hij zelf schreef en drukte, en die hij Samantha bij lamplicht in elkaar liet naaien, stelde Samuel zich op in de ontuchtigste delen van Londen – Cremorne Gardens, Haymarket en Regent Street – waar hij prostituées zijn pamfletten in handen duwde met de vermaning dat ze berouw moesten tonen. Zijn fanatieke houding maakte hem geleidelijk aan tot een ander mens, maar het was een verandering die Samantha in haar blinde toewijding niet opmerkte. En toen op een avond deed Samuel iets heel vreemds.

Terwijl Samantha over de pamfletten gebogen zat, en haar haar onder de melkwitte gloed van de lamp over haar wangen en voorhoofd viel, voelde ze dat haar vader haar intens zat op te nemen. Toen ze haar ogen opsloeg schrok ze van zijn wilde blik. Samantha beantwoordde zijn blik een lange tijd, verbaasd maar niet bang, en toen deed hij zijn lippen vaneen en hoorde ze hem fluisteren: 'Felicity...'

Niet wetend wat hij bedoelde, want Samantha kende niemand die zo heette, zei ze: 'Wat is er, vader?'

Het was alsof haar kleine stemmetje een deur opende. Voor het eerst in tien jaar kreeg zijn gezicht een zachtere uitdrukking, en zijn blik was omfloerst. Toen ze dat zag, slaakte Samantha een kreetje, sprong op en rende naar hem toe. Ze sloeg haar armen om zijn hals en huilde tegen zijn borst. Even liet hij haar begaan, hoewel hij de omhelzing niet beantwoordde, en ze voelde de angstige klop van zijn hart. Vervolgens maakte Samuel zijn dochter van zich los en ging, weer helemaal beheerst, verder met zijn preek.

Twee dagen later kondigde hij het aan.

Het werd tijd, zei hij, op een toon die hij ook gebruikte als hij klaagde over een karbonade die niet gaar was, dat Samantha ontdekte wat eerlijk werken was en dat ze de waarde van het geld leerde kennen. Per slot van rekening was ze tien jaar oud en naderde met rasse schreden de drempel naar het vrouw-zijn. Er was een heer, legde hij kort en bondig uit, die hulp in de huishouding nodig had, een weduwnaar die een vrouw zocht die voor hem kookte en schoonmaakte. Toen ze wilde tegenwerpen dat het geen zin had haar naar een ander huishouden te sturen en zelf een huishoudster aan te houden, zag Samantha aan de vastberaden trek op zijn gezicht dat het nutteloos was zich te verzetten. Ze moest iedere ochtend, vertelde hij, naar het huis gaan van de man met wie hij de regeling had getroffen. Ze zou daar tussen de middag en 's avonds eten, en naar huis komen om in haar eigen bed te slapen, omdat de man er geen behoefte aan had haar intern te nemen.

Samantha moest de volgende dag beginnen en de man heette Isaiah Hawksbill.

5

Het eerste dat Samantha opmerkte was de misselijk makende stank die door de deur naar buiten kwam, het tweede was hoe intens *lelijk* de man was. Met open mond keek ze naar hem op en probeerde haar schrik te verbergen, want Freddy had haar gewaarschuwd: als ze Hawksbill één keer toonde dat ze bang voor hem was, zou hij haar in zijn macht hebben.

'Kom binnen,' zei hij bars, 'als jij tenminste dat meisje van Hargrave bent.'

Samantha slikte moeilijk en stapte over de drempel.

Ze stonden in de bijkeuken en toen haar ogen aan het duister waren gewend, kon Samantha een gesmoorde kreet nauwelijks onderdrukken. Het was een ongekend tafereel, met overal vuile borden en potten, stukjes verrot voedsel, vieze bekers en restjes groen brood. 'Je moet hier beginnen,' zei hij kortaf; Samantha merkte op dat hij òf een spraakgebrek had, òf met een buitenlands accent sprak. 'Ik heb geen tijd me met deze rotzooi bezig te houden, maar ik heb geen schone lepel meer over en ik heb schoon genoeg van mijn eigen gekook.'

Zijn kleine groene oogjes glinsterden onder borstelige, witte wenkbrauwen. Hawksbills sneeuwwitte haar groeide woest op zijn hoofd en moest hoognodig geknipt worden; zijn kin vertoonde stoppeltjes omdat hij zich niet goed had geschoren. Hij was gekleed in een gekreukelde pandjesjas, zijn das zat scheef en zijn witte overhemd zag grauw en zat onder de vlekken. Alles bij elkaar niet veel meer dan een slordige, onverzorgde oude man, maar voor de kleine Samantha was hij inderdaad het monster waarvoor Freddy haar had gewaarschuwd.

Ze had de impuls om zich om te draaien en ervandoor te gaan, maar toen herinnerde ze zich dat ze hier was omdat haar vader dat wenste (wat voor geheimzinnige reden hij ook mocht hebben). Nu haar dat te binnen schoot, vervulde haar een eindeloos grote wens hem te behagen. Ter wille van haar vader zou ze blijven.

'Je zult er de hele dag wel voor nodig hebben,' klonk Hawksbills zure stem. 'Om twaalf uur moet je me in melk geweekt brood brengen. Aan het eind van die gang, tegenover de salon is een kamer; de deur zit op slot. Je moet het schaaltje neerzetten en hier terug keren. Je mag onder geen enkele voorwaarde kloppen. Voor het avondeten ligt er een gebraden kip in die kast daar. Neem zelf een vleugel en breng mij de rest op een schaal. Zet die voor de gesloten deur en ga weg. Nadat je hebt gegeten, ga je naar huis. Morgenochtend praat ik pas weer tegen je. Als je vragen hebt, houd je die maar voor je!'

Hij bleef nog even staan om haar een boosaardige blik uit zijn halftoegeknepen oogjes toe te werpen en haar magere, trillende gestalte van top tot teen op te nemen, waarna Isaiah Hawksbill zich omdraaide en weg strompelde.

Haar taak had iets van monnikenwerk, maar de kleine Samantha ging ijverig aan de slag, in de hoop dat Hawksbill haar zou prijzen – die lof kon ze haar vader als een offerande aanbieden. Onaangedaan maakte ze de planken, alle hoekjes, het aanrecht en de vloer schoon; het stinkende afval gooide ze in de vuilnisbak die achter het huis stond, waarna ze waste, boende en schrobde tot haar handen er rauw van waren. Om twaalf uur bracht ze het schaaltje melk met brood naar het eind van de lange, donkere gang, stond even stil voor de gesloten deur en luisterde. Binnen hoorde ze vage, schuifelende geluiden. Later, toen het tijd was voor het avondeten, ging ze terug met de oude, koude kip en trof het schaaltje leeg aan op de plek waar ze het had neergezet. Binnen heerste een griezelige stilte.

Het huis was donker en stoffig, het meubilair was afgedekt met lakens; de trap verhief zich naar een onverbiddelijk duister. Toen het begon te schemeren overviel Samantha een huiverende angst, zodat ze, omdat ze toch geen honger had, de kippevleugel in de afvalbak gooide, de achterdeur met een klap dichttrok en de hele weg naar huis rennend aflegde.

De volgende ochtend stond Isaiah Hawksbill haar op te wachten.

'Mijn bed moet worden verschoond. Er is bijna een jaar niets aan gedaan. Je moet het helemaal afhalen, de lakens wassen en ze buiten ophangen. Ergens in de kast vind je wel schone. Mijn hapje tussen de middag is hetzelfde als gisteren, en als avondeten is er een blik vlees. Leg dunne plakjes – denk erom, dunne – op een paar sneden brood en zet die voor mijn deur. Neem zelf ook een boterham.'

Plotseling nam hij haar arm in een pijnlijke greep. 'Eén ding moet je goed in die kleine oren van je knopen en dat is dat je nooit mag proberen die afgesloten kamer binnen te gaan. De rest van het huis kan me geen donder schelen, maar die kamer...' Hij boog zich dicht naar haar toe, zodat zijn gezicht het hare bijna raakte. 'Als ik je ook maar één keer die deurknop zie aanraken, kind, dan zou je willen dat je nooit was geboren!'

Aan het eind van de week kon Samantha bijna niet meer op haar benen staan. De dagelijkse karweitjes in het sombere, twee verdiepingen tellende huis van Hawksbill waren genoeg om twee potige meiden bezig te houden, laat staan een mager meisje van tien: 's morgens moest het vuur worden aangestoken en de ketel opgezet; de haard moest worden geboend en gepoetst; de zware kleden moesten worden uitgeklopt en weer teruggelegd; de planken voor de potten en pannen moesten worden gestoft; de asla moest worden geleegd en het haardhek gepoetst tot haar armen er zwart van zagen. Hawksbill gaf haar negen pence en verwachtte dat ze er brood voor kocht en vleespasteien die bijna waren bedorven, en melk die voor zeventig procent uit water bestond. Maar toen hij drie shilling in haar hand liet vallen (Samantha wist niet dat de meeste dagmeisjes wel zes of zeven shilling verdienden) verdween haar vermoeidheid op slag. Ze zou het haar vader liefdevol aanbieden.

'En, hoe gaat het?' vroeg Freddy, die met haar mee naar huis liep.

'Het is een huis als elk ander.'

'Doet hij ook slechte dingen?'

Ze dacht aan de afgesloten kamer. 'Niet dat ik weet.'

Freddy schopte met zijn blote voet een steen weg. Hij was bijna vijftien, lang en slungelig, en onder zijn strakke, gehavende hemd werden al spieren zichtbaar. 'Harry Passwater zegt dat die ouwe vent eens iets vreselijks heeft gedaan met een klein meisje. Ze hebben hem bijna opgehangen, maar hij heeft de getuigen betoverd, zodat niemand iets kon bewijzen.'

'Harry Passwater moet niet zulke verhalen rondstrooien.'

'Kom, Samantha Hargrave, doe niet zo arrogant. Je hebt dan wel een dienstje, maar heus niet bij een parlementslid!'

Bij haar stoep aangekomen draaide Freddy zich om en pakte Samantha met een impulsief gebaar bij de schouders. Met een ernst die ze niet van hem kende, zei hij bars: 'Als die ouwe viezerik je ook maar met één vinger aanraakt, dan sla ik hem zijn ouwe vunzige hersens in, dat zweer ik je!'

Ze keek hem na terwijl hij wegrende, waarna ze zich naar binnen haastte. Haar vader nam de drie shilling zonder een woord te zeggen in ontvangst.

Naarmate de zomer geleidelijk aan in de herfst overging en de herfst vervolgens in een saaie, natte winter, regen de dagen zich aaneen tot weken, en Samantha's leven werd van een deprimerende grauwheid, die heel soms werd onderbroken door een brief van James uit Oxford. Nu ze haar dagen in het stille, sombere huis van Hawksbill doorbracht, en haar avonden voorbijgingen met de bestudering van de bijbel bij een vreugdeloos haardvuur, merkte Samantha dat ze nieuwsgierig begon te worden.
Wat voerde meneer Hawksbill uit achter zijn gesloten deur?

6

Isaiah Hawksbill koesterde twee goed bewaarde geheimen: het eerste lag begraven onder de planken vloer van zijn hal bij de voordeur, het andere was dat hij jood was.
Hij werd geboren in een vreugdeloze strook land langs de westelijke grens van Rusland, als Isaiah Roenovitsj, de zoon van een verarmde marskramer en zijn aan tering lijdende vrouw. Hij had het getto moeten ontvluchten toen de 'slagers' op een nacht binnenslopen, op zoek naar joodse jongens voor het leger: tsaar Nikolaas had bevolen dat alle joodse jongens tussen de twaalf en achttien moesten tekenen voor vijfentwintig jaar militaire dienst. Isaiah was vertrokken met een brood op zak en de belofte dat hij eens, als de kust veilig was, zou terugkomen. Dat was vijfenveertig jaar geleden.
Het lot en een scherp verstand hadden hem dwars door Polen naar Duitsland gevoerd, waar joden een grotere vrijheid genoten en waar het academische leven volop bloeide. Na een tijdje als leerling-apotheker zijn brood te hebben verdiend, ging Isaiah Roenovitsj studeren aan de universiteit van Gies-Liebig. Hoewel hij ernaar verlangde eens naar zijn vaderland terug te keren, wist de jonge, eenzame Isaiah dat dat een onvervulbare wens was, want tijdens zijn afwezigheid was de toestand in zijn geboortestreek er niet beter op geworden. De meeste Russische joden leefden op het randje van verhongering en wanhoop. In West-Europa, hoewel hij eenzaam was en heimwee had, profiteerde Isaiah van de intellectuele vrijheid en hij was zeker van een welvarende toekomst.
Nadat hij zich als geleerde en apotheker had onderscheiden en eerbewijzen uit de wetenschappelijke wereld had ontvangen, begon Isaiah een bloeiende apotheek en hij stond bij vele vooraanstaande doktoren in hoog aanzien. Zijn opvliegende natuur en heftige emotionaliteit waren er evenwel de oorzaak van dat hij in ongenade viel bij de toenmalige regering. Hij reisde via het vasteland van Europa naar het zich snel uitbreidende Londen, waar hij in de massa kon opgaan. Hij nam een andere naam aan (die van een kroeg uit de buurt) en zag kans opnieuw een winstgevende apotheek op te zetten, werd verliefd op en trouwde met een mooie jonge Engelse jodin die

Rachel heette, en leefde een aantal jaren zeer gelukkig, tot de cholera-epidemie van 1848 toesloeg.
Hij sloot zijn winkel, spijkerde de ramen van zijn huis dicht en bezwoer dat hij nooit meer iets met de maatschappij te maken wilde hebben.

Hij wachtte Samantha, zoals zijn gewoonte was, op bij de achterdeur, om precies zeven uur. Deze ochtend echter droeg hij een overjas en een stoffige hoge hoed op zijn wilde haren. 'Ik moet weg, kind. Ik vind het vreselijk, god weet hoelang ik al geen voet buiten de deur heb gezet, maar dit is een boodschap die gedaan moet worden.'
Hoewel ze zich direct op haar werk stortte met al de felle vastberadenheid die haar magere lijfje kon opbrengen, en hoewel ze eraan gewend was alleen te werken en zonder enig gezelschap door het huis te zwerven, kon Samantha deze ochtend, nadat Hawksbills zware voetstappen op het pad waren weggestorven, de verkillende realiteit niet van zich afschudden dat ze voor de allereerste keer echt helemaal alleen in huis was.
In een poging zich de moed in te spreken die ze niet voelde, neuriede ze tijdens het stof afnemen, fluisterde in zichzelf terwijl ze de vloer veegde, liep met stampende tred om maar wat geluid te horen (waarbij ze opmerkte dat in het halletje de vloer vreemd hol klonk), en uiteindelijk kwam ze – onvermijdelijk – voor de gesloten deur terecht.
Ze boog zich voorover, zoals ze al zo vaak had gedaan, en legde haar oor tegen het hout. Op sommige dagen had ze vreemde, schrapende geluiden gehoord, af en toe een bons en gisteren nog iets wat leek op een ketting die over de grond werd getrokken. Nu heerste er een dodelijke stilte.
Ze ging rechtop staan en keek aandachtig naar de eikenhouten deurlijsten. Ze hoorde zich nu natuurlijk om te draaien en weg te lopen. Maar haar twijfel maakte dat ze zich niet kon bewegen. Alles wat haar vader haar had geleerd over gehoorzaamheid verdween, nu het kind in haar behoefte voelde te weten wat zich aan de andere kant van die deur afspeelde. Samantha stak haar hand uit en raakte zachtjes de deurknop aan. Tot haar grote schrik draaide de deur een paar centimeter open.
Samantha trok haar hand terug alsof ze was gebeten. Hij had de kamer niet afgesloten!
Samantha slikte eens om weer moed te vatten, waarna ze haar hand vlak tegen de deur legde en zachtjes duwde. De deur zwaaide van haar af, gapend als een grote, zwarte muil, waarna ze niets dan een ondoordringbare duisternis tegenover zich vond. Met wijd open gesperde ogen deed Samantha een stapje naar voren. Toen nog een. En nog een, tot ze midden in de verboden kamer stond.
Het was er ijskoud. Nergens brandde licht, hoewel ze smalle strookjes grauw ochtendlicht tussen de zware velours gordijnen door zag komen. Maar haar ogen pasten zich langzaam aan, tot ze allerlei dingen kon onderscheiden.
Ze had nog nooit zo'n volle kamer gezien.

Volumineuze boeken waren hoog en slordig opgestapeld. Ze reikten van de grond tot aan het plafond, in een wankel evenwicht alsof het minste zuchtje wind ze omver zou gooien. Grote houten kratten, sommige met eruit puilend stro, stonden langs de wanden. Stapels papier rustten op een tafel die eruitzag alsof hij ieder ogenblik onder het gewicht zou bezwijken. Aan de wanden waren kaarten en grafieken geprikt; zelfs in de open haard stond een ongeopende houten krat. Je kon nauwelijks een voet verzetten, er was alleen een smal paadje dat Hawksbill moest hebben gebaand om rond te kunnen lopen.

Langs een van de wanden stond een soort werktafel, met flessen, potjes en allerlei glazen voorwerpen erop die Samantha niet kende. Er stond een hoge kruk, een olielamp, en een inktpot met een veer. Boven de tafel zuchtten houten planken onder het gewicht van nog meer boeken, papieren, flessen en blikjes.

En toen zag ze het. Een pot waarin een klein mannetje zat opgesloten.

Isaiah Hawksbill haastte zich de achterdeur binnen en sloeg zich de regendruppels van de schouders en mouwen. Terwijl hij de sjaal die hij om zijn hoofd droeg losmaakte, veegde hij zijn voeten op de mat voor de deur. Onder zijn arm klemde hij een in papier gewikkeld pakje.

Als betoverd liep Samantha dichter naar de pot toe. Haar mond viel open bij de aanblik van de kleine uitgestrekte armpjes van de gevangene. Hij probeerde eruit te komen.

Hawksbill liep diep in gedachten verzonken de gang door, en bleef abrupt stilstaan toen hij de open deur zag.

Samantha strekte zich op haar tenen uit en reikte naar de pot. Voorzichtig, om de kleine gevangene niet te bezeren, schoof ze de pot naar de rand van de plank. Maar toen ze hem eraf wilde pakken, met haar kleine vingertjes die de pot nauwelijks konden omvatten, zag ze vanuit haar ooghoek ineens iets bewegen.

Ze draaide zich om. Hij stond in de deuropening. Samantha slaakte een kreet en liet de pot vallen. Hij viel met een klap op de vloer en versplinterde in duizenden stukjes.

Als een enorme zwarte vogel kwam hij met fladderende cape op haar af. Ze gilde het uit toen zijn knokige handen op haar neer kwamen; pijn schoot door haar armen toen hij haar beetpakte. 'Alstublieft, meneer, ik wilde hem alleen maar bevrijden! Ik ben verder nergens aan geweest! Alstublieft, vermoord me niet, meneer Hawksbill!'

Hij schudde haar als een lappenpop door elkaar. 'Ik heb je nog zó gewaarschuwd, kind!'

'Hij wilde eruit!' riep ze schril. 'Ik wilde hem alleen maar bevrijden!'

'Ik zal je leren, kind!'

Samantha zag kans een arm te bevrijden en hield die voor haar gezicht. 'Alstublieft, vermoord me niet, meneer Hawksbill!'

Hij schudde haar niet langer door elkaar en toen Samantha voorzichtig een oog open deed en naar hem omhoog gluurde, zag ze dat er een verwarde uitdrukking op zijn groteske gezicht lag. 'Waar heb je het over? Wie wilde je bevrijden?'

Samantha begon alsnog te huilen. 'Het mannetje,' snikte ze. 'U mag hem niet in een fles stoppen! Hij probeerde eruit te komen. Ik wilde hem alleen maar helpen!'

Tot haar intense verbazing liet Hawksbill haar los en rechtte zijn rug. 'Houd op met huilen,' zei hij toonloos.

Samantha snufte en hikte.

'Ik zei toch dat je niet meer moest huilen! Wat bedoel je nu eigenlijk?'

'Het mannetje!' Ze wees naar de gebroken pot.

Hawksbill haalde een doosje uit zijn jaszak, streek een lucifer af en stak de olielamp aan, die hij hoog opdraaide. Toen hurkte hij bij de rommel op de vloer. 'Mijn alruinwortel,' zei hij op een vreemde, afwezige toon. 'Het geeft niet, hij is niet beschadigd.' Hij keek naar Samantha op. 'Heb ik je pijn gedaan?'

Ze trok haar wenkbrauwen op. 'N-nee, meneer.'

Hij keek weer naar de fles; zijn knokige vingers raakten voorzichtig een stukje glas aan. 'Het zal me verdorie heel wat tijd kosten om dit allemaal op te ruimen. Hij was precies van het goede formaat, ik vraag me af waar ik er weer zo een vind...'

Samantha keek als met stomheid geslagen op hem neer. Ze bestudeerde de kromme rug, de gebogen schouders, het roze plekje schedel midden in de krans wit haar. Toen zei ze met een klein stemmetje: 'Het spijt me, meneer Hawksbill, heus waar.'

Hij kwam overeind, in elkaar krimpend van pijn toen zijn gewrichten knakten. 'Je kunt er ook niets aan doen dat je nieuwsgierig bent. Zo zijn kinderen nu eenmaal.' Zijn toon was zachter. 'Weet je zeker dat ik je geen pijn heb gedaan?'

'Helemaal niet, meneer Hawksbill.'

'Weet je, ze was net zo oud als jij...'

'Kijk, de alruinwortel is iets heel bijzonders. Omdat hij op een kleine mensengestalte lijkt, heeft men eeuwenlang geloofd dat hij vreemde toverkracht bezat.'

Ze zaten in de overvolle studeerkamer Darjeeling-thee te drinken. Samantha had de scherven opgeveegd en Hawksbill had een nieuwe fles voor de wortel opgezocht.

'Men geloofde dat hij zó aan de grond hechtte, dat hij als een gekweld menselijk wezen schreeuwde als hij eruit werd getrokken, en iedereen die dat hoorde was op slag dood. Daarom wordt de alruinwortel altijd door getrainde honden opgegraven.'

Samantha's ogen dwaalden opnieuw naar de fles waarin de wortel weer was opgesloten. Nu was het duidelijk niets anders dan een wortel. Maar eerst zou ze hebben gezworen...

'*Zij* noemde het ook altijd een klein mannetje.'
'Wie?'
'Mijn Ruth. Ze was van jouw leeftijd toen' – hij haalde diep adem om kalm te blijven – 'toen de cholera haar weghaalde. Ik heb alles geprobeerd om mijn meisje te redden, maar ondanks mijn uitgebreide kennis en al mijn geneesmiddelen stond ik machteloos. Dat gebeurde al meer dan twintig jaar geleden, en nog steeds treur ik om haar dood.'
Samantha keek de rommelige kamer rond. 'Is dit een apotheek?'
'Lieve hemel, nee!' Hawksbills gezicht plooide zich onwennig in een glimlach. 'Daar ben ik mee opgehouden toen mijn Ruth en Rachel stierven. Toen ik merkte hoe machteloos ik stond, besloot ik alles eraan te geven.'
'Wat is dit dan allemaal?'
'Je bent een nieuwsgierig aagje, zeg. Dat was Ruth ook, altijd vol vragen...' De stem van de oude man stierf weg en hij keek Samantha strak aan. 'Waar is je moeder, kindje?'
'Weet ik niet.'
'Kun je je haar nog herinneren?'
'Nee.'
'Eh... bid je voor haar?'
'Ik bid iedere avond voor de gevallen vrouwen in Haymarket.'
'Waarom in hemelsnaam?'
'Dat moet van mijn vader.'
'En heeft hij nooit gezegd dat je voor je moeder moet bidden? Heb je je nooit afgevraagd wie ze was?'
'Ik heb er nooit over nagedacht, en ik denk niet dat dat goed is, want iedereen heeft een moeder, zelfs Freddy. Ik geloof dat ik altijd heb gedacht dat ik nooit een moeder heb gehad, maar dat kan niet, hè?'
'Nee, dat kan helemaal niet...'
Dit gaf Samantha iets nieuws om over na te denken, want het mysterie van Hawksbills afgesloten kamer was opgelost. Hij was een kruidendokter, zei hij, en hij was bezig het grootste, beste boek over organische geneeskunde samen te stellen dat ooit was geschreven. Het was een enorme taak, waar veel onderzoek en discipline voor nodig waren, en daarom moest hij al zijn energie erin steken. Nu ze wist wat hij de hele dag uitvoerde, richtte Samantha's nieuwsgierigheid zich op haar moeder.
Op een avond vond ze het antwoord in de bijbel, op de pagina waarop stond FAMILIEREGISTER. De volgende ochtend stelde ze meneer Hawksbill een vraag. 'Wat betekent verscheiden?'
Hij stond op het punt de bijkeuken uit te lopen. 'Hoezo?'
'Dat is mijn moeder. Dat staat naast haar naam.'
Hij snoof eens geïrriteerd. 'Dat betekent dood.'
'Mijn moeder is dus dood?'
'Dat betekent het.' Hij wendde zich af.
'Ze is op mijn verjaardag gestorven. Hoe is ze doodgegaan?'
'Waarom vraag je dat niet aan je vader?'
'O, die mag ik niet storen.'

'Maar mij mag je zeker wel storen!' riep hij uit.

Samantha deed geschrokken een stapje achteruit. 'Neem me niet kwalijk, meneer Hawks...'

'Ik ben toch al laat! Ik ben geen jongeman meer, dat weet je toch wel! Ik moet wel doorgaan met dat verdomde boek, dan wordt het nog uitgegeven voordat *ik* ben verscheiden!'

Toen hij zich abrupt omdraaide, vroeg Samantha nog gauw: 'Waarom huurt u dan niet iemand om u te helpen?'

Hij keerde zich pijlsnel om en keek haar met zijn groene oogjes woedend aan. 'Wat krijgen we nu, brutaal nest? Eerst in mijn privé-zaken rondsnuffelen, en nu ga je me nog vertellen hoe ik die moet aanpakken ook! Voor wat ik zelf het beste kan, heb ik geen hulp nodig, dat verzeker ik je!'

'Maar het is een heel werk, meneer Hawksbill, dat hebt u zelf gezegd. En het zou zonde zijn als u het niet afkreeg voor u verscheiden bent. Ik dacht dat een aardige sterke jongen, die allerlei dingen kan optillen en boodschappen voor u kan doen...'

'*Himmel,*' mompelde hij, en wreef zich over zijn stoppelige kin. 'Het kind heeft gelijk.'

Samantha, die Freddy in gedachten had, zei haastig: 'Een jongen die nieuwe flessen voor u kan halen en uw boeken op orde houdt, zodat u ze gemakkelijker kunt vinden, en die allerlei karweitjes doet zodat u kunt schrijven...'

'Ik heb geen jongen nodig,' zei hij kortaf. 'Waarom zou ik er nog meer geld tegenaan gooien als ik jou al heb?'

Haar ogen verwijdden zich. 'Ik, meneer?'

7

Hij zette haar nog diezelfde dag aan het werk. Er moesten potten uit kratten worden gehaald, etiketten worden opgeplakt, dozen gedroogde kruiden, bloemblaadjes en zaden worden gesorteerd, pennen moesten worden geslepen, lampen gevuld en boeken afgestoft. Toen de oude man merkte dat ze ook nog kon lezen, liet hij haar de stapels monografieën over honderden planten op alfabet zetten. En toen hij ontdekte dat ze kon schrijven, liet hij haar etiketten met botanische namen invullen, omdat zijn oude handen te veel trilden om netjes te kunnen schrijven. Aan het eind van de eerste week merkte Isaiah Hawksbill dat hij Samantha dingen ging uitleggen: waarom zoethout *glycyrrhiza glabra* heette, hoe watermeloenpitten lintworm konden verdrijven, hoe geweldig *centranthus ruber* als rustgevend middel was, en waar op de wereld slangewortel werd gevonden. Haar leergierigheid werd vergroot door ieder nieuw feit. Hoe meer hij haar leerde, hoe nieuwsgieriger ze werd, en hoewel Isaiah Hawksbill had verwacht dat haar voortdurende gevraag hem zou gaan irriteren, merkte hij tot zijn verbazing dat hij het geduld zelve was. Het was zelfs zo dat, naarmate de leergierigheid van het kind toenam, in de verstarde geest van Isaiah Hawksbill een intense drang tot onderwijzen werd geboren.

En hij ontdekte nog iets anders, iets over zichzelf waarvan hij zich tot nu toe niet bewust was geweest: dat hij eenzaam was geweest, ontzettend eenzaam...

Ze werden een hecht duo: leraar en leerling. Ze kwam steeds minder voor het huishoudelijke werk, en zat steeds vaker aan zijn voeten te luisteren, te leren, vragen te stellen en de antwoorden in zich op te nemen. Toen hij haar vertelde over de geneeskracht van ginseng-thee en ontdekte dat ze nog nooit van China had gehoord, haalde hij een oud, stoffig boek over aardrijkskunde te voorschijn en liet haar zien hoe de wereld eruitzag. Toen hij merkte dat haar vader haar niet had leren rekenen, begon Hawksbill haar de tientallen en eenheden bij te brengen, en optellen en aftrekken. Het deed hem plezier dat ze zo leergierig was. Haar snelle begrip inspireerde hem, en haar opmerkelijk goede geheugen, dat haar in staat stelde alles wat hij haar leerde te onthouden, gaf hem een trots gevoel.

Terwijl november plaats maakte voor december, om al gauw te worden gevolgd door een sneeuwrijke maand januari, zat Isaiah Hawksbill met Samantha Hargrave bij een fel brandend vuur in de open haard die in jaren niet was gebruikt, en hij bracht al zijn kennis en wijsheid op haar over. Zijn obsessie voor zijn kruidenboek verflauwde. Hij vond een enorme voldoening in het doorgeven van zijn kennis aan dit hunkerende kind. Dat hij haar geestelijk zag groeien was dankbaarder werk dan zijn uitgebreide kennis aan vergankelijk papier toe te vertrouwen. Toen de lente naderde en daarmee haar elfde verjaardag, kwamen ze op nieuwe onderwerpen: astronomie, dierkunde, geschiedenis – en hun dagen werden gevuld met een gezamenlijke ontdekkingsreis rond de wereld.

Al die tijd repte Samantha hier met geen woord over tegen haar vader.

<h1 style="text-align:center">8</h1>

Hawksbill hield een majolica pot omhoog en liet hem langzaam in het licht ronddraaien. 'Dit is *smilax officinalis*, Samantha, een rijk bezit.'

Ze bestudeerde de kleine, doornige ranken met de lange, dunne wortels. 'Waar komt het vandaan?'

'Je vindt het op vele plaatsen. De grijze komt uit Mexico, de bruine uit Honduras, en deze' – hij raakte de pot liefdevol aan – 'waar het moeilijkste aan te komen is, komt van de westelijke helling van de Andes.'

'Wat is het?'

'Wat het is? Maar *Liebchen*, het is een eeuwenoude remedie om geboortepijnen te verzachten. Het geneest ook een pijn in de borst die *angina pectoris* heet. En de wilden in Noord-Amerika geloven dat het impotentie verhelpt.'

Samantha probeerde de moeilijke Latijnse naam uit te spreken.

Hawksbill zei: 'De Spanjaarden hebben er een gemakkelijker naam voor, *Liebchen*. Zij noemen het *sarsaparilla*.'

De vredige rust van de junimorgen werd verstoord door een plotselinge drukte op straat. Hawksbill kwam van zijn hoge kruk af en schoof het gordijn wat opzij. Het was een chaotisch tafereel: een op hol geslagen paard en wagen was door de smalle straat gedenderd en had groentekarren omver geworpen, terwijl de mensen verschrikt opzij sprongen en een opgewonden menigte erachteraan kwam hollen. Twee moedige schooiertjes sprongen naar voren, zagen kans de teugels te grijpen en worstelden met de geschrokken merrie, tot ze hinnikend tot stilstand kwam, vlak voor Hawksbills huis.

Nieuwsgierig kwam Samantha bij hem staan en tuurde naar buiten. Ze zag een groepje mensen dicht opeen staan, aan de rand van de menigte. 'Wat is er, meneer Hawksbill?'

'Het lijkt erop alsof iemand gewond is geraakt.'

Ze hief haar gezichtje naar hem op. 'Moeten we helpen?'

Hij liet het gordijn weer vallen. 'We hebben er niets mee te maken.'

'Maar u hebt al die geweldige medicijnen!'

'Daar werk ik al jaren niet meer mee.'

Samantha keek weer naar buiten en zag dat er twee mannen aankwamen, met een deur horizontaal tussen hen in. Ze draaide zich snel om, rende de gang door en de achterdeur uit, want de voordeur zat altijd op slot, vloog het steegje door, de hoek om, en bleef aan de rand van de menigte buiten adem staan. De koetsier zei handenwringend: 'De jongen probeerde helemaal alleen het paard tegen te houden! Ik kon hem niet ontwijken!'

De mensen maakten plaats voor de mannen met de deur, en toen Samantha zag wie daar kreunend in de goot lag, riep ze uit: 'Freddy!' Ze rende op hem af en liet zich op haar knieën vallen. Zijn hoofd rolde opzij, maar hij deed zijn ogen niet open.

'Opzij, juffie, we moeten hem hier optillen.' De twee mannen pakten de jongen ruw bij de benen en onder zijn oksels en lieten hem op de deur vallen. Samantha staarde gefascineerd naar Freddy's rechterbeen: een dubbele breuk van beide botten had ervoor gezorgd dat de puntige einden ervan door zijn vel staken. In de middagzon glinsterden ze van het bloed en de modder.

Er viel een schaduw over haar heen en de menigte trok zich terug. Samantha keek op en zag dat Isaiah Hawksbill naast haar stond. 'Waar brengen ze hem naar toe, meneer Hawksbill?'

Met toegeknepen ogen keek hij naar Freddy's verbrijzelde been. 'Naar het ziekenhuis.'

Beelden flitsten door haar heen, herinneringen aan het North London Hospital van twee jaar geleden. 'Dat mag niet!' Ze draaide zich pijlsnel om en liet zich over Freddy heen vallen.

'Kom, kom,' zei Hawksbill en probeerde haar weg te trekken.

'Nee!' gilde ze. '*Daar* mag hij niet heen! Ik houd ze tegen!'

'Kom, meneer,' zei een van de mannen bij de deur. 'Haal dat meisje bij hem weg. We hebben niet de hele dag de tijd.'

Isaiah Hawksbill keek neer op het meisje en zag hoe haar magere armen de gespierde schouders van de bewusteloze jongen van zestien omvatten; hij zag haar gebogen rug op en neer gaan van het snikken, terwijl haar weelde-rige zwarte haar over het stille lichaam viel. En hij voelde een oude emotie, een gevoel waarvan hij dacht dat het niet meer bestond, tot leven komen. Hij hoorde zichzelf zeggen: 'Ik zorg wel voor de jongen. Kom maar mee.' Samantha hief met een ruk haar hoofd op, haar wangen nat van de tranen, waarna ze langzaam opstond en, met Freddy's slappe hand in de hare, mee-liep terwijl de twee mannen de deur via het steegje naar Hawksbills achter-deur droegen. Binnen volgden ze de oude man door het duister, terwijl ze met grote ogen om zich heen keken. Ze brachten de jongen naar de voorka-mer, waar Hawksbill met een abrupt gebaar een stoffig laken van de paar-deharen bank trok. 'Leg hem hier maar neer.'

De mannen lieten Freddy van de deur glijden alsof ze kolen stortten, en lie-pen achterwaarts de salon uit. Samantha en Hawksbill legden de jongen recht op de kussens en begonnen hem te verzorgen.

'Ik weet niet of ik iets kan doen, *Liebchen*,' zei de oude man toen hij met dekens en lakens de trap af kwam. 'Hier, scheur dit in lange repen. Daarna moet je wat heet water voor me halen.'

Hawksbills handen waren te jichtig en te onvast om de wond goed te kun-nen schoonmaken. Toen Samantha zei: 'Kom, laat mij dat maar doen,' gaf hij haar het doekje en keek toe terwijl zij naast Freddy neerknielde en voor-zichtig de rauwe wond schoon waste.

Hawksbill haalde een paar potjes met gekneusde bladeren en gedrenkte wortels uit de studeerkamer, die Samantha liefderijk en voorzichtig op het openliggende bot en de gescheurde spieren legde. Isaiah Hawksbill keek toe hoe haar lange, tengere vingers met de wond bezig waren en hij ver-baasde zich over haar voor niets terugdeinzende toewijding. De meeste vrouwen zouden inmiddels hysterisch zijn geweest, of zijn flauwgevallen. Maar kijk eens hoe het haar als vanzelfsprekend afging, alsof het niets an-ders was dan in de pap roeren.

Samen, een mager meisje van elf en een jichtige oude man, zagen ze kans het been te zetten. Ze trokken de botten vaneen, en pasten ze tussen twee planken aan elkaar. Vervolgens volgde Samantha Hawksbills aanwijzingen op en haalde de huid bij elkaar, waarna ze er repen pleister opplakte. Toen ze klaar waren, zakte Hawksbill uitgeput met een glas cognac in een stoel neer, en Samantha duwde de krullen van haar vochtige voorhoofd. Ze merkten dat het buiten al donker was en al die tijd was Freddy geen enkele maal bij kennis gekomen.

'We hebben al het mogelijke gedaan, *Liebchen*,' zei Hawksbill vermoeid. 'Nu moeten we het aan God overlaten.'

Zij dronk van haar thee. 'Hij wordt nu toch weer beter, hè?'

Hawksbill schudde langzaam zijn verweerde hoofd. 'Ik zal je niet voorlie-gen, kind. Hij is er slecht aan toe. Er zijn niet veel mensen die een gecom-pliceerde breuk overleven.'

'Waarom niet? We hebben het been gezet en de huid dichtgemaakt!'

'Omdat hij bloedvergiftiging krijgt, en iedereen weet dat daar niets aan te doen is.'

'Wat is dat?'
'Vergiftiging, *Liebchen*, infectie. Niemand weet wat de oorzaak is en daarom weet niemand hoe het bestreden moet worden.' Hawksbill zweeg even. Hij had de laatste tijd iets gehoord over een jonge Quaker uit Schotland, Joseph Lister, die beweerde dat hij een remedie had gevonden... De oude man schudde het hoofd. Hij betwijfelde of er iets van waar was, per slot van rekening kwam het idee uit Schotland.

Samantha keek naar het stille lichaam op de bank, naar de nauwelijks bewegende borstkas en de verwarde kastanjebruine krullen op het kussen, en ze zei zachtjes: 'Ik zal voor hem zorgen.'

De dagen die volgden waren een nachtmerrie. Freddy kreeg hoge koorts, en hij lag te woelen en vreselijk te ijlen. Vanuit de donkere deuropening keek Hawksbill toe terwijl Samantha haar koele vingers op het brandend hete voorhoofd van de jongen legde, hem toefluisterde, en hoe ze hem, louter door haar aanwezigheid, leek te kalmeren. Hij zag hoe ze met de beëtterde verbanden omging, die ze per se iedere dag wilde verwisselen al zag Hawksbill daar het nut niet van in. Hij zag haar lange, lenige vingers dagelijks de wond inspecteren, zalf aanbrengen en het been betasten om te voelen hoe het met de botten stond, dat alles met zulke ervaren gebaren dat het bijna leek alsof de elfjarige wist wat ze deed.

Ze bleef tot laat in de avonden. Niet dat haar vader het opmerkte of erg vond. Als Hawksbill zo'n knappe, intelligente dochter had, zou hij haar de hele tijd om zich heen willen hebben om in de watten te leggen en te verwennen. Wie kon zeggen door welke krankzinnige reden Samuel Hargrave werd bewogen. Hawksbill had het meisje graag bij zich. Al was het dan alleen maar vanwege dat ellendige jong daar in de salon, die hoge koorts had door de infectie, en wiens been tot bijna twee maal de normale grootte was opgezwollen. Hawksbill wist dat het moment spoedig zou komen dat het allemaal voorbij zou zijn.

Samantha maakte boterhammen met braadvet als avondeten. De afgelopen paar maanden was de oude man minder gierig geworden en had Samantha beter eten laten kopen. Nu aten ze geregeld gekookte kool en aardappels, gebraden worstjes, brood van de bakker, met jam, onverdunde melk en bessencompote en krentenvlaai. 'Hij is vandaag zo stilletjes, meneer Hawksbill. Ik vind het eng.'

Hawksbill, die gedroogde kruiden op zijn werkblad uitspreidde, en de blaadjes van de smeerwortel van de stengels scheidde, mompelde: 'Misschien hadden we er beter aan gedaan hem naar het ziekenhuis te brengen. Hij heeft een chirurg nodig.'

'Nee,' antwoordde ze zachtjes maar gedecideerd. 'In het ziekenhuis is er geen hoop meer. De mensen gaan er alleen naar toe om te sterven.'

Daar kon hij niets tegenin brengen. Bij St.-Bartholomew's Hospital vroeg men voordat een patiënt werd toegelaten een voorschot op de begrafeniskosten, dat zou worden terugbetaald *als* de patiënt mocht genezen. De oude man legde zijn mes en pincet neer, keek haar recht aan en zei: 'Hier is ook geen hoop meer, kind. De jongen zal het heus niet overleven. Hij heeft al ruim een week niet meer gegeten, en we hebben hem nauwelijks te drinken kunnen geven. Hij is geen moment bij bewustzijn gekomen, geen enkele keer...' Hawksbill boog plotseling het hoofd en de botten van zijn oude ruggegraat duwden tegen de dunne stof van zijn pandjesjas aan. Wat had het voor zin het haar onder de neus te wrijven? Ze was zo verrekte koppig. Ze klemde zich vast aan het belachelijke idee dat...

Een harde klap verstoorde de rust. Samantha was al overeind en vloog naar de salon. Hawksbill strompelde zo snel hij kon achter haar aan en toen hij bij de deur kwam, zag hij Samantha op haar knieën liggen, terwijl ze heftig met Freddy worstelde. Zijn ogen stonden glazig open, en zijn armen sloegen wild om zich heen. Een fles water en een glas lagen aan stukken op het kleed.

'Het komt wel goed, Freddy,' zei het meisje, terwijl haar kleine gestalte, zoveel kleiner dan de zijne, pijnlijk heen en weer werd geworpen. 'Ik ben het, Freddy, je wordt heus weer beter.'

Geboeid keek de oude man toe hoe het meisje kans zag de ijlende jongen tot rust te brengen. Ze duwde hem terug op het kussen en kuste hem troostend op zijn voorhoofd. Toen Freddy weer kalm was, keek Samantha naar Hawksbill op en fluisterde met glanzende ogen: 'Hij is wakker.'

Freddy's herstel ging niet van een leien dakje, maar uiteindelijk werd hij beter. Hij dronk bouillon, at zacht gekookte eieren, en liet zich Samantha's liefderijke verzorging rustig en gelaten welgevallen. Als Hawksbill al versteld stond van wat zij voor de jongen had gedaan, de ervaring had een even grote indruk gemaakt op Samantha. Iedere nacht in bed, tot in de vroege uurtjes, was ze ermee bezig: met het wonder dat ze haar trouwe vriend weer beter maakte.

Een snikhete, nevelige zomer hield Londen in zijn greep; de lucht was vuilgeel door de vele rook die omhoogkringelde uit de duizenden schoorstenen en uit de pijpen van de pakketboten en goedkope vrachtvaarders op de rivier. Het was een ongezonde zomer voor de ruim twee miljoen inwoners van de stad; een zomer die in Marylebone een tyfusepidemie bracht, veroorzaakt door de niet zo schone kannen van de Londense melkvrouwen. Duizenden mensen stierven terwijl dokters hulpeloos moesten toezien. Maar naarmate de zomer overging in een rokerige, mistige herfst en naarmate de winterse vrieskou de hemel geleidelijk aan fris blauw waste, maakte Freddy gestaag vooruitgang. In november kon hij op zijn been staan en zonder hulp de salon op en neer hinken. Hij was inmiddels hopeloos verliefd op Samantha, evenals Isaiah Hawksbill trouwens.

9

Samantha bracht een blad met thee, cake en een pot zwartebessenjam binnen en zette dat op het tafeltje bij het vuur. Freddy, die in het kolenvuur zat te porren, keek vanuit zijn ooghoek toe terwijl ze suiker in de twee kopjes deed. 'Waar is de ouwe?' vroeg hij terloops.
'Die is hysop halen. We hebben alles voor je been gebruikt, daarom heeft hij nieuwe voorraad nodig.' Samantha ging in de gemakkelijke stoel zitten, die weken tevoren van het stoflaken was ontdaan en bij het vuur geschoven; ze zette haar voeten op een steuntje. 'Kom, wees lief en drink je thee.'
Freddy duwde zich tegen de schoorsteenmantel overeind en strompelde naar de andere stoel. De spalken waren nu van zijn been gehaald, maar het was zo krom dat hij ermee sleepte, en liep als een matroos bij ruwe zee.
'Prima thee, zeg. Ik heb het nog nooit van mijn leven zo goed gehad. Ik heb spijt van alle hondepoep die ik tegen zijn deur heb gegooid.'
Samantha glimlachte dromerig en hield het kopje vlak onder haar neus zodat ze het volle aroma kon opsnuiven.
'Sam, ik moet je iets vertellen.'
Ze bleef in het vuur staren.
'Sam, kijk me aan!'
Ze wendde zich naar hem toe. Freddy's knappe, verweerde gezicht werd beschenen door de flakkerende vlammengloed en kwam op z'n best uit: zijn vierkante kaak, zijn grote, rechte neus, zijn hoge jukbeenderen en de diepliggende bruine ogen; dat alles omkranst door verwarde, notebruine krullen die nooit lang netjes zaten. De jongen was verdwenen; Freddy was een man geworden. 'Wat is er, Freddy?'
'Sam, ik moet hier weg.'
Ze keek hem aan en even was het alsof de tijd stilstond; daarna liet ze langzaam haar kopje zakken. 'Waarom?'
'Omdat het tijd wordt. Ik ben hier nu vijf maanden. Ik ben helemaal beter en ik kan weer voor mezelf zorgen. Het wordt hoog tijd dat ik vertrek.'
Haar gezicht versomberde. 'Wat bedoel je met vertrekken?'
'Weg uit de Crescent, Sam.'
'Maar dat kun je niet doen! Je hoeft toch helemaal niet weg, Freddy, je kunt hier blijven zolang je wilt. Meneer Hawksbill is dol op je!'
'Jawel, maar toch blijf ik liever niet. Het wordt tijd dat ik zelf iets onderneem, Sam.'
'Ik begrijp er niets van!'
'Hoor eens, Sam.' Impulsief liet hij zich op een knie zakken, terwijl hij zijn slechte been rechtuit hield, en nam een van haar handen in de zijne. 'Ik heb de dood voor ogen gehad, Sam. Ik heb op die vreselijke drempel gestaan en een blik naar de andere kant kunnen werpen. Als jij er niet was geweest, was ik die drempel overgegaan. En voor het eerst begreep ik er iets van. Dat ik in de wereld mijn eigen weg moet zoeken; ik moet iets worden, Sam, ik ben geen kind meer. Ik ben een man, en als zodanig moet ik me ook gedragen. Ik kan toch niet mijn hele leven over straat blijven zwerven

en appeltjes gappen. Ik heb een goede baan nodig, een geregeld leven.'
Haar gezicht vertrok en dikke tranen welden op in haar ogen. 'Ik wil niet
dat je weggaat, Freddy! Jij bent alles wat ik heb!'
'Onzin, Sam. Je hebt je vader en meneer Hawksbill, en je broer die een su-
perdokter gaat worden! Ik ga heus niet voorgoed weg, Sam. Ik kom terug.
Voordat je het weet ben ik er weer!'
De tranen rolden over haar wangen en lieten een zilverkleurig spoor achter.
'Waar ga je heen?'
'Ik weet het nog niet, maar ik laat je wel weten waar ik terecht kom. Heus,
Sam.' Onhandig streelde hij het kleine handje in zijn grote vingers en hij
voelde net als vroeger zijn harde hart week worden toen hij haar aankeek.
Hij wilde nog zo veel meer zeggen: dat hij besefte dat hij voor iemand als
Samantha niet goed genoeg was, dat hij wilde dat ze trots op hem was, dat
hij verliefd op haar was en haar hele verdere leven voor haar wilde zorgen –
maar hij had de moed niet en beschikte niet over de juiste woorden om het
haar te vertellen, en daarom bleef dat alles onuitgesproken.
'Luister eens, Sam, jij hebt de gave om de zieken weer beter te maken. Net
als toen met die oude poes. Ik heb gedroomd dat je tegen me praatte en ik
droomde dat je je hand door een verstikkend dichte mist stak en me erdoorheen trok. Ik weet nu dat het geen dromen waren, maar dat het echt is gebeurd. Jij hebt me het leven gered, Sam, en dat zal ik nooit vergeten.'
Ze liet haar kopje vallen, waardoor alle thee over Hawksbills vaal geworden
smyrnatapijt liep, en ze sloeg haar magere armpjes om Freddy's hals. 'Jij
bent de enige vriend die ik heb, Freddy! Ik zal je missen en ik zal iedere
dag dat je niet bij me bent voor je bidden!'
Hij hield haar dicht tegen zich aan, en hij voelde vreemde, nieuwe emoties
diep onder in zijn lijf tot leven komen. De vroegere broederliefde had
plaats gemaakt voor iets nieuws en opwindends. Ze was nog geen twaalf
jaar oud, maar over een paar jaar, als hij fortuin had gemaakt en als gentleman terugkeerde om haar een goed leven te bieden, zou Samantha Hargrave een mooie vrouw zijn en helemaal van hem. Freddy begroef zijn gezicht in haar volle, zwarte haar en mompelde: 'Wacht op me, Sam. Je mag
hier nooit weggaan voordat ik je ben komen halen.'

10

Het was een trieste, regenachtige ochtend, twee dagen voor Pasen, en Samantha stampte haar voeten op de tegels in de keuken om haar tenen te
warmen. Ze blies op haar handen en tuurde naar de ketel; ze hoopte dat
het water snel aan de kook zou komen.
Verborgen in de deuropening stond Isaiah Hawksbill naar haar te kijken.
Over een paar weken werd ze twaalf, en de tekenen die erop wezen dat ze
vrouw ging worden waren al zichtbaar: de kinderlijke magerte begon plaats
te maken voor nieuwe, volle rondingen. Haar aanblik deed zijn oude hart

sneller kloppen en zijn schrale armen zouden haar graag tegen zich aan-houden. Vier maanden terug, toen Freddy naar onbekende oorden vertrok, had ze het goedgevonden dat hij haar eenmaal omhelsde. Samantha was ontroostbaar geweest. Ze huilde en maakte misbaar, en dreigde de jongen achterna te zullen gaan, maar Hawksbill had kans gezien haar te kalmeren door haar in zijn armen te wiegen en haar te verzekeren dat Freddy zijn be-lofte zou houden en eens zou terugkomen.

Maar dat was al vier maanden geleden. Sindsdien was ze stil en terugge-trokken geworden; lichamelijke vrijheden werden niet meer toegestaan.

'De thee is zo klaar, meneer Hawksbill,' riep ze. 'O, u bent er al, meneer. Ik had u niet gezien.'

Hij stapte de keuken helemaal binnen. 'Laat hem nog maar wat trekken, *Liebchen*, en doe er een beetje kamille bij, ik heb vandaag last van mijn ge-wrichten.'

Toen hij was weggegaan, sloeg Samantha haar armen om haar lijf heen. Het was ontstellend koud in de keuken (mocht ze maar zo'n lekkere dikke wollen trui kopen van haar vader), veel te koud om te wachten tot de thee was getrokken. Daarom besloot ze even achter in de tuin naar het privaat te gaan om haar behoefte te doen.

Het privaat stond tegen de schutting aan het eind van een pad. De muren ervan waren dik begroeid met bramen en brandnetels. Op koele winterda-gen was de stank niet al te erg, maar 's zomers holde Samantha er altijd met ingehouden adem heen, ging snel naar binnen, en rende dan hijgend weer naar buiten. Deze ochtend ergerde ze zich, want ze merkte dat ze eigenlijk helemaal niet moest. In de keuken had ze wel dat gevoel gehad, maar nu was het verdwenen. Toen ze opstond voelde ze het weer, die buikkramp waardoor ze hierheen was gegaan, en terwijl ze bedacht dat het vet dat ze gisteren voor het eten had gebruikt eruit had gezien alsof het bijna bedor-ven was, voelde ze iets warms en vochtigs tussen haar dijen. Verbijsterd keek Samantha naar beneden, en daar, in het waterige licht dat door de kieren tussen de planken scheen, zag ze een felrood plekje bloed op de grond.

Ze rende de hele weg terug, struikelde op de achtertrap en haalde haar knieën open. Ze vloog hals over kop de studeerkamer binnen en riep uit: 'Ik ga dood!'

Verbaasd stond Hawksbill van zijn kruk op. 'Wat is er gebeurd?'

'Ik ga dood, meneer Hawksbill!' Ze stortte zich tegen hem aan en sloeg haar armen om hem heen. 'Alstublieft, u mag me niet naar het ziekenhuis stu-ren!'

Perplex wist de oude man even niet wat hij moest zeggen. Het plotselinge lichamelijke contact, haar armen die ze vast om zijn middel hield geslagen, en haar op en neer gaande jonge boezem terwijl ze het uitsnikte – het was net als vier maanden geleden. . .

Met uiterste krachtsinspanning legde Hawksbill zijn handen op haar schou-ders en trok zich een beetje terug. '*Liebchen,* wat is er aan de hand?'

Haar gezicht was zo wit als een doek geworden. 'Ik bloed.'
'Wat?'
'Ik heb het net ontdekt. In het privaat. Meneer Hawksbill, geef me er iets voor. Dat papajazaad, dat stopt bloedingen...'
Hij wendde zich af en zocht steun bij de werkbank.
'Stuur me niet naar het ziekenhuis, laat me niet doodgaan!'
Het was niet eerlijk, haar jeugd had nog niet lang genoeg geduurd! Zijn stem klonk gesmoord. 'Je moet naar huis gaan, *Liebchen*.'
'Waarom?' Ze liet haar tranen de vrije loop.
Hij voelde dat zijn benen hem niet langer droegen. Hawksbill leunde tegen de werkbank en keek haar bedroefd aan. 'Je hebt een huishoudster, is het niet? Ga het haar direct vertellen, *Liebchen!*'
'Maar die stuurt me naar het ziekenhuis!'
'Nee, *Liebchen*. Ga naar huis, zij weet wat ze moet doen. Vertrouw op me, kind, het komt allemaal goed...'

Het was die vernederende ervaring die hem had gebrandmerkt. Hawksbill was niet doof, hij wist wel hoe de mensen van St.-Agnes Crescent hem noemden: kinderlokker. Een wezen van een lagere orde bestond er niet, en het gekke was, al was het niet waar, hij kon het hen niet kwalijk nemen, als je naging wat hij had gedaan.
Nu hij alleen in de keuken bij het vuur zat, met een warme doek over zijn knieën en een schaaltje melk met brood onaangeroerd op zijn schoot, dacht hij terug aan die afschuwelijke dag zo lang geleden.
Hij was eropuit gegaan, al was hij nog in de rouw voor zijn kleine Ruth en Rachel. Hij was Londen rondgetrokken om boeken en planten te halen. Het was lente; hij had langs de Serpentine gewandeld en had genoten van het jonge groen in een wereld die werd herboren. Het was vroeg in de ochtend en Hawksbill was in gedachten bezig met het determineren van een plant die hij nog niet kende. Een jonge vrouw met een kapothoedje op en een hoepelrok aan, zat op een bankje, verdiept in een boek; een kind, niet ouder dan een jaar of acht, was aan de waterkant met een stok aan het spelen.
Toen, en ook in latere jaren niet, had hij niet kunnen doorgronden wat er op dat moment met hem was gebeurd: de ijle grens naar de waanzin werd overschreden toen hij het kind zag, en Isaiah Hawksbill, jonger en behendiger dan nu, had uitgeroepen: 'Ruth!' Hij was op het meisje afgerend, had haar in zijn armen getild en was er met haar vandoor gegaan.
Hij kon zich niet herinneren wat er daarna was gebeurd; het volgende wat hij zich bewust werd, was een geroezemoes van stemmen, en zwarte gestalten die om hem heen kwamen staan. Een politieagent baande zich een weg door de menigte en de gouvernante zat op haar knieën het huilende kind te troosten. Verbijsterd was het tot Hawksbill doorgedrongen wat hij had gedaan. Later op het hoofdbureau had Hawksbill, angstig maar beheerst, een leugentje opgedist: 'Het kind viel bijna in het water en ik heb haar gered,

verder niets.' De geagiteerde gouvernante die onder de kritische blik van haar werkgeefster getuigenis moest afleggen, was te bedeesd om toe te geven dat ze had zitten lezen en dat ze daardoor niet gezien had dat het misdrijf werd gepleegd. Uiteindelijk had ze besloten met het oog op haar eigen hachje Hawksbills verhaal te steunen. Er werd verder geen werk van de zaak gemaakt en alles zou zijn vergeten als er niet net op dat moment een inwoonster van St.-Agnes Crescent was verschenen: een zakkenmaakster die op weg was naar de pakhuizen van Billingsgate. Zij had iets heel anders gezien. Het kind had niet zó dicht bij het water gespeeld, en had helemaal geen gevaar gelopen; Hawksbill was zomaar komen aanrennen, had het kind opgepakt en was ervandoor gegaan. Hij zou zó naar Surrey zijn doorgelopen, als een voorbijganger geen alarm had geslagen.

Hoewel de zakkenmaakster, die zelf het een en ander op haar kerfstok had en contact met wetsdienaren liever meed, niet aan de agent vertelde wat ze had gezien, verspreidde ze wel het verhaal in de Crescent, zodat toen Hawksbill vermoeid thuiskwam, zijn buren hun oordeel al hadden gevormd.

Hoe kon hij dus nu bij zijn volle verstand overwegen wat hij van plan was te doen?

Hij wilde Samuel Hargrave om de hand van zijn dochter vragen.

Ze bleef vijf dagen weg en gedurende die tijd wist de oude jood zich geen raad. Hij zou haar liefhebben en koesteren, haar beschermen voor het kwaad van de wereld, en haar redden van de kleurloze toekomst die voor haar lag: tientallen jaren lang zorgen voor een vader die haar niet eens zag. Ze zou een oude vrijster worden, een nutteloze, verlepte vrouw die als haar vader uiteindelijk stierf, door geen enkele man begeerd zou worden. Isaiah Hawksbill zou haar van dat vervloekte lot redden, haar zijn naam geven en haar een thuis verschaffen. Hij zou haar het huis laten opknappen, het zonlicht binnen laten. Hij zou een piano voor haar kopen en haar leren spelen. 's Avonds bij het vuur zouden ze kaartspelletjes doen, ze zouden inspirerende gesprekken voeren, hij zou haar blijven onderwijzen en haar de mysteries van de wereld ontsluieren. En hij zou haar bedelven onder de liefde die hij zo vreselijk graag wilde geven en waarnaar zij zo wanhopig verlangde.

Toen Samantha terugkwam was ze stilletjes en hield haar ogen neergeslagen toen ze uitlegde: 'U had gelijk, meneer Hawksbill, ik ben niet naar het ziekenhuis gestuurd. Mevrouw Scoggins heeft geen woord gezegd, maar ze heeft een beddelaken in repen gescheurd en het om mijn middel en tussen mijn benen gebonden. Het is nu over, maar ze zei dat het over een maand terugkwam.'

Hawksbill was met zijn figuur verlegen en trommelde met zijn vingers op de met kruiden bezaaide werktafel. 'Samantha, kindje, ontvangt je vader wel eens bezoek?'

'O nee, meneer, hij heeft het veel te druk met zijn preken!'

'Ik zou graag' – hij haalde een zakdoek te voorschijn en bette zijn bovenlip droog – 'eens met hem praten.'

'Heb ik iets verkeerd gedaan?'

'O, *Liebchen*, welnee. Het gaat om iets zakelijks, een gesprek tussen twee gentlemen. Ik heb je vader in bijna twee jaar niet meer gesproken, ik vroeg me alleen af... Laat maar,' zei hij vriendelijk. 'Ik wacht het goede ogenblik wel af om hem te benaderen. Kom, wat zullen we lezen terwijl we thee drinken?' Zijn vingers grepen al naar een boek over geologie.

'Meneer Hawksbill?'

'Ja, *Liebchen?*'

'Wilt u me alstublieft uitleggen waarom ik iedere maand moet bloeden?'

Zijn hand verstarde. 'Als je wat ouder bent misschien.'

'Waarom? Als het met mijn lichaam gebeurt, heb ik dan niet het recht het te weten?'

De moed ontzonk hem. Het was zijn eigen schuld: hij had haar nieuwsgierigheid aangemoedigd en hij had nog nooit een vraag onbeantwoord gelaten. 'Ga zitten, kindje, dan zal ik het proberen...'

Toen hij uitgesproken was, voelde Hawksbill zich onbevredigd. In 1872 had de wetenschap het mysterie van de vrouwelijke cyclus nog niet ontrafeld. De vele theorieën waren alle omringd met een waas van magie en geheimzinnigheid. De meeste dokters geloofden dat de maan direct verantwoordelijk was voor het in gang zetten van de menstruatie, die, zeiden ze, de natuurlijke compensatie was voor het feit dat vrouwen niet ejaculeerden. Ze vermoedden dat het iets met kinderen krijgen te maken had, want het begin ervan was een teken van vruchtbaarheid en het ophouden ervan een teken van zwangerschap, maar hoe het precies werkte, wist niemand. Dan waren er nog de eierstokken, maar niemand wist met zekerheid welke functie die hadden, en het ovum was pas kort geleden ontdekt. Als het ei al een rol speelde in de menselijke voortplanting, dan had nog niemand beredeneerd hoe precies.

'Waarom hebben mannen het niet?' vroeg Samantha met een twijfelachtig fronsje.

'Omdat die, eh, iets anders hebben, iets dat erop lijkt en dat plaatsvindt tijdens de conceptie van het kind.'

'O, *dat.*'

Hij voelde hoe een blos zich over zijn hals verspreidde. 'Daarover hoef jij je in jaren nog geen zorgen te maken, *Liebchen*,' en in gedachten voegde hij er nog aan toe, misschien wel nooit.

Er ging een felle steek door zijn hart en Hawksbill dacht, hoe ouder hoe gekker!

Waar dàcht hij in hemelsnaam aan? Welke tijdelijke waanzin had hem bevangen, dat hij serieus had overwogen met dit kind te trouwen? Beschermen kon hij haar, jazeker, en haar koesteren en liefhebben, maar dat kostbaarste geschenk van een echtgenoot aan zijn vrouw – kinderen – kon hij haar niet geven! Daar was hij te oud voor; welk recht had hij haar het moederschap te ontzeggen? Wie was hij om haar een huwelijk te verbieden? Hawksbill, oude dwaas die je bent!

'Is er iets, meneer Hawksbill?'

Bedroefd keek hij in haar vochtige grijze ogen en dacht, hoe heb ik zo egoïstisch kunnen zijn door te doen alsof haar welzijn me ter harte ging? Welk recht heb ik, in mijn vrekkige hebberigheid, om haar op te bergen als een porseleinen poppetje dat te breekbaar is om aan te pakken?

Toen hij zachtjes kreunde, legde ze haar tengere handje op zijn arm. 'U voelt zich vandaag niet goed, hè? Heeft u last van het vocht? Wat u nodig hebt is een aftreksel van acerolabessen.'

Toen ze de kamer uit was, bleef Hawksbill bewegingloos zitten. Hij peinsde over het wrede lot dat een man in de bloei van zijn leven zijn beminde vrouw ontneemt en zijn hart pantsert tegen alle vrouwen, waarna dat zelfde lot maakt dat hij verliefd wordt nu het te laat is.

Een enkele traan viel uit ogen die meer dan twintig jaar lang niet hadden gehuild. De oude jood haalde huiverend adem en legde in stilte een plechtige belofte af. Hij zou de rest van zijn dagen van haar blijven houden, maar voor haar bestwil zou hij er nooit meer over spreken.

11

Niemand had enig vermoeden, zelfs Matthew zelf niet, dat hij op het punt van instorten stond.

Matthew Christopher Hargrave, achttien jaar oud, werkte nu vier jaar als kantoorbediende, en al die tijd had geen enkele dag enige variatie gebracht. Matthew werkte zeven dagen per week, met uitzondering van zondagochtend, wanneer hij naar de kerk ging – bij elkaar zesenzeventig uur – zonder één vrije dag en zonder ziekteverzuim. De routine was bijna dodelijk: iedere ochtend liep hij naar de rivier om het pontje over de Theems naar de Tower Bridge te nemen, vanwaar hij naar de rijtuigwerkplaats in Bermondsey wandelde. Nadat hij zijn hoed en jas in een hoekje van het bedompte kantoor had opgehangen, hielp Matthew de andere jonge kantoorbedienden met het aanvegen van de vloer, het afstoffen van het meubilair, het vullen van de lampen, het bijsnijden van zijn penpunten, en, eens per week, met het ramen lappen. Het kantoor was dertien uur per dag open, met om twaalf uur een halfuur voor de lunch, en een halfuurtje theepauze. De jongemannen die verkering hadden kregen één avond per week vrij. Het gebruik van Spaanse sigaren, sterke drank, het bezoek aan de barbier en gokken waren redenen voor ontslag. Bijbelstudie werd aangemoedigd, en als een werknemer vijf jaar achtereen een vlekkeloze staat van dienst had, zonder één dag afwezigheid en zonder één keer te laat komen, kreeg hij vijf pence per dag opslag.

In tegenstelling tot zijn collega's, die ijverig en opgewekt hun werk deden en iedere penny spaarden met het oog op een huwelijk, voelde Matthew

Hargrave zich op zijn achttiende in alle opzichten beknot en aan het eind van zijn Latijn.

Het leven thuis was al even saai als op kantoor: James zat in Oxford, aan zijn vader had hij niets en zijn zusje was een vreemde voor hem. Matthew had geen vrienden en was als de dood voor vrouwen. Zijn enige genoegen in het leven was zijn nachtelijk ritueel dat zijn vader zelfbevlekking noemde.

Matthew had het idee dat hij niet goed bij zijn hoofd was, dat hij geleidelijk aan zijn verstand verloor, en hij wist ook dat de oorzaak lag bij masturbatie. Het was algemeen bekend dat een man met iedere zaadlozing iets van zijn nobele 'inborst' verloor, en toch kon hij het niet laten. Om een nog heftiger orgasme te bereiken, gingen zijn nachtelijke ejaculaties vergezeld van zulke walgelijke fantasieën, dat Matthew zichzelf naderhand vervloekte en zich in slaap huilde.

Diep in zijn hart was hij waanzinnig jaloers op zijn oudere broer.

Matthew werkte zich kapot in dat gehate kantoor en overhandigde iedere zuur verdiende penny aan zijn vader, die hem nog nooit één keer had geprezen, terwijl die verdomde James, gewoonweg omdat hij ouder was, een betaalde, chique opleiding volgde en op het universiteitsterrein in het gezelschap van nette kerels mocht wonen. De jaloezie vrat aan Matthews hart als een etterende wond. En nu James in Oxford zijn graad had behaald en solliciteerde bij diverse medische opleidingen in de buurt van Londen, kwam hij weer thuis wonen, een voortdurende, treiterige herinnering aan het feit dat hij, en niet Matthew, in het middelpunt van zijn vaders belangstelling stond.

Hoewel iedereen in huis ogen en oren had, had niemand door wat er aan de hand was, behalve mevrouw Scoggins, de huishoudster, die tegenwoordig 's nachts haar deur vergrendelde.

Het gebeurde op 5 november, Guy Fawkes Day.

Overal in Londen werden enorme vuren aangelegd en afbeeldingen van de beruchte opstandeling opgehangen. Iedereen kwam naar buiten om iets op het vuur te gooien en een slokje te drinken. Terwijl Samuel in de Dials aan het preken was, en Samantha bij het vuur zat te handwerken, stond Matthew achter de gordijnen in de salon naar de drukte op straat te kijken.

De menigte was buiten zinnen. Prostituées deelden kussen uit, arbeidersjongens dansten de horlepijp, voetzoekers gingen af alsof het geweerschoten waren, en de kannen met bier gingen steeds opnieuw rond. Als gebiologeerd werd Matthew naar de voordeur gelokt. Hij opende de deur en keek naar buiten. De hitte van de vlammen leek zijn bloed tot kookpunt te brengen. Hij liep de stoep af en werd als een mot naar het vuur getrokken. Toen hem de kan in handen werd gedrukt, dronk hij dorstig – hij, die nog nooit alcoholhoudende drank had geproefd. Te midden van het gelach, het gehos en de uitgelaten vrolijkheid, werd Matthew al gauw dronken.

Toen Samuel vermoeid thuiskwam en de treetjes voor het huis opzwoegde, zag hij Samantha met opengesperde ogen in de deuropening staan. Ze keek naar de mensenmenigte om het vuur. Toen hij haar angstige blik volgde, zag Samuel zijn jongste zoon in de armen van een hoer, terwijl hij haar vochtig in haar groezelige hals kuste.

De jongeman lachte en wankelde en dronk nog meer bier. Hij ontdeed zich van zijn donkere pandjesjas, zwaaide hem boven zijn hoofd en liet hem in het vuur verdwijnen. Op dat moment kreeg hij zijn vader in het oog. Even bleef hij als verstijfd staan, met zijn arm boven zijn hoofd, zijn lippen in een brede grijns vertrokken; daarna richtte Matthew zijn blik op de donkere ogen van Samuel, die een veroordeling inhielden. Het straatlawaai vervaagde, de hitte van de vlammen verkoelde, de dansende schaduwen op de gevels verdwenen. Alles viel weg, tot Matthew zich alleen nog maar bewust was van twee zwarte ogen waarin het vagevuur brandde.

Hij had het gevoel alsof een koude metalen spiraal, als de veer van een klok, zich binnen in hem begon op te winden. Strakker, steeds strakker, tot het moment dat de veer knapte en Matthew als een katapult op die gehate, beschuldigende ogen afsprong.

Iemand anders dan Matthew Hargrave vloog die avond de stoep op, duwde zijn vader opzij en stommelde nietsziend de salon binnen; en handen die niet van hem waren grepen het zware boek van de standaard en namen het mee naar buiten. Gesmoorde, onduidelijke geluiden probeerden Matthews oren binnen te dringen; een geschrokken, wit gezicht, armen strekten zich uit, de beschuldigende ogen stonden nu angstig – o, wat een *macht!* Matthew gooide zijn hoofd achterover en brulde als een dier dat pijn lijdt, terwijl de bijbel uit zijn handen door de lucht vloog en in de gele vlammen verdween.

Samuel kwam van de stoep af, wierp zich op zijn zoon, duwde hem opzij en stortte zich in het vuur. Terwijl paniekerige handen hem vastpakten en hem probeerden weg te trekken, zag Samuel het geliefde boek zwart worden, verkolen, opkrullen en in de ingewanden van het vuur verdwijnen.

Het gelach verstomde. De dansers renden nu achter Matthew aan, die buiten zinnen was en zigzaggend door de mensenmassa heen rende. Er waren vier mannen voor nodig om hem tegen te houden en toen hij eindelijk viel, lag Matthew met het schuim om zijn mond krampachtig op de keien te spartelen. Zonder zich bewust te zijn van de ernstige brandwonden aan zijn handen en zijn gezicht, zonder de intense pijn te voelen, strompelde Samuel naar de plek waar zijn zoon lag. Met bloedende lippen, waar de blaren op stonden, sprak hij, en de zwijgende menigte hoorde boven het vuurgeknister zijn woorden luid opklinken: 'Matthew Christopher, je bent voor eeuwig verdoemd tot de hel, en vanaf nu erken ik je niet langer als mijn zoon.'

Samuel zakte op de keien ineen en werd naar zijn bed gedragen, waar een dokter een blik op zijn wonden wierp en voorspelde dat hij de nacht niet zou halen. Samantha week niet van zijn zijde, verzorgde hem, waste hem, lepelde thee tussen zijn lippen naar binnen, en legde kompressen met fijngewreven bladeren van de smeerwortel op zijn rauwe wonden. James, die inmiddels in het North London Hospital werkte, nam een deel van de verzorging van haar over. Hoewel er aan de wonden niet veel kon worden gedaan, na een week begonnen ze groen te etteren, kon James zijn vaders pijn en geestelijke kwellingen verzachten door hem vaak morfine toe te dienen. 's Avonds, terwijl Samuel onder zijn sprei lag te woelen, zat Samantha naast zijn bed en las bij het licht van een goedkope vetkaars in Hawksbills boeken over geneesmiddelen. 's Nachts sliep ze op een matras aan het voeteneind van het bed; overdag maakte ze zijn wonden schoon en verbond ze; ze voerde hem bouillon, leegde zijn ondersteek, verschoonde zijn lakens en bad voor hem.

Pas toen het lente werd kon Samuel, zwak en met de nodige hulp, uit bed komen. Zijn herstel was langzaam en onzeker verlopen, en een paar maal had hij de dood onder ogen gezien, maar steeds had hij het gehaald. Hoewel er nu geen twijfel meer aan bestond dat hij bleef leven, was Samuel Hargrave onherkenbaar verminkt.

Zijn lichaam mocht dan herstellen, zijn geest deed dat niet. Samuel gaf niets meer om God. Zijn pamfletten en preken behoorden tot het verleden. Hij zat iedere dag, de hele dag, in zijn kamer. Zijn hoofd werd naar zijn borst toe getrokken door dikke strengen wit littekenweefsel, zodat zijn boord niet dicht kon. Hij staarde leeg voor zich uit, vaak zonder te merken dat Samantha binnenkwam. Om hem verder leed te besparen, vertelde ze hem niet hoe het James verging.

Na korte tijd in het North London Hospital te hebben gewerkt, werd James ontslagen; vervolgens was hij naar Guy's Hospital gegaan. Na een wisselvallig halfjaar was hij ook daar weggestuurd en was naar St.-Bartholomew's getrokken, waar hij nu nog verbleef. Maar nog veel erger dan zijn verbijsterend slechte studieresultaten was een schokkend nieuw bestaan vol gokken, drinken en het gezelschap van hoeren.

Samantha's hart brak. Haar familie ontglipte haar in hoog tempo, en ze vermoedde dat ze van Freddy wel nooit meer iets zou horen. De enige die ze nog over had was Isaiah Hawksbill.

12

Op een herfstochtend, toen er rijp aan de dakranden zat, trof Samantha Hawksbill in bed aan; hij kon zich niet bewegen.

Ze was geschrokken toen ze bij de achterdeur merkte dat het huis er nog koud en donker bij lag. In de vier en een half jaar dat ze voor hem werkte was Hawksbill altijd al op geweest als ze kwam. Toen ze in de bijkeuken stond had ze gekreun gehoord en was het geluid gevolgd. Ze ging naar boven en trof de oude jood nog in bed aan, met zijn slaapmuts op en nachthemd aan. Hij lag ineengerold op zijn zij en hijgde als een hond.

Hij zag kans er een paar woordjes uit te brengen. 'Een dokter, *Liebchen*, ik heb een dokter nodig...'

Twee straten verder woonde een medicus, een zekere dokter Pringle. Samantha legde de afstand rennend af. In zijn ochtendjas en op zijn pantoffels luisterde hij naar Samantha's hijgende verslag van Hawksbills toestand, waarna hij toezegde na het ontbijt langs te komen.

Dr. Pringle verscheen twee uur later, en in die tussentijd was Isaiah Hawksbills toestand verslechterd. Hij was wakker geworden, vertelde hij de dokter met horten en stoten, met een felle pijn rechts onder in zijn buik en hij had niet kunnen opstaan. Nu had hij hoge koorts; zijn groene ogen glinsterden als olivijn.

Dr. Pringle trok de dekens weg en onderzocht voorzichtig Hawksbills buik. Hij schudde zijn hoofd en zei: 'U hebt darmjicht, een ontsteking van een klein aanhangsel van de ingewanden. Ik zal doen wat ik kan.'

Samantha stond aan het voeteneind en keek met stijgende ongerustheid toe terwijl de dokter een potje met bloedzuigers uit zijn tas haalde, Hawksbills nachthemd omhoog trok en de slijmerige zwarte diertjes op zijn witte huid liet vallen. Terwijl ze zich te goed deden tot ze eraf vielen, waarbij ze rode vlekjes achterlieten, maakte dr. Pringle een dosis strychnine klaar en dwong Hawksbill dat in te nemen. Bijna meteen begon de oude man heftig te braken; Samantha hield een kom bij zijn hoofd om het op te vangen. Deze behandeling met aderlaten en purgeren ging de hele dag door, afgewisseld door aanvallen van heftige diarree, tot de oude man kermde om genade. Tegen zes uur kondigde dr. Pringle aan dat hij niets meer kon doen. Isaiah Hawksbill bood een schokkende aanblik: uitgedroogd, verschrompeld en stinkend naar braaksel en ontlasting; zijn huid zag dodelijk bleek, maar zijn wangen werden getekend door felle ongezonde blosjes.

'Ik ga sterven, *Liebchen*,' fluisterde hij.

Ze zat op de rand van het bed, en hield een doek tegen zijn voorhoofd.

'Nee hoor. Dat mag u niet zeggen!'

'Ik heb niet veel... tijd meer. Ik voelde dat het doorbrak. Het vergif heeft me nu in zijn greep, *Liebchen*. Ik moet je iets vertellen.'

'Spaar uw krachten toch, meneer Hawksbill. Morgenochtend kunnen we wel praten.'

'Voor mij... is er geen ochtend meer...'

Ze probeerde iets te zeggen, maar haar keel zat dichtgeknepen. Het was niet eerlijk, riep ze in gedachten uit. De dokter had hem moeten helpen. Hij deugde niet. Hij had zijn lijden alleen maar vergroot!

Isaiah probeerde zwakjes zijn hand op te tillen om haar wang aan te raken, maar het lukte hem niet. 'Ik moet je iets vertellen.' Zijn borst rochelde met iedere ademstoot. 'Ik wil dat het je in je leven aan niets ontbreekt. Ik wil niet dat je aan de genade... van je familie bent overgeleverd. Je moet zelfstandig zijn, Samantha...'

In doodsnood rolde hij zijn hoofd heen en weer. Zijn mond was zo droog dat zijn tong aan zijn verhemelte plakte. 'Neem het,' fluisterde hij schor. 'Het is nu van jou. Ze mogen het niet vinden, anders gaat het naar de Kroon. Jij bent alles wat ik heb op deze wereld, kindje...'

Samantha duwde een vuist tegen haar ogen. 'Alstublieft, u mag niet sterven!'

Zijn pupillen waren zo verwijd dat de irissen niet zichtbaar waren. Hawksbill had even iets van een waanzinnige; hij riep uit: 'Mijn boeken, mijn planten!' waarna hij zijn ogen sloot en vredig de laatste adem uitblies.

Samantha zat tot diep in de nacht naast hem, heen en weer geslingerd tussen woede en smart. Ze keek zwijgend toe terwijl twee mannen zijn in dekens gewikkelde lichaam naar een zwart rijtuig droegen.

Het huis van de oude jood stond een paar jaar leeg, tot het van de Kroon werd gekocht en tot herberg werd verbouwd. Veertig jaar na Hawksbills dood, toen er brand woedde in St.-Agnes Crescent en alle huizen in de as werden gelegd, zakten de planken in zijn hal in, waarna een verkoolde geldkist aan het licht kwam. Toen hij werd opengebroken bleek er geld in verborgen te zitten, nu door de intense hitte tot zwarte as geworden. De som gelds was Hawksbills fortuin geweest – bijna vijftigduizend pond – en als hij de tijd had gehad haar erover te vertellen, was Samantha een schatrijke vrouw geworden.

De tweede tragedie volgde zo snel na de eerste, dat Samantha weinig tijd had om te treuren om haar verloren vriend.

Een week voor Guy Fawkes Day in 1874, de tweede verjaardag van Matthews dolzinnige uitbarsting, hield Samuel Hargrave op met eten. Al drongen mevrouw Scoggins en Samantha nog zo aan, niets kon hem van zijn vaste voornemen afbrengen. Nadat hij zeven dagen lang niets had gegeten en geen woord had gezegd, kreeg hij longontsteking, en op de feestdag zelf, terwijl het licht van het vuur door zijn venster naar binnen scheen, stierf hij.

Samantha en James zaten met ernstige gezichten in de salon, terwijl de vertegenwoordiger van Welby & Welby met zachte stembuiging het woord voerde. Hun vader, zo hoorden ze, was niet gestorven zonder een testament achter te laten. James, als enige erfgenaam (want Matthew was weggelopen en nergens te vinden) zou tijdens de duur van zijn verdere studie een jaarlijkse toelage ontvangen. Daarna, als hij de laatste examens had afgelegd en naast de deur zijn eigen koperen naamplaat was bevestigd, zou hij de rest van de erfenis ontvangen. Ook het huis en alles wat het bevatte werd James' eigendom, met de restrictie dat het niet verkocht kon worden voordat hij zijn dokterspraktijk was begonnen.

En Samantha moest naar Playell's Academy for Young Ladies, in Kent.

13

Ze was als verdoofd.

Gekleed in haar zondagse jurk, nu afgezet met zwart kant, zat ze zwijgend in de trein die haar Londen uit voerde. Ze keek met nietsziende ogen naar het prachtige boslandschap dat in rode en gouden herfsttinten was geschilderd. Mevrouw Scoggins, en niet James (die zijn opleiding aan Middlesex Hospital voortzette) had haar naar Victoria Station gebracht. Ze had het meisje onaangedaan omhelsd en had haar een in een doek gewikkeld pakje brood en kaas voor op reis gegeven.

Ze werd van het station in Chislehurst gehaald door een rijtuig dat werd gemend door een wat zure oude man, Humphrey genaamd. Zonder een woord te wisselen reden ze over de landweggetjes, terwijl de namiddagzon door de takken boven hun hoofd flitste. Er hing een leemachtige geur in de lucht, de geur van volle mest, dicht groen gras en ritselende bruine bladeren. Aan weerszijden van de weg ving Samantha steeds een glimp op van deftige herenhuizen, die een heel eind van de weg af stonden, met lange oprijlanen en groepjes wilgen ervoor. Na een poosje manoeuvreerde Humphrey het rijtuig een van de rondlopende oprijlanen op, en Samantha zag een schitterend landhuis uit de Tudortijd voor zich opdoemen.

Met het gevoel dat honderden onzichtbare ogen haar vanuit de in kleine ruitjes onderverdeelde ramen bekeken, stapte Samantha uit het rijtuig. Ze werd begroet door een lange, stijve vrouw van een jaar of veertig, gekleed in zwart bombazijn. Het was mevrouw Steptoe, directrice van de school, en de vernietigende blik in haar ogen maakte dat Samantha zich afvroeg wat ze nu al had gedaan om zich het misprijzen van deze indrukwekkende vrouw op de hals te halen.

Mevrouw Steptoe, zo merkte Samantha later, bekeek iedereen afkeurend. Daar ze op de gevoelige leeftijd van tweeëntwintig al weduwe was geworden en door haar jonge echtgenoot onverzorgd was achtergelaten, was mevrouw Steptoe gedwongen tot de onplezierige en vernederende toestand zelf haar brood te moeten verdienen. Ze was lang geleden als lerares naar Playell's Academy gekomen en had na jaren van listig en politiek manoeuvreren de status van directrice bereikt. De familie Playell was allang dood en de school werkte met geld uit een stichting en met het schoolgeld dat de studentes betaalden. Mevrouw Steptoe had hier de absolute macht.

'Kom maar mee,' zei ze tegen Samantha, en draaide zich zo soepel om en zweefde zo over de parketvloer weg dat Samantha zich afvroeg of ze soms wieltjes onder haar schoenen had.

Het huis was gebouwd in de tijd van Elizabeth I. De plattegrond had de vorm van een E. Er was een centrale hal met zitkamers eromheen, ontvangkamers, een bibliotheek en een indrukwekkende trap die met een boog naar de eerste verdieping leidde, waar zich, in de noordelijke en zuidelijke vleugels, leslokalen en een slaapzaal bevonden. Mevrouw Steptoe bracht haar naar een vorstelijke oude slaapkamer die met donker hout was betimmerd, waar dikke kleden lagen en waar zich een kolossale open haard van grijze steen bevond. Er stonden vier bedden, twee schrijftafels, twee stoelen, een klerenkast en een wastafel met een kom en een lampetkan. Vol verbazing besefte Samantha dat dit de komende jaren haar thuis zou zijn. Ze liet haar sjofele tas vallen en rende naar het raam om naar buiten te kijken.

De klap op haar achterhoofd ontlokte haar een kreet. Ze wreef over haar schedel, keek op in de kille ogen van mevrouw Steptoe en hoorde haar op droge toon uitleggen dat het regel was dat je als een dame moest lopen en dat je de staf met de nodige eerbied bejegende. Als je drie keer tegen de schoolregels had gezondigd, moest je als straf een week lang de privaten schoonmaken.

In de dagen die volgden maakte Samantha vaak de privaten schoon en gedurende die tijd begon ze een hekel aan de school te krijgen, en nog meer aan mevrouw Steptoe. In de lente koesterde Samantha plannen om te ontsnappen.

Omdat ze wat onbehouwen en van lage komaf was, en raar sprak, lieten de beschaafde meisjes Samantha links liggen, waardoor ze nooit deelde in het nachtelijk geroddel en gefluister dat plaatsvond als het gaslicht was gedoofd. Maar ze luisterde. Haar drie kamergenootjes brachten de gedempte conversatie altijd op hetzelfde onderwerp.

Er was op Playell's Academy maar één mannelijke leraar, Roderick Newcastle. Hij was twee maanden vóór Samantha gearriveerd. Alle meisjes waren wanhopig verliefd op de kleine, kale wiskundeleraar, en hem viel de vreemde eer te beurt om bij mevrouw Steptoe aan tafel te eten, op een verhoging in de reusachtige eetzaal. Op een middag hield juffrouw Tomlinson, de mollige lerares die gezondheidsleer onderwees, een verhandeling over de voorbereiding op het huwelijk en noemde zijdelings iets dat de Plicht werd genoemd.

'Denk eraan, jongedames, geen enkele deugdzame vrouw beleeft genoegen aan de Plicht, maar toch schikt de deugdzame echtgenote zich hierin. Daar mannen bepaalde lusten hebben die wij niet kennen, kunnen wij daar geen begrip voor hebben, en daarom moeten we ons aan onze echtgenoot overgeven, erop vertrouwend dat hij in deze heilige zaak de wijste is. We moeten genoegen beleven niet aan de daad zelf, maar aan de wetenschap dat we onze echtgenoot behagen en een nieuwe inwoner van Engeland ter wereld brengen. Plicht ten opzichte van echtgenoot en vaderland, jongedames, vergeet dat nooit. Als de ervaring al te onplezierig is, moet je de ogen sluiten en aan Engeland denken.'

Nadat de gaslampen waren gedoofd fluisterden de meisjes in bed: 'Ik zou het niet erg vinden me aan meneer Newcastle over te geven!'

'Dan groeit er een baby in je buik.'

'Hoe komt die eruit?'

'Je navel gaat open en dan springt de baby naar buiten.'

Samantha luisterde en moest zich inhouden om niet hardop te lachen. Je woonde niet aan de Crescent zonder te weten hoe de voortplanting was geregeld.

De oudste van de meisjes, zeventien jaar oud, maakte een eind aan de discussie door nuchter op te merken: 'Er is niets aan. Het is net alsof je een stok in je krijgt.'

De meisjes zwegen en Samantha rolde zich op haar andere zij om zich over te geven aan haar geliefkoosde fantasie: weglopen.

Ze zou morgen weggaan, de trein naar Liverpool nemen, en Freddy gaan opzoeken. Ze zouden een prachtig huis kopen, trouwen en nog lang en gelukkig leven. Of ze zou wachten tot James zijn diploma had en bij hem in Harley Street gaan wonen om hem haar leven lang in zijn praktijk te assisteren. Maar het liefst keek ze naar het troostrijke visioen van Freddy, die in een schitterend rijtuig kwam voorrijden, met een hoge hoed op en een wandelstok met zilveren knop in de hand. Hij vertelde mevrouw Steptoe en alle meisjes dat hij haar kwam halen om naar zijn landhuis in Cheshire te gaan.

Er klonk een stommelend geluid, als van onweer in de verte, gevolgd door een kreet en een bons. Samantha schoot overeind.

'Wat was dat?!' zei een van haar kamergenootjes.

Blote voeten snelden over de gang.

Samantha was als eerste uit bed en bij de deur. Toen ze de gang in keek, zag ze alle meisjes in hun lange flanellen nachtjaponnen bij de deuren naar het oostelijke gedeelte van de donkere gang staan turen. De mollige juffrouw Tomlinson kwam in haar kamerjas voorbij stappen, waarbij haar vlechten op en neer dansten.

De meisjes bleven fluisterend staan wachten, en toen juffrouw Tomlinson een gil slaakte en tegen de grond sloeg, rende een paar van de moedigste meisjes naar haar toe. Samantha was een van hen.

Juffrouw Tomlinson was boven aan de trap flauwgevallen. Vanaf dat punt kon je helemaal onderaan, bij het vage schijnsel van de nachtlamp, de in elkaar gezakte gestalte van mevrouw Steptoe zien. En ook de vuurrode vlek op haar rok die steeds groter werd.

Een van de meisjes viel elegant flauw en voegde zich bij juffrouw Tomlinson op de grond, terwijl de anderen zich aan de trapleuning moesten vasthouden. Samantha snelde de trap af en stond tegelijkertijd met juffrouw Whittaker, de naailerares, bij de bewusteloze directrice. Zonder nadenken liet Samantha zich op haar knieën vallen en nam mevrouw Steptoes pols tussen duim en vingers, zoals ze James had zien doen. 'Ze leeft nog,' mompelde ze, en juffrouw Whittaker begon te snikken.

'Een dokter!' riep iemand.

Meer meisjes hadden zich boven aan de trap verzameld, waar juffrouw Tomlinson nu begon bij te komen. Toen drong Roderick Newcastle, in hemdsmouwen en bretels, zich naar voren. Hij keek neer op de directrice, trok bleek weg tot hij zo wit zag als een vaatdoek, en zei: 'O, mijn god.'

Iemand maakte Humphrey wakker en stuurde hem naar Chislehurst om de dokter te halen. Meneer Newcastle en juffrouw Whittaker droegen mevrouw Steptoe door de gang naar haar kamers op de eerste verdieping, een korte afstand, en legden haar voorzichtig op het kleine hemelbed. Terwijl juffrouw Whittaker zich in een stoel liet vallen en Newcastle zich het voorhoofd bette, trok Samantha mevrouw Steptoe haar laarzen uit en dekte haar toe met de sprei.

Het duurde lang voordat de dokter kwam. Derry Newcastle maakte een vuur in de open haard aan, en juffrouw Whittaker zette thee. Samantha bleef bij het bed zitten en controleerde voortdurend mevrouw Steptoes pols en ademhaling. Toen ze de sprei een keer optilde, zag ze dat de bloedvlek groter was geworden.

Er werd ritmisch op de deur geklopt en juffrouw Whittaker liet een kleine vrouw van een jaar of vijftig binnen. Humphrey stond nerveus met zijn pet te spelen. Juffrouw Whittaker keek verbijsterd.

De vrouw glipte langs haar heen, trok haar cape uit en liep naar het bed. 'Wie bent u?' informeerde Derry Newcastle.

'Er is hier geen plaats voor heren, meneer,' antwoordde de vrouw gevat, met haar rug naar hem toe. Ze voelde mevrouw Steptoes slappe pols, precies zoals Samantha had gedaan.

Toen Newcastle onzeker de kamer uitliep en de deur achter zich dichtdeed, tilde de vrouw de sprei op, keek even naar de vlek, en zei: 'Ik heb warm water en een in repen gescheurd laken nodig.' Ze sloeg de ogen op en keek Samantha recht aan. 'Iemand zal me hierbij moeten helpen.'

Juffrouw Whittaker vloog naar de deur. 'Ik haal het water en het laken wel!' Weg was ze.

De vrouw keek Samantha over het bed heen aan – hun gezichten werden verlicht door het schijnsel van de olielampen. 'Het lijkt erop dat jij de uitverkorene bent. Kun je ertegen?'

Samantha voelde dat haar hart sneller ging kloppen. 'Ja mevrouw, ik heb ervaring.'

'Mooi zo. Rol je mouwen maar op, er is werk aan de winkel.'

Terwijl Samantha haar lange zwarte vlechten achter in haar nachtpon duwde en haar mouwen opstroopte, bleef ze naar de vrouw tegenover zich kijken. Ze was een jaar of vijftig, met grijzend blond haar dat in het midden was gescheiden en op de ouderwetse manier was opgestoken zodat ook de oren bedekt waren. Ze was klein en gedrongen en maakte een uitermate gezonde en energieke indruk. Samantha keek geboeid toe terwijl ze de witkanten manchetten van haar blauwe serge japon oprolde, mevrouw Steptoes oogleden optilde en zich dicht naar het achteroverliggende gezicht boog om het te bestuderen. 'Ik ben dokter Blackwell, hoe heet jij?' vroeg ze zonder op te kijken.

Samantha sperde haar ogen open. 'Samantha Hargrave, mevrouw.' Haar wangen bloosden meteen fel rood. 'Ik bedoel mevrouw Blackwell, ik bedoel mevrouw de dokter...'

Elizabeth Blackwell glimlachte haar even toe. 'Dokter is genoeg, hoor kind. Help me maar even met haar jurk.'

Terwijl ze de vele knoopjes losmaakten en mevrouw Steptoe voorzichtig van het lijfje ontdeden, begon dokter Blackwell zachtjes, met een vreemd accent, te vertellen. Samantha had nog nooit zo'n tongval gehoord. 'Ik was in Chislehurst bij een oude kennis op bezoek. Toen jullie bediende de herberg kwam binnenstormen, op zoek naar de plaatselijke dokter, bood ik aan om mee te gaan. De arme man, hij wist niet wat hij moest doen. "Ik kom een dokter halen," zei hij. "Geen vroedvrouw!" '

Ze maakten de banden van mevrouw Steptoes vele onderrokken los, allemaal doorweekt van het bloed, en trokken ze uit. 'Het lijkt erger dan het is, Samantha,' zei de dokter geruststellend. 'Als het zich zo heeft verspreid, lijkt het altijd meer dan het is.'

Samantha keek met grote ogen strak naar dr. Blackwell toen ze naar de wastafel liep, water in de kom goot en haar handen goed afboende. Terwijl ze haar handen afdroogde, kwam dr. Blackwell naar het bed toe en zei: 'De meeste dokters wassen hun handen alleen na afloop. Ik beweer dat het geen kwaad kan het van tevoren te doen. Kom, laten we eens kijken wat er aan de hand is.'

Haar kleine, schone handen betastten eerst mevrouw Steptoes buik, waarna ze de melkblanke dijen van elkaar deed en haar inwendig onderzocht. Dr. Blackwells knappe, hoekige gezicht behield een geconcentreerde, ondoorgrondelijke uitdrukking; haar diepliggende ogen keken strak naar een punt boven het bed. Toen ze klaar was veegde ze haar hand af aan de handdoek en zei: 'Ik vrees dat de arme vrouw een miskraam heeft gehad.'

Samantha's adem stokte haar in de keel. 'Is mevrouw Steptoe zwanger?'

Dr. Blackwell pakte haar tas. '*Was*, liefje. De val heeft een miskraam veroorzaakt. Ze was bijna vier maanden ver, te oordelen naar de grootte van de baarmoeder.'

Samantha keek neer op het bleke, slapende gezicht en vond dat de directrice er, voor het eerst, vredig uitzag. 'Ik vraag me af hoe het kon gebeuren,' merkte Samantha koel op. 'Ze loopt die trap ontelbare malen op en af...'

Dr. Blackwell keek haar even onderzoekend aan en zei: 'We moeten nu aan het werk. Pak die lamp alsjeblieft en zet hem tussen haar benen.'

Juffrouw Whittaker kwam op haar tenen de kamer binnen, zette het water en de repen laken naast het bed, en verdween zonder een woord te zeggen. Toen Samantha de lamp op bed had gezet, legde ze samen met dr. Blackwell de benen van de directrice zo ver mogelijk uiteen, trok de knieën op en hield ze vast. 'Wat gaat u doen?'

'De baby kan niet behouden worden. Het is onze taak het proces dat door de val van de trap op gang is gekomen, te voltooien. Dat is haar enige kans, het arme mens.' Dr. Blackwell haalde een zilveren instrument uit haar tas, dat volgens Samantha wel iets van een eendesnavel had. De dokter zette de lamp zó, dat het licht goed op haar werkterrein viel en zei: 'Let op haar gezicht, Samantha. Als je denkt dat ze bij bewustzijn komt, moet je het me zeggen, dan houd ik direct op. Nu moet ik snel aan de slag. Omdat ze is flauwgevallen kan ik werken zonder mijn toevlucht tot narcose te nemen, dat kan gevaarlijk zijn. Probeer haar benen alsjeblieft stil te houden.'

Samantha boog zich over het lichaam van de directrice, en moest met haar handen voortdurend de onwillige knieën in bedwang houden. Haar ogen dwaalden steeds van het vredige gezicht van de directrice naar de rap bewegende handen van dr. Blackwell. Dr. Blackwell zette een bakje onder het speculum, waarna ze een vreemd instrument pakte. Het was een pen van een stekelvarken, met aan het uiteinde een zilveren schijfje met een scherpe rand.

'Waar is dat voor?' fluisterde Samantha.

'Dat is een curette.' Dr. Blackwell leidde het zilveren plaatje voorzichtig langs het speculum naar binnen en sloot even de ogen, terwijl ze in gedachten de weg van het instrument volgde. 'Ik moet zeker weten dat ik in de uterus zit, en niet in de buikholte.'

Samantha hield de adem in, terwijl ze toekeek hoe de kleine hand de pen diep inbracht, tot er nog maar een klein stukje zichtbaar was. 'Zo,' fluisterde dr. Blackwell en deed haar ogen weer open. 'Dat zit goed. Kijk eens naar haar gezicht, Samantha, komt ze al bij?'

'Nee, ze is nog steeds bewusteloos. En haar borst gaat mooi regelmatig op en neer.'

Dr. Blackwell keek het meisje even verrast aan, waarna ze de curettage voortzette.

Geboeid luisterde Samantha in de stilte van de nacht naar een vreemd, gedempt schrapend geluid en zag onder haar uitgestrekte arm door mevrouw Steptoes buik zachtjes bewegen, terwijl de curette zijn werk deed. Samantha deed haar mond open om iets te zeggen, deed hem abrupt weer dicht en wendde haar hoofd snel af.

'Hoe gaat het met haar?' vroeg dr. Blackwell.

Samantha zei met een piepstemmetje: 'Prima...'

'Is met jou alles in orde?'

'Ja...'

'Wat ik nu aan het doen ben, Samantha, is het restant van het embryonale weefsel uit de baarmoeder te verwijderen. Als dat niet gebeurt, als ze niet schoon wordt gemaakt, krijgt ze last van complicaties. Bloedingen, infectie, pijn. Dit móet gebeuren. Begrijp je dat, Samantha?'

'Ja, mevrouw.' Samantha draaide haar hoofd weer terug en keek naar het strenge gezicht van de dokter, naar de knappe, krachtige trekken die zich in de gele gloed van de lamp duidelijk aftekenden.

'Zo.' Dr. Blackwell legde de curette terzijde en pakte een lange, zilveren tang met een ring aan het eind, en klemde er een stukje van het laken tussen. 'De uterus is schoon. Nu gaan we deppen. Komt ze al bij?'

'Haar oogleden bewegen.'

'Mooi. Het is bijna klaar.'

Nadat de ring een paar maal was ingebracht en de tampons er steeds schoner uitkwamen, bracht dr. Blackwell een bloedstelpend middel in, met behulp van een pen die in aluinpasta was gedoopt. 'Dit is om kleine bloedingen te stelpen.' Ten slotte vulde ze mevrouw Steptoes vagina met reepjes van het witte laken.

Een half uurtje later zaten ze bij de open haard Oolong-thee te drinken. Terwijl ze haar aan het wassen waren, was mevrouw Steptoe wakker geworden en had een dosis laudanum gedronken. Nu lag ze tussen schone lakens vredig te slapen.

'Denkt u dat het weer goed met haar komt, mevrouw de dokter?'
'Ik geloof van wel. Je hebt je kranig gehouden, Samantha. Zonder jouw hulp had ik het veel zwaarder gehad.'
Samantha keek verlegen naar haar kopje, waarin een paar theeblaadjes rondzwierden. Doodop en tegelijkertijd vreemd opgetogen probeerde Samantha dat eigenaardige gevoel van welbevinden te verklaren. Nadat ze zo nauw met dr. Blackwell had samengewerkt, voelde ze zich op een eigenaardige manier met deze vrouw verbonden. Ze kon die vage emotie niet onder woorden brengen, maar voor het eerst in haar leven ervoer Samantha een gevoel van kameraadschap met een andere vrouw. En lovende woorden van deze vrouw, die ze pas twee uur kende, betekenden ineens alles voor haar. Dr. Blackwell bestudeerde haar zwijgende metgezellin en vond dat ze een unieke combinatie was van zeldzame schoonheid en bescheidenheid. De dokter herinnerde zich niet dat ze ooit zo'n betoverend mooi meisje had ontmoet, dat zich haar knappe uiterlijk kennelijk niet bewust was. Elizabeth Blackwells nieuwsgierigheid was gewekt: de onbehouwen manier van spreken, het gebrek aan maniertjes, de onelegante manier waarop ze haar kopje in beide handen hield en van haar thee slurpte. Hoe kwam een achterbuurtkind als dit terecht op Playell's Academy, tussen al die beschaafde dametjes uit de hogere standen? Een vergelijking kwam bij haar op: Samantha Hargrave was een ruwe, ongeslepen diamant in een verzameling gepolijste bergkristalletjes.
'Heb je het hier naar je zin, Samantha?'
'Nee, mevrouw de dokter.'
'Waarom niet?'
'Ik weet niet wat ik hier eigenlijk doe. Ik heb geen vriendinnen. Ze hebben allemaal de pest aan me. Ik krijg vaak slaag. En 's morgens tref ik altijd het laatste waswater, als het al helemaal vies is.'
'Je ouders hebben vast wel een goede reden om je hierheen te zenden,' zei de dokter vriendelijk.
'Ik heb geen ouders meer. Moeder is bij mijn geboorte gestorven en mijn vader...' Haar stem stokte.
'Wat ga je doen als je hier weg bent? Heb je daar al over nagedacht?'
Elizabeth Blackwell had een eigenaardig troostende uitwerking, haar stem was onweerstaanbaar, haar manier van doen bijna moederlijk. Samantha voelde instinctief dat ze deze vrouw kon vertrouwen. 'Eerlijk gezegd, dokter, ben ik van plan om weg te lopen.'
'Waar ga je dan heen?'
'Weet ik niet.'
'Hoor eens, Samantha,' zei dr. Blackwell voorzichtig, 'je voelt je kennelijk bij zieke mensen goed op je gemak. Je hebt vanavond grote indruk op me gemaakt. Ik vermoed dat je het vaker hebt gedaan.'
Samantha's gezicht klaarde op. 'O ja, mevrouw de dokter. Ik heb voor Freddy gezorgd, ziet u, en toen is mijn vader vreselijk verbrand.'
'Zo, zo...' De dokter dacht even na en zei toen: 'Heb je er ooit over ge-

dacht om je aan dit soort werk te wijden?'
'U bedoelt dat ik verpleegster word, zoals Florence Nightingale?'
De plotselinge opleving was dr. Blackwell niet ontgaan. 'Misschien, alleen
dacht ik eerder aan een medisch beroep. Waarom word je geen dokter?'
Samantha zette haar kopje neer. 'Dokter? Vrouwen kunnen geen dokter
worden!'
'Natuurlijk wel. Kijk maar naar mij.'
'Maar... u bent toch geen *echte* dokter, hè?'
Dr. Blackwell lachte vrolijk. 'Jazeker wel! En ik ben even goed als welke
man ook, mag ik wel zeggen!'
'Maar dokters snijden toch in mensen? Dat doet een dame toch niet?'
'Mijn lieve kind, er is niets afstotends of onbetamelijks aan het bestuderen
van de natuur: iedere spier en pees en bot is als een strofe van een gedicht.'
Samantha keek haar ernstig aan. 'Hoe is het om een vrouwelijke dokter te
zijn?'
'Dat zal ik je aan de hand van een voorbeeld duidelijk maken. Laatst kwam
er een man bij me met een kwaal die ik kon genezen. Toen ik hem naderhand vertelde wat hij me schuldig was, antwoordde hij: "Voor dat bedrag
had ik ook een *echte* dokter kunnen nemen!" '
Samantha keek peinzend. 'Een vrouw die dokter is. Stel je voor...' Ze
leunde achterover. 'Hoe word je dat?'
'Eerst moet je het echt willen, en ik geloof dat dat bij jou wel het geval is.
En vervolgens moet je een goede opvoeding hebben gehad. Ten slotte moet
je aan je beschaving werken en een echte dame van jezelf maken.'
Samantha fronste haar wenkbrauwen. 'U bedoelt dat ik hier moet blijven
om te leren in welke hand ik mijn kopje moet houden en in welke hand
mijn cake.'
'Zoiets, ja. Als je deze school afmaakt, mag je naar de medische opleiding.
Het is ook belangrijk dat je netjes leert praten.'
'Ik heb altijd problemen met praten gehad. Freddy zei dat ik nog nooit een
woord had gezegd tot hij probeerde een oude kat dood te steken. Toen was
ik vier en als ik tegenwoordig een onbekende ontmoet, ben ik tijden lang
sprakeloos!'
'Dan moet je proberen daar overheen te komen, want dokters moeten goed
van de tongriem gesneden zijn!'
Terwijl het veertienjarige meisje diep in gedachten verzonken zat, stond dr.
Blackwell op en pakte haar kralentasje. Ze haalde er een gegraveerd visitekaartje uit en gaf het aan Samantha.
'Ik zou het leuk vinden als je me eens kwam opzoeken. Hier is mijn adres in
Londen. Denk maar eens na over wat je hier vanavond hebt gedaan, en als
je erover wilt praten, mijn deur staat altijd voor je open.'

Samantha lag in bed, te opgewonden om te kunnen slapen – haar lichaam
leek geladen met een vreemde, nieuwe vitaliteit en haar gedachten draaiden in kringetjes rond. Terwijl ze luisterde naar de zachte ademhaling van

haar slapende kamergenootjes, zag ze allerlei taferelen voor zich: mevrouw Steptoe onder aan de trap, Samantha's spontaan aangeboden hulp, de komst van de onbekende dokter, de pennen, het bloed, en dr. Blackwells onweerstaanbare persoonlijkheid. Samantha probeerde het allemaal te begrijpen. Ze was doodsbang geweest, niet minder panisch dan juffrouw Whittaker, en het liefst had ze de benen genomen. Toch had ze dat niet gedaan. Waarom niet? Wat had haar bewogen die trap af te rennen toen de anderen flauwvielen? Hoe kwam het dat zij moedig de benen van de directrice had vastgehouden, terwijl juffrouw Whittaker wegvluchtte?
Ben ik dan werkelijk zó anders?
Er waren vele problemen te ontrafelen en op een rijtje te zetten tot ze zich tot een nieuw geheel samenvoegden. Ja, Samantha besefte dat ze anders was. Maar in hoeverre? Kwam het gewoon, zoals dr. Blackwell had gezegd, omdat ze zich 'op haar gemak voelde bij zieke mensen'? Andere taferelen trokken voorbij: de stugge vacht van een oude poes, Freddy's gehavende been, haar vader die hulpeloos in bed lag...
Was dat het? Waarschijnlijk, ja... het antwoord dat haar sinds dr. Blackwells vertrek steeds was ontglipt. Behalve dat wonderbaarlijke nieuwe gevoel tegenover die opmerkelijke vrouw, was Samantha ook doortrokken van een andere, vage emotie, die haar bekend voorkwam maar die ze niet onder woorden kon brengen. Nu wist ze wat het was. Toen ze over mevrouw Steptoes bewusteloze lichaam stond gebogen, was Samantha vervuld geweest van een rechtlijnig, doelbewust gevoel. Het kwam haar bekend voor omdat ze het eerder had ervaren, niet zo sterk als vanavond, maar toch: toen ze Freddy's been had verzorgd en hem geleidelijk aan had genezen; en vervolgens haar vader, toen ze zich over zijn zielige, verbrande lichaam ontfermde en hem op de weg naar herstel bracht; en... nog eerder, een vage herinnering; die intense behoefte om een waardeloze kat weer gezond te maken...
Samantha zoog haar longen vol lucht en hield haar adem zo lang in dat ze er pijnscheuten van in haar borst kreeg.
Een dokter! riep ze inwendig uit. Te worden zoals *zij!* Te doen wat *zij* vanavond heeft gedaan!
Samantha sperde haar ogen steeds wijder open, zoekend naar een verborgen waarheid op het donkere plafond boven haar. Haar lichaam tintelde; iedere zenuw was tot het uiterste gespannen. Ze duwde haar vingers diep in de matras om te voorkomen dat ze haar bed uit schoot, regelrecht naar de sterren.
Eerder op de dag was ik nog niemand en liep ik doelloos rond. Nu weet ik wie ik ben en welk doel ik voor ogen heb...

14

Mevrouw Steptoe herstelde voorspoedig en de normale routine op school werd hervat. Toch waren er dingen veranderd. Derry Newcastle was met de noorderzon vertrokken en er kwam een nieuwe wiskundeleraar. De directrice werd rustig en in zichzelf gekeerd, niet meer de tirannieke figuur die alleen al door haar aanwezigheid de meisjes angst aanjoeg; en Samantha Hargrave was totaal veranderd. Ze wierp zich met hart en ziel op de lessen, die, naar ze ontdekte, niet veel van haar eisten omdat de leraressen allen de algemeen heersende opvatting waren toegedaan dat te veel studeren slecht was voor de vrouwelijke voortplantingsorganen. De nadruk lag op de schone letteren, welsprekendheid en muziek. Er werd Frans en Duits gegeven en elementair Latijn en Grieks; het kleine beetje natuurkunde – biologie en scheikunde – was gemakkelijk voor Samantha vanwege de jaren die ze bij Hawksbill had doorgebracht. Ze werkte hard aan het verbeteren van haar sociale status en, met de hulp van dr. Blackwell die ze zo vaak mogelijk in Londen bezocht, waren de ruwe kantjes er al gauw af. Naarmate de maanden verstreken en er uit het ruwe achterbuurtkind van eerst een juweeltje groeide, vergaten de andere meisjes geleidelijk aan hun minachting voor Samantha en betrokken haar uiteindelijk bij hun vriendschappen.

Ze ging tijdens de drie jaar die volgden een paar maal naar huis; soms was James er ook, dronken en agressief, klagend over zijn studie en hij vergokte zijn toelage; maar nog vaker schitterde hij door afwezigheid. Tijdens het derde kerstfeest dat ze thuis was, kwam James aanzetten met het nieuws dat hij uit Westminster Hospital was gegooid.

Een week voor haar zeventiende verjaardag ontving Samantha een briefje waarin stond dat James was gearresteerd. Hij had terecht gestaan wegens moord en wachtte in Newgate Prison op zijn executie.

Hij smeekte haar hem te komen opzoeken.

Op de dag voordat hij werd opgehangen, nam Samantha de trein naar Victoria Station, huurde een taxi en kwam 's avonds bij Newgate aan. Ze vroeg de chauffeur op haar te wachten en stapte uit.

Het imposante gebouw van grijze steen maakte even dat ze zich heel klein voelde. Toen tilde ze resoluut haar rok op en beende over het modderige plaveisel naar de onopvallende, kleine ingang. Ze zou heel wat mensen moeten omkopen had James haar in zijn haastig geschreven brief verteld, en dat bleek te kloppen: een reeks bewakers, vreselijk verlopen en stinkend naar jenever, lonkte naar Samantha, terwijl ze haar geld in ontvangst namen en haar door vochtige stenen gangen leidden; hun enorme sleutelbossen rinkelden. Het had iets van een afdaling naar de hel: de vunzige stank, het vocht dat van de muren droop en de onuitsprekelijke somberheid. Terwijl ze dicht achter de bewaker en zijn slingerende lantaarn aanliep, hoorde Samantha het schuiven van zware kettingen en de uitroepen van de mannen als ze voorbijkwam: 'Hé, schatje, trek je rok eens op en gun ons een blik op het paradijs!' Eén uithaal van de bewaker met zijn stok maakte dat ze zich schielijk van de tralies terugtrokken.

Even later stond de bewaker stil; ze waren op het laagste punt aangekomen, waar de lucht niet om te houden was en waar het enige licht afkomstig was van flakkerende toortsen. Zijn adem stonk toen hij zei: 'Dit is een veroordeelde, en ik mag eigenlijk geen bezoekers bij hem toelaten. Het kan me een hoop problemen opleveren.'

Samantha stak haar hand in haar reticule en liet een paar glanzende shillingstukken in zijn vuile hand vallen. 'Vijf minuten,' zei hij bars en wendde zich af.

Voor haar bevonden zich de tralies van een cel, en daarachter heerste ondoordringbare duisternis. Voorzichtig, alsof ze de kooi van een wild beest naderde, deed Samantha een stapje naar voren. Plotseling klonk het gerinkel van een ketting, waarna er een spookachtig gezicht voor haar opdoemde.

'Sam,' fluisterde James hees. 'Je bent dus gekomen.'

Ze stond perplex. Was dit armzalige, broodmagere, ellendige wezen haar knappe broer? Ze stak haar hand door de tralies.

'Niet doen,' zei James zachtjes. 'Dan denkt die schoft dat je me iets geeft, en dan gooit hij je eruit. We hebben niet veel tijd en ik wil nog zo veel zeggen.'

Hij bracht zijn gezicht dicht bij de tralies. James was ongelooflijk verouderd. 'Morgenochtend maken ze me een kopje kleiner, Sam.'

Met moeite bracht ze eruit: 'Wat is er gebeurd, James?'

'Ik was naar de Iron Lion gegaan voor een slokje jenever, en terwijl ik zat te drinken kwam hij opeens op me af, die grote, gore Ier die het op mijn Molly had voorzien. Hij verraste me – ik had hem niet gehoord door dat dove oor van me – en ik heb eens flink uitgehaald, zijn neus zat zowat op zijn achterhoofd. Ik zweer het je, Sam, als ik hem had horen aankomen, had ik nooit zo hard geslagen. Het was zelfverdediging, maar Paddy had te veel vrienden en die hebben allemaal tegen me getuigd.'

Samantha pakte de tralies beet; haar handschoenen werden er zwart van. 'Jij weet niet hoe ik aan dat dove oor kom, hè, Sam? Ik zal het je vertellen.'

Ze luisterde naar zijn zachte, emotieloze verslag van de avond dat zij werd geboren. Hij besloot met: 'Is het niet ironisch? Wat ik heb gedaan om *jou* het leven te redden, is er de oorzaak van dat het mijne geleidelijk naar de knoppen ging! Mijn hele leven is één grote ellende geweest, en dat allemaal door jou. Vanwege mijn oor kon ik niet sporten en ik moest twee keer zo hard studeren omdat ik zo veel van de colleges miste. En daardoor had ik totaal geen contacten. Soms heb ik me wel eens afgevraagd of je dat wel allemaal waard was, Sam.'

Ze hoorde zichzelf mompelen: 'Het spijt me vreselijk...'

'Er was niets aan te doen, denk ik. Vanaf die avond waren we allemaal tot de ondergang gedoemd. Neem Matthew bijvoorbeeld, waar hij ook mag uithangen. Weet je waarom ik aan de drank ben geraakt na Oxford? Dat kwam door vader. Ik studeerde me suf om zijn goedkeuring te verkrijgen, maar toen ik mijn graad haalde en hij me niet eens een hand kwam geven, toen knapte er iets in me. Ik zei: hij kan verrekken, en ik besloot alles in te halen wat ik in mijn jeugd had gemist.' James boog het hoofd en drukte zijn volle zwarte krullen tegen de tralies. 'Hij heeft altijd de pest aan ons gehad, Sam, omdat wij de oorzaak van moeders dood zijn. De ondergang is wat ons bindt, zusje. We hebben onze straf zeventien jaar geleden ontvangen en mijn vonnis wordt morgen voltrokken. Maar let op mijn woorden, Sam, jouw beurt komt ook nog wel.'

Ze sloot haar ogen en voelde een grote kilte in haar hart neerdalen. James hief zijn gezicht op; tranen trokken hun spoor over zijn groezelige wangen. 'Ik heb morgenochtend een afspraak met de beul, Sam. Bid voor me.'

'Hé, jij daar!' klonk een blaffende stem vanuit de schaduw.

Samantha draaide zich snel om.

'Je tijd is om!' De bewaker kwam als een beer op zijn achterpoten op haar af waggelen en sloeg keihard met zijn stok tegen de tralies.

'Maar ik ben hier nog geen vijf minuten!'

'Als ik zeg dat het tijd is, is het tijd! Schiet op!'

'Geef hem nog wat geld, Sam!' riep James.

'Maar ik heb niets meer!'

'Als je geen geld hebt, mag je hier ook niet meer blijven.'

'Alstublieft, meneer, nog één minuutje. Ik kan u niets meer geven.'

Over het gezicht van de bewaker gleed een geile glimlach. 'O nee?' Zijn varkensachtige oogjes namen haar van top tot teen op.

James riep uit: 'Ga weg, Sam! Rennen!'

Ze deed een stapje achteruit om de bewaker te ontlopen en gleed uit op de gladde vloer. Hij bleef voor James' cel staan; hij stond te wankelen op zijn benen en de holle ruimte vulde zich met zijn gemene lach. Samantha vluchtte weg.

De volgende ochtend ging Samantha, met ijskoude handen en een even koud gezicht, en met gezwollen ogen omdat ze de hele nacht had liggen huilen, pleiten bij de directeur van de gevangenis, maar hij wilde haar James' lichaam niet afstaan.

Haar broer had namelijk gewild dat zijn lichaam ter beschikking van het ziekenhuis werd gesteld. En dus, zonder de troost van een begrafenis, keerde ze terug naar het lege huis aan de Crescent.

15

Het was mei 1878 en de hele wereld stond kleurrijk in bloei. Mevrouw Steptoe, in de bekende zwarte rouwjurk die ze al droeg sinds haar man twintig jaar geleden was overleden, vormde een scherp contrast met de bonte lentekleuren. Ze zat bij het vuur in haar zitkamer, met haar voeten op een bankje. Op een tafeltje naast haar stond een theepot en een schaal verse, beboterde broodjes. Terwijl ze van haar thee nipte, staarde ze door het raam naar de tuin. Ze zag het vertrouwde glooiende gazon, de rozestruiken, de stokrozen en de goudsbloemen, en de nieuwe asters.

Wat heerlijk om hier te zitten en te zien hoe de seizoenen hun verloop hadden.

Mevrouw Steptoe dacht terug aan die dag, vier jaar geleden, toen een mager meisje met piekerig haar uit Humphreys rijtuig was gestapt en met grote, bange ogen naar haar had opgekeken. Mevrouw Steptoe mocht Samantha toen niet. Als meneer Welby, de zaakwaarnemer van het meisje, niet zo sterk had aangedrongen, dan had ze haar niet aangenomen. Het meisje was onbehouwen, ze kwam uit een miserabele omgeving en god weet van wat voor familie. Maar dat was nu bijna vier jaar geleden. Vorige week had een knappe en beschaafde Samantha Hargrave haar diploma behaald.

Mevrouw Steptoe keek de kamer rond waar in bijna twintig jaar niets was veranderd: de pendule op de schoorsteenmantel, de vazen met droogbloemen, een verschoten Chinese waaier, de geglazuurde Staffordshire-hondjes en de tafeltjes vol foto's van de meisjes die de school hadden bezocht. Ze was dol op hen geweest, maar geen was haar zo dierbaar als Samantha. Samantha, die in die bewuste nacht bij haar was geweest, en die haar had verzorgd tot ze weer beter was. Lieve Samantha, die zo lief en begrijpend was geweest, die nooit een oordeel had uitgesproken en die mevrouw Steptoes geheim goed had bewaard. Maar zelfs Samantha kende het diepste geheim nog niet – dat ze zich, nadat Derry Newcastle haar aan de kant had gezet, van de trap had gegooid om een eind aan haar leven te maken. Later, toen ze weer gezond was en terugkeek op haar dwaze manier van doen, was mevrouw Steptoe Samantha diep dankbaar dat ze die avond had geholpen haar leven te redden. En hoewel mevrouw Steptoe in de drie jaren die volgden zich in zichzelf had teruggetrokken en alle anderen had buitengesloten, had ze Samantha in haar hart gesloten. Nu zag ze ertegenop haar te zien vertrekken.

Maar mevrouw Steptoe was iets van plan. Ze wist dat Samantha de ambitie koesterde dokter te worden; mevrouw Steptoe geloofde evenwel dat ze haar daarvan kon afbrengen. Per slot van rekening had ze grote invloed op het meisje. Ze zou haar zo'n mooi baantje aanbieden – het neusje van de zalm – dat ze niet kòn weigeren: directrice van Playell's Academy.

Mevrouw Steptoe zou het niet erg vinden voor Samantha het veld te ruimen, als dat zou betekenen dat het meisje bleef. En de prijs moest wel zo hoog liggen, want ze wist dat Samantha een jonge vrouw was die hoge eisen stelde; minder was niet goed genoeg. Hoe zou Samantha zo'n aanbod kunnen afslaan, een unieke kans die niet veel vrouwen kregen? Als ze het haar eenmaal had verteld, zou ze haar medische plannen wel laten varen en hier blijven, als directrice, terwijl haar goede vriendin mevrouw Steptoe zich half en half zou terugtrekken, en haar zou helpen de school te leiden...

Er werd zachtjes op de deur geklopt. Alice, het dienstmeisje, stak haar hoofd om de hoek van de deur en zei: 'Mevrouw Steptoe? Er is een bezoeker voor Samantha Hargrave.'

De directrice zette haar kopje neer. 'Wat zeg je?' In de bijna vier jaar dat ze op Playell's Academy zat, had Samantha nog nooit bezoek gehad.

'Het is een man, en hij vraagt naar juffrouw Hargrave.'
Mevrouw Steptoe verstrakte. Samantha was een dagje naar Londen voor een bezoek aan dr. Blackwell. 'Laat hem hier maar binnenkomen, Alice.'
Even later vulde zijn forse gestalte de deuropening: een lange vent, een boom van een kerel, met grove maar knappe trekken en een bos weerbarstige kastanjebruine krullen; hij droeg een koopvaardij-uniform.
'Komt u binnen, alstublieft,' zei mevrouw Steptoe afgemeten.
Hij draaide een gebreide muts in zijn grote handen om en om, en liep op haar toe, waarbij hij vreemd met zijn been trok. 'Dank u, mevrouw. Als het kan zou ik Samantha graag willen spreken. Zegt u maar dat Freddy er is.'

16

'Ik weet nog steeds niet wat ik moet doen, dokter Blackwell.'
Elizabeth glimlachte. In drieënhalf jaar had ze haar jonge vriendin nog niet kunnen overhalen haar bij de voornaam te noemen. 'Ik kan je alleen maar raad geven, lieve kind; uiteindelijk is de beslissing aan jou.'
Nadat ze haar diploma van Playell's Academy had behaald, stond Samantha voor de beslissing wat ze vervolgens moest gaan doen. Hoewel ze liever in Londen was gebleven om daar te studeren, was het, zoals dr. Blackwell uitlegde, voor een vrouw zo goed als onmogelijk een medische opleiding te volgen. Dr. Blackwell had haar aangeraden naar het buitenland te gaan.
Maar hier woonden al haar vrienden, hier was de stad waarvan ze zo veel hield en die ze zo goed kende, en dan was Freddy er nog.
Samantha had het huis aan de Crescent verhuurd en had de huurders opdracht gegeven haar adres bij Playell te verstrekken als er iemand naar haar vroeg. Als ze uit Engeland wegging, zou ze het huis moeten verkopen en dan was haar spoor uitgewist.
Maar wellicht was haar hoop op niets gebaseerd. Freddy was vast getrouwd, of zat in Australië; misschien zat hij in de gevangenis, of was hij zelfs wel dood. Tenslotte was het bijna zeven jaar geleden. Hij had haar zijn belofte gedaan toen hij nog een onstuimige jongeman was; hij was haar vast en zeker allang vergeten.
De moeilijkheid was echter dat Samantha hem nog niet was vergeten.
Dr. Blackwell schonk de thee in en gaf Samantha haar kopje aan. 'Eigenlijk benijd ik je, liefje, dat je nu begint. De medische wetenschap staat voor een grootse revolutie, en ik ben bang dat ik daar de schitterende resultaten niet meer van meemaak. Maar jij, Samantha, jij zult aan die revolutie meewerken.'
Samantha glimlachte dankbaar nu het gespreksonderwerp was verlegd.
'Aan King's College werkt een man,' vervolgde dr. Blackwell, 'die nogal wat stof doet opwaaien. Lister beweert dat hij aan de Royal Infirmary in Edinburgh wonderen heeft verricht. Hij zegt dat wonden die hij heeft verbonden, wonden die hadden moeten gaan etteren en die de patiënt het le-

ven hadden kunnen kosten, binnen een paar weken waren genezen omdat hij ze met carbol schoonmaakte.

Een verbazingwekkend geval dat me ter ore kwam, was dat van een jongen van tien. Zijn arm was verbrijzeld in een draaibank, de arm was zo verminkt dat de medische staf geen andere weg open stond dan hem bij de schouder te amputeren. Maar Joseph Lister kwam erbij en zei dat hij een experiment wilde doen. Hij deed iets wat nog nooit was vertoond. Hij zette de arm, hechtte de wond en pakte het akelige geheel in verband dat hij in carbol had gedrenkt. Iedereen vond dat hij een groot risico nam, want met een amputatie had de jongen nog een kans gehad terwijl hij nu zeker aan koudvuur zou sterven. Maar er voltrok zich een wonder. Lister haalde het verband eraf en zag dat de arm was genezen. Zeven weken na het ongeluk kon de jongen naar huis met een normaal functionerende arm.'

'Maar kan dat dan? U hebt me altijd verteld dat alleen frisse lucht een wond kan genezen, en dat een verband de bedorven lucht juist vasthoudt.'

'Misschien zat ik ernaast. In Frankrijk heeft Pasteur bedorven wijn en zure melk onder een microscoop bekeken en hij beweert dat hij kleine organismen heeft ontdekt, die met het blote oog niet waarneembaar zijn en die de oorzaak van het bederf zijn. En in Duitsland heeft dr. Koch beweerd dat hij onder de microscoop diertjes heeft ontdekt die miltvuur veroorzaken. Lister noemt ze bacteriën en houdt strak vol dat *zij* wondinfectie veroorzaken en niet bedorven lucht. Hij beweert dat carbol ze vernietigt, zodat de huid goed kan genezen, zonder dat er etter ontstaat.'

'Zoiets heb ik nog nooit gehoord! Een wond moet toch etteren om te kunnen genezen.'

'Misschien hebben we het al die jaren bij het verkeerde eind gehad.' Dr. Blackwell stond op, waarbij haar rokken ruisten, en ging bij het vuur staan. De zilveren strengen in haar blonde haar vingen het namiddagzonnetje op dat door het raam van de zitkamer naar binnen scheen. 'De medische wetenschap is aan het veranderen, kindje. En ik geloof stellig dat een grote verandering zal zijn dat er in de toekomst veel meer vrouwelijke artsen komen. We zijn nu nog maar met weinigen, Samantha. Op dit moment zijn dr. Garrett en ik de enige vrouwen die officieel als dokter staan ingeschreven, en wij zijn door mazen in de wet gekropen die inmiddels zijn gedicht. Maar ik ben ervan overtuigd dat de mannen de strijd niet lang meer volhouden. De medische opleidingen zijn nu voor ons ontoegankelijk, maar het kan niet lang meer duren of ze moeten hun poorten voor ons openen.' Ze haalde diep adem, waardoor de baleinen van haar korset kraakten. 'En ik vrees dat de nieuwe verpleegstersopleiding onze zaak ook geen goed doet!'

Dat was geen nieuws voor Samantha, ze had het allemaal al vaker gehoord. De nieuwe verpleegstersopleiding à la Florence Nightingale trok vrouwen aan die anders misschien moeite hadden gedaan medicijnen te gaan studeren. De Nightingale School bij St.-Thomas' Hospital was het eerste experiment waarbij ongetrouwde vrouwen voor een beroep werden opgeleid en de opleiding genoot grote populariteit. De meningen erover waren fel verdeeld en de school stond bloot aan heftige kritiek.

In aanmerking genomen wat ze had gedaan om de medische wereld en de Victoriaanse opvattingen te schokken, zou men Florence Nightingale een feministe kunnen noemen. Dat was ze niet. Ze was ervan overtuigd dat vrouwen van een lagere orde waren dan mannen, ze was er een voorstandster van dat haar zusters gedwee en uiterst onderdanig waren, keurde 'onvrouwelijk' gedrag af en was er fel op tegen dat vrouwen dokter werden. Ze beweerde namelijk dat zij die daarin waren geslaagd, uiteindelijk 'derderangs mannen waren geworden'. Bovendien, vond de beroemde dame, had men in de medische wereld geen behoefte aan vrouwen.

Samantha had Florence Nightingale één keer ontmoet. Dr. Blackwell had haar in de zomer van het jaar daarvoor meegenomen naar St.-Thomas' Hospital aan de Albert Embankment, tegenover de nieuwe parlementsgebouwen. Samantha had gezien hoe diep vrouwen zich schaamden als ze zich door mannelijke dokters intiem moesten laten onderzoeken. Hier had Samantha van dr. Blackwell gehoord dat vele vrouwen liever thuis bleven en het leed van hun vrouwenkwaaltjes droegen, dan zich aan zo'n gênant onderzoek te onderwerpen.

Na het bezoek aan St.-Thomas' waren ze naar het huis van de beroemde 'Chief' zelf gegaan, die het bed moest houden nu ze ziekelijk was geworden door haar inspanningen tijdens de Krimoorlog. Ze ontving haar lieve vriendin en haar jonge protégée op audiëntie als een koningin die gunsten verleent. Samantha vond Florence Nightingale een vrouw vol tegenstrijdigheden: klein van stuk, formidabel van persoonlijkheid. De hele middag hadden ze heftig gedebatteerd over de vraag of vrouwen in de medische wereld thuishoorden of niet, en Samantha was niet te verlegen geweest om haar mening naar voren te brengen. Aan het eind van de middag had juffrouw Nightingale hen met een cake naar huis gestuurd.

Dr. Blackwell schrok op uit haar overpeinzingen en keek haar jonge metgezellin lang aan. 'Je moet niet te lang wachten met je beslissing, kindje, want je kunt niet langer op Playell's Academy blijven.'

Samantha slaakte een diepe zucht. 'Ik heb alles wat u hebt gezegd overwogen, dr. Blackwell, en al weet ik zeker dat Amerika de beste beloften voor mij heeft, toch vind ik het vreselijk uit Londen weg te gaan.'

Elizabeth Blackwell had in Amerika medicijnen gestudeerd (vandaar haar vreemde accent) en was er stellig van overtuigd dat dat voor Samantha de beste weg was. De mooie, diepliggende ogen van de dokter – een ervan was blind geworden toen ze een zieke baby behandelde – rustten peinzend op de jonge vrouw. Na enig nadenken zei ze vriendelijk: 'Is er een man in het spel, kindje?'

Samantha keek haar verbaasd aan.

De dokter begon zachtjes te lachen. 'Ik ken die blik, Samantha. Uit mijn eigen spiegel. Mijn lieve kind...' Dr. Blackwell kwam naast haar op de bank zitten en zei in een plotselinge woordenvloed: 'Ik ga je iets vertellen dat ik nog nooit een mens heb verteld. Toen ik jong was, koesterde ik nog niet het brandende verlangen om dokter te worden. Eerlijk gezegd ben ik heel rationeel tot mijn beslissing gekomen, en mijn besluit kwam voort uit de problemen die ik met mannen had.'

Samantha zette grote ogen op.

'Zie je, kindje, ik ben erg gevoelig voor mannen. Ik ben mijn hele leven voortdurend op deze of gene van de andere sekse verliefd. Ik zag al vroeg in dat dat mijn ondergang zou kunnen worden en hoe gemakkelijk ik me door mannen zou laten manipuleren als ik mezelf niet zou pantseren. Ik begreep instinctief dat ik afhankelijk van mannen was, en dat ik, als ik zou toegeven, mijn leven lang een slaaf van de mannen zou zijn.'

Samantha zag in gedachten de gezichten voor zich van de mannen van wie zij had gehouden en die ze had verloren: haar vader, haar broer, Hawksbill, Freddy...

Elizabeth vervolgde: 'Ik had een sterke barrière nodig om me te beschermen, opdat ik mezelf kon blijven. Ik besloot van een huwelijk af te zien en me van mannen te onthouden, net als een alcoholicus die dat eerste glas moet weigeren, want halve maatregelen waren niet voldoende. Ik had iets nodig dat mijn gedachten in beslag nam, een doel in het leven dat die leemte kon opvullen en dat zou voorkomen dat ik wegkwijnde. Als ik geen voldoening kon vinden in een echtgenoot of kinderen, dan moest ik iets anders bedenken. Ik heb een goede keus gedaan met mijn medische studie, Samantha, want geen enkele man heeft graag een vrouwelijke dokter als echtgenote.'

'Is dat heus waar?'

'In Amerika, een uitgestrekt continent van duizenden vierkante kilometers, zijn nog geen vijfhonderd vrouwelijke artsen, en van hen is maar een klein percentage getrouwd. Zij die gehuwd zijn, zijn met een dokter getrouwd.'

'Hoe komt dat?'

'Onoverkomelijk vooroordeel, kindje. We leven in een tijd waarin de mannen de toon aangeven. De vrouwen betwisten hun de heerschappij. Iemand heeft het eens beschreven als "het bestormen van de citadel", alsof we hun versterkingen aanvallen. Waarom ze bang voor ons zijn kan ik niet zeggen, alleen weet ik dat ik in mijn dertig jaar praktijk nog de eerste man moet ontmoeten die niet een soort angst voor ons voelt. Ze bespotten ons, Samantha. Een beroemd chirurg heeft eens gezegd dat de wereld is onderverdeeld in drie groepen: mannen, vrouwen, en vrouwelijke artsen. Ze weten niet wat ze met ons aan moeten; we zijn geen dames en geen sletten, maar een of andere idiote mutatie daartussenin. Als gevolg daarvan, kindje, moet je beter zijn dan zij, als je wilt dat zij je als gelijke aanvaarden. En als je hen eenmaal voorbij bent gestreefd, welke man wil jou dan nog als echtgenote? Als je de beslissing neemt om dokter te worden, Samantha, staat dat gelijk aan de keuze voor het oudevrijsterschap.'

Samantha leunde achterover en staarde lange tijd in haar koud geworden thee.

Mevrouw Steptoe had moeite haar handen stil te houden op de armleuningen van haar stoel. Ze deed erg haar best haar woede te verbergen. Hoe durft hij! dacht ze met nauwelijks bedwongen boosheid. Hoe durft deze ruwe klant hier te komen en de arrogantie te hebben mijn Samantha weg te halen!

'Zo ligt de zaak dus, meneer Hawksbill. Zoals ik al zei, Samantha heeft vorige week de school verlaten en ze heeft geen adres achtergelaten.'

Freddy's verweerde handen bleven met zijn muts spelen. Hij zat op het puntje van de met brokaat beklede stoel alsof hij voelde dat zijn grove kleren hem zouden bezoedelen. 'En ze komt niet meer terug?'

Zeker niet bij jou, Samantha is van mij. 'Ik betwijfel het ten zeerste, meneer Hawksbill. Ze had het erover dat ze naar Frankrijk wilde gaan.'

'Maar ze schrijft u toch wel!'

Mevrouw Steptoe kneep haar dunne lippen tot een wit lijntje samen en dacht, maak dat je wegkomt, onbeleefde pummel! 'Het is mogelijk dat ze schrijft.'

Freddy stak zijn hand in de zak van zijn pijjekker en haalde een verzegelde envelop te voorschijn. Hij overhandigde hem haar en zei: 'Als u van haar hoort, zoudt u deze brief dan willen doorzenden? Er staat in waar ik in Londen ben te bereiken. Ik heb werk gevonden in de haven en ik blijf hier een halfjaar. Zegt u maar dat ik op haar wacht.'

Mevrouw Steptoe nam de envelop voorzichtig in ontvangst en stond stijfjes op.

Freddy Hawksbill begreep wat ze bedoelde.

De wenk ter harte nemend stond Freddy Hawksbill, die de achternaam had aangenomen van de man die hem het leven had gered, onhandig op en bracht zijn vingers naar zijn voorhoofd. 'Dank u, mevrouw. Ik ben u reuze dankbaar voor uw hulp.'

Nadat de deur achter hem was dichtgegaan en ze zijn forse gestalte met die weerzinwekkende slepende stap het pad had zien aflopen, draaide mevrouw Steptoe zich soepel om, liep geruisloos naar de open haard en gooide de brief in de vlammen.

17

Het rijtuig wiegde zachtjes heen en weer en het hoefgetrappel van Humphreys paard was slaapverwekkend, maar Samantha doezelde niet weg zoals gewoonlijk op de terugweg van het station in Chislehurst. Haar gedachten kwelden haar.

Ze moest een beslissing nemen: wat moest ze doen?

Stemmen weerklonken in haar hoofd: Freddy, zo lang geleden. 'Wacht op me, Sam. Ik kom bij je terug, ik beloof het je.'

Dr. Blackwell: 'Ik wilde mezelf zijn.'

'De ondergang is wat ons bindt,' kwam James' stem uit het graf. 'Let op

mijn woorden, jouw beurt komt ook nog wel.'
Ze kneep haar ogen stijf dicht. De ondergang is wat ons bindt... Ja, vader,
dat zou je graag zien, hè? Eerst Matthew, daarna James, en nu ik. Na achttien jaar zou je wraak hebben genomen.
Maar dat lukt je niet. Ik ben vast van plan vooruit te komen in de wereld,
en zonder hulp van mannen. Freddy is weg, hij is me vergeten. Ik red me
alleen wel. In Amerika...

Deel twee

NEW YORK

1878

1

'Je mag de kring niet doorbreken,' zei Louisa met een diepe keelstem; haar hoofd hield ze dramatisch achterover. 'En je moet je ogen dicht houden. We moeten ons concentreren. We moeten ons openstellen voor de wereld van de geesten. We moeten allemaal ontvankelijk zijn. Dames, concentreer je...'

Samantha bedwong de impuls haar ogen open te doen en rond te kijken. Ze wist wat ze dan zou zien. Vijf jonge vrouwen, die hand in hand om de eettafel zaten, met de ogen stijf dicht, terwijl hun ernstige gezichten werden verlicht door het flakkerende schijnsel van de kaars in het midden. Achter hen: duisternis.

Eerder die avond hadden ze in de prachtig ingerichte salon van mevrouw Chatham gezeten. Die ene avond per week die ze vrij hadden, gebruikten ze om verstelwerk te doen, brieven te schrijven of het laatste sensationele nieuws te lezen in Frank Leslies *Illustrated Newspaper*. Alle vijf de meisjes maakten lange uren, in Louisa's geval zelfs wel veertien. De bleke Helen werkte bij de bibliotheek, de zusjes Wertz waren verkoopster aan Fifth Avenue, de mollige Naomi was leerling-hoedenmaakster en de mooie Louisa met de groene ogen had het baantje dat het meest in aanzien stond: ze was typiste bij de pas opgerichte Bell Company.

Samantha voelde Louisa's hand in de hare trillen en ze hoorde haar zangerige stem uitroepen: 'Ik voel dat de weg zich opent... De hindernissen verdwijnen, de geesten naderen...'

Een halfuurtje daarvoor had Louisa verveeld haar modetijdschrift van zich af gegooid en had voorgesteld een séance te houden. Ze vertelde Samantha dat vorige maand de groep de geest van Jeanne d'Arc had opgeroepen. Louisa's aanstekelijke energie en levendige donkergroene ogen maakten het moeilijk te weigeren. Maar nu, hand in hand in de duisternis en luisterend naar Louisa's zangerige stem, fronste Samantha haar wenkbrauwen. Het laatste wat ze in haar nieuwe land wenste was contact met de doden.

'Ik voel dat er een geest aanwezig is!' riep Louisa uit. Een van de meisjes snakte naar adem en Samantha voelde hoe Naomi's vochtige vingers zich om haar hand klemden. Louisa's stem zei langzaam articulerend: 'Wie is daar? Wie is er in ons midden? Geef ons een teken...'

Samantha voelde dat haar hart onwillekeurig sneller ging kloppen.

Twee dagen daarvoor was ze aangekomen op de *Servia*, een lijnboot van Cunard, en ze had zich, dank zij dr. Blackwells raad dat ze tweede klas moest reizen, niet aan de vernederende quarantaine en 'desinfectie' hoeven te onderwerpen die wel voor de tussendekspassagiers gold. Het had veel geld gekost – bijna de helft van de opbrengst van de verkoop van het huis aan de Crescent – maar het was het waard geweest. Een oppervlakkige inspectie van haar bagage door een beleefde douanebeambte in de haven, een vluchtige blik in haar papieren, en Samantha was doorgelaten. Maar aan de andere kant van de afscheiding had ze de krioelende menigte immigranten gezien, van wie de meesten hun aardse bezittingen in papieren bundels bij zich droegen. Ze werden als vee voortgedreven: Duitsers in leren broeken en Hollanders op klompen mengden zich met Connemara-capes in een mengelmoes van talen. De quarantaine, had Samantha gehoord, nam uren, soms zelfs dagen in beslag. En dat allemaal vanwege de prijs van het kaartje.

Vanuit de Battery was Samantha naar dit stadsdeel gekomen, tussen Greenwich Village en Lower East Side, door Elizabeth Blackwell aanbevolen als schoon en netjes, maar niet duur. Na een korte wandeling door Houston Street had ze bij mevrouw Chatham een bordje in het raam zien staan: KAMER TE HUUR, JODEN OF ITALIANEN HOEVEN NIET TE REFLECTEREN.

Het drie verdiepingen hoge, uit bruine baksteen opgetrokken huis werd bewoond door mevrouw Chatham, een weduwe van in de zestig met omvangrijke boezem, een onnozel meisje van dertien dat in dienst was om schoon te maken, en vijf jonge pensiongasten. Samantha kreeg een kamer die ze met een meisje van haar eigen leeftijd moest delen: Louisa Binford. Dat was vrijdag geweest. Samantha had 's avonds rustig met mevrouw Chatham en de andere meisjes zitten dineren: gegrilde kip met eiersaus, waarna ze doodmoe naar bed was gegaan. Toch was ze niet direct in slaap gevallen. Ze had liggen luisteren naar het onregelmatige getik van de verwarming en het verre gerommel van het spoorwegviaduct, en ze had tranen van heimwee moeten terugdringen.

Bij het ontbijt de volgende ochtend hadden de andere meisjes, in hun lange donkere rokken en witte blouses, zich voorgesteld, een paar onpersoonlijke vragen gesteld, en hadden toen hoeden en sjaals gepakt om zich naar hun diverse werkkringen te haasten. Nadat ze 's morgens in de salon de Newyorkse kranten had zitten lezen, had Samantha een wandeling gemaakt om uit te vinden waar de New York Infirmary was. Het ziekenhuis bleek niet ver van Second Avenue te liggen en ze maakte een afspraak voor maandag; ze zou dan een gesprek hebben met dr. Emily Blackwell, de zuster van Elizabeth.

Waar ze ook kwam, Samantha werd er pijnlijk aan herinnerd dat ze een vreemdelinge was in een onbekend land, en dat ze uit vrije wil haar geliefde Engeland de rug had toegekeerd. Steeds als ze iets nieuws ontdekte in deze indrukwekkende stad, steeds als ze dat typische Amerikaanse accent hoorde en steeds als ze een onbekende gewoonte tegenkwam (de rijtuigen reden hier aan de verkeerde kant van de weg), voelde Samantha haar moed en vastberadenheid tanen. Had ze er wel goed aan gedaan? Of zou dit ruige, ongetemde nieuwe land haar ondergang worden?

'Wie bent u?' steunde Louisa. 'Wie is er in ons midden?'

De stilte die in de eetkamer heerste was diep; Samantha had het idee dat ze zes angstige harten door elkaar heen hoorde kloppen. Belachelijk! dacht ze, en haar vingers klemden zich als vanzelf om die van Louisa. De doden komen niet terug...

'De geest komt met een van ons praten. Hij probeert contact te krijgen met iemand die hier aan tafel zit.'
Samantha voelde dat haar ademhaling zich versnelde.
Louisa's stem kreeg iets scherps. 'Geef ons een teken, o bezoeker uit de andere wereld! Met wie wilt u contact leggen?'
Samantha hoorde een zacht gekreun. Ze boog haar hoofd achterover en deed haar ogen een klein eindje open. Aan de andere kant van de tafel zag ze een vreemd visioen. Een zachte gloed tekende zich af tegen de duisternis van de wand tegenover haar. Ze hield de adem in.
'Wat is er?' riep Louisa en haar tengere lichaam wiegde heen en weer. 'Voor wie bent u gekomen? Spreek ons toe, o geest uit de wereld van waaruit geen terugkeer mogelijk is. . .'
Plotseling klonk er een jammerlijk geluid, toen een bons.
Samantha ging snel rechtop zitten, met haar ogen open, en zag dat Edith Wertz verwonderd naar iets op de vloer zat te kijken. De gloed was verdwenen.
Ze sprongen nu allemaal overeind. Louisa stak haastig de gaslampen aan, terwijl Samantha om de tafel heen snelde. De broze Helen lag languit op de grond, haar stoel was omgevallen, en haar donzige, platinablonde haar vormde een stralenkrans om haar hoofd. Samantha's 'geest'.
'Ze is flauwgevallen. Haal het reukzout van mevrouw Chatham even.'
Een paar minuten later lag Helen op de roodfluwelen sofa uitgestrekt met een vochtige zakdoek tegen haar slapen. Ze keek met een angstige blik in haar ogen naar de gezichten boven zich. 'Wat is er gebeurd?'
'De geest zocht kennelijk contact met *jou*,' zei Louisa, die op het puntje van de bank was gaan zitten. 'Maar je was niet sterk genoeg om hem binnen te laten.'
Samantha, die Helens asgrauwe gezichtje bestudeerde, met de pupillen die zo klein waren als speldeknopjes en de eigenaardige kleur van haar lippen, vermoedde dat er voor Helens flauwvallen een andere reden was.
Louisa stond op en streek haar rok glad, terwijl ze aandachtig de plooitjes over de queue de Paris recht trok. 'Ach, de betovering is verbroken. Het heeft geen zin het nog eens te proberen.'
'Volgende week misschien,' zei Naomi met een opgewonden schittering in haar ogen; onder haar mollige armen waren vochtige halvemaanvormige kringen zichtbaar. 'Ik zou wel eens willen weten wie er contact met je zocht, Helentje!'
Het meisje bewoog haar hoofd heen en weer. 'Ik ken geen dode mensen. . .'
Samantha hielp Helen naar boven, naar haar kamer, en bleef bij haar zitten tot ze weer op krachten was. Helen zette wat water op het spirituskomfoor dat de meisjes van mevrouw Chatham op hun kamer mochten hebben, en deed zuinig een lepeltje thee in de pot waar diverse schilfertjes af waren. 'Het wordt een beetje slap,' zei ze verlegen, 'maar er is genoeg voor twee.'
Samantha ging gemakkelijk achterover zitten in de enige fauteuil in het

kleine kamertje en keek om zich heen. Mevrouw Chatham ging er prat op dat ze haar gasten een plezierige omgeving verschafte. Helens kamer was precies als de andere: er stond een koperen eenpersoons bed met een chenille sprei, een mahoniehouten klerenkast en een toilettafel met een porseleinen kom en lampetkan; er lag een kleurig vloerkleed, en er hingen lithografieën van Currier & Ives van de Hudson en de Mississippi, en gordijnen met ruches die het uitzicht op de stenen muur buiten verdoezelden.

Helen ging op de rand van haar bed zitten en zat zenuwachtig met haar vingers te friemelen. 'Dat is de tweede keer van de week dat ik ben flauw gevallen. Ik zette boeken op de plank terug, en voor ik het wist lag ik op de grond naar het plafond te kijken. Meneer Grant, de bibliothecaris, was woedend. Hij dacht dat ik het voor de grap deed. Hij zei dat ik niet hard genoeg werkte en hij beschuldigde me ervan dat ik simuleerde.'

Samantha wachtte geduldig terwijl Helen aan haar rok zat te plukken. 'Ik wil mijn baan bij de bibliotheek niet kwijtraken. Ik heb geboft dat ik hem kreeg. Ik kan niets anders. Er is niet genoeg werk in New York. Er staan wel honderd meisjes te wachten om mijn plaats in te nemen. En ik kan niet terug naar mijn vader, want hij... hij...' Ze boog haar hoofd.

Toen het water kookte, zette Samantha thee. Het was een vreselijk slap brouwsel en ze wou dat ze er een schepje van haar eigen thee bij had kunnen doen, maar ze dronk het beleefd op.

Helen nam Samantha met haar reebruine ogen op. 'Ik heb niets gespaard. Ik ben pas drie maanden in Manhattan. Als er boeken beschadigd zijn, wordt het van mijn salaris ingehouden. Er wordt van me verwacht dat ik netjes gekleed ga, en je weet hoe duur kleren zijn.'

Samantha bestudeerde het roomblanke gezichtje en zag dat er een zenuwtrekje om haar mond lag. Even later zei Samantha vriendelijk: 'Wat is er aan de hand, Helen?'

Ze keek naar haar theekopje, dat niet bij het gebarsten schoteltje paste, en schudde zwijgend het hoofd.

'Je hoeft het me natuurlijk niet te vertellen, maar soms lucht het op.'

Minuten verstreken; buiten maakten metalen rijtuigwielen een knerpend geluid op het plaveisel. In de verte, uit de richting van de achterbuurt, kwamen de vage, blikkerige tonen van een Duits straatorkestje.

Uiteindelijk sloeg Helen de ogen op, ze stonden wijd open van angst. 'Ik heb... een probleem,' zei ze zachtjes.

'Een typisch vrouwelijk probleem?'

Helen bloosde en knikte bevestigend.

'Wat dan?'

Ze kneep haar lippen op elkaar. Haar hals zag rood van verlegenheid. 'Het houdt maar niet op,' fluisterde ze. 'Het gaat steeds maar door.'

Samantha zette haar kopje neer en ging naast het meisje op bed zitten. 'Hoe lang duurt dat al?'

'Twee weken. Meestal duurt het niet meer dan vier dagen. Maar deze keer houdt het niet op.'

'Is het erg?'
'Ja.'
Samantha keek strak naar de gerafelde manchetten van Helens eenvoudige bloesje. 'Wat heb je eraan gedaan?'
Het meisje boog zich voorover en haalde een flesje te voorschijn dat achter de stormlamp naast haar bed stond. Samantha las op het etiket: Lydia E. Pinkhams Groente-extract.
'Op het etiket staat,' zei Helen, die een verdedigende houding aannam, 'dat dit alle vrouwenkwaaltjes geneest.'
'Hoelang neem je het al?'
'Ruim een week, maar tot nu toe helpt het niet.'
Samantha zette het flesje neer. 'Helen, je moet naar een dokter.'
'Nee!'
Haar reactie kwam zo snel, zo luid, dat Samantha verbaasd vroeg: 'Waarom niet?'
'Ik zou er niet tegen kunnen! Ik bedoel, een man... ik zou me dood schamen...'
'Maar dokters zijn anders dan gewone mannen, Helen, ze hebben ervoor geleerd...'
Ze schudde heftig haar hoofd. 'Het kan me niet schelen hoeveel ze hebben geleerd, het is niet zoals het hoort. Een man is en blijft een man, en het is niet goed mogelijk dat hij de intieme problemen van een jongedame bespreekt zonder er *iets* bij te denken.'
'Misschien kun je dan een vrouwelijke arts zoeken.'
Helen keek haar niet-begrijpend aan. 'Waarom?'
'Als je liever niet met een man praat...'
Helen schudde weer haar hoofd. 'Ik zou een vrouwelijke dokter niet vertrouwen. De meesten zijn kwakzalvers.'
Samantha ging rechtop zitten en streek met haar hand langs haar nek. Ze was ontzettend moe; ze was de tiendaagse bootreis nog niet te boven.
'Kun *jij* me niet helpen?' fluisterde Helen.
'Ik? Ik ben geen dokter.' Samantha had haar huisgenoten nog niet verteld waarvoor ze naar Amerika was gekomen. 'Maar het is niet goed met je, Helen, je hebt deskundige hulp nodig. Dat flesje helpt heus niet.'
'Maar dat beloven ze op het etiket!'
'Helen, papier is geduldig, dat weet je toch wel? Je houdt alleen jezelf voor de gek.'
'Dan gaat het vanzelf wel weer over. Het is gewoon vermoeidheid. Ik sta twaalf uur per dag op mijn benen, met alleen een kwartiertje lunchpauze. En het kost me een uur heen en een uur terug om bij de bibliotheek te komen, en dan nog met de paardetram, hangend aan de lus. Dat móet mijn tere vrouwelijke huishouding wel in de war sturen!'
'Helen, je werkt niet mee...'
'Ik ga niet naar een dokter, Samantha, en daarmee basta.'

Louisa zat al in bed tegen de kussens geleund, terwijl ze met haar groene ogen gretig een romannetje verslond. Samantha nam rustig de tijd om zich te wassen, waarna ze haar nachtpon over haar hoofd liet glijden.

'Gaat het goed met haar?' vroeg Louisa en legde haar boek neer.

Samantha liet zich tussen de koele, schone lakens glijden. 'Ja hoor.'

Louisa keek het meisje in het bed naast het hare lang aan; tot nu toe was Samantha Hargrave een mysterie voor haar. 'Heb je heimwee?' vroeg ze voorzichtig.

Samantha propte een kussen in de rug en knikte. Maar er was nog meer. Een kille angst begon haar zelfvertrouwen te ondermijnen. Achttien jaar oud, helemaal alleen in een overweldigende stad, zonder vrienden of familie, en krap bij kas: wat had haar bezield, het was waanzinnig!

'In het begin is het voor iedereen hetzelfde,' klonk Louisa's rustige stem. 'Ik ben een jaar geleden uit Cincinnati weggegaan en een maand lang heb ik iedere nacht liggen trillen als een espeblad!'

Samantha draaide zich om en keek haar aan. Louisa was wat je zou kunnen beschrijven als opvallend aantrekkelijk. Haar gezicht had iets ondeugends: een schelmse schoonheid omkranst door honingkleurige krullen. Haar groene ogen glinsterden altijd alsof ze binnenpretjes had. 'Maar na een poosje ontdekte ik wat een heerlijk avontuur het is! Geen strenge vader die me bestraffend aankijkt, geen keurig ingeregen moeder die afkeurend met haar tong klakt. Alleen ik, helemaal zelfstandig!'

Samantha glimlachte onwillekeurig. Louisa Binford beschouwde zichzelf graag als 'geëmancipeerd'. Ze had een keer op Long Island getennist en had daar openlijk over opgeschept.

'Hoor eens, Samantha, we zijn hier allemaal zelfstandig, ver van huis, en zoeken onze eigen weg. Vind je dat niet opwindend?'

Samantha moest toegeven dat het haar bij aankomst had verbaasd dat het pension van mevrouw Chatham vol keurige jonge vrouwen zat die allemaal zelfstandig waren en hun eigen inkomen verdienden, zonder dat een vader, echtgenoot of ander mannelijk familielid de baas over hen speelde. Dat verschijnsel was in Engeland vrijwel ongekend; daar werd een alleenstaande vrouw òf het etiket oude vrijster opgeplakt, òf er werd aan haar eerzaamheid getwijfeld. Hoewel ze zich te midden van deze dappere jonge vrouwen niet op haar plaats voelde, had Samantha bewondering voor hun ambitie en hun onafhankelijkheidsgevoel.

Louisa babbelde verder: 'Maar ja, New York is niet voor *alle* meisjes geschikt. Een heleboel hadden beter thuis kunnen blijven.'

'Waarom?'

'Omdat meisjes die niet voorzichtig zijn de meest vreselijke en onvoorstelbare dingen overkomen. Hun geld raakt sneller op dan ze denken, en voor ze het weten komen ze in mondaine kringen terecht, waar hen allerlei afschuwelijke dingen te wachten staan! De *Police Gazette* staat vol van zulke droeve verhalen. Maar ik' – ze schudde koket met haar krullen – '*ik* red me wel. Ik trouw met een rijke man en dan neem ik een rijtuig met vier precies bij elkaar passende paarden, en satijnen bekleding in de kleur van mijn haar.'

Diep in gedachten verzonken bestudeerde Samantha het verschoten lint dat door de manchet van haar oude nachthemd was geregen.

Louisa was even stil, waarna ze vroeg: 'Waarom ben jij naar New York gekomen?'

'Om te studeren.'

'Wat?'

'Ik ga dokter worden.'

Het was even stil, waarna Louisa eruit gooide: 'Dokter! Wat *enig!*'

Samantha fronste haar wenkbrauwen terwijl Louisa ademloos verder ging: 'Er is een enorme discussie aan de gang! Ze proberen de universiteit van Harvard te dwingen vrouwelijke medische studenten aan te nemen, het staat in *alle* kranten. Tjonge, je valt met je neus in de boter!'

Samantha glimlachte verontschuldigend. 'Ik vrees dat ik niet ga proberen om Harvard binnen te komen. Ik ben van plan naar de opleiding van de New York Infirmary aan Second Avenue te gaan.'

Louisa's glimlach verdween. 'O.'

'Wat mankeert daaraan?'

'Ik dacht dat je bedoelde dat je een èchte dokter wilde worden.'

'Wat bedoel je daarmee?'

'Nu, niet iedereen beschouwt de afgestudeerden van de Infirmary als echte dokters. Voor de wet zijn ze dat wel, geloof ik.'

'Dat begrijp ik niet.'

'Misschien ligt het in Engeland anders, Samantha, maar hier in Amerika heb je twee soorten dokters: de echte en de niet-echte. Zie je, in Amerika kan iedereen zich dokter noemen, en iedereen kan een bordje aan zijn deur hangen. Je hebt geen diploma nodig. Homeopaten, hypnotiseurs, watergenezers en magnetiseurs, ze noemen zich allemaal "dokter". Aan de andere kant heb je de èchte dokters, die een goede medische opleiding hebben gevolgd – mensen die jij en ik als dokters zouden beschouwen. Maar ze beconcurreren elkaar allemaal, de echte en de niet-echte, en dat zaait grote verwarring!'

'Maar de patiënten willen toch zeker een echte dokter!'

'Jazeker, maar hoe moet je dat weten? Je gaat naar iemand toe die zich dokter noemt en halverwege de behandeling merk je dat je voor de gek wordt gehouden. Nu, als je daar ook nog eens *vrouwelijke* artsen aan toevoegt, dan begrijp je wat ik bedoel.'

'Maar het feit dat ze vrouwen zijn, betekent toch nog niet dat ze niet goed zijn.'

'Dat doet er niet toe. De mensen gaan daar gewoon van uit.'

'Zelfs als ze diploma's hebben van een erkende school?'

'Dat kan niet. Vrouwen worden op de erkende opleidingen niet toegelaten. Ik heb je toch net verteld van die rel bij Harvard.'

'Maar dr. Blackwell heeft me verteld dat er meer dan genoeg scholen in

Amerika zijn die vrouwen toelaten.'
'Jazeker, maar dat zijn allemaal scholen speciaal voor *vrouwen*. En de mensen nemen als vanzelfsprekend aan dat als je daarvandaan komt, je nooit erg goed kunt zijn, omdat het betekent dat je genoegen hebt genomen met tweede keus. En daardoor word je vanzelf ook tweede keus.'
'Ik begrijp het...'
'Maar verlaat je niet op mij, Samantha. Ik weet zeker dat je het bij de Infirmary goed zult doen. Het ziekenhuis staat goed bekend. *Ik* kan me niet voorstellen dat ik bij zieke mensen zou gaan werken. Ik ben dol op mijn eigen baantje!'
Ze vertelde Samantha hoe ze kans had gezien een baan als typiste bij de gloednieuwe telefooncentrale aan Nassau Street te bemachtigen. 'Ze hadden in de advertentie om een jongeman gevraagd, en ze waren nogal gechoqueerd toen ze mij bij de sollicitanten zagen. Er waren een heleboel reflectanten. Een stuk of zestig, geloof ik, voor één baan. Hoe dan ook, ze waren gechoqueerd dat ik solliciteerde en probeerden van me af te komen. De chef zei zelfs tegen me dat ik nooit een erg net meisje kon zijn als ik achter een schrijfmachine wilde zitten!'
'Hoe heb je de baan dan gekregen?'
'O, ik heb de oude bok om mijn vinger gewonden. Ik wees hem erop dat de vier telefonisten mannen waren, de archivaris was een man, de secretaris was een man, en de loopjongen ook nog. Bedenk eens hoe ieuk het zou zijn, zei ik met mijn ogen knipperend, als het kantoor ook een vrouwelijk element rijk zou zijn. De anderen namen er natuurlijk aanstoot aan, ze dachten dat mijn aanwezigheid hun ondergang betekende, maar de oude meneer Rutgers leek toe te geven. En toen ik aanbood te komen werken voor minder dan ze in de advertentie hadden aangeboden, dat ik met het halve salaris genoegen zou nemen, hapte hij toe. Dat is een halfjaar geleden, en sindsdien heb ik leren typen en zelfs telefoneren!'
Samantha knikte haar kamergenootje verstrooid toe, waarna ze zich omdraaide en zich aan haar eigen gedachten wijdde. Louisa had haar op nieuwe, onverwachte complicaties gewezen. Die kwestie van de Infirmary, *scholen voor vrouwen*. Was het waar? Werden vrouwelijke doktoren niet voor vol aangezien? Daar had Elizabeth Blackwell niets over verteld. En dan die problemen met geld en werkgelegenheid. Samantha had verwacht dat ze, als de Infirmary niet direct plaats voor haar had, wel ergens een baantje kon vinden om intussen in haar onderhoud te voorzien.
Maar als ik geen werk vind? Als het geld opraakt...?

2

'Onze school is uit noodzaak ontstaan, juffrouw Hargrave. Tegenover iedere vrouw die kans ziet een opleiding voor mannen binnen te komen, staan honderden die werden geweigerd. Mijn zuster heeft dit ziekenhuis in 1855 geopend, en in 1864 kregen wij het recht de doktersgraad te verlenen. Negen jaar geleden hebben we onze eerste promotiedag gehouden, met vijf kandidaten.'

Ze zaten in het krappe kantoor van dr. Emily in de Infirmary. De vrouw leek erg op haar zuster, knap en kortaangebonden, een efficiënt, vrouwelijk en flink geheel. Dr. Emily was zo vriendelijk de tijd te nemen om Samantha het gebouw rond te leiden – twee aan elkaar grenzende gebouwen van bruine baksteen aan Second Avenue, die tot een ziekenhuis waren verbouwd, compleet met zalen, operatiekamers, apotheek en leslokalen. Samantha had een bezoek gebracht aan de smetteloze zalen en had vele verpleegsters, vrouwelijke artsen en studenten ontmoet, die allemaal even druk bezig waren met het zware werk dat de vele patiënten van hen eisten.

'De Infirmary is opgezet omdat er behoefte was aan medische verzorging van arme vrouwen en van vrouwen voor wie het idee dat ze zich aan een mannelijke dokter moeten vertonen, ondraaglijk is. In het eerste jaar, juffrouw Hargrave, hebben we drieduizend patiënten behandeld. Dat was drieëntwintig jaar geleden. Nu zien we er tien keer zoveel.'

Dr. Emily glimlachte trots. 'Het was dus logisch dat we een opleiding stichtten waar we vrouwen konden trainen om hier te werken. Onze studentes spreken de patiënten in de apotheek, geven hun raad en sturen hen naar huis met medicijnen en informatie over hygiëne en gezondheid. We zitten hier in een immigrantenbuurt, juffrouw Hargrave, en vele vrouwen houden er eigenaardige ideeën over reinheid op na. Onze verpleegsters bezoeken de zieken dus ook thuis, en geven zo veel mogelijk voorlichting over hygiënische verzorging. Zoals u kunt zien ontvangen onze leerlingen een degelijke praktijkopleiding.'

Samantha uitte haar bezorgdheid over het diploma van een vrouwenopleiding.

'Ik zal niet ontkennen dat men zeer bevooroordeeld tegenover ons staat en dat het handjevol vrouwelijke artsen gewapend met een diploma van een mannenopleiding beter af is, maar ik ben van mening dat wij, als we ons bestaansrecht eenmaal hebben bewezen, geaccepteerd zullen worden. Ondanks wat de mensen van ons zeggen, juffrouw Hargrave, is dit wel degelijk een echte, erkende opleiding.'

Na het bezoek verkeerde Samantha in grote twijfel. Ze was onder de indruk van de Infirmary, en om deel uit te maken van zo'n progressieve instelling, en samen te werken met briljante artsen zoals de beroemde dr. Mary Putnam Jacobi, was een kans waar ze niet te gering over moest denken. En toch had de vrouw die ze het meest bewonderde, dr. Elizabeth Blackwell, aan een mannenopleiding gestudeerd.

Helaas zou Samantha ruimschoots de tijd hebben om tot een beslissing te komen: de school zat op dat moment vol en kon een halfjaar lang geen nieuwe leerlingen aannemen. Dr. Emily verzekerde haar evenwel dat ze in januari zou worden toegelaten, waaraan ze nog toevoegde dat het uiterst raadzaam zou zijn als Samantha in die tussentijd als assistente bij een erkend arts zou kunnen werken. Samantha was het met haar eens, want dr. Elizabeth was ook doktersassistente geweest voordat ze ging studeren (het was de geijkte weg voor de meeste medische studenten), en dankbaar nam ze de lijst aanbevolen artsen van dr. Emily in ontvangst.

De dagen daarna veranderde Samantha's optimisme echter in bezorgdheid: bij geen van de artsen die dr. Emily had aanbevolen kon ze aan de slag. Een paar hadden al een assistente en anderen hadden een praktijk die niet zo groot was dat er behoefte aan een assistente bestond.

's Avonds laat, alleen op haar kamer, telde Samantha bij het licht van de enige olielamp haar geld, en schatte dat ze, als ze heel zuinig was en zich veel ontzegde, voor drie maanden genoeg had. Daarna...

Het eerste wat ze deed was alle kranten doorkijken en een kringetje zetten om de advertenties waarin artsen om assistentie vroegen. Vervolgens klopte ze in heel Manhattan aan. De reacties varieerden van onverholen geamuseerdheid tot vlammende verontwaardiging: de meesten waren geschokt door haar aanbod en noemden het immoreel; een paar lachten hartelijk, in de veronderstelling dat het haar geen ernst was, drie deden haar oneerbare voorstellen, en één vroeg haar ten huwelijk.

Ze begon in de gegoede buurt en zakte geleidelijk af, zij het met enige tegenzin, tot het gedeelte dat bekend stond als de Varkensmarkt of de Tyfuswijk – de dichtst bevolkte achterbuurt in Manhattan. Ze volgde het gore trottoir langs Little Italy, waar het kindergejoel zich vermengde met draaiorgelmuziek en het geroep van straatventers. Ze liep met rabbijnen met zwarte hoeden op langs de straten Orchard en Hester, ontweek het afval dat in de goten was gegooid en werd doof van het geschreeuw van bebaarde verkopers van tweedehands kleding. Immigranten van alle leeftijden vroegen haar om een aalmoes: brutale kinderen en verlegen jonge vrouwen die bescheiden hun sjaals over hun dikke, zwangere buiken hielden. Hier woonden niet zo veel dokters en degenen die ze te spreken kreeg kenden òf geen Engels òf preekten ouderwets dat ze naar haar moeder thuis moest gaan, want daar hoorde ze.

Het duurde een week – zeven dagen lang liep ze voort, beklom stoepen, deed haar verhaal, nam een heel scala van afwijzingen in ontvangst, kwam iedere avond met natte voeten uitgeput thuis en ging gebukt onder een grote teleurstelling. Toch ging ze onvervaard verder. Iedere afwijzing maakte dat haar vastberadenheid toenam. Ergens in deze stad vol schitterende mogelijkheden was een dokter die haar zou aannemen.

3

Het ongeluk gebeurde op de hoek van Eighth Street en Second Avenue. Samantha wilde net van het trottoir stappen toen een jongeman, keurig uitgedost in een rijwielkostuum, op zijn opvallende fiets met het hoge achterwiel door het verkeer peddelde. Toen hij haar zag, nam hij breed glimlachend zijn modieuze blauwe polopet af. Al verder fietsend keek hij over zijn schouder, nog steeds lachend, nog steeds peddelend. Samantha zag het rijtuig met grote snelheid de hoek om schieten en deed haar mond al open om hem een waarschuwing toe te roepen. Ze bleef stokstijf staan toen de fietser zich te laat omdraaide. De paarden steigerden en hinnikten, en het rijtuig maakte een akelige, onverwachte zijwaartse beweging. Samantha keek met open mond geschrokken toe hoe de fietser en zijn glanzende rijwiel in botsing kwamen met het vierwielige rijtuigje, waarna een luid gegil opklonk en de paardeleidsels verward raakten. De paarden steigerden onbeheerst en gooiden zich tussen de dissels heen en weer, waardoor het rijtuig met een klap op zijn kant terecht kwam. Een leeg tweewielig huurrijtuig dat niet op tijd kon stoppen, ving de grootste klap op. De koetsier ervan werd met een boog de lucht ingeslingerd.

In een paar seconden was het gebeurd. Het kruispunt was een chaotisch tafereel van verwrongen wrakstukken. De paarden lagen gillend op hun zij, worstelend om overeind te komen. Wielen draaiden nog om gebroken assen. Andere rijtuigen hielden abrupt in en kwamen scheef tot stilstand, waardoor een oorverdovende verkeerschaos ontstond. Mensen snelden naar de plaats van het ongeval; Samantha was het eerst ter plekke.

Snel overzag ze de toestand van de slachtoffers. De koetsier van het huurrijtuig was dood – hij was met zijn hoofd tegen een telegraafpaal aan gekomen. De vier inzittenden van het vierwielig rijtuig lagen op straat, één bewusteloos, twee kreunend, terwijl de vierde probeerde op te staan; de koetsier kwam onder het rijtuig uit gekropen, wankelend en gewond. Maar Samantha wijdde haar aandacht aan de fietser, want hij lag bekneld onder het huurrijtuigje. Zijn rechterarm zat in een onmogelijke hoek tussen de stalen spaken van zijn rijwiel.

Terwijl een paar mannen probeerden het rijtuig op te tillen, pakte Samantha een witte zijden sjaal uit de wagen en bond snel maar kundig de bovenarm van de jongen af. Toen het rijtuig van zijn plaats kwam, verschoof ook de fiets, wat de fietser een kreet van pijn ontlokte. Overal klonk nu gekreun en gesnik, paarden hinnikten, en mensen riepen naar elkaar. Samantha controleerde haastig of de jongen nog andere verwondingen had, keek even naar zijn pupillen en nam zijn polsslag op. Uit de wond stroomde, ondanks het geïmproviseerde draaiverband, voortdurend bloed.

'Een ambulance!' riep ze uit. 'Iemand moet een ziekenwagen halen!'

Er was veel onnodig heen en weer geloop. Er had zich inmiddels een menigte verzameld die om de plaats van het ongeluk heen stond. Op het trottoir was een jongedame flauwgevallen; ze werd door twee heren koelte toegewuifd. Diverse andere mannen probeerden de inzittenden van het rijtuig op de been te trekken. De fietser transpireerde hevig; gelukkig voor hem raakte hij bewusteloos.

Toen het rijtuig eindelijk krakend overeind werd gezet en weer op zijn wielen terecht kwam, begonnen twee mannen aan de fiets te trekken.

'Niet doen!' riep Samantha. 'Langzaam aan! Anders raakt hij zijn arm kwijt!'

'Hoor eens, dame...'

'Heeft iemand een ziekenwagen gehaald?'

'Ik denk van wel. Wie bent u?'

De jongen zakte kreunend nog dieper in zijn bewusteloosheid weg. Samantha sprak hem geruststellend toe en legde haar koele hand op zijn voorhoofd; een gestage stroom bloed liep uit de sjaal op straat.

Een man in een zwarte pandjesjas en met een hoge hoed op baande zich een weg naar de ravage. Hij bukte zich over de slachtoffers en onderzocht hen vluchtig. Toen kwam hij naast Samantha staan. Hij liet zich op een knie zakken en boog zich over de fietser. Eerst onderzocht hij de arm en vervolgens zijn hoofd en nek. Toen hij de zwarte tas openmaakte die hij bij zich had en een binauraalstethoscoop te voorschijn haalde, nam Samantha hem vol belangstelling op.

Onder de zwarte hoge hoed zag ze een opvallend profiel: koolzwarte ogen onder zware wenkbrauwen, een forse, rechte neus, dunne lippen, scherp afgetekende jukbeenderen en een vierkante, vastberaden kaak. Een vleugje grijs boven zijn oren gaf aan dat hij begin veertig moest zijn.

Toen hij overeind kwam en de stethoscoop weer in zijn tas stopte zei Samantha: 'De anderen...'

'Daar gaat het goed mee. Hun verwondingen kunnen wel wachten tot de ambulance komt. Deze jongen kan niet wachten, hij moet direct behandeld worden.'

Een agent drong zich door de mensenmassa heen. 'St.-Brigid's stuurt een wagen, dr. Masefield.'

'Deze jongen moet naar mijn praktijk worden gebracht. Ik heb dragers nodig.'

'Hé, jullie tweeën daar!' blafte de agent. 'Kom hier!'

Eindelijk keek de vreemdeling naar Samantha. Zijn gezicht, al stond het ernstig, was verrassend knap. 'Houd zijn arm vast terwijl ik het wiel wegtrek. Als u voelt dat de botten verschuiven, moet u het direct zeggen.'

'Ja...' antwoordde ze ademloos.

De agent knielde ook neer en pakte de velg van het wiel. Terwijl hij en de dokter er voorzichtig aan trokken, hield Samantha de arm van de jongen stevig vast. Hij kreunde zachtjes, maar kwam niet bij. Onder de zijden sjaal voelde ze het warme bloed en de verkrampte spieren; haar sterke, slanke vingers konden voorkomen dat de gebroken botten verschoven, terwijl het wiel voorzichtig werd verwijderd.

De dokter kwam snel overeind. 'Wees voorzichtig met dragen. Eén verkeerde beweging en de scherpe randen van het bot beschadigen de zenuwen en bloedvaten die nog intact zijn. Met enig geluk kunnen we de arm behouden.'

Terwijl de twee mannen de fietser voorzichtig optilden en op weg gingen, kwam Samantha moeizaam overeind en streek de losgeraakte krullen van haar vochtige voorhoofd. Dr. Masefield liep weg, stond toen stil, wendde zich naar haar toe en zei kortaf: 'Komt u mee?'

Zijn praktijk was vlakbij. Via de hal werden ze naar een behandelkamer gebracht waar het naar carbol rook. Terwijl de mannen de jongen voorzichtig op de tafel legden, gaf dr. Masefield Samantha enkele korte opdrachten. 'Het hechtmateriaal ligt in die kast daar. Ik heb zowel darm als zijde nodig. Haal ze eerst door carbol. Achter die deur hangt wel een schort.'

Terwijl Samantha met bonzend hart onhandig de rolletjes hechtmateriaal pakte, en niet het flauwste idee had wat ze moest doen, trok dr. Masefield zijn pandjesjas uit, zette zijn hoge hoed af en begon zijn mouwen op te rollen. 'Doe maar wat carbol in dat bakje.'

Samantha's ogen zochten de planken af en ze vond een grote bruine fles waarop stond 'Carboloplossing 5%'. Ze pakte hem, haalde de kurk eraf en goot onhandig een beetje in het geëmailleerde bakje. Toen wijdde ze zich weer aan het hechtmateriaal. Twee jaar geleden was ze bij dr. Blackwell op bezoek geweest toen er een gewonde schoorsteenveger was binnengebracht. Dr. Blackwell had eindjes van ongeveer een meter afgeknipt. Met de schaar uit de kast knipte Samantha met trillende handen even zo lange stukken af.

'Breng me dat blad even,' klonk de stem van de dokter kortaf.

Ze keek hem vragend aan.

'Daar,' zei hij met een hoofdknikje. 'Ze zijn al ontsmet. Zet het blad maar hier, bij mijn rechterhand.'

Ze reikte naar het blad. Dr. Masefield had zijn handen in carbol gewassen en droogde ze af aan een handdoek, waarna hij de doordrenkte sjaal van de arm begon te halen.

'Laat dat maar verder en kom me helpen. Leg die hechtingen maar in het bakje.'

Ze deed wat haar gezegd was, waarna ze het schort van het haakje griste en het haastig op haar rug vastbond.

'Heeft u dit gedaan?' vroeg hij toen hij de sjaal had verwijderd en hem in een emmer liet vallen.

'Ja,' fluisterde ze.

'Dat heeft er waarschijnlijk voor gezorgd dat hij zijn arm kan behouden. Goed, breng die lamp hiernaartoe en houd hem zó, dat het licht goed op de wond valt.'

Ze waren ruim een uur bezig. Dr. Masefield zat op een kruk, net als een edelsmid, en maakte de wond schoon, sneed de randen bij en bond de bloedvaten af. Samantha hielp hem met het zetten, rende naar de kast om te halen wat hij nodig had, verzette de lamp als hij ging verzitten, en drenkte het uiteindelijke verband in carbol. Al die tijd keek dr. Masefield haar geen enkele keer aan.

'Zo,' zei hij, leunde achterover en veegde zijn bebloede handen aan de handdoek af. 'Nu kan de ambulance hem komen halen.'

Samantha bleef onzeker staan en plukte aan haar bevlekte schort.

Dr. Masefield stond op en boog zich over de jongen heen. Hij controleerde de hartslag in de hals, tilde de oogleden op en zei zachtjes: 'Trek eens aan dat bellekoord.'

Samantha draaide zich om. Het hing in de hoek. Ze trok eraan en bijna meteen verscheen er een oudere dame in kastanjebruin bombazijn in de deuropening. Haar vlossige witte haar ging schuil onder een mutsje. 'Ja, dr. Masefield?'

'Mevrouw Wiggen, wilt u die jongen van Horowitz naar St.-Brigid's sturen om een ambulance te halen? En zou u daarna theewater willen opzetten?' Hij rechtte zijn rug en keek eindelijk naar Samantha. 'Of heeft u liever koffie?'

Haar ogen verwijdden zich. 'O nee. Thee is prima.'

De huishoudster wendde zich stijfjes af en dr. Masefield zuchtte eens diep. 'Nu, ik denk dat hij het wel haalt. Die fietsers zijn een gevaar op de weg.' Niet wetend wat te zeggen, keek Samantha naar de uitgestrekte gestalte; het eens zo mooie pak, het witte flanellen overhemd met de blauwe kniebroek, hing nu aan flarden en was vuil.

Dr. Masefield waste zijn handen in het bakje carbol. 'Hij bofte dat u er was,' zei hij met zijn rug naar haar toe. 'U hebt u kranig geweerd. Mag ik vragen waar u uw opleiding hebt gehad?'

Samantha ging van het ene been op het andere staan en wist zich niet goed raad. 'Tja, ik . . .'

Terwijl hij zijn handen stond af te drogen, draaide hij zich om. 'Neemt u me niet kwalijk, ik heb me nog niet voorgesteld. Joshua Masefield.'

Ze voelde zich een beetje belachelijk, met dat bebloede schort voor en haar hoed scheef op het hoofd. 'Samantha Hargrave.'

Hij glimlachte niet; het was alsof zijn mond dat niet gewend was. Zijn sombere donkere ogen bleven haar strak aankijken.

Samantha worstelde met de banden van het schort. 'Ik ben bang dat ik het vies heb gemaakt.'

'Daar zorgt mevrouw Wiggen wel voor. Laat maar gewoon liggen, zij ruimt het met de rest van de rommel wel op. U ziet eruit alsof u even moet zitten.'

Ze liep door de gang achter hem aan naar een salon die smaakvol was gemeubileerd. Er stond een met velours beklede bank en bijpassende fauteuils, er hingen gravures aan de wand en er stond een grote varen in de vensterbank en een vaas met droogbloemen op de schoorsteenmantel. Maar het vertrek zag eruit, dacht Samantha onwillekeurig, alsof het zelden werd gebruikt.

Ze ging op de bank zitten, maar hij bleef staan. Achter het raam, in de drukke straat, stroomde het verkeer weer lawaaierig verder. Ergens achter in huis klonk het geluid van borden en stromend water. Samantha vouwde haar handen in haar schoot en ontdekte tot haar ongenoegen dat er bij haar knieën een grote bloedvlek op haar rok zat.

'Daar zorgt mevrouw Wiggen ook wel voor,' zei dr. Masefield en leunde tegen de schoorsteenmantel. Ondanks het feit dat de ellende voorbij was, was zijn ernstige stemming niet verdwenen en Samantha begon zich af te vragen of dat ooit het geval was.

'O nee,' zei ze zwakjes, 'dat kan ik zelf wel.'

'Onzin. Mevrouw Wiggen doet dat soort dingen altijd. Ze is er reuze handig in. U kunt toch zeker zo de straat niet op.'

Samantha boog het hoofd, want ze kon zijn blik niet verdragen. Het ongemak uit haar jeugd, het plotselinge onvermogen tot praten dat ze lang geleden bij Playell dacht te hebben overwonnen, plaagde haar nu weer.

'U komt uit Engeland, klopt dat?'

'Ja.'

'Hoe lang bent u hier al?'

'Tien dagen.'

'Dan hebt u uw opleiding dus in Engeland gevolgd. In Londen?'

Samantha kon noch haar ergerlijke verlegenheid de baas, noch haar spraak hervinden. 'Wat bedoelt u met "opleiding", meneer?'

'Waar hebt u medicijnen gestudeerd?'

Verbaasd hief ze het hoofd. 'Ik heb helemaal geen medicijnen gestudeerd.'

Hoewel de uitdrukking op zijn gezicht niet veranderde, was aan zijn ogen duidelijk te zien dat hij verbaasd was. 'Maar u moet er toch iets vanaf weten! Dan bent u toch zeker wel zaalzuster geweest?'

Zwijgend schudde ze van nee.

'Goeie hemel,' zei hij rustig en bestudeerde haar met nog grotere belangstelling. 'Toen ik zag hoe u zich daar gedroeg – u deelde bevelen uit, en u wist wie er het ernstigst aan toe was – toen heb ik aangenomen dat u dokter was, of minstens verpleegster. Als ik het had geweten had ik u zeker niet meegenomen en ik zou u zeker *dat* niet hebben laten doormaken.' Hij maakte een handgebaar in de richting van de behandelkamer. 'Goeie hemel,' herhaalde hij zachtjes, 'wat moet u wel niet van me denken?'

Ze keken elkaar strak aan, hun ogen lieten elkaar niet los, en het was alsof alle geluiden van die ochtend vervaagden. Heel even hoorde Samantha alleen het bonzen van haar hart, waarna de krakerige stem van mevrouw Wiggen vanuit de deuropening de betovering verbrak. 'De thee is klaar, dokter.'

'We drinken hier thee, mevrouw Wiggen.'

De oude vrouw toonde even haar verbazing en wierp Samantha een kritische blik toe. Terwijl ze wegscharrelde zei dr. Masefield: 'Ik vrees dat ik zo weinig bezoek krijg, dat mevrouw Wiggen soms haar plaats niet meer kent.'

Nadat de thee was neergezet, haalde mevrouw Wiggen een rok van beneden. Samantha trok die in de behandelkamer aan en gaf haar eigen rok aan de huishoudster, die afkeurend gesnuif liet horen. De rok die ze te leen had gekregen had een smal middeltje; hij kon niet van mevrouw Wiggen zijn. Van wie dan wel?

'U moet me mijn vreemde manier van doen maar vergeven, juffrouw Hargrave,' zei dr. Masefield toen ze zich weer bij hem voegde. 'En u moet me geloven wanneer ik zeg dat ik u nooit had laten meehelpen, als ik had geweten dat u uit naastenliefde handelde en niet medisch geschoold was. Ik schrik van mijn eigen gebrek aan oordeelsvermogen!'

Samantha keek strak naar haar theekopje. Nu hij tegenover haar zat en nog wel zo dichtbij, kon ze er niet toe komen hem aan te kijken. 'Om u de waarheid te zeggen, dr. Masefield,' zei ze zachtjes, 'zat u er niet helemaal naast.'

In het kort vertelde ze over haar ervaring in Engeland, haar vriendschap met dr. Blackwell, en eindigde met de reden die haar naar New York had gebracht. Joshua Masefield luisterde met grote aandacht en toen ze was uitgesproken bleek hij zichtbaar opgelucht. Hij nam haar zwijgend op – Samantha voelde zich ongemakkelijk onder zijn openlijke belangstelling – tot hoefgetrappel voor het huis de stilte verbrak. Voetstappen kwamen haastig naar de voordeur, gevolgd door luid en ritmisch geklop.

De ambulance van St.-Brigid's. Dr. Masefield droeg samen met de broeder de jongen op de brancard naar buiten, terwijl Samantha in de salon bleef zitten en niet helemaal op haar gemak haar thee opdronk. Toen hij terugkwam en weer ging zitten, deed ze haar uiterste best haar stem in bedwang te houden. 'Ik denk dat mijn rok nu wel klaar is.'

'Je moet een kunstenares nooit opjagen. Mevrouw Wiggen heeft de stof vast over een potje gespannen en behandelt hem met een magisch brouwseltje uit haar geheime kastje. Ze heeft zich de kunst goed eigen gemaakt, nadat ze eerst te veel rokken had bedorven.'

'Is mevrouw Wiggen uw assistente?'

'Zo ongeveer. Ze is er niet voor opgeleid, maar ze zorgt dat de patiënten netjes in de wachtkamer zitten en ze maakt na het spreekuur schoon. Af en toe roep ik haar hulp in; dat had ik vandaag bijvoorbeeld gedaan als u er niet was geweest.'

Samantha dwong zich hem aan te kijken. 'Hebt u ooit overwogen een leerling aan te nemen?'

'Eerlijk gezegd, ja.'

Het kopje rammelde op het schoteltje; ze zette het op tafel. Wat had ze toch! De hele week had ze zich zelfverzekerd en beheerst bij talloze doktoren gemeld. Waarom bracht deze man haar dan zo van haar stuk?

'En hij begint volgende week.'

'Wie?'

'De student die ik in dienst heb genomen.'

Ze keek hem even aan, en wendde toen snel haar blik af. Binnen de tijd van één minuut was haar hoop opgeleefd en weer de bodem ingeslagen! 'Heb ik iets verkeerds gezegd, juffrouw Hargrave?'

Stamelend beschreef ze hem hoe ze zeven dagen lang naar zo'n baantje had gezocht, waar ze met tegenzin nog aan toevoegde dat het ernaar uitzag dat ze het moest opgeven.

'U gaat dus in januari naar Blackwell's Infirmary. Dat is dan waarschijnlijk de reden dat u overal nul op het rekest hebt gekregen. Er zijn maar weinig artsen die de moeite nemen iemand voor een halfjaar aan te nemen. Een jaar is de gebruikelijke termijn.'

Samantha glimlachte dankbaar, maar schudde haar hoofd. 'Om de een of andere reden, dr. Masefield, geloof ik niet dat ik daarom werd afgewezen. Maar het is aardig van u het zo te stellen.'

De forse gestalte van mevrouw Wiggen vulde de deuropening; ze had Samantha's rok in de hand. 'Hij is nog vochtig, maar de vlek is eruit.'

Samantha verkleedde zich weer in de behandelkamer en merkte op dat intussen alles was schoongemaakt. Ze zag eveneens dat de instrumenten die dr. Masefield had gebruikt, nu in het bakje carbolzuur lagen.

Weer terug in de salon zette ze haar hoed recht en stopte losgeraakte strengen haar weg, waarna ze zei: 'Amerikanen lijken me heel vooruitstrevend. Dat was voor het eerst dat ik de ideeën van Lister in de praktijk zag toegepast.'

Dr. Masefield stond op. 'Ik vrees dat niet alle Amerikanen zo zijn, juffrouw Hargrave, slechts een armzalig handjevol dokters houdt zich eraan. Ik heb er in de vakpers over gelezen en heb zelf wat proeven genomen. Ik was direct overtuigd. De meerderheid van de Amerikaanse artsen vecht de microbentheorie nog steeds aan, vrees ik.'

'Tja...' Ze streek met haar handen langs haar rok en verschikte iets aan haar manchetten. Joshua Masefield beende langs haar heen naar de voordeur.

'Zal ik een taxi voor u aanroepen?'

'Nee, dank u, ik woon hier niet ver vandaan. Aan Houston Street, bij mevrouw Chatham. Dank u wel voor de thee.'

'En ik dank u voor uw hulp. Ik denk dat u de jongen het leven hebt gered.' Ze kneep haar ogen een beetje dicht tegen het felle zonlicht dat door de open deur naar binnen viel. 'Nee hoor, het kwam eigenlijk omdat u... o hemeltje.'

'Wat is er?'

'Mijn handschoenen. Ik heb ze op de plaats van het ongeluk uitgetrokken. Nu ben ik ze vast en zeker kwijt. En het was mijn enige paar.'

Zwijgend hield hij de deur voor haar open.

Ze glimlachte hem verlegen toe en zei zachtjes: 'Goedemiddag, dr. Masefield,' en liep haastig het trapje af.

Die avond liet de gedachte aan hem haar niet met rust. Terwijl ze in het donker naar Louisa's zachte ademhaling lag te luisteren, zag ze steeds weer Joshua Masefield voor zich. Waarom intrigeerde hij haar zo? Zijn boeiende verschijning, dat moest het zijn: dat weerbarstige zwarte haar met een vleugje grijs, de brede schouders en die rug die zo stram recht was, dat hij haar deed denken aan een legerofficier. Maar er was nog iets anders, iets geheimzinnigs: Joshua Masefield maakte een intens melancholieke indruk, zijn donkere ogen stonden intens droevig. Was zijn manier van doen haar niet opgevallen als wat vormelijk, alsof hij niet zijn ware aard toonde, maar iets verborgen hield? En dan had je nog die kleine salon, zo roerend in gereedheid gehouden voor bezoekers die nooit kwamen.

Bij die gedachte rolde Samantha zich op haar zij en staarde naar de donkere wand zo vlak bij haar gezicht. Had ze het zich verbeeld of had Joshua Masefield zich daar in die salon niet op zijn gemak gevoeld, onzeker van zichzelf, alsof het onschuldige bezoekersritueel hem vreemd was? Maar hoe zou dat komen? Een man als Joshua Masefield had toch zeker vele vrienden die hij regelmatig ontving?

Samantha dwong zich hem uit haar gedachten te zetten, zij het met tegenzin. Ze had genoeg andere zorgen aan haar hoofd: wat moest ze nu gaan doen, hoe kon ze het nog langer uitzingen...

4

Vier dagen later kwam de boodschappenjongen. Samantha was op zoek naar werk en daarom nam mevrouw Chatham het pakje aan en legde het op Samantha's kamer. Toen ze die avond na een ontmoedigende dag thuiskwam, vond Samantha het doosje en trok er nieuwsgierig gauw het papier af. Tussen zacht vloeipapier lag een paar duifgrijze suède handschoenen en een briefje waarop stond: 'U kunt niet verwachten dat u een goede indruk maakt zonder handschoenen. Uit dank voor uw uitstekende hulp.' De ondertekening luidde: J.M.

Ze maakte zichzelf wijs dat ze hem was vergeten, maar dat was niet zo. Toen ze de volgende ochtend de trap naar zijn voordeur opliep, maande ze zichzelf niet zo nerveus te zijn. Ze zou het beleefd maar kort houden, misschien kon ze de doos zelfs aan mevrouw Wiggen overhandigen zonder hem te hoeven spreken. Ze kon de boodschap achterlaten dat ze het geschenk onmogelijk kon aannemen, hoewel ze dr. Masefields gulle gebaar op prijs stelde.

Tot haar ongenoegen zat de hal vol patiënten en mevrouw Wiggen was nergens te bekennen.

Ze voelde zich ongemakkelijk onder de openlijk nieuwsgierige blikken, want Samantha's kleren waren beter dan die van alle aanwezigen; ze zocht een zitplaatsje. Er stonden twee lange banken langs de wanden; het was een systeem dat in alle praktijken gold: als een patiënt uit de spreekkamer kwam, stond degene die het dichtst bij de deur zat op, en ging naar binnen. Vervolgens schoof iedereen een stukje op, en zij die nog stonden namen in volgorde van aankomst een plaatsje op de bank in. Het was een systeem dat gebaseerd was op een soort erecode en dat zelden problemen opleverde.

Samantha bleef samen met twee mannen en een klein jongetje staan. Het was vreemd rustig in het vertrek als je naging hoe druk het er was. Een vrouw met hoogrode wangen wuifde zich koelte toe met een zakdoek. Een jonge moeder probeerde een baby rustig te houden die zich in haar armen kronkelde. Een oude vrouw met een zwarte sjaal over het hoofd en een zwaar crucifix op haar boezem zat met glazige ogen voor zich uit te staren. Toen de deur van de spreekkamer openging draaiden alle hoofden zich om, en Samantha's hart sloeg een slag over. Joshua Masefield, in zijn hemdsmouwen, boog zich naar buiten en zei: 'Signor Giovanni,' en wenkte een van de staande mannen. De immigrant zette gauw zijn pet af en haastte zich naar voren, waarna de deur zich achter hem sloot. Als dr. Masefield Samantha al had gezien, liet hij dat niet merken.

De minuten sleepten zich voort. Gedempte stemmen klonken van achter de deur. De wachtenden trokken zich er niets van aan. Samantha nam zenuwachtig een andere houding aan, terwijl ze het doosje steeds maar om en om draaide.

Toen de deur weer openging, schrok ze op. De Italiaan kwam naar buiten, met zijn arm om de schouders van een jonge vrouw, die geluidloos snikte en de handen voor haar gezicht had geslagen. Toen ze de voordeur uitliepen, ontmoetten Samantha's ogen die van dr. Masefield. Ze keken elkaar een ogenblik lang strak aan, waarna hij zei: 'De volgende, alstublieft,' en wendde zich af. Toen een jongeman met een verband om zijn pols opstond en naar binnen ging, sloeg Samantha's onzekerheid om in ergernis.

Iedereen schoof een eindje op, waarna er één plaatsje vrijkwam. De man met het kleine jongetje, die voor haar was, wees verlegen naar de bank en mompelde iets in een vreemde taal. Samantha lachte onzeker en ging zitten.

Opnieuw verstreken er een paar minuten. Onwillekeurig zat Samantha met haar voet op de grond te tikken. Af en toe werd ze ongeïnteresseerd opgenomen, waarna men de blik afwendde.

Toen de deur weer openging, onderdrukte Samantha de impuls om overeind te springen. Ze keek toe hoe de jongeman dr. Masefield de hand schudde, zijn werkmanspet opzette en zich naar buiten haastte. Weer klonk er kortaf: 'De volgende,' en de oude vrouw met het crucifix strompelde naar binnen. Samantha schoof een plaatsje op en haar ergernis maakte plaats voor verontwaardiging.

Ze begon zich net af te vragen of ze zou opstaan en weggaan, toen ze verderop in de gang rokken hoorde ritselen. Mevrouw Wiggen kwam naar Samantha toe en zei: 'Wilt u alstublieft met me meekomen?'

Samantha werd naar een vertrek gebracht dat naast de spreekkamer lag. Net als de salon aan de andere kant van de hal, lag de kamer aan de straat; er bevond zich een mooie, marmeren open haard. Maar daar hield de overeenkomst op. Joshua Masefields studeerkamer had niets pretentieus en werd kennelijk veelvuldig gebruikt. Er stond een paardeharen bank met diepbruine velours bekleding en daarin diepliggende knopen, een overvolle eiken boekenkast versierd met houtsnijwerk; bijpassende leunstoelen met veel gebruikte, zachte kussens; voor het raam stond een kaarttafeltje met een dicht geplooid kleed erover en een grote plant erop; en ten slotte een mahoniehouten bureau ministre vol paperassen, boeken, tijdschriften, een

vlekkerige inktpot en een paar stoffige beeldjes. Het verschoten behang had een schattig patroon van lentebloemen tegen een lichtbeige achtergrond; het smyrnatapijt was oud en versleten maar was kennelijk ooit van goede kwaliteit geweest, en op een hoog tafeltje in de hoek stond een kristallen glasservies, bestaande uit een met cognac gevulde karaf en glazen. Er heerste een huiselijke sfeer en het vertrek droeg het stempel van de persoonlijkheid van een man die hoge waarde hechtte aan zijn privacy en eenzaamheid. Maar nergens hingen of stonden foto's, en dat was heel vreemd.
'Wat kan ik voor u doen, juffrouw Hargrave?'
Ze draaide zich met een ruk om. Joshua Masefield kwam door de verbindingsdeur met de spreekkamer; voordat de deur dichtging ving Samantha een glimp op van mevrouw Wiggen, die de oude dame van de onderzoektafel hielp.
'Ik kom dit terugbrengen,' zei ze en hield hem het doosje voor.
Zijn wenkbrauwen werden iets opgetrokken, maar hij maakte geen aanstalten het doosje aan te nemen.
'Ik kan die handschoenen onmogelijk accepteren,' zei ze haastig. 'Het is niet mijn gewoonte geschenken aan te nemen van heren die ik nauwelijks ken.'
Zijn ogen bleven op haar gericht; het was ergerlijk maar van zijn gezicht viel niets af te lezen.
'U moet ze dus terugnemen.' Ze keek om zich heen, en legde vervolgens het doosje op het volle bureau. 'Het spijt me als ik u heb gestoord. Goedemorgen, dokter Masefield.' Ze draaide zich om en wilde al weggaan.
'Ik vrees dat u zichzelf te veel eer aandoet, juffrouw Hargrave.'
Samantha stond stil en draaide zich om. 'Hoezo?'
'De handschoenen waren geen cadeautje, ze waren een vergoeding voor uw hulp. Toen ik de fietser in het ziekenhuis opzocht, gaf zijn vader me een cheque voor uw hulp. Daar ik wist dat u dringend een paar handschoenen nodig had, ben ik zo vrij geweest ze voor u te kopen in plaats van u het geld te sturen. Als u dokter wilt worden, juffrouw Hargrave, zult u moeten leren aanvaarden dat u in natura wordt betaald; uw patiënten hebben niet altijd contant geld beschikbaar.'
Haar vingers speelden met het handvat van haar gebreide tasje. 'O hemeltje, ik dacht. . .'
'Ik weet wat u dacht, juffrouw Hargrave. Kom,' hij pakte het doosje en stak het haar toe, 'neemt u ze mee. Als u dat wilt kunt u ze inlijsten als het eerste honorarium voor uw diensten.'
Samantha nam het doosje in ontvangst en glimlachte geforceerd. 'Ik voel me ontzettend dom.'
De deur achter hem ging open en het mutsje van mevrouw Wiggen verscheen om de hoek. 'Dokter? Mevrouw Solomon zit te wachten.'
'Een ogenblikje nog, mevrouw Wiggen.'
Nadat de deur in het slot was gevallen zei Samantha: 'Ze mag me niet erg, hè?'

Zijn mondhoeken trokken eventjes, alsof hij glimlachte. 'Mevrouw Wiggen is wat overbezorgd, net als een kloek. Vertel me eens, juffrouw Hargrave, is het u al gelukt werk te veroveren?'
Dat was haar nog niet gelukt, en bovendien had dr. Emily haar weinig hoop kunnen bieden. 'Ik ben bang dat ik door de omstandigheden gedwongen word ander werk, niet op medisch terrein, te zoeken tot de Infirmary plaats voor me heeft.'
'Dat zal niet gemakkelijk zijn. Er zijn honderden vrouwen die zich in dezelfde moeilijke omstandigheden bevinden. Ik heb nog eens nagedacht, juffrouw Hargrave. De jongeman die ik in dienst heb genomen gaat studeren aan de universiteit van Cornell. Hij komt uit een gegoede familie en beschikt over uitstekende referenties. Hij zal geen enkele moeite hebben om bij welke dokter in Manhattan dan ook werk te vinden. Daarom heb ik zo gedacht, juffrouw Hargrave, ik moest u maar in zijn plaats aannemen. Per slot van rekening hebt u dit baantje veel harder nodig dan hij, u hebt me al bewezen dat u er geschikt voor bent, en uw vriendschap met de zusters Blackwell is ook een aanbeveling. Ik heb bovendien gedacht dat een vrouwelijke assistent me tot grote steun kan zijn vanwege de vele vrouwelijke patiënten die ik heb en die zich bij mij vaak slecht op hun gemak voelen. Wilt u er eens over nadenken, juffrouw Hargrave?'
Ze keek hem vol ongeloof aan.
'Het is echter zo' – dr. Masefield wendde zich af en liep naar het tafeltje in de hoek, waar hij als een redenaar stilstond en zijn vingertoppen op het ingelegde tafelblad legde – 'dat ik ook nog persoonlijke redenen heb die ik moet uitspreken, want ze zullen ongetwijfeld uw beslissing beïnvloeden.'
Samantha wachtte op zijn volgende woorden.
'Ik wil dat u me bijstaat in een privé-aangelegenheid, juffrouw Hargrave. Het gaat namelijk om' – hij wendde zijn blik af – 'mijn vrouw.'
Hij zweeg even en het verkeerslawaai was opeens duidelijk hoorbaar. Samantha wachtte af.
'Mevrouw Masefield is ziekelijk en bedlegerig, en soms heeft ze aandacht nodig van een kwaliteit die mevrouw Wiggen niet kan geven. Ik heb overwogen een verpleegster in dienst te nemen, maar daarvoor vergt het werk niet genoeg tijd. Mevrouw Masefield is niet voortdurend hulpbehoevend.'
Ten slotte keek hij haar weer aan. 'Mijn vrouw is meestal heel wel in staat om voor zichzelf te zorgen. Maar soms heeft ze... inzinkingen. Op dat ogenblik heb ik uw hulp nodig. Maar ik haast me eraan toe te voegen, juffrouw Hargrave, dat het niet vaak voorkomt en dat u de resterende tijd hier bij mij zou werken.'
Ze bleef hem nog aankijken lang nadat hij was uitgesproken. Samantha voelde zich vreemd ontroerd. Hij had de woorden met zo veel moeite uitgesproken, het viel hem zo zwaar, zijn houding was zo onhandig, dat het was alsof hij haar een groot geheim had toevertrouwd.
'U wilt natuurlijk de gelegenheid hebben erover na te denken...'
Het was ongerijmd dat deze geweldige man, die gewoonlijk zo zelfverze-

kerd was en de situatie altijd beheerste, nu over zijn woorden struikelde alsof hij een schuchtere minnaar was.

'Ik hoef er niet over na te denken, dr. Masefield. Het is me een eer uw voorstel aan te nemen.'

5

Die middag verhuisde ze, met Louisa's hulp. Samantha's kamer lag op de tweede verdieping, naast die van mevrouw Wiggen; samen deelden ze de pas geïnstalleerde badkamer boven aan de trap. Samantha's opgewonden stemming werd overschaduwd door een knagende onzekerheid: ze had impulsief een besluit genomen, en wat wist ze al met al van de man?

Het duurde niet lang of haar kamer was op orde; al gauw stond Samantha zich voor de spiegel mooi te maken voor het eten. Tot haar grote teleurstelling hoorde ze echter dat ze al haar maaltijden in de keuken zou gebruiken, met de zure mevrouw Wiggen en Filomena, een jong Italiaans meisje dat drie keer per week kwam schoonmaken. De heer en mevrouw Masefield, vertelde mevrouw Wiggen kort en bondig, zonder een poging te doen haar minachting voor de nieuweling te verbergen, aten altijd samen op hun kamer. Ze zou de salon mogen gebruiken om bezoek te ontvangen, maar de studeerkamer van de dokter was verboden terrein en bovendien mocht ze mevrouw Masefield alleen storen als ze werd geroepen. Op zondag had ze vrij.

Dr. Masefield zou, dat merkte Samantha al gauw, een uiterst gesloten mens blijven. Ze zou geen vertrouwelijk contact met hem hebben; het bleef bij de paar vragen die hij haar had gesteld op de dag dat ze elkaar hadden ontmoet. Klokke acht uur iedere ochtend kwam Joshua Masefield naar beneden, zei hartelijk: 'Goedemorgen,' waarna hij mevrouw Wiggen de eerste patiënt liet oproepen. Hij was en bleef zakelijk en op een afstand, informeerde nooit of Samantha goed had geslapen en of ze misschien iets nodig had; hij nam aan dat mevrouw Wiggen daar wel voor zou zorgen. Samantha zag geen kans door die barrière heen te breken. Eén keer had ze in haar onschuld naar mevrouw Masefield geïnformeerd (met wie ze nog moest kennismaken) en had op haar vraag een beleefd maar afwijzend antwoord gekregen. Eerst vroeg Samantha zich af of ze het bij de knorrige huishoudster en de afstandelijke dr. Masefield wel zou uithouden, maar iedere zondag ging ze heel gezellig met Louisa uit en dr. Masefields praktijk was zó druk dat Samantha na een poosje weinig tijd meer had om aan andere dingen te denken.

Ze stond altijd toe te kijken terwijl hij de patiënten onderzocht, hun bijzonderheden vroeg, een diagnose stelde en iets voorschreef, hen vriendelijk geruststelde en hen vervolgens naar huis stuurde met iets uit zijn kast met geneesmiddelen. Na ieder geval legde hij al handen wassend aan Samantha uit wat er aan de hand was. 'Rabies kan worden veroorzaakt door de beet

van welk dier dan ook, zelfs door een huisdier zoals de kat van die arme Willie. Het kind dat u daarnet hebt gezien, juffrouw Hargrave, zal onvoorstelbaar lijden. Hij krijgt het benauwd, er volgen ademhalingsmoeilijkheden en, dat is nog het ergste, hij zal helse dorst lijden, die niet kan worden gelest, want alleen al het zien van een glas water of een kopje thee brengt de jongen tot razernij. Aderlaten en opium zijn de gebruikelijke remedies, maar ze helpen niet.'
'Is genezing niet mogelijk?'
'Nee. Men is nog banger voor rabies dan voor de pest, want niemand overleeft de ziekte. Ze zeggen dat hij veroorzaakt wordt door iets in het speeksel van het dier, en ik heb begrepen dat Pasteur druk doende is een remedie te zoeken. Voor de arme Willie echter komt die te laat.'
Met vrouwelijke patiënten was hij bijzonder vriendelijk en geduldig, hij jaagde hen niet op en had begrip voor hun gêne. Uit eerbied voor hun overgevoeligheid gebruikte hij altijd de lange stethoscoop van Laen, opdat zijn nabijheid hen niet in verlegenheid zou brengen. Bovendien verstond hij uitstekend de kunst heel onopvallend intieme vragen te stellen. Daar er bij vrouwen van lichamelijk onderzoek geen sprake was, trok dr. Masefield meer tijd voor hen uit. Hij vroeg geduldig door tot hij het probleem had gelokaliseerd, zonder dat hij het eigenhandig had kunnen onderzoeken, waarna hij iets voorschreef, goede raad gaf en troost bood.
'Mevrouw Higginbotham heeft last van heftige krampen,' vertelde hij Samantha. 'Voor de maandelijkse vrouwenziekte bestaan vele vormen van tijdelijke verlichting, maar geen remedie want ze zal er iedere maand door bezocht worden, tot de stonden ophouden. Meestal schrijf ik een dosis arrowroot en laudanum voor. Zwangere vrouwen die 's morgens misselijk zijn, kunnen baat hebben bij vier maal daags wat pepermunt en calumbawortel.'
En dan waren er kwalen die Joshua Masefield niet kon of niet wilde verhelpen. 'Juffrouw Sloan vroeg me om een middel om haar menstruatie te reguleren. Hoewel ze het niet heeft toegegeven, vermoed ik dat ze zwanger is. Ze vroeg me of ik haar menstruatie wilde opwekken.'
'Maar dat zou betekenen . . .'
'Een ongewenste zwangerschap is een droef iets, juffrouw Hargrave. Middeltjes te over maar of ze helpen betwijfel ik. Thee van maretak. Chrysanthemumbloemen werken soms wel, of een drankje gemaakt van polei of van de bast van de rode iep. Ik heb begrepen dat sommige vroedvrouwen op lucratieve wijze in abortus handelen.'
'Wat doet u met zulke patiënten?'
'Ik heb juffrouw Sloan, als dat haar echte naam is, aangeraden naar haar pastoor te gaan, maar ongetwijfeld gaat ze langs DeWinter's drugstore om een van zijn patentgeneesmiddelen te kopen.'
'Kan dat zo maar?'
'Geneesmiddelen die de menstruatie reguleren zijn een goudmijn, juffrouw Hargrave, al helpen ze niet. James Clark's Pillen, Ford's Regulaten,

Dr. Kilmer's Vrouwenhulp. Iedere vrouw die een paar dubbeltjes op zak heeft kan een flesje valse hoop aanschaffen.'
Dr. Masefield kende genoeg woorden van de vreemde talen die in de buurt werden gesproken om de immigranten die bij hem kwamen de nodige vragen te stellen. Filomena werd er vaak bij gehaald om tolk te spelen, en af en toe kwam Samantha's Frans goed van pas. Met kinderen had dr. Masefield oneindig veel geduld; hij streek hen over hun hete voorhoofdjes en vertelde hun verhaaltjes terwijl hij wonden en schrammen verbond. Samantha bleef zich verbazen over de gedaanteverandering: alleen met haar of met mevrouw Wiggen was Joshua uiterst formeel en legde nooit zijn masker af. Maar bij de patiënten veranderde hij en werd vriendelijker, beminlijker en vertrouwelijker.
Als ze 's avonds alleen op haar kamer zat, na een vermoeiende dag van toekijken, wetenswaardigheden inprenten en verbanden knippen, en na een vreugdeloze maaltijd met de zwijgzame mevrouw Wiggen, zat Samantha bij haar haardje en dacht vol verwondering over hem na. Ze probeerde het mysterie op te lossen waarom een geweldige dokter als Joshua Masefield, zo vaardig, zo kundig, die de angstigste patiënten op hun gemak kon stellen, niet meer was dan hij was – een onbekende buurtdokter. Bovendien bezat Joshua Masefield kennelijk geen vrienden en hij ging nooit uit. Behalve de patiënten, Filomena en de jongeman die iedere week spullen van DeWinter's Drugstore kwam brengen, belde er nooit iemand aan. Samantha vroeg zich af waarom zo'n briljante man, zo knap, zo elegant, zich iedere avond in zijn studeerkamer opsloot en zich voor de wereld afschermde (op het afleggen van huisbezoeken na) zonder dat hij ooit een avondje uitging. Waarom had hij zich een banneling gemaakt in dat sombere huis?
Misschien had het iets te maken met de onzichtbare mevrouw Masefield.

'Wat mankeert haar eigenlijk?' vroeg Louisa toen ze zaten te lunchen in Macy's nieuwe tearoom.
'Ik weet het niet.' Samantha praatte niet graag over de Masefields en respecteerde hun hang naar privacy, maar Louisa kon erg aandringen.
Het was een warme zomerdag en de twee meisjes waren van plan om na de lunch naar de Elysian Fields in Hoboken te gaan, om de New York Knickerbockers baseball te zien spelen tegen de Cincinnati Red Stockings. Sinds ze een maand daarvoor bij dr. Masefield in dienst was gekomen, waren Samantha en Louisa New York gaan verkennen. Ze maakten altijd leuke uitstapjes, maar helaas kon Louisa haar intense nieuwsgierigheid naar de familie Masefield niet beheersen.
'Wil je zeggen dat je verondersteld wordt voor haar te zorgen en dat hij je nog niet eens heeft verteld waarom?' Louisa's groene ogen glinsterden. 'Samantha Hargrave, hoe hou je het uit!'
Samantha keek zijdelings naar de andere tafeltjes, bang dat Louisa's woorden daar verstaanbaar waren geweest. 'Hij vertelt het me wel als hij eraan toe is.'

'Maar als het nu eens iets *afschuwelijks* is?'
'Je leest te veel romannetjes, Louisa.'
'Maar is het dan niet romantisch? Hij is zo knap en hij *lijdt!*'
'Toe nou, Louisa!' Samantha gaf het niet graag toe maar Louisa bracht haar eigen gevoelens onder woorden. Hij had inderdaad iets tragisch... Maar Samantha liet zich niet overhalen om met haar vriendin te gaan zitten roddelen. Dr. Masefield had recht op zijn privacy en bovendien was Samantha hem veel verschuldigd: hij had haar gered uit misschien barre omstandigheden, had haar een benijdenswaardige baan bezorgd (acht dollar per week, nog afgezien van kost en inwoning), en hij verschafte haar de beste medische stage die ze ooit ergens kon volgen. Het zou zonde en jammer zijn hem over vijf maanden in de steek te laten.
'Hoe weet je eigenlijk dat er echt een mevrouw Masefield bestaat?'
Samantha's hand met de sandwich erin stokte. 'Wat zeg je?'
Louisa boog zich over het tafeltje en zei samenzweerderig: 'Het is tenslotte uiterst ongepast dat een jongedame onder een en hetzelfde dak woont als haar werkgever. Wat moeten zijn patiënten wel denken? Daarom heeft hij de volmaakte dekmantel uitgevonden: een vrouw!'
'Louisa Binford, je choqueert me! Dr. Masefield is een en al vormelijkheid. En bovendien, mevrouw Wiggen woont er ook.'
'Die slaapt waarschijnlijk als een blok als ze haar ogen eenmaal dicht heeft.'
Louisa leunde achterover en hield haar hoofd scheef. 'Ik heb hem gezien, Samantha, en ik denk dat die koelheid allemaal maar schijn is. Hij is gewoon een man die alleen woont. En jij bent zo knap en zo onschuldig: hoe kan hij je weerstaan?'
'Louisa Binford, wat bedoel je eigenlijk?'
'Dat hij binnenkort op een avond bij je komt aankloppen. Let op mijn woorden.'

6

En dat deed hij inderdaad, zes dagen later. Het was zaterdagavond en al laat, en Samantha zat een brief aan dr. Blackwell in Londen te schrijven. Hoewel het bijna middernacht was droeg hij een antracietgrijze pandjesjas met bijpassende pantalon, alsof hij op het punt stond om uit te gaan. Zijn gezicht stond gespannen. 'Wilt u alstublieft even met me meekomen, juffrouw Hargrave?'
Samantha sloeg een sjaal om, pakte een lamp en volgde hem zwijgend de trap af. Hij stond stil voor een deur; door het licht van de lamp leek zijn gezicht heel streng. 'Ik moet nog weg en er moet bij mijn vrouw worden gewaakt. Tot nu toe deed mevrouw Wiggen dat altijd, maar ze heeft de gewoonte om weg te doezelen. Ik vertrouw erop dat u goed wakker blijft.'
Samantha was niet voorbereid op de aanblik die haar aan de andere kant van de deur wachtte. De slaapkamer van mevrouw Masefield was ingericht

met de elegantie van een chique villa aan Fifth Avenue, en vormde een oogverblindend contrast met de rest van het sombere huis. Het glanzend gewreven ebbehout, de vergulde engeltjes en filigrain, het geborduurde haardscherm, de prachtige Louis-Quatorzestoeltjes, de prerafaëlitische taferelen uit de Griekse en Romeinse mythologie, en het glinsterende kristal, dat alles maakte op Samantha de indruk alsof ze een sprookjeswereld binnenstapte. In de haard van Derbyshire-marmer knapperde een warm vuur, dat teruggekaatst werd door ingelegd bronswerk en porseleinen sierborden, terwijl er boeketten zomerbloemen in lichtblauwe Wedgwood-vazen stonden.

Samantha's aandacht ging vervolgens naar het bed waarover dr. Masefield stond gebogen; wie erin lag kon ze niet zien door de fluwelen en satijnen topaaskleurige, gedrapeerde gordijnen die vanaf een hemel in guirlandes met kwastjes en franjes neerhingen. Ze stond even stil, te geboeid om zich te bewegen.

'Juffrouw Hargrave.'

Samantha kwam dichterbij, hield haar lamp wat hoger en kreeg een tweede schok te verwerken. Estelle Masefield was de mooiste vrouw die ze ooit had gezien.

Een stralenkrans korenblond haar viel over het satijnen kussen, en golfde bij iedere hoofdbeweging als was het vloeibaar goud. Haar huid was blank als die van een jonge baby, maar haar wangen vertoonden felle blosjes: rozen op de sneeuw. Toen haar blonde wimpers knipperden, ving Samantha een glimp op van violetkleurige ogen, met gouden vlekjes. Haar neus was smal en klassiek van lijn, en het hartvormige gezichtje eindigde in een volmaakt kinnetje; alles bij elkaar was ze het evenbeeld van de godinnen op het schilderij boven de open haard.

Dr. Masefield hield haar tengere pols tussen zijn vingers. 'Ze heeft hoge koorts. Ik wil dat die omlaag gaat. Gebruik deze thermometer, de temperatuur mag niet boven de veertig uitkomen.' Hij pakte een thermometer van het nachtkastje; hij was van metaal en was wel vijfentwintig centimeter lang en moest vijf minuten onder de oksel van de patiënte worden gehouden. Mevrouw Masefield kreunde en bewoog haar hoofd heen en weer.

'Ze heeft af en toe heldere momenten. Vertel haar wie u bent – ze heeft van u gehoord – en dat ik een bevalling doe in Mulberry Street. Als de temperatuur boven de veertig komt, moet u haar hiermee inwrijven.' Hij wees naar een fles alcohol op tafel. 'Van top tot teen. Ontdoe haar van alle dekens en haar nachtjapon. Blijf haar afsponzen tot de koorts zakt. Ik zal proberen niet te lang weg te blijven.'

Hij wilde zich al omdraaien, maar bedacht zich. 'Mijn vrouw heeft leukemie, juffrouw Hargrave. Haar bloed is zo dun dat ze gauw infecties oploopt die gemakkelijk tot longontsteking leiden als ze niet in de hand worden gehouden. Ze heeft al diverse aanvallen van longontsteking doorstaan en ze heeft nu zo veel vergroeiingen aan de longen en aan het hart, dat ze voortdurend pijn lijdt. Bovendien zijn haar bloedsomloop en haar ademhaling

zo slecht dat de geringste inspanning haar al verzwakt. U mag haar geen moment alleen laten. Mocht dat toch nodig zijn, trekt u aan dat koord, dan gaat er in mevrouw Wiggens kamer een bel over.'
Hij draaide zich abrupt om en liep zonder nog een woord te zeggen en zonder naar de vrouw op het bed te kijken, de deur uit.
Samantha had net een stoel naast het bed getrokken, toen er zachtjes werd geklopt. Mevrouw Wiggen stak haar hoofd om de deur en fluisterde: 'Hoe gaat het met haar?'
'Ze slaapt.'
De huishoudster kwam nu helemaal binnen en liep schuifelend naar het voeteneind; ze hield een wollen omslagdoek om haar schouders geslagen. Haar grove gezicht verzachtte terwijl ze droevig het hoofd schudde. 'De arme man, alsof hij nog niet genoeg te doen heeft.' Ze glimlachte Samantha meewarig toe. 'Ik heb de hele nacht bij haar gezeten. Ik neem aan dat hij u heeft geroepen om mij wat slaap te gunnen. Maar hoe kan ik slapen als mijn engeltje er zo slecht aan toe is? U kunt wel naar bed gaan, juffrouw Hargrave. Ik zorg wel voor haar.'
'Dr. Masefield heeft het me gevraagd, mevrouw Wiggen, en ik heb hem beloofd dat ik haar niet alleen zou laten.'
Even flitsten de kleine zwarte oogjes van de huishoudster boos, en haar ingevallen mond bewoog zich heen en weer over haar valse gebit. Toen liet ze haar schouders moedeloos zakken en zei: 'Ach ja, u zult wel gelijk hebben. Ik zal thee voor ons zetten, we hebben nog een lange nacht voor de boeg.'
Terwijl mevrouw Wiggen weg was, nam Samantha mevrouw Masefields temperatuur op en zag tot haar opluchting dat die niet boven de negenendertig vijf kwam. Ze ging op het puntje van haar stoel zitten en bestudeerde het fijnbesneden profiel, de blonde wimpers die op de verhitte wangen rustten, de jeugdige, doorschijnende huid, waaronder een netwerk van blauwe adertjes zichtbaar was. Estelle Masefield was vast nog geen dertig jaar oud.
Mevrouw Wiggen kwam terug met een blad waarop de thee stond en een schaaltje Schots zandgebak. Ze zette het geheel op een laag, met ivoor ingelegd tafeltje tussen de twee Queen-Annestoelen bij het vuur. 'Kom, juffrouw Hargrave, u hoeft er niet met uw neus bovenop te blijven zitten.'
Aarzelend ging Samantha bij de huishoudster zitten, maar verschoof haar stoel zo dat ze het gezicht van mevrouw Masefield kon zien. Terwijl mevrouw Wiggen de thee inschonk zei ze: 'Droevig dat het zo moest lopen.'
'Heeft ze het allang?'
'Nee, vorig jaar werd ze plotseling ziek. Nog geen achtentwintig jaar oud. Eerst wisten ze niet wat het was. In het begin was ze na de kleinste inspanning heel moe, en daarna viel ze steeds flauw. We dachten allemaal dat ze zwanger was, wat heerlijk zou zijn geweest want ze verlangden vurig naar kinderen. Ze waren pas drie jaar getrouwd, weet u. Maar toen ontdekten ze die knobbeltjes in haar hals, en dr. Washington deed een of ander modern onderzoek met een microscoop om naar een paar druppeltjes bloed van

haar te kijken. Nu begrijp ik het niet zo goed als dr. Masefield, maar het kwam erop neer dat er in haar bloed allerlei vreemde dingen gebeurden.' Samantha keek naar de spookachtige verschijning onder de satijnen sprei; Estelle Masefield leek nauwelijks meer dan een kind.
'Niet lang daarna besloot dr. Masefield haar naar New York te brengen.' Samantha keek mevrouw Wiggen nieuwsgierig aan. 'Waar kwamen ze dan vandaan?'
'Uit Philadelphia natuurlijk! En wat een leven hadden ze daar! Ze woonden in een prachtig huis aan Rittenhouse Square en gingen alleen om met de crème de la crème. Er werden feesten en danspartijen gegeven en het huis kende geen rustig ogenblik, want mijn kleine lieveling was zó levenslustig en ze vond het heerlijk om altijd veel mensen om zich heen te hebben. En dr. Masefield, tja, hij was een van de vooraanstaande doktoren in de stad. Hij gaf colleges aan de universiteit, en zijn patiënten kwamen allemaal uit de beste kringen. Heel anders dan nu.' Mevrouw Wiggen slaakte een diepe, bevende zucht en nam een slokje thee. 'Ach ja, dat waren me tijden...'
'Waarom zijn ze weggegaan?'
Het gezicht van de huishoudster versomberde, ze liet haar stem dalen met het oog op de derde aanwezige in de kamer. 'Leukemie is iets heel geks, juffrouw Hargrave. Het is een van die ziektes die de mensen niet om zich heen willen hebben, al kan ik me werkelijk niet voorstellen waarom niet. Sommige mensen denken dat het besmettelijk is, neem ik aan. Je weet hoe de mensen over kanker doen. Meteen bleven haar vrienden weg, allemaal hadden ze wel een smoesje. En omdat ze zo gauw moe werd, en naderhand steeds longontsteking kreeg, moest Estelle binnen blijven. Het was alsof je een vogel in een kooi opsloot. Ze kwijnde weg, als een bloem die zon nodig heeft. Arme dr. Masefield, hij was buiten zichzelf van verdriet. Ik heb hem heel wat nachten horen huilen, helemaal alleen...'
Mevrouw Wiggen herinnerde zich opeens tegen wie ze sprak en wierp Samantha een vluchtige blik toe. 'Maar ach, dat behoort nu allemaal tot het verleden. En als hij het je niet heeft verteld, ligt het eigenlijk niet op mijn weg om dat te doen.'
'Maar over de ziekte zelf kunt u me wel vertellen,' drong ze vriendelijk aan. 'Als ik toch voor haar moet zorgen.'
'Ik weet alleen wat dr. Masefield me heeft verteld, en wat ik met mijn eigen ogen heb gezien. Leukemie heeft op alle mensen weer een andere uitwerking. Sommigen gaan direct dood, en anderen kwijnen langzaam weg, zoals mijn kleine engel daar. Soms heeft ze dagen dat ze net als vroeger is, zo vrolijk als wat en fit genoeg om een ritje in het rijtuig te maken, en op andere dagen is ze zo zwak als een pasgeboren poesje en moet ik alles voor haar doen.'
Samantha hield haar ogen op het goudblonde hoofd op het kussen gericht. 'Hoe is de prognose?'
'De wat?'
'Hoe zijn de vooruitzichten? Wordt ze ooit weer beter?'

Mevrouw Wiggen boog het hoofd. 'Dat is het tragische juist. Ze wordt nooit weer beter, mijn arme kleine lieveling. Het zal alleen steeds verder achteruit gaan. Een andere toekomst is er voor dr. Masefield en zijn vrouw niet. En op kinderen hoeven ze nu ook niet te rekenen.' Mevrouw Wiggen hief haar hoofd en de tranen rolden ongehinderd over haar wangen. 'Ziet u, juffrouw Hargrave, daarom heeft hij haar naar Manhattan gebracht. Om te *sterven*.'

Samantha legde haar hand even op de arm van de huishoudster. 'Maar waarom heeft hij dat gedaan?'

'Omdat hij het niet kon verdragen dat ze dicht bij hun vrienden zaten, maar dat er nooit iemand kwam. Ik heb hem eens horen smeken...' Mevrouw Wiggen haalde een zakdoek uit haar schortzak en snoot hoorbaar haar neus. 'Hij wilde niet dat Estelle stierf in de wetenschap dat haar vrienden haar in de steek hadden gelaten. Daarom verzon hij een verhaal en zei dat hij hier voor zijn werk heen moest. Zij kent de ware toedracht niet.'

'Ze lieten haar toch zeker niet allemaal links liggen!'

'Nee, er bleven een paar jongedames langskomen, maar die hadden het op de dokter voorzien! Dr. Masefield is een knappe man; ze dachten, hij wordt toch gauw weduwnaar en...' Ze nam zichzelf weer in de hand en maakte een gebaar met haar mollige hand. 'Haar temperatuur moet weer worden opgenomen.'

Hij kwam vlak voor zonsopgang thuis. Nadat hij bij zijn vrouw was geweest en had gezien dat haar koorts was gezakt en dat ze rustig lag te slapen, net als mevrouw Wiggen in haar stoel, ging dr. Masefield naar zijn studeerkamer en schonk een glas cognac voor zichzelf in. Samantha volgde hem.

'Ze heeft een rustige nacht gehad, dr. Masefield,' zei ze en stopte haar armen warm weg onder haar omslagdoek.

'Dank u.'

'Hebt u een jongen of een meisje gehaald?'

'Een jongen.'

Het was donker in de salon, maar door de kier in de gordijnen waren de eerste tekenen van de dageraad al zichtbaar. 'Vertelt u me alstublieft iets over de ziekte van uw vrouw, dr. Masefield,' zei Samantha zachtjes.

Hij dronk zijn cognac uit en schonk zich nogmaals in. Zonder haar aan te kijken zei hij: 'Leukemie wordt beschouwd als een vorm van kanker; oorzaak onbekend. Het slaat op iedere leeftijd toe, bij rijk en arm; soms is het met een paar dagen afgelopen, soms laat de dood drie jaar of langer op zich wachten. De symptomen zijn: longontsteking en gezwellen. Er is geen remedie en niemand overleeft de ziekte.'

'Wat vreselijk,' zei ze zachtjes.

Hij hief zijn hoofd en keek haar lang aan. Toen zei hij op uiterst vermoeide toon: 'Ga maar naar bed, juffrouw Hargrave, u ziet er moe uit.'

Samantha liet zich tussen de lakens glijden en bleef doodstil liggen. Haar gedachten lieten haar geen rust. Dat prachtige huis aan Rittenhouse Squa-

121

re, het schitterende gezelschap, de vele feesten, en de roem en het aanzien in de medische wereld. Dat alles had Joshua Masefield opgegeven vanwege de ziekte van zijn vrouw. . .
Samantha staarde naar het plafond, naar de smalle strook zonlicht die door de gordijnen viel. Er klopte iets niet. Het was niet logisch. Er miste een stukje van de legpuzzel. Zijn ziekelijke vrouw kon niet de enige reden zijn dat hij dat fantastisch goede leven achter zich liet. Verborgen achter een beschermend pantser lag nòg een antwoord, daar was Samantha zeker van, misschien wel het echte antwoord op de vraag waarom Joshua Masefield plotseling had willen vertrekken om zich helemaal voor de wereld af te sluiten. En wat het ook was, hij gebruikte de ziekte van zijn vrouw als excuus. . .

7

De zomer was broeierig en snikheet in New York en de ongekend hoge temperaturen veroorzaakten uitbarstingen van geweld in de Bowery en wild om zich heen grijpende koortsen, die zelfs door het beroemde Croton-water niet binnen de perken konden worden gehouden. Dronken straatbenden hielden de Newyorkse politie bezig. President Hayes en zijn vrouw Lucy, die van de blauwe knoop was en alleen limonade dronk, trokken zich voor de zomer terug in het White House in Spiegel Grove, Ohio, en in de praktijk van Joshua Masefield was het drukker dan ooit.
Samantha kon de hele scala van ziekten die de mens bekend was met eigen ogen aanschouwen; ze keek toe, luisterde, en prentte alles in haar geheugen. Dr. Masefield leerde haar hoe ze moest omgaan met de vele instrumenten die hij bezat: scalpels met een benen handvat, en amputatiezagen, lancetten voor aderlatingen, Duitse naalden voor slagadergezwellen, Franse catheters, gal- en niersteenvergruizers, anale en vaginale specula, zilveren tongspatels en messen voor tonsilectomie.
Er ontbrak niets aan zijn verzameling. Joshua Masefield bezat een gloednieuwe Helmholz-oogspiegel, koperen klisteerspuiten, trocars en tourniquets, medicijnglaasjes en porseleinen papkommetjes, opvouwbare lorgnetten en oogglazen. Er was zelfs een apparaat om ether toe te dienen.
Zijn apotheek was al even indrukwekkend: Samantha las de etiketten, herkende er een paar uit haar dagen bij Hawksbill en probeerde zich het doel en de juiste dosering ervan te herinneren: witte, gele en grijze poeders, rode en blauwe vloeistoffen, smeersels en pillen, geleien en zalfjes, en planken vol flesjes, blikjes en doosjes. Dr. Masefields kast was zo goed voorzien, dat hij zelden een recept hoefde uit te schrijven waarmee een patiënt naar een andere apotheek moest.
De grote toevloed patiënten noodzaakte Samantha haar rol als louter toeschouwster op te geven; nadat hij een patiënt had onderzocht liet hij Samantha de pap op de wond leggen, het verband vernieuwen, of de pijnstil-

ler injecteren, terwijl hij zich met de volgende patiënt bezighield. Ze hadden het iedere dag ontzettend druk en namen zelden de tijd om rustig te lunchen. De hal zat voortdurend overvol huilende baby's en kinderen met uitslag, oude mannen met een droge hoest en arbeiders met tranende ogen. 's Avonds was het altijd stil in huis; dan zat Samantha op haar kamer te lezen, of ze zat bij Estelle Masefield, terwijl de dokter zich in zijn studeerkamer terugtrok of op huisbezoek ging. Tijdens deze drukkende zomer kwamen de patiënten zelfs op zondag, maar Joshua stond erop dat Samantha regelmatig haar zondag vrijaf nam. Ze stelde Louisa voor aan Luther Arndt, de vriendelijke blonde jongeman die iedere week de bestelling van DeWinter's Drugstore kwam brengen, en met z'n drieën gingen ze voortaan in het weekend op stap.

Samantha leerde Manhattan net zo goed kennen als de mensen die er geboren waren. Ze reden in de rode, hoge bussen langs Fifth Avenue en keken vol bewondering naar de statige grote huizen die langs de smalle, met keien geplaveide straat stonden. Ze kwamen langs uit bruine baksteen opgetrokken huizen, gotische kerken en het nieuwe St.-Luke's Hospital, terwijl ze de straatnummers telden die hoger opliepen naarmate ze noordelijker reden: Fifty-fifth, Fifty-sixth, tot ze bij de rand van de stad kwamen, waar de woestenij begon. Het vrolijke drietal verkende Central Park met de vele hutten en kleine boerenbedrijfjes, ze lachten om het nieuwe monsterlijke Dakota (dat zo heette omdat het zo ver van het stadscentrum lag) en brachten een bezoek aan het afgelegen Natuurhistorisch Museum. Toen ze over een landelijk weggetje wandelden wees Luther Arndt zijn twee vriendinnen de boerderij op de hoek van Seventy-first Street en Madison Avenue waar hij was komen wonen toen hij uit Duitsland kwam.

Ze kochten worstjes en appels, en picknickten op de grazige oevers met uitzicht op de rivier de Hudson, en ze keken naar de raderboten en vierkant getuigde schepen die voorbij voeren. Ze bezochten Madison Square en klommen een gigantische bronzen arm binnen die daar tentoongesteld stond – een arm zó groot dat er mensen in konden en die, zoals Luther uitlegde, eens deel zou uitmaken van een enorm standbeeld dat in de baai geplaatst zou worden. Ze gingen naar Macy en Tiffany, keken naar de rij elegante rijtuigen die voor Delmonico stopte; ze maakten ritjes in de luchtspoorweg en gingen de eerste overspanning bekijken van de nog niet voltooide brug naar Brooklyn. Ze zwierven de grote en kleine straten van New York door, luisterden naar de straatmuzikanten, kochten iets eetbaars bij de straatventers en meestal waren ze laat in de middag weer terug in hun eigen buurt, bij DeWinter's Drugstore waar Luther werkte.

En al die tijd liet de gedachte aan Joshua Masefield Samantha niet los.

DeWinter's Drugstore was een voortdurende bron van verbazing voor Samantha. Het was er heel anders dan bij een Engelse apotheek: de glanzende spiegelruiten van de etalage toonden breukbanden en pessariums, Dr. Scott's Echte Elektrische Gordels, korsetten en borstvergroters. In de winkel zelf, op planken en in glazen toonbanken, stonden flessen geheimzinnige middeltjes en elixers, versterkende en zuiverende drankjes, smeersels, wrijfmiddelen en patentmedicijnen die volgens de belofte op het etiket àlles genazen: de 'flesjes valse hoop' waarover dr. Masefield het had gehad. Op de toonbanken stonden reukwatertjes en poeders, snoepgoed en wenskaarten, en langs een wand stond het nieuwste snufje: een spuitwater-en-roomijs apparaat.

Nadat zijn twee vriendinnen aan een van de tafeltjes hadden plaats genomen die meneer DeWinter had laten neerzetten, ging Luther achter de marmeren toonbank staan en tapte drie glazen vol met een bruine priklimonade. Het was een nieuwe drank die werd gemaakt van koolzuur en sap van de cocaplant, door veel mensen gedronken om hun zenuwen tot rust te brengen.

Nadat hij bij de jongedames was komen zitten, voelde Luther zich niet te goed voor wat geroddel over de klanten in de winkel.

'Zie je die,' zei hij zachtjes, toen een statige dame met een enorme queue de Paris door de deur kwam zetten. 'Dat is mevrouw Bowditch, die komt iedere week een fles Bowker's Maagbitter halen.'

Samantha en Louisa zagen hoe de vrouw een paar woorden wisselde met de welgedane meneer DeWinter, waarna ze haar pakje meenam en vertrok.

'Mevrouw Bowditch,' zei Luther met zachte stem, 'is voorzitster van de plaatselijke drankbestrijdingsvereniging. Ze beweert dat ze Bowker's drinkt voor haar slechte stoelgang. Iedere ochtend en iedere avond, je kunt er de klok op gelijk zetten.' Hij lachte droog. 'Bowker's Maagbitter bestaat voor tweeënveertig procent uit alcohol!'

Luther Arndt was een geestige, charmante begeleider, die er steeds weer in slaagde Samantha en Louisa aan het lachen te maken. Iedere woensdagochtend kwam hij langs de praktijk van dr. Masefield met de bestelling die de avond tevoren was afgegeven, en altijd maakte hij even een praatje met Samantha. Op zondag kwam hij haar en Louisa halen, gekleed in zijn beste pak en met een nieuwe grote bolhoed op om hen mee te nemen de stad in. Het ontging Samantha niet dat hij en Louisa dol op elkaar waren.

'Hij zegt dat hij van plan is een eigen apotheek te beginnen,' zei Louisa, terwijl zij en Samantha op een middag laat op Washington Square rondliepen. Dit was het tijdstip waarop bekende dames uit de betere kringen uitreden om zich te laten bewonderen; de twee achttienjarige meisjes vonden het heerlijk om al die prachtige japonnen en parasols te bekijken. 'Luther heeft in Duitsland farmacie gestudeerd, weet je. Hij zegt dat het een kwestie van tijd is, en dan maakt de oude meneer DeWinter hem zijn naaste medewerker. En als hij dat doet, komt Luther in zeer goeden doen.'

'Nee maar, Louisa Binford, je kent hem pas twee maanden en nu ga je al met hem trouwen!'

'Meteen toen je ons aan elkaar voorstelde wist ik al dat ik met hem ging trouwen! Hij is geweldig *sjiek!*' Met een elegant gebaar tilde Louisa haar rok op toen ze van het trottoir af stapten. 'Een meisje moet dat soort dingen in

de gaten houden, Samantha. Je blijft nu eenmaal niet je hele leven ongetrouwd, weet je, en ook blijf je niet je hele leven *jong*. Als je eenmaal een
zekere leeftijd hebt bereikt, kijkt geen man meer naar je om! Het is nooit te
vroeg om naar een toekomstige echtgenoot uit te kijken.' Ze wierp haar
vriendin een zijdelingse blik toe. 'Ik geloof niet dat jij al iemand op het oog
hebt.'

'Nee, helemaal niet.'

Samantha had vele discussies met zichzelf gehouden, waarbij ze ten stel-
ligste de gedachten ontkende die verraderlijk bij haar opkwamen als ze
overdag aan zijn zijde werkte, of als ze 's nachts in bed lag en niet kon slapen. Hoe kon ze verliefd worden op een man als Joshua Masefield, een man
die ruim twee maal zo oud was als zij, die getrouwd, onbereikbaar en onkreukbaar was. Nadat ze drie maanden als zijn assistente had gewerkt, wist
ze nog steeds niets meer over hem dan op die eerste dag. De paar opmer-.
kingen die mevrouw Wiggen af en toe maakte, waren nauwelijks genoeg
om een duidelijk beeld te krijgen. Samantha kende alleen zijn uiterlijke
kant; de Joshua Masefield die daarachter zat bleef een volmaakte vreemde.
Samantha vond hem intrigerend en ze verbaasde zich over hem, maar ze
werd toch zeker niet verliefd op hem. En beslist niet gezien Estelles aanwezigheid.

Na die eerste nacht had Samantha mevrouw Masefield steeds vaker geholpen; ze ondersteunde haar bij de inspannende gang van het bed naar de
stoel, hielp haar met aankleden, las haar voor en bracht verslag uit over wat
ze op Washington Square had gezien. 'De queues worden groter en de korte jasjes komen in de mode.' Estelle Masefield, zo jong om aan bed gekluisterd te zijn,, hunkerde naar nieuws over het uitgaansleven. Samantha
las haar altijd voor uit de *Register* en citeerde de imponerende lijst namen
van mensen die de beroemde bals van mevrouw Astor bijwoonden, of vertelde wie er die zomer in Newport waren. Hoewel ze weinig gemeenschappelijks hadden, ontwikkelde zich een zekere vriendschap tussen Estelle en
Samantha. Samantha keek vaak uit naar haar middagen of avonden in die
elegante kamer, waar ze luisterde naar de zachte stem van Estelle die herinneringen ophaalde aan die mooie dagen in Philadelphia. Estelle hechtte
zich al gauw aan de rustige jonge vrouw uit Engeland, die geduldig luisterde, die belangstelling had voor vrouwelijke zaken en die met haar van gedachten wisselde over roklengtes, hoeden en romannetjes.

Hoewel dit genoeg zou moeten zijn om iedere gedachte aan intieme omgang met Joshua Masefield uit te bannen, was er nog iets anders, namelijk
Joshua's houding tegenover zijn vrouw. Samantha had genoeg gezien om te
weten dat Joshua Masefield ongetwijfeld wanhopig verliefd op Estelle was.
De tedere toon waarop hij tegen haar sprak, de roerende toewijding, de
liefde die uit zijn ogen straalde, en later nog de manier waarop hij in stilte
leed, als hij weer werd herinnerd aan de korte tijd die hen nog restte.

En hoe was het dan mogelijk dat Samantha, dit alles in beschouwing genomen, verliefd op hem werd?

8

De vroeg invallende vorst die herfst was een voorbode van de strenge winter die volgde en maakte Samantha pijnlijk duidelijk dat ze over drie maanden zou vertrekken.

Hoewel de ergste drukte nu voorbij was, werd Samantha nog steeds de zorg voor bepaalde patiënten – vrouwen en kinderen – toevertrouwd en in oktober vergezelde ze dr. Masefield voor het eerst op huisbezoek.

Een schooiertje kwam de dokter halen. Joshua pakte zijn tas en hoge hoed, en klopte bij Samantha aan. 'Het gaat om een zieke baby; een buurvrouw, niet het gezin zelf, heeft me laten halen. Ik verwacht weerstand. Misschien helpt het als ik een vrouw bij me heb.'

Ze liepen door straten waar Samantha zich normaal gesproken 's nachts niet gewaagd zou hebben, maar dr. Masefield was er een bekende verschijning, een man die zeer geliefd en gerespecteerd was, zodat hij er veilig kon lopen. Dit was het gedeelte van Manhattan dat het bureau voor de statistiek de Zelfmoordwijk noemde: Hester Street en Mulberry Bend. De mensen zaten op de stoep of leunden tegen straatlantaarns, en groetten de dokter en zijn knappe assistente in het voorbijgaan. Samantha stapte voorzichtig tussen afval en hondepoep door en hoorde geschreeuw, gelach en soms ook muziek uit de open ramen komen. Even voelde ze een steek van heimwee: wat leek deze buurt op de Crescent!

Het haveloze kind stond al op hen te wachten en ging hen voor naar een woning waarvoor ze vier gammele trappen op moesten klimmen. Op de bovenste overloop ontmoetten ze een angstig kijkende, handen wringende vrouw, die iets in het Italiaans brabbelde. Joshua en Samantha liepen met haar mee door de gang en stonden even later in de deuropening.

Het was moeilijk te zien of dit één familie was, of dat verscheidene families de schamele flat deelden. Hoe dan ook, ze waren met velen en ze namen de indringers argwanend op. Samantha bleef dicht bij dr. Masefield staan toen een forse, rauwe kerel in borstrok met bretels naar voren kwam. 'Wij hebben hier geen *dottore* nodig. Wij zorgen wel voor onszelf.'

Uit een achterkamer klonk af en toe kindergehuil. 'Misschien kan ik helpen,' zei Joshua zachtjes.

De familie ging dichter bij elkaar staan alsof het kudde-instinct bovenkwam. Samantha had dit soort mensen wel eerder in dr. Masefields praktijk ontmoet, net als vroeger aan de Crescent: kinderen met magere armpjes en beentjes, die nooit in de zon kwamen, jonge vrouwen die vroeg oud waren, oude mannen met een kippeborst en ontbrekende tanden. Ieder moment was voor hen een leven van ellende.

'Ga weg,' zei de forse man.

Dr. Masefield zette zijn hoge hoed af. 'Als het mag, zou ik graag even met de moeder willen spreken.'

Een mager jong ding met een bezorgd gezichtje kwam achter de deur vandaan. Samantha merkte op dat haar handen vol bruine vlekken zaten en begreep dat ze sigarenmaakster was, een van de meelijwekkendste schepsels ter wereld – ze werkten zeventien uur per dag, zeven dagen per week, voor een paar kwartjes. En als ze ook maar één uurtje ontbrak, werd ze ontslagen en nam een andere zielepoot maar al te graag haar plaats in.

Het tengere meisje legde aarzelend haar arm op de schouder van haar man. Zijn grove Siciliaanse trekken stonden verdrietig.

Een oude vrouw kwam strompelend naar voren. 'Komt u maar mee,' zei ze hees.

Samantha liep achter Joshua aan de slaapkamer in, waar ze over stromatrassen heen moesten stappen die daar op de vloer lagen. In een sinaasappelkistje onder het raam lag een stille baby.

'Ze eet niet,' zei de oude vrouw met krakerige stem, terwijl Joshua bij het kistje neerknielde. 'Ze huilt niet. Ze beweegt niet.'

Joshua legde zijn hand op de koude, klamme huid van de baby. 'Hoe lang is dat al zo?'

'Twee, drie dagen.'

Hij keek Samantha aan. '*Trismus nascentium*. Kaakklem. En ze hebben het zichzelf aangedaan.' Heel voorzichtig pakte hij de baby in zijn armen en hield haar beschermend tegen zijn borst. Toen Samantha naast hem neerknielde, pakte hij haar hand en legde die zachtjes tegen het achterhoofd van de baby. 'Voel je dat kleine deukje? Ze leggen de baby op haar rug, zodat er tijdens de slaap druk op het achterhoofd ontstaat. De schedel van een pasgeborene is nog zacht en geeft mee, waardoor er druk op de hersens komt en de bloedstroom naar een vitaal gedeelte wordt afgesneden. De baby begint al gauw moeilijk te ademen, kan geen voedsel opnemen en krijgt heftige stuipen waarbij armen en benen strak gespannen worden. Ze noemen het de negendaagse stuipen, want langer houdt het kind het niet uit, dan sterft het. Als het tijdig wordt ontdekt kan de baby worden gered, als er te lang wordt gewacht is genezing niet mogelijk.'

Samantha leunde tegen hem aan en fluisterde: 'Kunt u nog iets voor het kind doen?'

'Als ze de waarheid vertelt, en het is inderdaad pas twee of drie dagen aan de gang, ja, dan kunnen we helpen. We hoeven niets anders te doen dan de baby op haar zij te leggen. Dan herstellen de bloedsomloop en de lichaamsfuncties zich vanzelf.'

Voorzichtig legde hij het kleintje weer in het kistje en steunde het ruggetje met een opgerold dekentje. Toen stond hij op en Samantha volgde zijn voorbeeld. Ze draaiden zich om en stonden tegenover de hele familie, die op een kluitje bij de deur stond. 'Zorg dat de baby op haar zij blijft liggen en dat ze niet op haar rug rolt, dan is ze over een paar uur weer in orde.' Ze keken hem met lege blikken aan, waarna hij zich tot de oude vrouw wendde. 'Begrijpt u dat?'

'*Sì, sì!*' Ze knikte heftig van ja. '*Capisco, capisco! Mille grazie, Signor Dottore!*'

Hij legde zijn hand zachtjes op Samantha's arm en leidde haar de kamer door en de straat op. Terwijl ze het schijnsel van de gaslampen in en uit liepen, zei dr. Masefield: 'Sommige gevallen zijn eenvoudig. Het is een kwestie van voorlichting. Als ze doen wat ik heb gezegd, is de baby morgen weer in orde en kan weer eten.'

Ze moest snel lopen om zijn lange passen te kunnen bijhouden. Samantha zei niets. Ze dacht aan het gevoel toen hij haar hand had gepakt en tegen het hoofdje van de baby had gelegd. Dat gevoel van zijn hand om de hare...

Op dr. Masefields spreekuur kwamen vele prostituées. Hun verhaal was grotendeels hetzelfde: onwetende meisjes die – omdat ze de leugens van de scheepvaartmaatschappijen geloofden dat ze in Amerika geen geld nodig hadden en dat er voor hen zou worden gezorgd – al hun spaargeld hadden gebruikt om de overtocht te kunnen betalen. Ze ontdekten aan de overkant al gauw de harde waarheid: de straten in Amerika waren niet met goud geplaveid. In de haven werden ze afgehaald door jonge mannen van joodse afkomst, charmant en welbespraakt ('cadetten' werden ze genoemd, en zij vormden de meerderheid van de pooiers in New York), die de meisjes uitnodigden voor een gezellige avond met mensen uit hun eigen land, vrienden die hen aan onderdak en werk zouden helpen. Omdat ze geen woord Engels spraken en vol vertrouwen en goedgelovig waren, namen de meisjes de uitnodiging met beide handen aan, om er die avond achter te komen dat ze ongelukkig genoeg in een bordeel waren terechtgekomen. Nadat hun deugdzaamheid na de 'inwijding' verloren was gegaan, probeerden ze maar zelden te ontsnappen, platzak en bang als ze waren. En na een poosje kwamen ze schuchter naar dr. Masefield voor vruchtafdrijvende middeltjes of remedies voor geslachtsziekten.

De prostituées waren niet de enigen die aan kwalen leden die met seks verband hielden. Afgejakkerde immigrantenvrouwen, voor wie een rustpauze tussen twee zwangerschappen een zegen zou zijn, vroegen verlegen om advies voor geboortenbeperking.

'Het tragische is, juffrouw Hargrave, dat als hun echtgenoten er ooit achter komen, ze bont en blauw worden geslagen. Helaas kan ik niets voorschrijven. Het is aan de echtgenoot om maatregelen te nemen om zwangerschap te voorkomen, want alleen zij beschikken over het enige betrouwbare middel.'

Op een ochtend werd Samantha verzocht om even weg te gaan toen een schuchter jong echtpaar, dat nog geen jaar was getrouwd, Joshua Masefield om raad kwam vragen. Later, toen ze waren vertrokken, vertelde hij zakelijk alsof hij het had over het opensnijden van een steenpuist: 'De huwelijksdaad doet de jonge vrouw pijn, en daarom wordt hij zelden voltrokken. Ze lijdt aan vaginisme, een samentrekking van de spieren in de vagina tijdens de gemeenschap. Ze hebben me gevraagd of ik op een avond bij hen thuis wil komen om de jonge bruid ether toe te dienen, zodat de jongeman zijn plicht kan doen. Ze verlangen wanhopig naar kinderen. Natuurlijk

peins ik er niet over aan hun verzoek te voldoen, maar ik heb de vrouw een broomdrankje voorgeschreven om wat te kunnen ontspannen. Negentig procent van deze gevallen heeft een psychische oorzaak, zelden een lichamelijke.'
'Een psychische oorzaak?'
'De jongedame is òf als de dood voor de daad, òf heeft er een intense afkeer van, vandaar dat ze verkrampt. Je zult zelden een geval tegenkomen dat via een operatie of met medicijnen kan worden verholpen.'
Samantha probeerde haar verwarring te verbergen. Wat vreemd om over zo'n verboden onderwerp te spreken met een man die weinig meer was dan een vreemde! Een onderwerp waarover tussen man en vrouw nooit werd gerept! En hoe moet ik reageren, ik, die niets van de daad zelf af weet, behalve dan hoe het technisch in zijn werk gaat? Hoe voelt het? Waarom zijn sommige vrouwen er bang voor, terwijl het is alsof anderen er niet genoeg van kunnen krijgen? Hoe zou het zijn om het met hem te doen?...
Iedere dag kwamen ze bij hem: sommige vrouwen smeekten om voorbehoedmiddelen, anderen vroegen dringend of er een manier was om zwanger te worden. Het moederschap – voor sommigen een vloek van de duivel, voor de anderen een zegen van God. Mevrouw Malloy, een vrouw van achter in de dertig die nooit kinderen had gehad en die de hoop allang had opgegeven, kwam op een middag trots dr. Masefield de zwelling van haar buik laten zien. Terwijl Samantha zich discreet afzijdig hield, stelde Joshua Masefield de netelige vragen: 'Wanneer was uw laatste menstruatie?' ('Een maand geleden.') 'Wanneer bent u voor het laatst intiem met uw echtgenoot geweest?' ('Dat kan ik me niet herinneren.') 'Is uw buste gevoelig?' ('Nee.') Hij ging zelfs zover dat hij haar polsen en enkels onderzocht op zwellingen, maar verder niet. Stralend gelukkig beantwoordde mevrouw Malloy al zijn vragen en liet zelfs toe dat hij door haar rok heen voorzichtig haar buik betastte. Toen hij haar de raad gaf ook nog naar een van de beste chirurgen in het Vrouwenziekenhuis te gaan, weigerde mevrouw Malloy luchthartig. 'Dat is niet nodig, dokter. Ik wilde alleen mijn vermoeden bevestigd zien. Ik heb meneer Malloy nog nooit zo gelukkig gezien. Hij is al bezig de babykamer te schilderen.'
Joshua Masefield vroeg Samantha of ze een glas cognac voor de arme vrouw wilde inschenken, waarna hij haar zo voorzichtig mogelijk vertelde dat er in haar buik geen baby maar een tumor groeide. Samantha moest bukken om het glas te ontwijken dat door het vertrek vloog, en veegde even later de cognac van de muur, maar dat was pas nadat ze Joshua een halfuur lang had geholpen om de vrouw tot kalmte te brengen en haar naar huis te begeleiden.
Ze dronken zelden samen koffie, maar deze middag wel. Ze zaten in zijn studeerkamer en volgden de late herfstschaduwen die steeds langer werden op het tapijt. 'Als mevrouw Malloy beter op de hoogte was geweest, dan had ze geweten dat een zwangerschap na een maand nog niet zichtbaar is. Maar helaas worden vrouwen wat hun lichaam betreft dom gehouden, en

129

vaak komt de ontdekking van de waarheid te laat.'
'Wat kan er voor haar worden gedaan?'
'Als ze geluk heeft, is het niets anders dan een gezwel aan de eierstokken, dat via een kleine insnijding kan worden verwijderd. Of misschien een vleesboom in de baarmoeder. De dokters in het Vrouwenziekenhuis hebben geleerd hoe ze snel de buikholte kunnen openen, het gezwel verwijderen, en de wond zonder al te veel bloedverlies kunnen sluiten.'
'En als het iets anders is?'
'Dan kunnen we niets doen. Op dit moment worden in Duitsland experimenten gedaan met buikchirurgie, maar tot nu toe zonder succes. In Engeland werkt een man aan het verwijderen van een doorgebroken appendix, maar tot nu toe zijn al zijn patiënten gestorven. Ik twijfel er niet aan, juffrouw Hargrave, of de dag komt dat deze operaties tot het routinewerk behoren, maar vooralsnog, nu narcose met ether zo gevaarlijk is en bloedingen niet gestelpt kunnen worden, zal zelfs de avontuurlijkste chirurg alleen de snelst mogelijke strooptocht in de buikholte ondernemen.'
Moest hij altijd op die toon praten? Was hij nooit nieuwsgierig naar wat haar bewoog, was die beroepsmatige façade ondoordringbaar? Samantha troostte zichzelf vaak met de gedachte dat ze van Joshua Masefield meer leerde dan in diverse collegezalen.
Op een middag liet dr. Masefield een jong Pools naaistertje voorgaan, die met haar hand onder een naaimachine was doorgegaan. Huilend en met een bebloede zakdoek om haar hand werd ze de behandelkamer in geholpen door een collega – ook een meisje dat nauwelijks zestien was en dat haar in het Pools troostend toesprak, maar dat toen weer gauw terug achter haar machine moest.
'Dit zijn trieste gevallen,' mompelde dr. Masefield terwijl hij voorzichtig de zakdoek verwijderde. 'Ze zal een paar dagen niet kunnen werken, en daardoor raakt ze haar baan kwijt. Vervolgens kost haar dat haar plekje in de overvolle huurkamer en uiteindelijk zal een pooier zich over haar ontfermen.'
Samantha hield haar arm om de magere schouders van het meisje. Het viel haar op hoe bleek ze zag; ze had een melkblanke huid die nooit de zon voelde. En wat waren haar blouse en rok rafelig, ongetwijfeld had ze niets anders. Wat voor leven was ze in Polen ontvlucht om het te verwisselen voor dit? 'Maar er zijn hier in de buurt helemaal geen werkplaatsen, dr. Masefield.'
Hij keek niet van zijn werk op. 'Men laat dit soort werk liever in huurwoningen doen dan in werkplaatsen, omdat de wetten die voor werkplaatsen gelden dan niet van toepassing zijn. Ze plegen ongestraft volkerenmoord.' Hij gooide de bloederige zakdoek in een emmer. 'Deze zielepoten verrichten twaalf uur per dag slavenwerk, ze eten slecht, ademen bedorven lucht in, slapen tussen het ongedierte en proberen toch nog hun menselijke waardigheid te behouden. In vele gevallen waren ze in hun land van herkomst beter af. Hier hebben we de wonden.'

130

Toen hij probeerde de vingers van het meisje open te buigen, gilde ze het uit. 'Zes druppels Magendie's, juffrouw Hargrave.'
Hij had haar geleerd hoe ze verdovende middelen moest toedienen. Samantha mat de morfine af in een stroopje, en gaf het meisje er een lepel vol van.
Vervolgens 'bevroor' dr. Masefield de rug van haar hand met ether. Toen de huid gevoelloos was, druppelde hij voorzichtig salpeterzuur in ieder wondje, dat direct een knapperend geluidje maakte en kleine rookspiraaltjes uit de huid omhoog zond.
Het meisje ging vreselijk te keer in het Pools en probeerde op te springen en ervandoor te gaan, maar Samantha hield haar tegen. Nadat was onderzocht of er nog restjes van de naald in de wondjes zaten, verbond Samantha de hand en dr. Masefield gaf het meisje een klein flesje Magendie's morfine mee, plus een stukje papier waarop hij het enige Pools had neergeschreven dat hij kende: 'Eén theelepel tegen de pijn.' Tegen Samantha zei hij: 'Laat het honorarium van twee dollar maar zitten.'

9

Laat op een koude avond midden in november zat Samantha bij het vuur in haar kamer, met een deken om haar benen en een tijdschrift vergeten op schoot. Die middag had ze een briefje van dr. Emily gekregen met de mededeling dat ze de eerste week van januari een plaatsje in het ziekenhuis kon krijgen. Terwijl Samantha luisterde naar de stilte van het huis en de eenzame wind achter de gordijnen, voelde ze niets van de opwinding die de brief had moeten oproepen. Over zes weken zou ze huize Masefield voorgoed verlaten.
Ze schudde even haar hoofd en nam het tijdschrift weer op, het laatste nummer van de *Boston Medical and Surgical Journal*. Het eerste artikel droeg de titel: 'De vrouwenkwestie, of, de tweederangs dokter.'
De schrijver, een zekere dr. Charles Gage, maakte zijn standpunt meteen duidelijk: hij zou het wetenschappelijk bewijs leveren waarom vrouwen nooit arts zouden moeten worden. 'Geen enkele vrouw is *vanwege haar geaardheid*,' luidde het artikel, 'geschikt om de zorgen, de nerveuze spanningen en de schokkende gebeurtenissen van de geneeskunde te doorstaan. Vrouwen ontbreekt *van nature* de moed en durf die nodig zijn voor het nemen van de moeilijke en vaak riskante beslissingen die een dokter moet nemen. Daar komt nog bij dat vrouwen van nature geen vrije wil bezitten, maar eerder onderworpen zijn aan hun eigen biologische aard: namelijk de maandelijkse ongesteldheid. Het is alsof de Almachtige bij de schepping van de vrouwelijke sekse de uterus heeft genomen en daaromheen een vrouw heeft geschapen. Wat ze qua gezondheid en karakter, qua gedachtenleven en ziel is, is onvoorwaardelijk afhankelijk van haar baarmoeder. Welke patiënt zou zijn leven toevertrouwen aan de handen van iemand

wier evenwichtigheid doet denken aan die van een waanzinnige: van week tot week verschillend, de ene keer goed, de andere keer slecht? De tijdelijke ongesteldheid van de vrouw beïnvloedt haar geestelijke toestand, ze lijdt aan tijdelijke krankzinnigheid. Het is zo dat de vrouw eerder zelf onder die omstandigheden medische bijstand nódig heeft dan dat ze die kan verlenen!

Daar algemeen aanvaard wordt dat de vrouw ondergeschikt is aan de man, en dat over de bevolking als geheel genomen de lagere status aan de vrouw behoort en de hogere status aan de man, ligt het voor de hand dat een beroep dat wordt overstroomd door vrouwen, aan prestige inboet. Welke gemeenschap heeft behoefte aan vrouwelijke artsen in een tijd die al veel te veel slechte pianistes kent en waarin te weinig wordt gekookt en genaaid?'

Samantha sloeg het tijdschrift dicht en dacht terug aan een voorval dat zich de week daarvoor had afgespeeld, toen dr. Masefield een hoofdwond aan het hechten was. Ze had gezegd: 'De volgende, alstublieft,' en een kolos van een man was de spreekkamer binnengekomen, met zijn pet in zijn vlezige handen geklemd. Toen Samantha had gevraagd wat er aan de hand was, had de Ier geantwoord: 'Als u het niet erg vindt, juffrouw, wacht ik liever op de dokter.' Samantha had uitgelegd dat dr. Masefield even niet beschikbaar was en had geprobeerd de man ervan te overtuigen dat zij hem misschien wel kon helpen. Tot haar grote verbazing was de Ier overeind gesprongen, woedend en rood aangelopen, had gebruld dat haar voorstel ongepast was en was naar buiten gestormd. Later had dr. Masefield uitgelegd: 'Dat zal Roddy O'Dare wel zijn geweest. Hij heeft chronisch last van gezwollen testikels. Ik begrijp zijn verlegenheid wel. Vanaf nu, juffrouw Hargrave, kunt u de mannen beter aan mij overlaten.'

Samantha had zich toen geërgerd, net zoals ze zich nu stoorde aan de *Boston Journal* die op haar schoot lag: er werd van een vrouw verwacht dat ze haar intiemste problemen met een vreemde man besprak, en toch was alleen het idee al dat het omgekeerde zou gebeuren voldoende voor morele verontwaardiging.

Samantha had zich geabonneerd op een uitgave die *Woman's Journal* heette, geredigeerd door Lucy Stone in Boston, en hoewel ze over het algemeen niet instemde met het militante feminisme dat eruit sprak, zag Samantha wel in dat de *Journal* op de bres stond voor vrouwelijke artsen. 'Laten de mannen er niet al te zeker van zijn dat alleen zij de sleutel in handen hebben die past op de deur naar de medische wetenschap. Ze barricaderen de deuren van de ziekenhuizen in Boston tegen alle vrouwelijke medische studenten, en storten onverdiende spot over hen uit. De mannen houden de wereld voor dat vrouwen zwakker van constitutie zijn, alsof zij zelf geen enkele zwakheid kennen. Maar de dag is niet ver waarop de vrouwen – met of zonder hulp – de medici zullen dwingen te erkennen dat zij als artsen hun gelijken zijn.'

Samantha herinnerde zich de woorden van dr. Elizabeth, zo lang geleden uitgesproken: 'Ze zijn bang voor ons, en ik begrijp niet waarom.' Hoe zou

132

Joshua Masefield erover denken? Samantha had nooit gemerkt dat hij bevooroordeeld was. Integendeel, ze vermoedde dat hij haar op dezelfde manier behandelde als hij de student behandeld zou hebben wiens plaats zij had ingenomen. Maar wat zou er gebeuren als ze praktizerend arts was? Zou zijn houding dan veranderen?

Dat ze bij het opbouwen van haar carrière obstakels op haar weg zou vinden, daar was Samantha op voorbereid. Maar begon ze al met een achterstand door te gaan studeren aan een opleiding voor alleen vrouwen? Zou ze als kwakzalver worden beschouwd, zoals Louisa en Luther beweerden?

Het dilemma hield haar de hele nacht op, tot Samantha, een uurtje voor de ochtendschemering, stijf, pijnlijk en koud uit haar stoel kwam. Ze was tot een angstwekkend besluit gekomen.

Ter wille van haar toekomst zou ze proberen een diploma te behalen aan een van de erkende mannenopleidingen. Het feit dat dit betekende dat ze nog een maand of negen bij dr. Masefield zou blijven had, naar Samantha's stellige overtuiging, geen enkele invloed op haar beslissing.

Ze was zenuwachtig bij het vooruitzicht hem te moeten benaderen. Haar grootste vrees – dat hij haar zou proberen over te halen om naar de Infirmary te gaan en dus over vijf weken te vertrekken – was er de oorzaak van dat haar spraakprobleem weer de kop opstak: iedere keer als ze moed had gevat met hem te praten, liet haar tong haar in de steek.

Op de eerste dag in december viel er een dik pak sneeuw en tegen middernacht lag het zó hoog dat de vetlokken van de paarden dik in katoen werden gepakt en er nog maar weinig voetgangers op straat waren. Samantha kon niet slapen. Na het eten was dr. Masefield naar een kind toe gegaan dat hoge koorts had, en nu, tegen één uur, was hij nog niet terug. Samantha hoorde mevrouw Wiggen in de kamer naast de hare snurken en sloeg haar kamerjas dicht om zich heen, pakte een kaars en liep de trap af om naar Estelle te kijken. Mevrouw Masefield lag als een kind te slapen. Rillend van de kou ging Samantha naar de benedenverdieping; ze was van plan in de keuken een beetje melk op te warmen, maar ze werd verrast door het plotselinge opengaan van de voordeur. Een ijskoude luchtstroom joeg naar binnen, waardoor haar lange zwarte haar naar achteren werd geblazen en de kaarsvlam uitwaaide. Joshua Masefield moest de deur met zijn schouder dichtduwen, waarna hij haastig zijn hoge hoed en mof aflegde.

Hij klopte de sneeuwvlokken van zijn mouwen, maar hield ineens op en keek op. 'Juffrouw Hargrave,' zei hij zachtjes.

'Ik wilde net wat melk opwarmen. Hoe gaat het met het kind?'

Dr. Masefield trok zijn lange overjas verder uit en hing hem op een klerenhanger. 'Roodvonk. Hij haalt de morgen niet.'

Handenwrijvend beende Joshua de donkere studeerkamer in. Samantha hoorde dat hij een lucifer afstreek, waarna er een gloed naar buiten scheen. 'Juffrouw Hargrave,' riep hij, 'kom hier bij het vuur zitten.'

Vergetend dat ze in nachtkledij was, liep Samantha naar binnen, met de

gedoofde kaars nog in de hand. Dr. Masefields brede rug was naar haar toegekeerd terwijl hij in de as porde en er nieuwe kolen op gooide. 'Het is een
afgrijselijke nacht. Komt u zich hier maar warmen.'
Ze glipte naast hem, zette de kandelaar op de schoorsteenmantel en toen
hij zich oprichtte, keek Joshua Masefield haar recht in het gezicht. Hij keek
even strak op haar neer, zijn zwarte ogen in schaduw gehuld, waarna hij
zich abrupt afwendde en naar het hoge tafeltje in de hoek liep. 'Met een
glaasje cognac komt u gemakkelijker in slaap, juffrouw Hargrave.'
Ze zag hem twee glaasjes inschenken, die hij meenam naar het moeizaam
brandende vuur. Toen ze haar glas overnam, raakten hun vingers elkaar on-
opzettelijk even aan.
'Hoe is het met mijn vrouw?' vroeg hij kalm en nam een slokje
'Ze ligt rustig te slapen.'
Hij bleef haar doordringend aankijken. 'En hoe komt het dat u niet kon
slapen, juffrouw Hargrave?'
'Ik...' Ze deed haar uiterste best haar onwillige stem in bedwang te hou-
den. 'Er is iets wat me bezighoudt.'
'Dat dacht ik al. De laatste dagen is het net of u wat verstrooid bent.'
'Het was niet mijn bedoeling dat mijn werk eronder leed...'
'Dat was ook niet het geval. Uw werk was zoals altijd onberispelijk.'
Haar wenkbrauwen gingen omhoog. Dit was de eerste keer in al de weken
dat ze samenwerkten, dat hij haar prees.
Joshua's knappe donkere trekken kwamen in het clair-obscur op mysterieuze wijze goed uit. Zijn nabijheid en de ongebruikelijke zachtheid in
zijn stem verleende het ogenblik een onverwachte intimiteit. 'Wilt u er met
mij over praten, juffrouw Hargrave?'
'Ja...' fluisterde ze. Was het verbeelding of brandde er hartstocht in die
diepliggende donkere ogen? Ze moest haar blik afwenden. 'Ik heb bedacht, dr. Masefield, dat ik misschien een grote fout maak door naar de Infirmary te gaan.'
Toen hij zweeg, zette ze haar glas op de schoorsteenmantel en liep een paar
stappen bij hem vandaan. Nu ze onder de betovering van zijn biologerende
blik uit was, viel het praten Samantha gemakkelijker. 'Ik dacht dat ik er beter aan zou doen een erkende mannenopleiding te volgen, net als dr.
Blackwell, want zo'n diploma zou me goed van pas komen met het oog op
eventuele tegenstand. Ik wil een zo goed mogelijk arts worden.'
Tot haar intense verbazing zei hij: 'Ik ben het met u eens.'
Ze draaide zich met een ruk om. 'O ja?'
'Maar het zal u bijzonder moeilijk vallen zo'n opleiding te vinden.'
'Daar ben ik op voorbereid,' zei ze haastig. 'Ik kan alleen maar mijn best
doen, en als het me niet lukt, dan ga ik naar de Infirmary. Maar ik kan daar
niet naartoe gaan zonder het andere minstens te hebben geprobeerd.'
'Hoe bent u van plan u te laten inschrijven?'
'Ik had gehoopt dat u me zou willen helpen...'
'Dan zal ik dat doen.' Joshua dronk zijn glas leeg en liep weer naar het hoge

tafeltje. 'We zullen een lijst maken van de scholen die in aanmerking komen, en ik zal een aanbevelingsbrief opstellen. Ik bezit wel enige invloed in de medische wereld.'

Samantha keek hem ongelovig aan. 'Is het dan goed als ik hier blijf?'

'Uiteraard. We mikken op september volgend jaar, dan hebt u er een jaar als assistente opzitten.'

'Dr. Masefield, ik weet niet hoe ik u moet bedanken...'

Hij bleef met zijn rug naar haar toe staan. 'Ik doe dit uit eigenbelang, juffrouw Hargrave. Ik zal negen maanden langer over uw uitstekende diensten kunnen beschikken, en Estelle behoudt uw gezelschap dat ze erg op prijs stelt. En nu' – eindelijk draaide hij zich om – 'is het inmiddels laat geworden.'

Samantha knipperde een paar maal met haar ogen. Opeens besefte ze hoe ze eruitzag – in haar kamerjas, met haar lange, donkere haar dat ongekamd tot op haar middel hing. Door verlegenheid overmand, haastte ze zich naar de deur. 'Welterusten, dr. Masefield, en nogmaals heel hartelijk bedankt.'

Lange tijd stond hij haar na te kijken en luisterde naar haar voetstappen die boven aan de trap wegstierven, waarna hij haar deur hoorde dichtgaan. Toen keek hij naar het glas dat hij in de hand hield en zag dat zijn vingers het zo stevig vasthielden, dat zijn hele arm ervan trilde.

10

Het leek erop alsof Estelle een periode doormaakte waarin ze een stapje dichter bij herstel kwam: in de maanden februari en maart kon ze, ondanks de intense vochtigheid en bittere kou, zelf uit bed komen en wat rondlopen in haar kamer. Dat was een vreugdevol intermezzo voor Samantha, die zag hoe de blos op die bleke wangen terugkeerde. Maar Joshua Masefield liet zich niet verleiden tot valse hoop en daardoor was hij niet zo van streek als Samantha toen Estelles inzinking harder en wreder toesloeg dan ooit. Het gebeurde een paar dagen voor Memorial Day.

Dat was een pas ingestelde vrije dag ter ere van de doden die in de Burgeroorlog waren gevallen, en in het geheim hadden Samantha en Estelle plannen gesmeed om in een rijtuig naar Fifth Avenue te rijden om naar de optocht te kijken. Er zouden fanfares aan meedoen, brandweerlieden met hun gemotoriseerde pompen, veteranen uit de Burgeroorlog in hun schitterende blauwe uniformen, gevolgd door de veteranen uit de oorlog met Mexico, en zelfs een paar oudjes uit de oorlog van 1812. Daarna zouden ze proberen Joshua over te halen hen mee te nemen naar Central Park om te picknicken: gebraden kip met zelfgemaakte pickles en een luchtige cake. Maar een week voor die dag vatte Estelle kou en kreeg een inzinking met zo'n meedogenloos hoge koorts, dat ze allemaal vreesden haar te zullen verliezen.

Het deed Samantha verdriet te zien hoe snel het leven uit dat engelachtige gezichtje wegtrok. Het deed haar nog meer verdriet te zien hoe Joshua eindeloos lang aan haar bed zat. Haar liefde voor hen beiden maakte dat Samantha voor het eerst twijfelde aan de zogenaamde rechtvaardigheid en het erbarmen van de Almachtige.

Louisa's praktische, nuchtere benadering ergerde Samantha. 'Jouw verdriet zal haar niet beter maken. Je moet het onder ogen zien: ze is stervende. En als zij is overleden, is hij vrij om weer te trouwen.'

Het was een gezellig moment in maart geweest, toen ze bij een fel brandend vuur hadden gezeten en paaskuikentjes zaten uit te knippen voor de gekookte eieren die naar de kinderen in het Bellevue Hospital zouden worden gebracht (ter ere van weer een nieuwe nationale feestdag die president Hayes had uitgeroepen), en de twee vriendinnen waren even in een intiem vrouwelijk gesprek gewikkeld geraakt. Louisa had haar vermoeden geuit dat Luther haar diepe genegenheid nu beantwoordde, en Samantha had op haar beurt eindelijk bekend dat ze tedere gevoelens voor Joshua Masefield koesterde.

Nu had ze spijt van haar openhartigheid en wenste dat ze haar geheim in haar hart had bewaard, want Louisa had onder woorden gebracht wat Samantha diep van binnen hoopte, maar liever niet wilde toegeven. 'Estelle gaat heus nog niet dood, Louisa. Iemand met leukemie kan nog wel tien jaar leven. Maar dan ben ik hier al weg.'

Louisa's ondeugende ogen glansden echter veelbetekenend en ze gooide haar honingkleurige krullen naar achteren, wat altijd wilde zeggen: 'We weten allemaal wel beter, is het niet?'

In juni begonnen de reacties van zesentwintig medische opleidingen op Samantha's verzoek om inschrijving binnen te komen.

'Mevrouw,' luidde het antwoord van een vooraanstaande academie in de provincie. 'Wees verstandig ter wille van uzelf en ter wille van de gemeenschap, en zie af van dit waanzinnige plan. U kunt beter terugkeren tot wat u op schoot bij uw moeder hebt geleerd. Alleen een jongedame met twijfelachtige morele opvattingen verzoekt om toelating tot een opleiding die alleen voor mannen is bestemd.'

Een andere brief luidde: 'Mag ik u dringend verzoeken, juffrouw Hargrave, om te bedenken dat de Schepping de vrouw pas in tweede instantie tot leven riep.'

Hoewel ze zich had voorbereid op afwijzingen, verbaasde en ergerde Samantha zich aan de sterke bewoordingen. Te oordelen naar de scherpe toon van enkele brieven had ze om de een of andere reden kennelijk de mannelijke verontwaardiging gewekt. Naarmate er meer brieven kwamen, variërend van beleefde afwijzingen tot openlijke veroordelingen, werd Samantha steeds bozer. De brief van Harvard University bracht haar tot het besluit dat ze iets moest ondernemen om zich te verdedigen.

Geachte mevrouw,
Hoewel ik persoonlijk uw aanvrage om toelating tot onze medische opleiding voorbeeldig en onberispelijk vond, en hoewel ik in de statuten van onze school niets heb kunnen ontdekken dat vrouwen het recht ontzegt de colleges bij te wonen, hebben mijn collega's me niettemin bewogen uw verzoek voor te leggen aan de Studentenraad, die in laatste instantie beslist. Hun reactie luidt als volgt:
'Wij zijn van mening dat geen enkele fijngevoelige vrouw bereid zou zijn in het gezelschap van mannen te luisteren naar verhandelingen over onderwerpen die noodzakelijkerwijs door studenten in de medicijnen moeten worden besproken.
Bovendien hebben wij er bezwaar tegen dat ons het gezelschap wordt opgedrongen van een vrouw die bereid zou zijn haar sekse geweld aan te doen en haar eerbaarheid op te offeren door met mannen in de collegezaal te verschijnen.'
De Studentenraad en de Faculteit waren dus eenstemmig van oordeel, juffrouw Hargrave, dat uw aanvraag moest worden afgewezen. Ik wens u van ganser harte elders veel succes toe.

De brief was ondertekend door Oliver Wendell Holmes, directeur van Harvard Medical School.
'Zestien afwijzingen, dr. Masefield, en geen enkele op grond van een andere reden dan dat ik een vrouw ben. Ik kan niet passief toekijken hoe ze me vernederen, louter en alleen vanwege een speling van de natuur.'
'Wat bent u dan van plan te gaan doen?'
Ze keek naar de brief die ze in haar hand had. 'Ik ga naar Boston.'

Uit de toon van zijn brief had ze opgemaakt dat dr. Holmes een redelijk man moest zijn; Samantha was ervan overtuigd dat, als ze persoonlijk zou verschijnen om haar zaak te bepleiten en haar waardigheid te bewijzen en hun kon laten *zien* dat ze niet 'zomaar een vrouw' was, maar dat ze serieus de medische wetenschap bestudeerde, hij zijn invloed zou aanwenden om de mening onder de studenten om te buigen.
Ze bleef twee dagen weg en toen dr. Masefield haar met een huurrijtuig van het station haalde, zag hij direct dat ze geen succes had gehad.
Zwijgend reden ze naar huis. Toen ze binnenkwam, overhandigde Samantha haar muts en cape aan een behulpzame mevrouw Wiggen, waarna ze zich in de salon in een stoel liet zakken. Joshua Masefield ging bij de open haard staan. 'Vertel me eens wat er is gebeurd.'
Samantha leunde met haar hoofd achterover en staarde naar het plafond.
'Ik heb een gesprek met dr. Holmes gehad, en hoewel hij erg vriendelijk was, kon hij zich niet, zoals hij het stelde, blootstellen aan kritiek en beledigingen. Niet alleen de universiteit zou er afkeurend tegenover staan, zei

hij, maar ook het Medisch Genootschap in Massachusetts. Hij zei dat ze tegen mijn toelating hadden gestemd om de goede naam van de school te behouden. Hij zei dat mijn aanwezigheid hun prestige zou ondermijnen.'
Joshua trok verbaasd een wenkbrauw op.
'Ik vertelde hem dat ik bereid was tot overleg en dat ik alle voorwaarden zou aanvaarden die ze eventueel zouden stellen, vooropgesteld dat ik uiteindelijk het diploma zou behalen. Maar daar zat de moeilijkheid. Vier leden van de faculteit waren onder de indruk van mijn staat van dienst die, zeiden ze, beter was dan die van vele mannelijke studenten, en die vier waren zelfs bereid me les te geven, maar omdat ik een vrouw ben, keurden ze het niet goed dat ik aan Harvard mijn graad zou halen. Dat zou afbreuk doen aan de waarde van hun diploma, zeiden ze.'
Samantha keek Joshua aan. 'Weet u wat dr. Holmes ook nog zei? Dat de studenten de aanwezigheid van een vrouw in het leslokaal in sociaal opzicht weerzinwekkend vonden.' Ze legde een vuist tegen haar ogen. 'Goeie god. in sociaal opzicht weerzinwekkend . . .'
Dr. Masefield, die tegen de schoorsteenmantel geleund had gestaan, kwam overeind en ging in de stoel naast haar zitten. 'Heeft hij je nog iets anders aangeraden?'
'Ja.' Ze legde haar handen weer in de schoot. 'Hij zei dat de universiteit in Michigan tegenwoordig op haar medische opleiding vrouwelijke studenten aanneemt, en dat hij van harte bereid was een aanbevelingsbrief voor me te schrijven.'
Joshua's ogen verwijdden zich even. 'Michigan,' mompelde hij. 'Wat ver weg . . .'
'Is het dan zo hopeloos, dr. Masefield? Moet ik het al opgeven nog voordat er gevochten is? Ik beschik niet over wapens. Mijn kwalificaties zijn niet waard als ze zien dat ik een vrouw ben!'
Hij keek haar lang en strak aan, waarna hij zonder iets te zeggen opstond en de salon uitliep. Samantha bleef handenwringend zitten, terwijl haar ogen vol tranen schoten toen frustratie overging in diepe teleurstelling. Eerst zag ze niet wat hij haar voorhield, en moest haar tranen wegknipperen, waarna ze hem hoorde zeggen: 'Deze brieven zijn gekomen toen u weg was. Ik ben zo vrij geweest ze open te maken.'
Samantha nam de twee enveloppen aan zonder naar hem op te kijken. De eerste kwam van de Medische afdeling van de universiteit van Pennsylvania: een verontschuldiging aan het adres van dr. Masefield voor het feit dat ze zijn uitstekende assistente niet konden aannemen, 'daar wij niet over de geschikte faciliteiten beschikken om vrouwelijke studenten te huisvesten'. Samantha gooide de brief op de grond. Met een fatalistisch gevoel las ze de tweede:

Geachte juffrouw Hargrave,
Daar uw verzoek te worden toegelaten tot onze opleiding zonder precedent was, en daar onze statuten niet voorzien in een dergelijk geval, heeft de Faculteit van Lucerne uw verzoek aan de algemene Studentenraad voorgelegd. Hun antwoord luidt als volgt:
'Overwegende dat een van de radicale beginselen van een Republikeins bestuur is dat beide seksen recht hebben op onderwijs, en dat voor allen de deur naar iedere tak van wetenschappelijke studie open moet staan, heeft het verzoek van Samantha Hargrave om hier te komen studeren onze volledige instemming. Door onze unanieme goedkeuring beloven wij plechtig dat ons gedrag er niet toe zal leiden dat zij het betreurt onze opleiding te volgen.'
Het lijkt ons het beste, juffrouw Hargrave, dat u een week voor de nieuwe cursus begint, hier een pension zoekt. De nieuwe cursus begint op de laatste maandag in september; u dient zich die ochtend in mijn kantoor te vervoegen.

Hoogachtend,
Henry Jones, arts
Directeur van het Medical College

Een ogenblik zat Samantha als verstijfd op het puntje van haar stoel, met haar blik nog op de brief gericht, toen sloeg ze haar ogen op en fluisterde: 'Ze willen me dus hebben?'
'Mijn gelukwensen.'
Samantha sprong overeind en sloeg impulsief haar armen om zijn hals. 'Ze willen me hebben, dr. Masefield, ze willen me hebben!'
Verbijsterd deed Joshua onhandig een stapje terug. Samantha draaide zich om, en danste met de brief tegen zich aan de kamer rond. Hij keek toe hoe ze als een ballerina pirouettes maakte en met een stralend gezicht in en uit het gouden zonlicht dat door het raam naar binnen viel danste. Toen wendde Joshua Masefield zich af, omdat hij het niet langer kon aanzien.

11

Onder de gestreepte zonneschermen van het nieuwe centraal station werd vormelijk afscheid genomen. Dr. Masefield, die voor Samantha's kaartje en bagage had gezorgd, drukte haar vluchtig de gehandschoende hand en keerde terug naar zijn huurrijtuig. Ze bleef alleen achter en keek hem na toen hij Forty-second Street uitreed.
Toen de trein zich een paar minuten later met een schok in beweging zette, werd Samantha herinnerd aan de andere keren in het verleden dat ze af-

scheid had moeten nemen, en ze vond dat deze keer beslist het pijnlijkst was geweest. Op het allerlaatste ogenblik was ze gaan twijfelen of ze wel een verstandige beslissing had genomen: als ze naar Blackwell's Infirmary was gegaan, zou ze bij hem in de buurt zijn gebleven. Bovendien waren er nog twee positieve reacties binnengekomen, beide van opleidingen dichter bij huis. Maar dr. Masefield kende de uitstekende naam van Lucerne, en stond erop dat Samantha die kans aangreep. Toen volgde het pijnlijke afscheid van Estelle; in haar violette ogen had de onuitgesproken angst gelegen dat ze Samantha naar alle waarschijnlijkheid niet zou terugzien. Zelfs mevrouw Wiggen had Samantha omhelsd, en zowel Louisa als Luther, met omfloerste ogen, hadden oprecht beloofd vaak te schrijven.

Hoewel het vertrek haar zwaar viel, had Samantha één troost: over negen maanden kwam ze terug.

De reis was lang en vermoeiend. Het stadje Lucerne lag zo'n 450 kilometer van Manhattan, aan het noordelijke puntje van het Canandaigua-meer. Om er te komen moest men eerst naar Albany reizen, dan overstappen op de trein met bestemming Rochester en de rivier de Mohawk volgen, waarna er in Newark moest worden overgestapt op een lokaal spoor dat door Geneva aan het Seneca-meer voerde; daar moest een rijtuig worden gehuurd voor de laatste 25 kilometer. Alles bij elkaar deed Samantha er twee dagen en een nacht over, waarna ze de tweede avond laat voor het ene hotel dat Lucerne rijk was, stond.

Samantha wist niets van het stadje dat de komende negen maanden haar thuis zou worden, en ze had geen idee van de bekrompen, provinciale mentaliteit die haar spoedig boos en gefrustreerd zou maken. Vooralsnog zag het eruit als een vredig stadje aan de oever van een vredig meer. Morgen zou ze zich bij de school melden, een kamer zoeken, en de volgende week begonnen de colleges. Alles verliep heel goed.

'*Wie* bent u?'

Wat verbouwereerd door de reactie van de man herhaalde Samantha stijfjes wat ze had gezegd.

Het was alsof zich achter zijn brilleglazen stormachtige gevoelens ontwikkelden, waarna dr. Jones zich bezighield met het verschikken van de papieren op zijn bureau. 'Zo, zo. Ja. Hargrave. U hebt ons in juni geschreven.' Samantha ging ongemakkelijk verzitten. De houding van de directeur maakte haar onzeker. 'Ik vertrouw erop dat alles in orde is, dr. Jones. Ik kom toch op de goede dag? Er stond in uw brief...'

'Ja, ja.' Hij maakte een gebaar met zijn mollige hand. 'Ik weet wel wat er in mijn brief stond. Alleen...' Zijn stem stierf weg en hij keek haar strak en ernstig aan. 'Tja, eerlijk gezegd, juffrouw Hargrave, bent u heel anders dan ik me had voorgesteld. *Heel anders.*'

Ze trok haar wenkbrauwen op. 'Ben ik in enig opzicht aanstootgevend?'

'Lieve hemel, nee! Integendeel juist, juffrouw Hargrave!' Zijn gezicht werd

bietrood. 'Ik bedoel, we hadden iemand verwacht die... *ouder* was.'
'Ik word nu toch niet afgewezen?'
Hij schudde zijn hoofd en streek misnoegd langs zijn bakkebaardjes. 'Ach, u zit hier nu eenmaal, nietwaar? Lieve hemel, maar dit zal me een sensatie geven.' Hij rommelde nog wat in zijn papieren en haalde een bedrukt foliovel te voorschijn. 'U moet dit invullen. Gegevens voor ons archief. U moet het deze week aan mijn secretaris geven, het geeft niet wanneer.'
Samantha vouwde het papier zorgvuldig op en stopte het in haar tas. 'Dr. Jones, ik vroeg me af of u me ergens een kamer kunt aanbevelen. Op het ogenblik zit ik in het hotel, maar dat is vreselijk duur...'
'We hebben hier wel een paar pensions, juffrouw Hargrave, maar alle kamers worden al door jongemannen ingenomen. Weet u, een vrouwelijke student is hoogst ongebruikelijk.'
Samantha fronste haar wenkbrauwen. Dr. Jones had geschreven dat hij haar als studente aannam, waarom was het dan nu net alsof hij haar probeerde te ontmoedigen?
Ze stond soepel op. 'Dank u, dr. Jones. Wanneer moet ik me melden voor de colleges?'
'Maandag, klokke acht uur.'
'En waar?'
'Komt u maar eerst naar mijn kantoor.'

Het bleek onmogelijk een kamer te vinden. De mare had zich zo snel door het kleine stadje verspreid, dat Samantha er al gauw achter kwam dat alle hospita's haar al kenden, en dat ze al werd afgewezen nog voordat ze had aangeklopt. Aan het eind van die middag had ze negen pensions bezocht en negen botte weigeringen ontvangen.
In het hotel was een salon uitsluitend voor dames, waar niet werd gerookt en waar geen sterke drank werd geserveerd. Samantha ging bij een tafeltje aan het raam zitten en bestelde een komkommer-sandwich. Ze legde haar kin op de handen en staarde naar buiten en vocht tegen de wolk van depressieve gedachten die deze mooie middag dreigde neer te dalen.
Ze had de hele dag rondgelopen en had ontdekt dat Lucerne een rustig stadje was. De straten werden omzoomd met bomen en witte houten huizen uit de koloniale tijd. Samantha had genoten van de verkleurende iepen en eiken, de rijpe appels aan de takken, en van de grazige weiden vol boterbloemen en guldenroede. Ze had stilgestaan om naar de haviken met hun roodgekleurde schouders te kijken, die hoog de lucht in vlogen, en naar jongetjes die hun hengels in het meer lieten dobberen; hun mandjes zaten al vol forel en baars. Vlinders, lieveheersbeestjes en muggen dansten in de vroege herfstlucht, en af en toe deed een frisse wind het doorschijnende oppervlak van het meer rimpelen om iedereen eraan te herinneren dat de zomer ten einde liep.
Maar het was niet genoeg geweest. De rust in het stadje, de beleefde knikjes en glimlachjes van voorbijgangers, het rustige tempo dat zo heerlijk

aandeed na het onstuimige Manhattan – niets van dat alles was in staat geweest Samantha te doen vergeten dat ze zich een door iedereen afgewezen vreemde voelde.

Samantha hoorde een diepe stem zeggen: 'Daar zit je dus, en ik ben diep teleurgesteld!'

Verbaasd keek ze op. De vrouw stond met de handen op haar brede heupen, en haar hoofd een beetje scheef. Haar volle rode haar droeg ze hoog opgestoken en haar besproete gezicht was een en al geamuseerdheid. 'Pardon?' zei Samantha.

'Ik had gehoopt dat u twee hoofden had, als je nagaat wat er allemaal over u wordt beweerd. En dus kom ik helemaal hiernaar toe om eens te kijken, maar u valt me bitter tegen!'

Samantha keek de vrouw verbijsterd aan.

'Hannah Mallone is mijn naam, en het is me een waar genoegen met u kennis te maken!' De vrouw stak een gehandschoende hand uit, die Samantha schudde.

Hannah Mallone trok de stoel tegenover Samantha bij en ging onuitgenodigd zitten, waarbij de baleinen van haar korset kraakten. Ze was een forse vrouw, met een moederlijke boezem, en een nog omvangrijker queue de Paris; uit haar opgewekte stem klonk een zwaar Iers accent. 'Ik heb gehoord dat je het moeilijk hebt, liefje, en ik moet je zeggen dat ik diep verontwaardigd ben!'

'Er zijn vandaag negen deuren voor mijn neus dichtgegooid. Kunt u me uitleggen waarom?'

'Niemand wil een vreemd natuurverschijnsel in huis hebben, liefje!'

'Een vreemd natuurverschijnsel?'

In Hannah's amberkleurige ogen verscheen een milde uitdrukking. Ze werden honingkleurig, en haar stem werd zacht als fluweel. 'Ach, arm kind. Ik voel helemaal met je mee, dat is zeker. Een uurtje geleden hoorde ik bij Kendall's Dry Goods over dat brutale jonge sletje dat op klaarlichte dag door onze straten loopt en denkt dat ze een kamer kan vinden in een van de prachtige huizen hier. Ik heb al dat stompzinnige geklets aangehoord: dat je geen schaamte kende, en wat moest er wel van de wereld terechtkomen als vrouwen als jij naar believen Lucerne binnen kunnen dansen...'

'Vrouwen zoals ik?'

'Ze denken dat je een gevallen vrouw bent.'

Samantha ging stomverbaasd achterover in haar stoel zitten.

'Ach, arm kind, wist je dat dan niet? De mensen hier in dit stadje zijn zó bekrompen, daar heb je geen idee van. Ze willen geen vrouwelijke student in de medicijnen, zo eenvoudig ligt dat. Een paar van de pensions waar je bent geweest hadden kamers genoeg, maar ze zijn niet bereid die te verhuren aan een vrouw die ze als slet afschilderen. Ik kan met je meevoelen, liefje, want ik heb mijn deel van dat vooroordeel ook gehad.'

Samantha fronste. 'Ik heb brieven ontvangen van medische opleidingen waarin ze me vertelden dat ik immoreel was omdat ik dokter wilde worden,

en dat een *beschaafde* vrouw die ambitie niet zou koesteren.' Ze wendde haar hoofd af en tuurde door de vitrage, terwijl ze zich dr. Jones' vreemde gedrag weer herinnerde. 'Nu begin ik me af te vragen waarom juist deze school me heeft aangenomen...'
'Daar zou ik nu maar niet over piekeren. Je hebt een kamer nodig.'
Samantha keek haar aan. 'Kunt u me helpen?'
'Ik heb een groot huis, en omdat mijn man meestal weg is, ben ik vreselijk eenzaam! Het lijkt me wel prettig wat gezelschap te krijgen.'
Samantha vond dat Hannah Mallone een aardig gezicht had. Het was rechthoekig en de amberkleurige ogen tintelden levendig. 'Dat is heel vriendelijk van u, mevrouw Mallone.'
'Noem me maar meteen Hannah!'

Het was inderdaad een groot huis: het telde twee verdiepingen en dateerde uit de koloniale tijd; het lag op een groot stuk grasland aan de rand van de stad. Toen Sean Mallone vijftien jaar geleden met zijn bruid naar Lucerne was gekomen, hadden ze de bedoeling gehad een groot gezin te stichten. Nu stonden de meeste kamers op de bovenverdieping echter leeg.
'We zitten hier vlak bij de elastiekfabriek,' zei Hannah die avond toen ze zaten thee te drinken. 'Sean heeft daar nog een poosje gewerkt voordat hij ging zwerven.'
Samantha keek de enorme woonkamer rond. 'Je hebt zo'n groot huis, Hannah, waarom verhuur je geen kamers?'
'Dat wil Sean niet hebben. Hij is een zwartharige Ier, terwijl ik een roodharige Ierse ben. Trots als geen ander, die zwarte Ieren, en Sean is helemaal erg! Hij wil niet dat ze hier denken dat we geld nodig hebben. Sean verdient een goede boterham, en wanneer we genoeg gespaard hebben, hangt hij zijn lier aan de wilgen en blijft voorgoed bij me.'
'Wat doet je man ook alweer?'
Hannah duwde zich overeind uit de gemakkelijke stoel en liep naar een tafeltje bij het raam. Ze droeg nu een groene japon met stroken, wijde mouwen en ruches. Hannah had een hekel aan strakke kleren – het benauwde korset, de zware rokken die door het stof slierden – en in haar eigen huis trok ze zich dan ook nergens iets van aan.
Ze pakte een daguerreotype en gaf hem aan Samantha. 'Dat is mijn Sean. Door zijn aderen stroomt het bloed van de oude Ierse koningen.'
Samantha was onder de indruk. Sean Mallone leunde nonchalant op zijn geweer met radslot, en er lag een schelmse glimlach op zijn knappe gezicht. Hij was gekleed in buckskin en bont, terwijl aan zijn voeten een dierevacht lag uitgespreid.
'Toen ik Sean zestien jaar geleden ontmoette, werkte hij bij de steenoven in Haverstraw. Maar hij hunkerde naar het vrije buitenleven, in plaats van zich kapot te werken. Hij kwam eens in Manhattan rondneuzen, en daar hebben we elkaar ontmoet. Ik was toen vierentwintig. Ik was naar Amerika gekomen op zo'n zeilschip dat de Ieren van de hongersnood redde. Toen ik

Sean ontmoette was ik hier vier jaar...'

Samantha keek op. Hannah's stem kwam als van veraf. 'En voor een meisje van twintig was het een hard leven, met je vader en moeder aan boord gestorven en je plunjezak gepikt door andere diefachtige Ieren. Ik kwam zonder één cent op zak aan wal. Ik bezat niets anders dan mijn vlammend rode haar en mijn trots...'

Ze schudde met haar hoofd. 'Maar dat behoort nu tot het verleden. Sean heeft me het leven gered. Ik was in een steegje in elkaar geslagen en was er zo slecht aan toe dat ik wist dat zelfs de heiligen me niet meer konden helpen. En toen kwam die grote domme beer, die Ier uit County Cork, uit het niets opduiken en sloeg die schoft de hersens in!

Mijn verleden liet Sean koud, het kon hem niets schelen dat ik de Heilige Maagd niet was, hij hield van me om mezelf. Hij hoorde dat hier goed geld te verdienen was, twintig dollar voor een panter, dertig voor een grote grijze wolf. Daarom zijn we naar Lucerne gekomen. Het wild wordt zeldzamer en daarom moet hij nu verder naar het noorden. Hij is bijna het hele jaar weg, maar hij brengt een goede buit mee als hij terugkomt, en soms een mooie bevervacht voor een mof. We hebben het goed, alleen vind ik het jammer dat ik hem geen kinderen heb kunnen geven.'

'Je hebt de tijd nog,' zei Samantha vriendelijk.

'Moge God je zegenen, kindje, maar dat is niet zo! Ik ben al veertig. En na zestien jaar proberen...' Hannah gooide haar hoofd achterover en lachte opgewekt. 'Jezus, Jozef en Maria, en òf we het hebben geprobeerd!' Ze glimlachte Samantha toe. 'En ik moet het de man met wie ik getrouwd ben nageven, hij verwijt het me nooit dat ik geen kinderen kan krijgen.'

Hannah sloeg de handen ineen. 'Kom, liefje, je zult wel doodmoe zijn. Ik zal mijn mond houden, dan kun je naar bed. Ik heb zo'n idee dat je de komende dagen je krachten hard nodig zult hebben!'

Niet alleen had Samantha kracht nodig, maar ook moest ze oren en ogen kunnen sluiten. Eerst verbijsterde de houding van de inwoners van Lucerne haar, maar haar verbazing maakte al gauw plaats voor boosheid. De vrouwen staken de straat over om maar niet op hetzelfde trottoir te lopen als zij, alsof ze een ziekte had, terwijl ze achter hun parasols met elkaar fluisterden en hun hoofd schudden. Kinderen riepen haar sarrend na, terwijl ze achter haar aan liepen en ritmisch zongen: 'Dokter, dokter in je petticoat, genees je likdoorns of genees je zere kelen?' De mannen namen hun hoed niet meer voor haar af en ze voelde de gordijnen gewoon bewegen als ze langskwam.

Toen ze dr. Jones' formulier had ingevuld, bracht ze het op een middag terug naar de school. Een paar studenten, die niets te doen hadden, hielden zich op onder de pilaren van de opvallende Romeinse ingangspartij. Hun gesprek stokte toen zij langskwam en ze namen haar onbeleefd op, waarna ze achter haar rug in lachen uitbarstten. De secretaris van dr. Jones, een jongeman die last had van *rigor mortis*, nam het formulier zonder een woord te zeggen voorzichtig in ontvangst en legde het op het bureau van de directeur. De professor was nergens te bekennen.

'Ik vraag me af of ik ertegen kan, Hannah. Twee hele jaren. Ik weet het echt niet,' zei ze die avond terwijl ze samen het eten klaarmaakten.

'Natuurlijk kun je het aan, liefje.' Hannah stond de vla om te roeren in een ondiepe koperen pan; ze had er tien knikkers in gegooid om te voorkomen dat hij aanbrandde. 'Het gaat wel over, dat zul je zien. Nu ben je nog iets bijzonders, maar na verloop van tijd gaat het ze wel vervelen en dan zoeken ze wel iemand anders die ze aan het kruis kunnen nagelen. Denk je dat het voor mij en Sean gemakkelijk was, een stel haveloze Ieren in een protestants stadje waar iedereen met z'n neus in de lucht loopt? Maar ze zijn aan ons gewend geraakt, en aan jou zullen ze ook wel weer wennen.'

Samantha lachte geforceerd en streek met haar mouw over haar voorhoofd. Misschien had Hannah gelijk: het zou een poosje moeilijk zijn, maar uiteindelijk zou alles wel goed komen.

12

Weer die vreemde manier van doen. Alsof hij had gehoopt dat ze op de een of andere manier zou verdwijnen. Op de maandag dat de colleges begonnen, meldde Samantha zich bij het kantoor van dr. Jones. Hij toonde een mengeling van verbazing, misnoegen en ergernis. Na een paar verstrooide woorden over 'zich gedragen als een dame' ging de korte, gezette directeur haar voor de trap op naar de eerste collegezaal.

Hij bracht haar niet naar de hoofdingang. In plaats daarvan werd Samantha naar een klein voorvertrek gebracht dat, zoals dr. Jones uitlegde, werd gebruikt voor patiënten en professoren die het podium op moesten. Hij drong erop aan dat ze zou gaan zitten. Toen trok hij plechtig zijn vest recht, waarna de professor de zaal binnenging.

Samantha had door de gesloten deur een donderend rumoer van voetengestamp, geloei en boe-geroep gehoord, maar zodra de directeur verscheen, werd het stil in de zaal.

Dr. Masefield en Emily Blackwell hadden haar beiden gewaarschuwd: het ging er altijd ruw en lawaaierig toe. Medische studenten hadden de reputatie opgebouwd dat ze onbehouwen jongemannen waren, die hun energie in de collegezaal kwijt moesten. Zelfs de grote dr. Lister had, toen hij in Londen college gaf aan het University College, nauwelijks boven het onbeleefde gejouw en voetengestamp van de studenten kunnen uitkomen. Misschien was dat de oorzaak van dr. Jones' zenuwachtige gedrag: tot welke baldadigheden zou het leiden wanneer een vrouwelijke student zich had binnengedrongen?

Hij sprak de klas toe. Samantha verbaasde zich niet over de onverwachte beleefdheid: ze waren waarschijnlijk nieuwsgierig te horen wat hij te zeggen had. Zijn stem klonk gedempt. Ze kon geen woord opvangen.

Toen de deur openging schrok ze. 'Juffrouw Hargrave?'
Elegant stond ze op en liep achter dr. Jones de zaal binnen.
De felle ochtendzon drong zich door de hoge ramen en zette de zaal in een helder licht. Het verschil met het donkere kamertje trof Samantha onaangenaam. Toen ze het podium op liep bevond zich aan haar linkerhand een wand die vol hing met anatomische schema's en schoolborden; aan haar rechterhand, op de hoefijzervormige, oplopende rijen tot aan het raam, zaten jongemannen haar zwijgend aan te staren. Het enige geluid was het geritsel van haar rokken over de planken vloer. Dr. Jones begeleidde haar naar een tafeltje dat speciaal voor haar was neergezet, aan de rand van het podium, een eindje van alle anderen vandaan; Samantha ging zitten, met haar rug naar de zaal. Ze zette haar hoed af en liet hem onder haar stoel glijden. Toen opende ze het dictaatcahier dat ze had meegenomen, doopte haar pen in de inktpot en keek de professor die het college ging geven afwachtend aan.
Beide mannen stonden daar als wassen beelden. De gezette dr. Jones en de lange, magere dr. Page. Achter haar zaten honderdnegentien jonge mannen zo stil als waren ze versteend.
Toen kwam dr. Jones tot zichzelf en schraapte plotseling zijn keel, knikte de verbijsterde dr. Page kortaf toe en liep zo snel als zijn korte beentjes hem wilden dragen de zaal uit.
Dr. Page knipperde met zijn ogen, zette zijn bril recht en snoof een beetje, waarna hij zijn aantekeningen pakte en met onvaste stem zei: 'De bloedsomloop in de slagaderen, de aorta en de vier hartkamers.'
Boven het bonzen van haar eigen hart uit hoorde Samantha achter zich een gemeenschappelijke zucht, gevolgd door het geritsel van dictaten en het geschuifel van voeten.
Dr. Page doceerde twee uur lang. Zonder onderbroken te worden. Zonder dat er geprotesteerd werd. Af en toe zweeg hij even en keek naar de nieuwe studente, die met gebogen hoofd zat te pennen, en dan knipperde hij verbaasd met de ogen. Al de jaren dat hij lesgaf, was het nog nooit zo rustig in de klas geweest. De studenten maakten zowaar aantekeningen!
Aan het eind van het college verscheen dr. Jones in de deuropening bij het podium. Samantha pakte haar spullen bij elkaar, liep naar hem toe en verdween in het kamertje. De deur was nog niet achter haar dichtgevallen, of de zaal barstte los in gebrul en voetgetrappel.
'Dat moet ik iedere dag, twee jaar lang volhouden,' zei ze die avond tegen Hannah toen ze bij de open haard zaten.
'Als ik het zo hoor, ben je niet tevreden over je eerste dag, liefje.'
'Ik weet het eigenlijk niet goed. Ik heb vandaag vijf colleges gelopen. Iedere keer moest ik in dat idiote kamertje wachten tot ik een teken kreeg. Dan moest ik op mijn eigen plekje gaan zitten, terwijl ik al die ogen in mijn rug voelde prikken.'
'En toch is het een overwinning. Zo te horen tem je die woestelingen nog wel.' Hannah draaide een knoopje in de draad en beet het eindje eraf. 'Ik

heb wel eens van een school gehoord waar ze een studente letterlijk hebben opgepakt en haar naar buiten hebben gegooid.'

Samantha knikte peinzend. Dr. Elizabeth had haar dat verhaal verteld, en nog wel andere, veel vreselijker voorvallen. Geaccepteerd worden was op zichzelf nog geen garantie dat een vrouw een medische opleiding voltooide; je moest je wapenen tegen je medestudenten. Maar aan de andere kant, waren zij juist niet verantwoordelijk voor het feit dàt ze was geaccepteerd? Ze hadden allemaal vóór gestemd, had er in de brief gestaan, en ze waren unaniem van mening geweest dat ze moest worden toegelaten.

Samantha kreeg een vaag voorgevoel, toen ze daar in de gloed van het vuur zat, met een nog onafgemaakte brief aan Louisa op schoot. De hele week al had dat gevoel haar geplaagd, dat vage idee dat er iets niet goed zat, dat alles niet zo eenvoudig was als het leek. En ondanks het vuur liep er een rilling langs haar rug.

Samantha zou spoedig weten wat het was.

De volgende ochtend ging het eerste college over besmettelijke ziekten, en nadat Samantha was binnengekomen en haar plaats had ingenomen, bleef de klas beleefd en rustig zitten en men maakte plichtmatig aantekeningen. Halverwege het college echter zeilde er van een van de bovenste rijen een papieren pijltje naar beneden, dat op haar mouw terecht kwam. Hoewel haar wangen gloeiden, deed Samantha net alsof ze het pijltje niet had opgemerkt en liet het zitten waar het zat. Even later kwam er een ander papieren projectiel tegen haar achterhoofd. Toen het college voorbij was, verzamelde ze heel rustig haar spullen en vertrok, zonder om zich heen te kijken, met haar neus in de lucht.

Tijdens het middagcollege over nerveuze afwijkingen, voelde Samantha dat ze een droge keel had. Ze kuchte zachtjes. Achter haar begonnen honderd-en-negentien studenten als uit één keel te kuchen. Vlak voor het college voorbij was, liet ze per ongeluk haar pen vallen. Honderdnegentien pennen vielen op de grond. De docent, Watkins, liep rood aan en begon te stotteren, maar vervolgde zijn betoog. Toen het voorbij was ging Samantha zo rustig mogelijk weg.

Na een eenzame wandeling naar huis, waarbij ze had geprobeerd de starende blikken van de mensen te negeren, liet Samantha zich bijna in tranen in een stoel vallen.

'Dat is precies wat ze graag willen zien, liefje. Gun het ze niet!'

'Dit houd ik nooit vol, Hannah! Ik loop spitsroeden, ze wachten gewoon op het eerste foutje. Ik ben zo zenuwachtig dat ik me niet kan concentreren op wat de docent zegt. En nu ben ik veel te erg van streek om te kunnen studeren! Waarom doen ze me dit aan? Waarom word ik niet net zo behandeld als een mannelijke student? Is het dan zo'n zonde om als vrouw ter wereld te komen?'

'Kun je er niet met dr. Jones over praten?'

'Ik heb zo'n idee dat hij me maar al te graag vertelt dat ik maar terug moet

gaan naar Manhattan als ik er niet tegen kan. Ik begrijp er niets van, Hannah. Ik dacht dat ze me hier wilden hebben. Nu proberen ze me weg te krijgen. Een medische opleiding is al moeilijk genoeg zonder dat je iedere dag òp van de zenuwen raakt. Het is net alsof ik moet koorddansen!'
'Je moet niet opstandig worden, liefje. Ze zijn op een krachtmeting uit, nu, gun ze die dan!'
Het gebeurde de volgende ochtend. Ze zat in het kamertje te luisteren naar de onstuimige kakofonie aan de andere kant van de deur; toen dr. Page binnenkwam werd het stil. Samantha liep kaarsrecht over het podium, zich bewust van alle vijandige ogen die op haar gericht waren, en probeerde niet te beven. Toen ze bij haar tafeltje kwam, zette ze haar hoed af en wilde gaan zitten. Ze zag het net op tijd. Midden op haar stoel lag een plas zwarte inkt.
Binnen in haar brak iets. Toen ze neerkeek op die plas inkt, voelde Samantha grote woede en verontwaardiging in zich opkomen. Heel langzaam, om te voorkomen dat men zou zien dat ze beefde, draaide ze zich om en stond voor het eerst van aangezicht tot aangezicht met de klas. Vijf rijen zwarte pakken en gezichten die samenvloeiden tot één geheel doemden voor haar op. Hier en daar werd onderdrukt gelachen.
Met haar handen langs haar lichaam tot vuisten gebald, deed Samantha drie stappen naar voren; ze stond stram rechtop en liep naar een van de studenten aan het eind van de eerste rij. Twee van hen wendden hun blik af, één lachte schaapachtig en de vierde grijnsde openlijk.
Met een stem waarover ze zichzelf verbaasde, zei Samantha luid en duidelijk: 'Neemt u me niet kwalijk, meneer, heeft u soms een zakdoek?'
De grijns verdween. 'Eh, wat?'
Ze stak haar hand uit. 'Heeft u een zakdoek?'
'Eh, ja. Ik bedoel, ja juffrouw.' Hij tastte in zijn zak en overhandigde haar fronsend een schone, gesteven linnen zakdoek.
'Dank u.' Samantha liep soepel naar haar stoel en depte de inkt op.
Ze liep terug naar de stomverbaasde jongeman. Terwijl de klas met ingehouden adem toekeek, stak ze hem de doorweekte zakdoek toe en zei met een stem die luid opklonk: 'Hartelijk bedankt. Dat was heel vriendelijk van u.'
Even werd er nog geaarzeld, toen barstte de hele klas uit in een oorverdovend applaus. Verbaasd keek Samantha op en zag, om haar heen en boven haar uit torenend, glimlachende, stralende gezichten. Ze sloegen de handpalmen tegen elkaar en stampten met hun laarzen op de grond; ze brulden en riepen en sloegen elkaar op de rug. Zelfs de jongeman wiens zakdoek bedorven was, lachte haar wat beschaamd toe en roffelde met zijn knokkels op het blad van zijn tafel.
Samantha had haar eerste proef doorstaan.

13

'Ze bedoelen het niet zo kwaad, die jongens, juffrouw Hargrave. Velen van hen zijn eenvoudige boerenzoons uit de omgeving. Ze bedoelen er niets kwaads mee.'
'Maar ik begrijp het niet, dr. Jones. Zij waren degenen die vóór mijn inschrijving hebben gestemd. Waarom kwam mijn komst dan voor iedereen als een verrassing?'
Ze zaten in zijn kantoor thee te drinken. Een zwak vuurtje brandde in de open haard in de hoek, en door het raam, via de forse takken van de kastanjeboom, scheen een bleek zonnetje naar binnen. Dr. Jones deed nog een klontje suiker in zijn thee. 'Het is een wat netelige kwestie, juffrouw Hargrave,' zei hij zonder haar aan te kijken. 'Ziet u . . . uw verzoek om toelating werd als een soort grap beschouwd.'
Haar kopje was bijna bij haar lippen en daar bleef het.
'Niet door de staf,' voegde hij er snel aan toe. 'Wij wisten allemaal dat het u ernst was, maar sommige studenten hadden het idee dat ik ze een poets wilde bakken...'
'Gaat u door, dr. Jones.'
Hij sloeg zijn ogen op en keek haar recht aan. 'Om u de waarheid te zeggen, juffrouw Hargrave, toen uw brief op mijn bureau belandde, werd ik voor een dilemma geplaatst. Hoewel uw kwalificaties uitstekend waren – ik mag wel zeggen beter dan die van de meeste van uw medestudenten – had ik geen behoefte aan een studente. Ik was en ben nog steeds tegen uw aanwezigheid hier. In juni was de school bezig geld in te zamelen en we hadden het gestelde bedrag nog niet bereikt. Door uw connecties met de Blackwells en dr. Masefield vreesde ik dat zij, als ik u zonder meer zou weigeren, wellicht hun invloed zouden aanwenden om bepaalde geldbronnen te doen opdrogen. Ik bedacht echter dat als de *studenten* u zouden afwijzen, mij en de school geen blaam zou treffen. Helaas' – hij boog zijn hoofd en een straaltje zonlicht weerkaatste in zijn glanzende schedel – 'had mijn briljante plan een tegengestelde uitwerking.'
'Hoezo?'
'Ik legde uw verzoek aan de klas voor, in de stellige overtuiging dat zij het vierkant zouden weigeren. Tot mijn grote verbazing zeiden ze dat ze erover wilden stemmen. Daar er zich een verhit debat ontspon, ben ik weggegaan opdat de jongens zich vrijer konden uiten, maar naderhand heeft men mij verteld hoe het verloop is geweest.'
Hij zette zijn bril af en ging hem met zijn zakdoek uitgebreid zitten schoonmaken. Hij had er alles voor over om haar blik te ontwijken. 'Ziet u, juffrouw Hargrave, ik ben hier niet erg geliefd. De studenten zullen alles doen om tegen mijn wensen in te gaan. Daar ze wisten dat ik tegen een vrouwelijke student was, hebben ze met opzet *voor* u gestemd, alleen om mij kwaad te krijgen. Het merendeel van de stemmen was bedoeld als wraakactie tegen mij. Een paar dachten dat het wel grappig zou zijn om

een vrouw in de klas te hebben, en de rest dacht eenvoudigweg dat het een truc van mij was.'

'Ik begrijp het,' antwoordde Samantha koeltjes. 'En ik was zo naïef te denken dat ik was geaccepteerd vanwege mijn verdiensten. Nu moet ik merken dat ik ben gebruikt om u een hak te zetten.'

'U moet het hen niet kwalijk nemen, juffrouw Hargrave. Per slot van rekening bent u nu volledig en onvoorwaardelijk in hun midden opgenomen. Ik geloof dat ze nu blij zijn met uw aanwezigheid.'

'Toch verklaart niets van wat u hebt verteld de ontvangst die me ten deel viel. Waarom was iedereen zo verbaasd me te zien?'

Hij zette zijn bril weer op zijn kleine knobbelneus. 'Juffrouw Hargrave, niemand had verwacht dat u echt zou komen. We waren ervan overtuigd dat u, voordat het studiejaar begon, wel zou inzien hoe dwaas uw ambitie was en dat uw familie en vrienden u zouden overreden niet te gaan – zoals bij zovele vrouwen gebeurt die de wens uiten een medische opleiding te volgen – of misschien zelfs dat u zou trouwen. En toen we van meneer Rutlegde, de hotelbeheerder, hoorden dat er die avond een studente was gearriveerd...' Dr. Jones haalde zijn schouders op. 'En toen wandelde u mijn kantoor binnen. Tja, u zult wel begrijpen...'

'Dr. Jones, wat bedoelt u eigenlijk?'

Een rode blos kwam opzetten vanuit zijn afneembare boordje. 'Juffrouw Hargrave, we hadden allemaal verwacht dat u één meter tachtig zou zijn, en dat u een snor en een zware stem zou hebben!'

Samantha keek hem even strak aan en bracht toen snel een gehandschoende hand naar haar mond om een glimlach te verbergen.

Verward wijdde hij zich weer aan zijn thee, en deed er nog een suikerklontje in. 'Maar nu bent u eenmaal hier, juffrouw Hargrave, en ik geloof dat we maar moeten proberen het beste ervan te maken. U hebt nu de studenten en een paar faculteitsleden op uw hand. Maar tegenover mij hebt u zich nog niet bewezen. Ik zal openhartig zijn: ik ben geen voorstander van vrouwen in medische beroepen.'

'Maar dr. Jones, een vrouw is door haar aard van *nature* een dokter. Als moeder moet ze al een verzorgende rol vervullen, een voorraadje medicijnen beheren, de zieken verplegen, splinters verwijderen, wonden schoonmaken en verbinden, en zelfs gebroken botten zetten. Sinds mensenheugenis zijn moeders, terwijl hun mannen eropuit zijn, de dokters in hun eigen kleine ziekenhuisjes – thuis. Waar komt het idee dan vandaan, dr. Jones, dat het Gods bedoeling is dat alleen mannen dokter worden?'

Zijn stem werd koel. 'Dat idee is ontstaan, juffrouw Hargrave, toen de geneeskunde voortschreed van de kennis van huismiddeltjes naar *wetenschap*. Daaruit volgt uiteraard dat mèt het zich verheffen van de status van de geneeskunst, de studie ervan het superieure intellect, de man, zou toevallen.'

'Maar vrouwen hebben daar toch ook hun plaats. Bij Blackwell's Infirmary doen de vrouwelijke artsen...'

Hij hief zijn hand. 'Spaar uw adem maar om uw pap af te koelen, juffrouw

Hargrave, ik ga niet met u in debat. Voor het geval u het nog niet wist: dit gedeelte van de staat New York is een waar broeinest van bepaalde kenaus die zich feministes noemen en die ons het leven zuur maken met hun gekwaak over de rechten en de *vrijmaking* van de vrouw. Ik heb dat krachteloze argument al vaker gehoord: vrouwen helpen vrouwen, en ik heb nog nooit eerder zoiets belachelijks vernomen! Een hond in nood gaat niet naar een andere hond als hij hulp nodig heeft, of wel soms? Evenmin zoekt een kind hulp bij een ander kind. Natuurlijk niet. Die verantwoordelijkheid ligt bij de *meester*. En de man, vanwege zijn aangeboren superioriteit, is de door God aangestelde bewaker van het welzijn van de vrouw. Ik wens niet verder over de zaak te spreken. Zoals ik al zei, u bent hier nu eenmaal, en daarom zullen we er het beste van moeten zien te maken. Ik ben een druk bezet man, juffrouw Hargrave, ik kan me hier niet de hele dag mee bezighouden. Ik wil u op de hoogte brengen van een paar maatstaven waaraan ik wil dat u voldoet.'

Samantha had, om haar zelfbeheersing te kunnen bewaren, haar kopje op het bureau gezet en hield haar handen stijf ineengevouwen op schoot.

'Nog afgezien van de gebruikelijke regels, moet u zich te allen tijde gedragen zoals het een dame betaamt en u mag u niet inlaten met de studenten of enig lid van de faculteit...'

'Inlaten, dr. Jones? Ik begrijp u niet. Het zijn mijn medestudenten. We moeten samen studeren, de colleges bespreken...'

'Juffrouw Hargrave.' Dr. Jones vouwde zijn armen op het bureau en leunde voorover om zijn woorden kracht bij te zetten. 'Wij moeten de reputatie van deze school in het oog houden. Als u zich buiten de klas met de studenten of met een lid van de faculteit ophoudt, is dat reden voor onmiddellijke verwijdering. Is dat duidelijk?'

Ze knikte.

Hij leunde weer achterover. 'Bovendien zijn er bepaalde colleges die u niet kunt bijwonen, omdat ze niet geschikt zijn voor gevoelige vrouwenoren. In het bijzonder de bespreking van de voortplantingsorganen.'

'Dr. Jones, dat kunt u toch niet menen!'

'Evenmin zult u worden toegelaten tot het sectielaboratorium.'

Ze staarde hem als met stomheid geslagen aan. 'Dr. Jones, hoe kan ik mij ooit een goede kennis van de anatomie verwerven als...'

'Bovendien mag u mannelijke patiënten alleen boven de hals onderzoeken.'

De woorden bleven haar in de keel steken; haar stem liet haar in de steek.

'En dat, juffrouw Hargrave' – dr. Jones stond op en schoof zijn stoel naar achteren – 'was geloof ik alles.'

14

Toen de dag in november kwam waarop de lessen ontleedkunde in het laboratorium zouden beginnen, moest Samantha een besluit nemen.
'Je moet niet tegen zijn wensen ingaan, liefje,' maande Hannah haar terwijl ze arm in arm langs het meer wandelden. Ze hadden hun parasols opgestoken om te verhinderen dat de blaadjes op hen neer dwarrelden. 'Het is waanzinnig. Hij hoopt dat je hem tart en dan lig je eruit.'
Samantha zag een konijntje het lange gras in duiken; links van haar weerspiegelde het rustige meer de herfstlucht. Kon ze maar met dr. Masefield praten. Maar ze was inmiddels zeven weken in Lucerne, en nog steeds had hij niet geschreven. 'Ik zou geen hoge dunk van mijn eigen kunnen als dokter hebben zonder een goede kennis van de anatomie, Hannah. Dat laboratorium is waar mijn hele komst om draait.'
'Wat ben je dan van plan?'
Samantha was van plan dr. Jones' bevelen op de proef te stellen. Ze hoopte dat hij, als ze de eerste bijeenkomst bijwoonde en bewees dat ze een waardig studente was, zijn onredelijke beperking wel zou verzachten. En om zich te wapenen tegen de tekenen van vrouwelijke zwakte, waar ze allemaal aandachtig naar zouden uitkijken, had Samantha een plan opgesteld.
Dr. Elizabeth Blackwell had Samantha eens verteld over haar eigen ervaringen tijdens haar medische opleiding. 'Ze letten voortdurend op me,' had ze gezegd, 'want vanwege het kleinste foutje konden ze me bekritiseren. Hoewel ik wist dat ik mijn mannetje stond wat ontleedkunde betrof, wist ik ook dat mijn lichaam me kon verraden door die éne reflex waarover ik geen controle had – blozen. Daarom bedacht ik een plan. In de weken voordat de sectie begon, deed ik alles om die verraderlijke reflex onder controle te krijgen. Ik oefende 's avonds laat voor de spiegel; ik probeerde me dan de schokkendste, onfatsoenlijkste en gênantste situaties voor te stellen die ik kon bedenken – alles, om mezelf maar aan het blozen te krijgen. En vervolgens probeerde ik de beginnende blos te onderdrukken, louter en alleen door mijn wilskracht. Ook volgde ik een hongerdieet: ik at geen vlees, en ontzegde mezelf ook wijn of medicamenten, zelfs als ik hoofdpijn of krampen had, want die stoffen verwijden de bloedvaten in het gezicht en geven het uiterlijk een bloeiend aanzien. Ten slotte poederde ik mijn gezicht iedere ochtend heel licht. Mijn grote beproeving kwam toen we de mannelijke voortplantingsorganen moesten bestuderen. Daar lag ons lijk, en terwijl de docent aan het woord was en zijn aanwijsstok hanteerde, concentreerde ik me het hele uur zó intens op het niet-blozen dat ik me, toen ik het laboratorium verliet, realiseerde dat ik geen woord van zijn betoog had gehoord!'
Drie weken lang had Samantha zich voorbereid: het Spartaanse dieet, geen sterke drank en geen medicijnen, plus de oefeningen voor haar spiegel. En deze ochtend had ze haar wangen lichtjes met aluinpoeder bestoven. Maar het bleek allemaal voor niets. Toen ze om tien uur bij het sectielaborato-

rium op de derde verdieping kwam, vond Samantha de deur gesloten, terwijl de studenten op de gang rondliepen. Meneer Monks, de docent anatomie, was niet van zins college te geven als er ook een vrouw aanwezig was. De volgende dag gebeurde precies hetzelfde. De deur bleef op slot en de studenten werden weggestuurd.

Ze deed een beroep op dr. Jones. 'Het kan toch zeker uw bedoeling niet zijn dat dit het hele jaar zo doorgaat! Laat de anderen dan althans binnen, al mag ik er niet in!'

'Juffrouw Hargrave, dat is aan de heer Monks. Hij weet dat u van plan bent de les bij te wonen en dat gaat zo lijnrecht in tegen zijn opvattingen over wat gepast is en wat niet, dat hij liever helemaal geen anatomieles geeft.'

'De anderen lijden door mijn schuld,' vertelde ze Hannah die avond terwijl ze voor de open haard ijsbeerde. 'Zo krijgen ze een hekel aan me. Wat een moeilijke situatie, Hannah! Wat ik ook doe, het is nooit goed. Als ik erop sta de les bij te wonen, blijft de deur gesloten en dan zullen de andere studenten me al gauw van school willen hebben. Als ik toegeef en wegblijf, dan schiet ik voor mezelf tekort en dan krijg ik mijn bul onder valse voorwendselen! Een dokter die nooit anatomie heeft gehad! Wat een waanzin!'

Hannah's naald bleef rustig op en neer gaan door het linnen dat in een frame zat gespannen, terwijl haar gulle boezem zachtjes op en neer ging. Even later zei ze zachtjes: 'Het probleem is eenvoudig op te lossen, liefje.'

Samantha bleef abrupt staan. 'Wat bedoel je?'

Hannah keek met een glans in haar ogen naar haar op. 'Heus waar, en het verbaast me dat zo'n slimme tante als jij er zelf niet op bent gekomen.' Ze liet het borduurwerk in haar schoot rusten. 'Je kunt jezelf *en* die dr. Jones van je *en* de andere studenten te vriend houden.'

Samantha knipperde met haar ogen. 'Hoe dan?'

Op weg naar het eerste college liep ze langs zijn kantoor en zei, terwijl ze de herfstregendruppels van haar jas schudde: 'U kunt meneer Monks vertellen dat ik niet meer zal proberen zijn laboratorium binnen te komen.'

Dr. Jones bekeek haar eens sceptisch.

'Ik geef u mijn woord, dr. Jones. Mijn geweten begon me te plagen. Mijn koppigheid mag er niet de oorzaak van zijn dat de andere studenten geen les in anatomie krijgen. Meneer Monks kan zijn deur onafgesloten laten, ik zal niet naar binnen gaan.'

En dat deed ze ook niet. Maar wat Samantha wel deed, was een stoel halen uit een van de collegezalen uit de buurt; ze zette hem voor de deur van het lab nadat de sectie was begonnen. Hoewel de deur dicht was, kon ze ertegenaan leunen en aan het sleutelgat luisteren. Ze maakte aantekeningen van alles wat ze hoorde.

Een student die zich had verslapen, kwam haastig de gang in lopen en bleef abrupt staan toen hij haar zag zitten. 'Wat doet u hier, juffrouw Hargrave?'

Ze vertelde het hem. Hij dacht even na, draaide zich toen om en verdween in het ernaast gelegen lokaal. Toen hij een ogenblik later met een stoel terugkwam, tegenover haar ging zitten en vervolgens aantekeningen maakte van wat hij door de deur heen opving, leunde Samantha achterover van verbazing.

Dr. Jones, nieuwsgierig om te zien of het goed ging met de eerste les in het sectielab, verscheen een paar minuten later op het toneel. Nadat hij Samantha en haar metgezel streng had gevraagd wat ze aan het doen waren, kreeg hij een woedeuitbarsting en stuurde hen de gang uit.

Die avond keek Samantha Hannah bozig aan en zei dat ze het achteraf toch niet zo'n goed idee vond. 'Ze hadden me wel weg kunnen sturen. En ik had het recht niet die arme jongeman in zo'n precaire situatie te brengen!'

Maar Hannah glimlachte alleen maar. 'Probeer het nog maar eens een keertje, liefje. Je onderschat je medestudenten. Neem dat maar aan van een vrouw die weet wat er in een man omgaat. Doe morgen hetzelfde als vandaag, en als dat geen resultaat oplevert, mag ik een boon zijn.'

Toen Samantha de volgende dag de trap opging naar de verdieping van het sectielab, zag ze tot haar grote verbazing dat de gang vol stoelen en tafeltjes stond, die uit de collegezalen waren gehaald en waaraan haar medestudenten hadden plaatsgenomen. Ze kon alleen maar sprakeloos blijven staan kijken. Een van hen die als zegsman was uitgekozen, stond verlegen op en legde uit wat ze aan het doen waren. De jongeman, zo zei hij, die gisteren bij haar was gaan zitten, had hun over het voorval verteld, en ze waren tot de slotsom gekomen dat als de gang goed genoeg voor hun juffrouw Hargrave was, hij ook goed genoeg voor henzelf was.

Ze probeerde haar tranen terug te dringen (nog zo'n reflex die ze niet in de hand had) en deed haar uiterste best 'hun juffrouw Hargrave' te zijn, toen dr. Jones en Monks verschenen en op hoge toon vroegen wat dit uitzinnige gedoe te betekenen had. De confrontatie in de gang was onplezierig – er dreigde verwijdering voor allen – maar het resultaat was dat Monks eindelijk bakzeil haalde (toen hij Samantha dan eindelijk voor het eerst zag, kwam hij tot de conclusie dat hij er toch geen bezwaar tegen had haar in het lokaal te hebben), en dat dr. Jones haar dreigend aankeek, waarna hij, zij het met tegenzin, zijn toestemming gaf en wegbeende.

Zoals gebruikelijk begon de sectie met de arm. In de weken daarna echter, terwijl er sneeuw over Lucerne viel en de studenten in hun onverwarmde lokalen stonden te huiveren, verschoof de anatomieles geleidelijk aan naar de intiemere lichaamsdelen, en Samantha's strenge, zelfopgelegde oefening voor dit moment faalde.

Ze bloosde.

15

'Kun je echt niet bij me blijven, liefje? Sean komt pas in het voorjaar thuis.' Samantha onderbrak het ritme van opschudden, opvouwen en inpakken niet; noch keek ze Hannah aan, die tegen de deurpost geleund stond.

'Ik zal het eenzaam hebben zonder jou.'

Eindelijk hield Samantha even op en keek naar haar. 'Het spijt me, Hannah, eerlijk waar, maar mijn vrienden thuis missen me.' Wat gedeeltelijk waar was. In Louisa's laatste brief had ze Samantha gesmeekt om met Kerstmis terug te komen, maar van de Masefields had ze nog niets gehoord. Dat verontrustte Samantha, die vreesde dat Estelle aan het onvermijdelijke was bezweken.

Hannah bleef met gevouwen armen tegen de deurpost staan en keek toe terwijl haar jonge vriendin verder ging met pakken. Ze hield er zo haar eigen mening over Samantha Hargrave op na, een mening die ze nooit onder woorden zou brengen, onder andere over dat buitenissige idee dat dit meisje dokter wilde worden. Samantha zou een hartenbreekster moeten zijn in plaats van te leren hoe je een hart moest genezen. Het was niet zoals het hoorde dat een knap jong ding zoals zij werd omringd door galante jongemannen, zonder dat ze ook maar enige belangstelling op het amoureuze vlak toonde. Dat lag bepaald niet aan de jongemannen; er waren er wel een paar, had Hannah tot haar genoegen tijdens hun avondwandelingen opgemerkt, die altijd diepe buigingen maakten en hun hoed zwierig afnamen; in hun ogen lag dat bijzondere verlangen als ze Samantha aankeken. Nee, met de jongemannen was niets aan de hand, maar met dat meisje zat het niet helemaal goed.

Hannah wist niets over Joshua Masefield. Samantha had het in september terloops over hem gehad en had daarna nooit meer over hem gesproken. Maar Hannah had wel gezien hoe verlangend Samantha de middagpost doorkeek en hoe teleurgesteld ze altijd was. Van wie verwachtte ze zo vurig een brief? Het moest wel een man zijn, iemand die zo bijzonder was dat Samantha blind was voor de aandacht van die charmante studenten. Maar wie? En waarom deed ze er zo geheimzinnig over?

Hannah schudde haar hoofd en ging rechtop staan. 'Ik zal een rijtuig voor je halen.'

Toen ze afscheid namen, verraste Hannah Samantha met een kerstcadeautje: een mof van otterbont. Samantha was zo geroerd dat ze niets anders kon zeggen dan: 'Ik heb niets voor jou.'

Hun adem kwam in kleine pufjes naar buiten toen ze elkaar in de sneeuw omhelsden. 'Je bent nu een arme studente, liefje, maar eens komt de dag dat je een voorname dame bent, en dan pas verwacht ik iets terug. Kom, ga nu maar, en ik wens je een vrolijk kerstfeest bij je vrienden.'

Niemand kwam haar van het Grand Central Station halen, maar dat had ze ook niet verwacht. Toen het huurrijtuig knarsend Bleecker Street in reed, voelde Samantha haar hart sneller kloppen van spanning. Het was bijna vier maanden geleden, hoe zouden ze haar ontvangen?

Er zaten een paar patiënten in de hal; degenen die haar kenden glimlachten. Samantha liet haar valies bij de deur staan, ontdeed zich van haar hoed en jas, hing ze op en ging op zoek naar mevrouw Wiggen.

De huishoudster was in de keuken bezig met de afwas. Haar gezicht plooide zich in een brede glimlach toen ze Samantha zag en ze opende haar armen om haar te omhelzen.

'Ik was zo blij in je brief te lezen dat je de vakantie overkwam!' zei de oude vrouw terwijl ze een tranenvloed met een puntje van haar schort tegenhield.

'Hoe gaat het met Estelle?'

'Niet goed. Het arme kind, de kou is slecht voor haar. Ze lijdt vreselijke pijnen en ze haalt moeilijk adem. Dr. Masefield zei iets over haar longen die aan het borstvlies kleven.'

'En hoe gaat het met hem?'

'Hetzelfde als altijd. Mevrouw Creighton is op het ogenblik bij hem.'

Terwijl ze controleerde of haar haar netjes zat en nadat ze haar rok had gladgestreken, moest Samantha de impuls onderdrukken om zich de keuken uit te haasten.

Ze klopte zachtjes op de deur van de behandelkamer en hoorde zijn stem antwoorden: 'Kom maar binnen, mevrouw Wiggen!'

Samantha glipte de deur door en deed hem dicht. Ze aarzelde en keek toe hoe hij, met zijn rug naar haar toe, met een mahoniehouten hamertje op mevrouw Creightons knieën tikte.

'Het is jicht, hè, dr. Masefield?' vroeg de al wat oudere vrouw, die haar hoed nog op en handschoenen nog aan had.

Dr. Masefield richtte zich op. 'Alle symptomen wijzen er wel op, mevrouw Creighton. Maar maakt u zich maar geen zorgen, ik geloof dat ik iets heb dat helpt. Mevrouw Wiggen, wilt u me alstublieft die speciale tabletten voor mevrouw Creighton even aangeven?'

Samantha liep naar de kast, pakte de fles en legde die in zijn uitgestrekte hand. Hij mompelde: 'Dank u,' en wendde zijn hoofd af, waarna hij zich abrupt weer omdraaide. 'Juffrouw Hargrave!'

Ze glimlachte verlegen. 'Ik ben voor de feestdagen overgekomen, dr. Masefield.'

Hij bleef haar streng aankijken. 'U bent mager geworden.'

Samantha keek naar beneden en zag hoe los haar jurk om haar heen hing: het resultaat van al die weken bijna niet eten om dat blozen onder de duim te krijgen.

'Gaat het niet goed op school? Weerhoudt dat u ervan goed te eten?'

'Ik...' Zijn strenge toon bracht haar van haar stuk; Samantha voelde zich net een klein kind dat een standje krijgt. 'Nee, dr. Masefield, alleen...'

Hij wendde zich af. 'Iedere avond voor het slapen gaan één pil, mevrouw Creighton. Let erop dat u de dosis niet overschrijdt en dat u geen avond overslaat. Dat is erg belangrijk.'

'Ja, dokter.' Terwijl het kleine handje met de glacé handschoen het flesje in ontvangst nam, trok Samantha zich onopgemerkt uit de behandelkamer terug.

Terwijl ze boven haar tas uitpakte, huiverde ze, niet van de kou maar van

156

vernedering. Als hij haar liever niet met Kerstmis hier had willen hebben, had hij een telegram moeten sturen. Samantha wilde alleen daar komen waar haar gezelschap op prijs werd gesteld, en nu had ze er spijt van dat ze was weggegaan uit Hannah Mallones gezellige huis.

Maar de volgende dag maakten Louisa en Luther alles weer goed. Toen ze met z'n drieën per slee door Central Park reden, de schaatsers aanmoedigden en een mandje pasteitjes deelden, voelde Samantha zich weer wat vrolijker worden. Ze moest niet te hard over Joshua oordelen; hij had weinig reden tot vreugde nu Estelle hem geleidelijk aan ontglipte. Ze zou met mevrouw Wiggen overleggen of ze niet een kerstboom met kaarsjes erin in de ongebruikte salon konden neerzetten.

De bekende routine werd hervat: Samantha hielp hem in de praktijk en ging met hem mee op huisbezoek in de buurt. Maar hij vroeg geen enkele keer naar de school, informeerde niet naar haar nieuwe vrienden, en toonde geen enkele belangstelling voor haar leven en studie. Joshua Masefield hield zich net als vroeger op een afstand.

En zo kwam het dat Samantha stomverbaasd was toen hij twee weken voor Kerstmis, op een intens koude zaterdagavond, haar om een gunst kwam vragen.

'Zou ik u even mogen spreken, juffrouw Hargrave? Het is tamelijk belangrijk.'

Ze ging een stapje achteruit toen hij binnenkwam; hij deed de deur achter zich dicht en bleef onzeker staan. Dr. Masefield ging even voor het vuur staan, waarna hij in een van de twee stoelen bij de open haard ging zitten. 'Ik wilde u vragen mij een grote gunst te bewijzen, juffrouw Hargrave, en ik weet eigenlijk niet goed hoe ik het u moet vragen.' Dr. Masefield zat naar haar toegekeerd; Samantha zag dat zijn mond en kaak gespannen stonden. 'Ik zou het eigenlijk niet eens moeten vragen, maar ik bevind me in een lastig parket.'

Hij zweeg weer en staarde in de vlammen. Samantha beschouwde dat als het moment om hem aan te moedigen. Ze ging in de stoel naast hem zitten en zei: 'Ga door, dr. Masefield.'

'Wist u, juffrouw Hargrave, dat er in de hele stad New York geen enkel ziekenhuis is dat kankerpatiënten aanneemt?'

'Dat wist ik niet.'

'De mensen zijn bang dat kanker besmettelijk is, en hoewel de doktoren weten dat dat niet zo is, kunnen we anderen daar niet van overtuigen. Als een ziekenhuis één enkele kankerpatiënt zou accepteren, zouden de zalen direct leeglopen en het ziekenhuis zou zijn deuren moeten sluiten. Het gevolg is dat patiënten zoals mijn vrouw òf thuis behandeld moeten worden, òf in privé-klinieken, die duur zijn en vaak erg afgelegen liggen. Hierdoor worden velen helemaal niet behandeld en verzorgd, en ze sterven een langzame, eenzame dood.'

Hij sloeg zijn ogen naar haar op. 'Er is een actie gaande om een speciaal kankerpaviljoen bij het Woman's Hospital op te richten. Dat is een prachtig doel, want het zou betekenen dat vele vrouwen die in eenzaamheid lijden, zonder troost of hulp, dan een goede verzorging zouden kunnen krijgen.'

Samantha had wel gehoord van het Woman's Hospital, een instelling die hoog stond aangeschreven. Ze was opgericht door dr. Marion Sims die, hoewel ze nog leefde, al een legende aan het worden was.

'Op de avond voor Kerstmis wordt er bij mevrouw Astor een liefdadigheidsbal gegeven om voor dat paviljoen geld in te zamelen. En ik heb daarvoor een uitnodiging ontvangen.'

Weer zweeg hij en staarde in het vuur. Samantha wachtte tot hij verder ging, terwijl ze luisterde naar de stilte die hen omringde, nu New York sluimerde onder een deken zachtjes neerdwarrelende sneeuw.

'Mijn probleem, juffrouw Hargrave,' zei hij na een poosje afstandelijk, 'is het volgende. Ik heb niemand ooit verteld over de ziekte van mijn vrouw; niemand in Manhattan weet ervan. Ik neem aan dat mevrouw Wiggen u inmiddels alles over Philadelphia heeft verteld, en ook dat Estelle en ik pas vorig jaar naar New York zijn gekomen. Het is Estelles wens dat niemand van haar ziekte afweet, en daarom moet ik iets verzinnen om haar gevoelens te sparen. De weinige mensen die ik hier in New York heb leren kennen, hebben Estelle nooit ontmoet, maar ze geloven dat ze het uitstekend maakt. Zelfs heb ik heel af en toe een paar onschuldige verhalen opgehangen over Estelles maatschappelijke activiteiten. Helaas wordt nu van mevrouw Masefield verwacht dat ze haar opwachting maakt.'

'Maar dat kan toch helemaal niet.'

'Natuurlijk niet. Er moet dus dringend een oplossing worden gevonden. Ik móet naar het bal. Het is ondenkbaar dat ik een uitnodiging van mevrouw Astor zou afslaan. Maar wat nog belangrijker is, ik koester de vurige wens mijn bijdrage te leveren aan de plannen voor dat paviljoen.'

'U zou kunnen zeggen dat Estelle tijdelijk door ziekte verhinderd is.'

Hij sprong overeind. 'Sinds ik in New York woon, ben ik naar vier officiële bijeenkomsten geweest. Bij iedere gelegenheid heb ik dat excuus al aangegrepen: hoofdpijn de ene keer, een verkoudheid de andere keer. Ik kan dat niet nog eens doen zonder mijn geloofwaardigheid te verliezen. Mevrouw Astor zal beledigd zijn, en denken dat mijn vrouw mensenschuw is.'

'Vertelt u haar dan de waarheid.'

Hij wendde zich van haar af, waarbij zijn schaduw op de wand danste. 'Dat kan ik niet. Met het oog op Estelle...'

'Maar wat moet u dan doen?'

Zijn schouders en rug verstrakten even, toen draaide Joshua zich langzaam naar haar toe. 'Juffrouw Hargrave, zou u willen overwegen om mij als mijn vrouw naar het bal te vergezellen?'

Samantha keek hem met grote ogen aan.

Joshua ging snel verder: 'Het is een uitvlucht, ik weet het, en ik vraag u om mij te helpen bij bedrog. Maar het is een onschuldige vertoning, die niemand schade zal berokkenen. Eerder zal iedereen er wel bij varen. Estelles reputatie zal zijn gered en ik zal de voldoening smaken dit nobele doel te hebben gesteund.'

'Maar wat vind Estelle ervan?'

'Het was haar eigen idee.'

Samantha ontweek zijn strakke blik. 'Zal niemand het merken?'

Zichtbaar opgelucht ging Joshua Masefield weer zitten. 'Niemand heeft Estelle ooit gezien. Er wordt maar weinig van u gevraagd, juffrouw Hargrave. Ik zal ervoor zorgen dat men het u niet moeilijk maakt. We blijven zo lang als dat van ons wordt verwacht, en dan vertrekken we weer.'

Samantha's gedachten tolden door haar hoofd: de andere vrouwen op het bal, in hun geïmporteerde japonnen van Worth uit Parijs of van Lucile uit Londen. Ze had hun namen vaak aan Estelle voorgelezen uit de *Social Register:* Stuyvesant, Belmont, Roosevelt. Joshua, die er in avondkleding schitterend zou uitzien; en Samantha, zijn vrouw, voor één avond... 'Bij de Astors,' zei ze, 'ik heb niets om aan te trekken!'

'Je helpt me dus?'

Samantha glimlachte. 'Ja, dr. Masefield, ik zal u helpen...'

16

Ze was van plan geweest voor die avond een japon te huren, maar Joshua wees dat idee resoluut van de hand. Hij zei dat zijn vrouw niet op een bal bij de Astors verscheen in een gehuurde jurk. Daarom wendde Samantha zich tot Estelle en vroeg haar om raad. Estelle wilde er niet van horen dat Samantha een jurk zou lenen, ze moest er zelf een krijgen. Ze gaf haar het adres van een stoffenwinkel aan Fifth Avenue en de naam van een naaister die een uitstekende naam had.

'Dat halen we nooit meer,' klaagde Samantha.

Estelle, ondersteund door satijnen kussens, zei zachtjes: 'Mevrouw Simmons is wel gewend aan haastwerk, vooral in deze tijd van het jaar. Ze kan wonderen verrichten. En als je haar vertelt dat het voor het bal bij de Astors is, zet ze haar meisjes dag en nacht aan het werk.' Estelle voegde er weemoedig aan toe: 'Eerlijk, ik wou dat ik kon gaan maar ik ben blij dat jij mijn plaats inneemt, Samantha, vanwege Joshua. Het paviljoen betekent zo veel voor hem. Een onschuldige komedie – het is heel lief van je dat je dat voor hem doet...'

Samantha ging met enige schroom naar de stoffenwinkel en zocht een paar meter antracietkleurige tafzij uit, met wat zwart fluweel voor de afwerking. Kant en strikjes en andere versiering wees ze van de hand omdat ze dat te kostbaar vond worden. Ze drukte mevrouw Simmons, die net zo geïmponeerd en behulpzaam was als Estelle had voorspeld, op het hart het model eenvoudig te houden: de rok niet te wijd, een bescheiden queue de Paris, de schouders niet te bloot, en absoluut niet opzichtig.

Toen de japon vijf dagen voor Kerstmis arriveerde, barstte Joshua Masefield in woede uit.

In aanwezigheid van de schuchtere boodschappenjongen gooide hij de jurk weer in de doos en zei: 'Wel verdorie, juffrouw Hargrave, wat dènkt u eigenlijk wel! Dat u zoiets bestelt!'

Samantha was zo verbaasd dat ze niets wist uit te brengen. Even daarvoor hadden zij en dr. Masefield het pakje meegenomen naar de salon om het kledingstuk te controleren voordat de boodschappenjongen weer vertrok. Nadat het touwtje was doorgesneden en het deksel openging, had Joshua niet-begrijpend naar de jurk staan staren. Toen had hij de jongen ervan beschuldigd dat hij de verkeerde japon had afgeleverd. Samantha was tussenbeide gekomen om te vertellen dat dit inderdaad de japon was die zij had besteld, waarop Joshua Masefield in woede uitbarstte.

'Wat bezielt u, juffrouw Hargrave! Als u geen smaak heeft, dan had u mevrouw Simmons om raad moeten vragen!'

'Wat mankeert eraan? Ik dacht...'

'Wat eraan mankeert! Het is een afschuwelijke jurk! De jurk van het eerste het beste werkende meisje! Was u werkelijk van plan hiermee in het openbaar te verschijnen, aan mijn zijde, als mijn vrouw, in *die* jurk?'

Samantha's ogen gingen even naar de boodschappenjongen. 'Dr. Masefield,' begon ze zachtjes, 'heus, ik probeerde alleen maar...'

Hij keerde haar zijn rug toe, pakte de doos en het verpakkingsmateriaal, en duwde de jongen alles in handen. 'Neem maar weer mee. We hebben deze jurk niet nodig.'

Met stomheid geslagen probeerde de jongen alle spullen vast te houden. 'Hoor eens, dr. Masefield, dat hoeft toch niet. Ik kan er wel iets aan veranderen en hem een beetje opvrolijken als u dat wilt. Mevrouw Wiggen kan me wel helpen...'

Hij draaide zich abrupt om. Om zijn lippen en neusvleugels had zijn huid een vreemde kleur en zijn pupillen waren zo klein als speldepuntjes. 'Het enige waar dat ding geschikt voor is, juffrouw Hargrave, is het vuur!'

Ze deed een stapje achteruit.

Achter hem schuifelde de boodschappenjongen nerveus met zijn voeten. Joshua Masefield keek Samantha nog even woedend aan, waarna hij een armgebaar maakte. 'Neem mee dat ding. Zeg mevrouw Simmons maar dat ze me de rekening stuurt.'

De jongen rende naar buiten en sloeg de voordeur met een klap achter zich dicht. In de salon stonden Samantha en Joshua elkaar nog steeds nijdig aan te kijken.

Joshua zei: 'Nu moeten we iets anders zien te versieren. Vijf dagen is niet veel.'

Samantha's stem klonk ijzig. 'Als u me van tevoren had verteld wat u in uw hoofd had, in plaats van het helemaal aan mij over te laten...'

'Wel allemachtig, juffrouw Hargrave! Ik vond dat niet nodig! Gewoon een jurk bestellen, dat was alles!'

'Wat mankeerde er dan aan?'

'Het was een oerlelijke jurk! Mijn vrouw verschijnt niet in het openbaar in zo'n lor!'

'Het was geen lor en ik ben uw vrouw niet! Ik probeerde alleen maar...'

'Ik moet zeker dankbaar zijn dat u mijn vrouw niet bent.'

'En mag ik alstublieft een keertje uitspreken?'

Hij zweeg, zijn lippen samengeknepen tot een witte streep.

'U doet net alsof ik dit met opzet heb gedaan om u te ergeren, dr. Masefield, om u te vernederen. Toen ik die jurk bestelde, dacht ik juist aan u, ik probeerde u geld te besparen.'

Hij trok zijn wenkbrauwen hoog op. 'U maakt zeker een grapje.'

'Helemaal niet.'

'Denkt u dat ik *arm* ben, juffrouw Hargrave?'

'Dr. Masefield, ik ben opgevoed met het idee...'

'Het kan me geen klap schelen hoe u bent opgevoed, juffrouw Hargrave!'

Ze knipperde even verbaasd met de ogen waarna ze zei, en ze had haar stem nauwelijks onder controle: 'U hebt geen reden om zó tegen me te spreken.'

Joshua keek haar nog even met zijn boze, donkere ogen aan, toen draaide hij zich abrupt om en beende de kamer uit.

Samantha bleef als verstijfd staan, ze was niet in staat zich te bewegen of zelfs maar adem te halen, uit angst dat ze haar zelfbeheersing zou verliezen en in huilen zou uitbarsten. Even later hoorde ze de voordeur dichtslaan en door het erkerraam zag ze Joshua Masefield in overjas en met een das om, de warrelende sneeuw in lopen.

Er werd over het voorval niet meer gesproken, noch werd er over het feest gerept. Hij kwam die avond laat thuis, at alleen in zijn studeerkamer en trok zich vroeg op zijn slaapkamer terug, die naast die van Estelle lag. De volgende ochtend deed Samantha niet eens een poging beleefdheid te veinzen. Na een ontbijt met mevrouw Wiggen, dat in gedrukte stemming verliep, liet Samantha de eerste van de vele patiënten de behandelkamer binnen en was dr. Masefield behulpzaam in een ijzige stilte.

Op de dag voor Kerstmis werd dr. Masefield bij een bevalling geroepen. In angstige spanning ging Samantha bij de open haard in de salon zitten en wenste inwendig vurig dat de uren snel voorbij zouden gaan. Op haar schoot lag een kaart die net was gekomen: twee kinderen met blozende wangen, die aan de voeten van een slanke kerstman zaten. Binnenin stond in keurig handschrift een opgewekte kerstwens van Hannah Mallone.

Toen dr. Masefield terugkwam, was het nog vroeg in de avond. Samantha zat boven in haar kamer brieven te schrijven bij de open haard, toen ze de voordeur open en weer dicht hoorde gaan, gevolgd door het geluid van zijn laarzen waar hij de sneeuw af stampte. Ze hoorde zijn voetstappen de trap naar de eerste verdieping opgaan, waar hij en Estelle sliepen, maar tot Samantha's verbazing kwam hij ook de volgende trap op. Toen hij voor haar deur stilstond, hield ze de adem in.

Hij klopte.

Zorgvuldig legde ze haar briefpapier en inktpot weg, en na haastig te hebben gecontroleerd of haar haar netjes zat opgestoken, maakte Samantha de deur open.

Er stond een bars kijkende Joshua Masefield in de gang, met een groot pak in zijn handen. 'We hebben niet veel tijd meer,' zei hij en reikte haar het pak aan. 'Het rijtuig komt over een uur.'

Verbaasd nam Samantha de doos aan, merkte dat hij erg zwaar was, en vroeg: 'Wat zit erin?'

'Uw jurk, juffrouw Hargrave. Ik had hem al eerder bij mevrouw Simmons moeten ophalen, maar de baby van de Levy's werkte niet erg mee.' Hij draaide zich al om om weg te gaan.

'Ik begrijp er niets van. Wat voor jurk?'

Hij wendde zich kennelijk ongeduldig naar haar toe. 'De jurk die u vanavond draagt,' zei hij, alsof hij tegen een kind sprak.

'Wat bedoelt u? Ik dacht dat ik niet zou gaan.'

Zijn ergernis maakte plaats voor een lichte verbazing. 'O nee? En waarom niet?'

'Waarom niet? Dr. Masefield, moet ik u herinneren aan die onzinnige scène in de salon van vijf dagen geleden?'

Hij keek volmaakt onschuldig. 'Hoe?'

'U was zo boos, dat ik daaruit opmaakte dat ik vanavond niet zou meegaan.'

'Was ik boos? In godsnaam, juffrouw Hargrave, ik was boos vanwege die rotjurk, niet op u!'

'U hebt me in bijzijn van die boodschappenjongen voor gek gezet! U heeft me de ene belediging na de andere naar het hoofd geslingerd! En nu verwacht u dat ik doodgemoedereerd en opgewekt meega naar dat... rotbal!'

Zijn gezicht was een en al ongeloof. 'U bent boos op me, juffrouw Hargrave.'

'Ja, dat ben ik inderdaad!'

'En ik dacht dat u zo'n schuchtere muis was.'

Ze keek hem woedend aan, haar borst zwoegde dramatisch. 'Ik wacht al een paar dagen op uw excuses.'

'Zo, zo. En als ik mijn excuses aanbied, gaat u dan wel met me mee naar het bal?'

Ze ontweek zijn blik niet. 'Ja.'

'Dan bied ik u mijn excuses aan. Goed, kunt u over een uurtje klaar zijn?'

17

Samantha had het gevoel alsof ze op een wolk de trap af zweefde. Nog nooit eerder had ze zo'n mooie jurk gedragen. Hij was van pauwblauw satijn en mevrouw Simmons had ondanks de haast inderdaad wonderen verricht om Samantha's figuur zo goed mogelijk te laten uitkomen. Het smalle middeltje paste precies, en de ronding van haar borsten werd mooi geaccentueerd. De zware rok, aan de voorkant gelaagd en geplooid als gordijnen, eindigde in een queue de Paris en een lange sleep. Een wolk van ijsblauwe tule, bezaaid met zilveren bloemetjes en siersteken, lag om haar schouders, die, evenals de zachte ronding van haar boezem, werden onthuld door een gewaagd laag uitgesneden decolleté. Een bijzonder detail waren de lange avondhandschoenen van Franse zijde, en een kanten waaier.

Samantha bewoog zich als in een droom, maar toen ze Joshua onder aan de trap zag staan wachten, naar haar opkijkend alsof hij een geestverschijning aanschouwde, werd Samantha tot de werkelijkheid teruggebracht. Hij ziet Estelle, dacht ze, niet mij.

Over zijn arm droeg hij een zwarte cape, die hij nu uitschudde en voor Samantha ophield. Ze hield de adem in. De buitenkant van de cape met capuchon was van zuiver wol, maar de voering was van chinchillabont en Samantha huiverde toen ze het luxueuze bont tegen haar blote armen en schouders voelde.

'Hij is van Estelle. Ze wilde per se dat u hem droeg.'

Samantha streelde langs het rookkleurige bont alsof het een levend dier was, terwijl Joshua achter haar stond en de zware cape over haar schouders legde. Toen hij zijn armen om haar heen sloeg om de sluiting vast te maken, dacht Samantha even dat ze de warmte van zijn lichaam door de cape heen voelde stralen, en toen hij terugstapte bleven zijn handen een ogenblik op haar schouders rusten. 'Je ziet er vanavond beeldschoon uit, Samantha.'

'Dank u, dr. Masefield.'

Hij deed een stapje naar achteren. 'Je moet eraan denken dat je me vanavond Joshua noemt.'

Samantha draaide zich om zodat ze hem kon aankijken; zijn gezicht lag in de schaduw. Ach ja natuurlijk, de komedie.

Joshua hielp haar de gladde stoep af, het wachtende rijtuig in. Eenmaal binnen kwam hij dicht bij haar zitten en trok de zware dekens over hun benen. Tijdens de lange rit werd geen woord gesproken.

Toen ze de stoet rijtuigen zag voor nummer 350 aan Fifth Avenue, zakte Samantha de moed in de schoenen. Huize Astor was een en al licht, ieder venster een gouden vlak. De mensen die uit hun rijtuig stapten waren al even oogverblindend: de heren in hun zwarte avondcapes, de dames behangen met juwelen en in bont gehuld. Toen ze hen zag voelde Samantha

zich ineens totaal niet op haar plaats. Een schuchtere muis, inderdaad. . .
De paniek kreeg haar in zijn greep. Hoe kon ze in hemelsnaam haar rol
spelen! Wat een waanzin dat ze was gaan geloven dat haar dit zou lukken!
Hun rijtuig reed met een schok een plaatsje verder naar voren in de rij. Ze
wendde zich tot haar begeleider. 'Dr. Masefield. . .'
'Mijn voornaam, alstublieft.' Toen hun rijtuig werd geopend voegde hij er
nog aan toe: 'En vergeet niet dat je mijn vrouw bent.'
Ze sloten zich aan bij de lange rij mensen op de treden voor het huis en liepen de uitnodigend stralende hal binnen. Met haar hand door Joshua's
arm, liep Samantha elegant en met geheven hoofd naar hun gastvrouw, die
een plaatsje had ingenomen onder een portret van haarzelf, geschilderd
door Carolus Duran. Ze begroette iedere gast alsof ze een koningin was die
zich eerbetoon laat welgevallen.
Mevrouw William Astor, die liever gewoon mevrouw Astor werd genoemd,
was een kleine, mollige vrouw die zo gebukt ging onder haar kleding en juwelen, dat ze zich niet voorover kon buigen en zich maar moeizaam kon
bewegen. Het effect was een koninklijke houding die ze in werkelijkheid
niet bezat en die de mensen die haar voor het eerst ontmoetten angst aanjoeg. Samantha deed haar best haar niet aan te staren, maar de japon van
Redfern was een monument op zich: paars fluweel, afgezet met lichtblauw
satijn en geborduurd met gouden pailletten. Het lijfje was voor en achter
zo dicht met kraaltjes en juwelen bezet, dat het was alsof de jurk om haar
heen was gedrapeerd. De corsage van orchideeën, zo zeldzaam in december, was het eenvoudigste onderdeel van haar tooi; om haar hals droeg
mevrouw Astor een driedubbele rij diamanten, op haar boezem één enkele
enorme diamanten broche, waarvan gezegd werd dat hij nog van Marie An-
toinette was geweest, om haar polsen en vingers zaten nog meer diamanten, en in de ravenzwarte pruik die ze droeg (haar eigen haar was te dun om
er zelfs maar een kam doorheen te halen) zat een netwerk van diamanten
sterretjes gevlochten, terwijl het geheel werd afgewerkt door een koninklijk
kroontje.
Samantha, die had gekeken hoe de vrouwen voor haar in de rij mevrouw
Astor hadden begroet, onderdrukte de neiging om een buiging te maken.
Toen Joshua zichzelf en zijn 'vrouw' voorstelde, knikte mevrouw Astor hen
vriendelijk toe, schonk Samantha een hoffelijke glimlach en bedankte hen
voor hun hulp bij dit nobele doel. Toen nam een lakei in blauw livrei hun
capes in ontvangst, plus Joshua's hoed en wandelstok, waarna het echtpaar
achter de andere gasten over het Aubusson-tapijt naar de balzaal liep.
Toen de vorstelijke zaal zich voor haar uitstrekte, stokte Samantha de adem
in de keel.
Dit was de beroemde galerij van de Astors, waar de schilderijen als in een
museum werden opgehangen, de een boven de ander, tot aan het enorm
hoge plafond: werken van Jean François Millet, Constant Troyon en andere schilders uit de school van Barbizon. Duizenden glinsterende lichtjes schenen uit massieve Italiaanse kandelaars; bloemen en planten van

Klinder ter waarde van elfduizend dollar herschiepen de ijskoude avond in een zomernacht. Bedienden in blauw livrei, nauwkeurige kopieën van de uniformen zoals die op Windsor Castle werden gedragen, liepen tussen de vele genodigden door met bladen champagne en lekkere hapjes. Er bevonden zich ruim zeshonderd gasten in de balzaal.

'Wil je iets eten?' vroeg Joshua.

'Nee, dank je! Ik zou geen hap door mijn keel kunnen krijgen!'

'Champagne dan.' Hij nam haar mee naar een plekje waar stoelen om palmbomen waren neergezet en waar tafeltjes stonden met Gloire de Paris-rozen erop, toen draaide hij zich om en mengde zich weer tussen de mensen. Zenuwachtig met haar waaier spelend volgde Samantha Joshua met de ogen; ze vond dat hij zich wat stram bewoog. Toen hij was verdwenen en ze hem uit het oog had verloren, vatte Samantha moed en keek om zich heen. De vrouwen waren onvoorstelbaar mooi; zo heel anders dan zijzelf, een bijzonder soort. Ze vroeg zich af waarmee ze zich bezig hielden, hoe ze leefden. Ongeacht leeftijd of lengte, leek het alsof ze allemaal de zo geliefde wespetaille wilden bereiken, en daarom waren ze allemaal zwaar ingeregen, zodat de massa zich naar boven verplaatste, naar de in de mode zijnde volle boezem. Estelle had Samantha eens verteld dat zo'n vrouw gewoonlijk een zomergarderobe had die bestond uit negentig japonnen met bijpassende parasols, hoeden en lange glacé handschoenen.

Ze zag Joshua met twee glazen in zijn hand uit de menigte te voorschijn komen. Hij hinkte.

Een paar minuten zaten ze zwijgend te drinken – Joshua was niet in de stemming om te praten – en toen het orkest op het balkon, dat schuil ging achter bloemstukken, 'De Blauwe Donau' begon te spelen en de paren zich naar de dansvloer in het midden begaven, ging Samantha's hart sneller en hoopvol kloppen. Joshua zou haar toch zeker wel één keer ten dans vragen. Naarmate het orkest de ene wals na de andere speelde en steeds meer paren rond de dansvloer wervelden, besefte Samantha echter dat haar zwijgzame partner haar niet zou uitnodigen. Het zag ernaar uit dat hun avond zou verstrijken met zitten en kijken. 'Ik geloof dat ik toch wel iets wil eten,' zei ze en zette haar lege glas weg; ze voelde al de uitwerking van de champagne. 'Is het goed als ik het zelf ga halen? Ik wil dolgraag zien hoe het buffet eruitziet.'

Tot haar verbazing maakte hij geen bezwaar, maar knikte alleen. Samantha vroeg zich vluchtig af of hij blij was even alleen te zijn.

De tafel, die een hele wand in beslag nam, was nog mooier dan ze zich had voorgesteld. Samantha kon maar de helft van het uitgestalde voedsel thuisbrengen, en had geen idee hoe men geacht werd de rest netjes te eten. Mevrouw Astor stond bekend om haar goede koks: er was heldere schildpadsoep, mousse au jambon, moerasschildpad, ossehaas met truffels, kalfsschnitzel à la Toulouse, pâté de foie gras en Bellevue met artisjokkensaus, sorbet met marasquin, camembert met toost, en Nesselrodepudding. Samantha wist niet waar ze moest beginnen.

'Mag ik u de ossehaas aanbevelen?' klonk een diepe stem naast haar.

Ze keek op en ontmoette een charmante glimlach en zachte, bruine ogen. De man, lang en slank, een jaar of dertig, boog zich over de dampende schaal ossehaas. 'Ik vrees dat ik het aanbeveel omdat dat het enige is dat ik kan thuisbrengen.'

Samantha nam de hele uitstalling in zich op. 'Ik hoop maar dat het allemaal op gaat.'

'Nee hoor. Het is niet zoals het hoort om je bij dit soort gelegenheden vol te proppen. Maar zit er maar niet over in, al het eten dat overblijft en alle bloemen gaan naar het Bellevue-ziekenhuis.'

Ze keek naar hem op. 'Eerlijk waar?'

De knappe man keek neer op deze naamloze jonge vrouw, geïntrigeerd door haar zilvergrijze ogen, zo groot en vragend; haar duidelijke onbekendheid met de gang van zaken in deze kringen verbaasde hem. Wie was ze in hemelsnaam en waar was haar begeleider? 'Iedere keer dat mevrouw Astor een bal organiseert, danken de patiënten in Bellevue God op hun blote knieën. Normaal gesproken eten ze hun kostje namelijk zó van tafel, want eetgerei hebben ze niet. En een troep dat het is!'

'Dat kunt u niet menen!'

'Ik meen het wel degelijk. Pas nog heeft een commissie de toestand bij Bellevue onderzocht en niet alleen bleek dat er de afschuwelijke gewoonte geldt dat patiënten met hun vingers zó van tafel eten, maar ook was er in het hele gebouw geen stukje zeep te vinden.'

Samantha zette het porseleinen bord dat ze in de hand had gehouden weer neer. 'Ik geloof toch niet dat ik zo'n trek heb.'

'Neem me niet kwalijk, ik heb uw eetlust bedorven. En ik heb me ook niet netjes gedragen. Aangezien er niemand in de buurt is om de honneurs waar te nemen, mag ik me misschien zelf voorstellen. Mark Rawlins.'

'Hoe maakt u het. Behoort u tot de society?'

Hij keek haar even strak aan, waarna hij zijn hoofd achterover gooide en begon te lachen. 'Lieve hemel, nee!'

Samantha wist niet zeker of ze het wel zo leuk vond om uitgelachen te worden. Ze keek de zaal rond of ze Joshua zag. Haar metgezel zei: 'Ik ben hier vanwege mijn symbolische waarde. Ik ben een van die arme, overwerkte, onderbetaalde en miskende medici die mevrouw Astor voor dit liefdadigheidsbal heeft uitgenodigd.'

Naar zijn uiterlijk te oordelen – zijn uitstekend gesneden jacquet en gestreepte pantalon – maakte dr. Rawlins niet de indruk onderbetaald en overwerkt te zijn, en Samantha vermoedde dat hij haar voor de gek hield.

'Bent u dokter?'

Hij maakte een kleine buiging. 'Chirurg. En nu ik zo ontstellend brutaal ben geweest me aan u voor te stellen, mag ik dan ook zo brutaal zijn u ten dans te vragen?'

Ze fronste weifelend. 'Het is heel aardig van u, maar ik ben hier samen met iemand.'

'U hebt een begeleider? Dan moet ik u alweer mijn excuses aanbieden! Ik dacht...' Verdorie, waarom haalde ze dan zelf iets te eten? Mark Rawlins keek op haar neer; ze scheen geen haast te hebben om zich bij haar partner te voegen. Daarom waagde hij het er voorzichtig nog een keer op: 'Denkt u dat hij bezwaar zou hebben tegen één dans?'

Weer probeerde Samantha Joshua te midden van de mensenmenigte op te sporen, maar ze zag hem niet. Ze keek op naar Mark Rawlins' glimlachende gezicht en de verleiding was te groot. Ze wilde zo dolgraag dansen en Joshua zou haar niet vragen, dat was duidelijk. 'Misschien kan het wel...'

Voor ze het wist zwierde hij met haar over de parketvloer, een hand onder in haar rug, de andere om de hare heen. Samantha had het gevoel alsof ze opeens tot leven kwam: de muziek, het gevoel van vrijheid, de zaal die om haar heen tolde, en Mark Rawlins die charmant glimlachend op haar neer keek.

'U hebt me nog niet verteld hoe u heet.'

'Sam...' begon ze. 'Estelle Masefield. Mevrouw Estelle Masefield.'

Dr. Rawlins vertrok geen spier. 'De vrouw van Joshua Masefield?'

De adem stokte haar in de keel. 'Ja...'

Zijn glimlach verbreedde zich. 'Ik moet zeggen dat u er een stuk beter uitziet dan de laatste keer dat ik u zag, mevrouw Masefield.'

Samantha struikelde en trapte op zijn voet. Ze stonden stil. 'O, neem me niet kwalijk...' De andere paren dansten behendig om hen heen, terwijl Samantha, die helemaal van streek was, opkeek naar de man die haar nog steeds vasthield.

'Ik ben niet gewond,' zei hij galant. 'Ik kan wel verder dansen.' Ze begonnen opnieuw en voegden zich weer bij de andere ronddansende paren; Samantha realiseerde zich dat ze zo dadelijk vlak bij Joshua in de buurt kwamen.

'U ziet nogal rood,' zei Mark Rawlins. 'U gaat toch niet flauwvallen, hè?'

'Ik weet niet wat ik moet zeggen.'

Dr. Rawlins keek neer op haar gebogen hoofd, naar de blos op haar slanke hals, en vroeg zich af welke geheimzinnige band tussen haar en Joshua Masefield bestond. Ze was een jonge vrouw op wie een man gemakkelijk verliefd werd; was Joshua bezweken? 'U bent hier dus met Joshua? Ik verheug me erop hem weer eens te spreken.'

Samantha sloeg haar grote grijze ogen op. 'U kent hem dus?'

'We waren in Philadelphia bevriend met elkaar. Ik was bij Joshua toen dr. Washington zijn oordeel uitsprak.' Moeiteloos gleden ze over de dansvloer, begeleid door de betoverende klanken van de violen. 'Ik ben wel nieuwsgierig naar deze kleine komedie...'

'Estelle is te ziek om te komen en dr. Masefield wilde haar niet excuseren. Het leek zo onschuldig om voor één avond te doen alsof ik zijn vrouw ben.'

Onschuldig, dacht Mark Rawlins, en misschien ook een tikkeltje opwindend? In hoeverre kent ze Joshua, vraag ik me af. Hij heeft haar vast niet alles verteld... 'Vertel me eens,' zei hij hardop, 'waar kent Joshua u van?'

167

Nadat ze het hem had verteld bekeek dr. Rawlins haar ineens met andere ogen. 'Studente medicijnen! Nu ben ik pas echt onder de indruk. Vergeeft u me, maar dat zou je naar uw uiterlijk te oordelen nooit zeggen.'

Samantha deed haar mond al open om te antwoorden, maar er kwam geen geluid, want over dr. Rawlins' schouder heen ving ze net een glimp op van Joshua Masefield. Hij stond langzaam op, zijn gezicht zag eigenaardig bleek, en zijn donkere ogen waren strak op Samantha gevestigd.

Mark Rawlins zwaaide haar in het rond, zodat ze niets meer zag, en toen ze weer die kant op kon kijken, bleek Joshua verdwenen.

De muziek stopte en Samantha wuifde zich met haar waaier koelte toe. 'Dr. Rawlins, zou u zo goed willen zijn een glas champagne voor me te halen?' Hij zorgde eerst dat ze een plaatsje tussen de palmen kreeg, toen haastte hij zich weg. Samantha's bezorgdheid nam toe terwijl ze zenuwachtig naar Joshua uitkeek. 'Uw champagne, mevrouw Masefield.'

Ze keek verrast op, en ontdekte dat dr. Rawlins met een glas in de hand bij haar stond. 'Dank u . . .'

Hij ging in de stoel naast haar zitten en nam een slokje. 'Waar zit Joshua vanavond? Ik zie hem nergens.'

Ze rekte zich uit en keek alle kanten op, zich niet bewust van de bewonderende blikken die dr. Rawlins op haar wierp. 'Hij was hier net nog.'

Een sombere gedachte kwam bij Mark Rawlins op, ik weet wel waar hij zit. Maar hardop zei hij geforceerd luchtig: 'Hij komt vast wel weer terug. Ik begrijp niet wat Joshua bezielt om zo'n mooie jonge dame alleen te laten.' Samantha nipte van haar champagne en probeerde het zenuwachtige trillen van haar waaier onder controle te krijgen.

'Hoe bevalt uw studie? Ondervindt u nog problemen omdat u vrouw bent?' Blij met de afleiding vertelde Samantha Mark Rawlins over haar eerste weken in Lucerne. Daar hij aandachtig luisterde en kennelijk belangstelling had, en daar de champagne wonderbaarlijk ontspannend werkte, voelde Samantha haar nervositeit afzakken; al gauw zat ze geanimeerd te praten.

'Er is een ouwe ooievaar, dr. Page, die het eerst helemaal niet goed vond dat ik er was. Hij is zo lang en mager dat ik tijdens de colleges altijd half en half verwacht dat hij een been intrekt en op één poot gaat staan!'

Rawlins begon te lachen en pakte nog twee glazen van een blad dat hen werd voorgehouden.

'Ik heb het gevoel alsof ik voortdurend op de proef word gesteld, alsof het kleinste foutje genoeg is om me weg te sturen.' Samantha waaierde zich koelte toe; ze werd wat licht in haar hoofd. 'Ik had echt het gevoel alsof die eerste dagen ook mijn laatste waren, iedereen was tegen me.'

Mark Rawlins nam zijn metgezellin zwijgend op: haar sprankelende, rookgrijze ogen, de charmante manier waarop een paar zwarte lokken waren losgeraakt, die nu achter in haar nek kriebelden. 'Ik weet zeker,' zei hij zachtjes, 'dat ze nu dolverliefd op u zijn.'

Samantha zette haar lege glas weg. 'De gevoelens zijn platonisch, dat kan ik u verzekeren.'

Mark Rawlins keek de zaal rond. 'Het lijkt erop dat Joshua ergens anders mee bezig is. Zullen we nog eens dansen?'

Dat deden ze, nog twee keer, tot Samantha buiten adem was en zich lachend aan dr. Rawlins' arm vastklampte. Het was bijna middernacht en het feest naderde zijn hoogtepunt. Zevenhonderd gasten, de crème de la crème van de Newyorkse hogere kringen, dansten, dronken en dongen naar elkaars gunsten. Mark Rawlins liep met Samantha de zaal rond. Hij maakte haar deelgenoot van de roddelpraatjes die over mensen die ze tegenkwamen de ronde deden, ze luisterden gesprekken af en hij stelde haar voor aan mensen die hij kende. Voor iemand die 'onderbetaald en overwerkt' was, stond Mark Rawlins op goede voet met vele leden van de Newyorkse aristocratie.

Bij een groepje mensen stonden ze stil. 'Wie is dat?' vroeg Samantha terwijl ze over de hoofden probeerde heen te kijken.

'We zullen het zo wel kunnen zien.'

Om hen heen stonden beroemde, welgestelde mensen. Links van Samantha stond de dochter van mevrouw Astor met haar nieuwe echtgenoot, James Roosevelt; rechts van haar de veelbesproken Ellin Dynley Prince, die zich onderscheidde omdat ze met de enige jood was getrouwd die door de society van New York werd geaccepteerd. De brokstukken conversatie die Samantha opving hadden net zo goed in een vreemde taal gevoerd kunnen zijn: vakanties in Newport, zonnebaden op Bailey's Beach, soirées in Beechwood, het zomerverblijf van mevrouw Astor in Newport, proberen te tennissen bij het Casino zonder korset aan, het lef van de *nouveau riche* die probeerden Newport binnen te komen, terwijl iedereen wist dat je in Bar Harbor moest beginnen. En natuurlijk het favoriete roddelpraatje: waar zat William Astor terwijl zijn vrouw dit grootse feest organiseerde?

Mark Rawlins boog zijn hoofd en zei zachtjes tegen Samantha: 'Mevrouw Astors echtgenoot zit op dit moment op zijn jacht in Florida van ander gezelschap te genieten. Ze zeggen dat hij de gouverneur van Florida geld heeft gegeven voor een stel huurmoordenaars die vijandige Seminoles in de steppen moeten opzoeken.'

Plotseling ontstond er enige opschudding in het groepje. Iemand in het midden, verborgen achter japonnen en pandjesjassen, snakte sputterend naar adem en riep om water. Er klonk een bezorgd gemompel en er werd om een dokter geroepen. Rawlins drong zich onmiddellijk naar voren, met Samantha in zijn kielzog. Ze troffen een kleine, bebaarde man aan, die gulzig water dronk, terwijl een forse vrouw naast hem al een nieuw glas klaar hield.

'Wat is er gebeurd?' vroeg Rawlins, terwijl hij naast de stoel van de man neerknielde.

'Zijn sigaar,' zei de vrouw die, zag Samantha, een kunstoog had dat niet met het andere meebewoog. 'Hij heeft per ongeluk het brandende eindje in zijn mond gestoken.'

Terwijl de mensen die er in een kring omheen stonden bezorgd en behulp-

zaam reageerden, merkte Samantha ook dat er knipoogjes werden gewisseld en dat sommigen probeerden een glimlach te onderdrukken. Mark Rawlins liet de man even ophouden met drinken, zodat hij in zijn mond kon kijken. 'Er is niets aan de hand. U krijgt een blaar, verder niet.'
De bebaarde heer depte zijn knappe, hoekige gezicht met een zakdoek en wuifde het tweede glas water weg. 'Ik heb liever een whisky, m'n lieve Julia.'
Achter haar hoorde Samantha iemand zachtjes opmerken: 'Je zou zo zeggen dat hij dáár wel genoeg van op had.'
Ulysses S. Grant was een wonderbaarlijke man en Samantha was diep onder de indruk toen ze besefte wie hij was en hem van de portretten die ze had gezien, herkende. Mark Rawlins' medische verzorging verschafte hem en zijn metgezellin een introductie bij een man die nog maar twee jaar daarvoor president van de Verenigde Staten was geweest.
Rawlins gaf Grant nog wat goede raad over de verzorging van het wondje en ondertussen merkte Samantha op dat de man iedere keer als hij een slokje whisky nam, even ineenkromp van pijn. Ze schreef dat toe aan zijn verbrande lip, niet wetend, net zo min als Grant zelf, dat de beroemde held uit de Burgeroorlog aan keelkanker leed en binnen vijf jaar dood zou zijn.
Rawlins voerde Samantha met zich mee om anderen gelegenheid te bieden naar voren te komen en hun opwachting te maken. Op hetzelfde moment liet een lakei Grant weten dat het de dirigent een eer zou zijn een muzikaal verzoek te spelen.
'Dat is wat je noemt ironisch,' zei Rawlins dicht bij Samantha's oor terwijl hij haar bij de elleboog door de drukte voerde. 'Grant is zo a-muzikaal dat hij eens heeft gezegd dat hij maar twee liedjes kende: het ene was "Yankee Doodle" en het andere was het niet.'
Samantha lachte achter haar waaier, maar haar ogen zochten weer naar Joshua; ze had hem in geen uren gezien.
'Wilt u nog eens dansen?'
'Als u het niet erg vindt, dr. Rawlins, ga ik liever zitten.'
Ze gingen aan hun oude tafeltje zitten, nadat ze onderweg nog twee glazen champagne hadden gepakt. 'Weet u,' zei Rawlins toen ze waren gaan zitten, 'u hebt me nog steeds niet verteld hoe u in werkelijkheid heet.'
Een stem achter hen zei: 'Ze is Estelle Masefield.'
Ze draaiden zich met een ruk om en zagen Joshua achter een palm staan. 'Josh!' riep Mark Rawlins uit en sprong overeind. 'Wat fijn om je weer eens te zien! We hebben je gezocht!'
Joshua richtte zijn steengrijze blik op Samantha. 'O ja?'
'Kom je bij ons zitten? Ik bedoel, vind je het erg als *ik* bij jou en je beeldschone dame blijf?' Rawlins sloeg Joshua op de rug. 'Hoe lang is het geleden, Josh? Ik werk nu in St.-Luke's. Alweer een halfjaar.'
Eerst maakte Joshua geen aanstalten zich bij hen te voegen, maar bleef Samantha somber aankijken. Toen gaf hij toe en ging op de lege stoel zitten.

Samantha merkte op dat er zweetdruppeltjes parelden op zijn bovenlip.
'Ik zou echt graag de ware identiteit van de jongedame kennen,' zei Rawlins.
'Ze is mijn vrouw.'
Mark Rawlins keek hem een ogenblik strak aan, nog steeds met een glimlach om de lippen. Toen schraapte hij zijn keel en verzette zijn stoel, wat een hard, krassend geluid maakte. 'Ik begrijp heel goed waarom je deze komedie op touw hebt gezet, Josh. De jongedame heeft het me allemaal uitgelegd.'
'O ja, lieve? Je bent onze overeenkomst gauw vergeten.'
'Het is haar schuld niet, Josh. Ik heb haar zo ongeveer gemarteld tot ze de waarheid vertelde. Maar haar echte naam weet ik nog niet.'
'Die kom je ook niet aan de weet.'
Weer verzette dr. Rawlins zijn stoel; hij was zich scherp bewust van de onuitgesproken spanning tussen zijn twee metgezellen, die elkaar strak aankeken. Had hij zich eerder niet afgevraagd of Josh soms in haar ban was geraakt? Nu, het leek erop alsof de jongedame net zozeer in Joshua's ban was. Een eigenaardige verhouding. Ze scheen zich tot hem aangetrokken te voelen en tegelijkertijd bang voor hem te zijn...
'Ik heb haar al eerder verteld dat ze er niet uitziet als een studente medicijnen.'
Alsof ze zich plotseling herinnerde wie ze was, kwam Samantha ineens tot leven. Ze onttrok zich aan Joshua's hypnotiserende blik en wendde zich met een snelle beweging van haar waaier tot dr. Rawlins. 'Ze hebben me zelfs gezegd dat ik ouder en dikker zou moeten zijn. Dat was toen ze probeerden om me uit de sectiekamer te houden.'
Rawlins probeerde Joshua's zijdelingse blik te negeren. 'Mag u geen sectie bijwonen?'
'Nu wel, maar ik heb er wel voor moeten vechten.' Toen ze de confrontatie in de gang beschreef, was Samantha zich scherp bewust van Joshua's doordringende blik. 'Sinds dat moment hebben we groepjes van vijf gevormd en we werken 's avonds zelfstandig. Soms gaan de anderen uit mijn groep liever naar een bar; dan blijf ik alleen over, en dat vind ik jammer, want 's avonds vind ik de school griezelig.'
Mark Rawlins luisterde maar half naar haar radde gepraat. De gedaanteverandering was opmerkelijk: de aanwezigheid van Joshua Masefield maakte haar nerveus. Wat voor vreemde macht had hij over haar?
'Ze zeggen dat het spookt op de school.'
Hij knipperde met zijn ogen. 'Wat zegt u?'
'Dat idee stamt van een indiaanse legende...' Het was alsof Samantha's stem van veraf kwam, terwijl ze het verhaal vertelde van de twee ongelukkige gelieven die op tragische wijze aan hun eind kwamen op de plek waar de school was gebouwd. 'Een jongen uit de stam van de Wolven was verliefd op een meisje uit dezelfde stam, en zij op hem. Maar de moeder van het meisje had al geregeld dat ze een jongeman uit de stam van de Schildpad-

den zou trouwen. De avond voor de bruiloft ontvoerde de jongen uit de stam van de Wolven het meisje; ze vluchtten en hadden in het bos gemeenschap. De beledigde jongen uit de Schildpadstam ontdekte hen, doodde het meisje en castreerde de jongeman. In de ogen van de Wolvenstam hadden de gelieven incest gepleegd en daardoor was de stam te schande gemaakt; de jongen werd met de nek aangekeken en nu hij nergens meer heen kon, ging hij naast het lichaam van het meisje liggen en stierf pas na vele dagen. De legende wil dat de geesten van de gelieven door de gangen van de school dwalen; ze roepen elkaar, maar omdat ze vervloekt zijn, kunnen ze nooit worden herenigd.'

Toen Samantha zweeg, klonk de muziek van het verborgen orkest plotseling rauw en schel. Mark Rawlins keek in gedachten verzonken naar de dansvloer; Joshua was degene die de betovering verbrak. 'Het lijkt wel of de liefde niets dan verdriet veroorzaakt.'

'Het kan ook geluk brengen,' zei Samantha, 'als je er voor open staat.'

Toen werd Mark Rawlins opeens alles duidelijk. 'Nee maar!' zei hij hardop en rechtte zijn rug. 'Daar heb je de oude dokter Barnes en zijn vrouw met dat paardegezicht. Ach, ik heb hem sinds mijn studietijd niet meer gezien.' Mark Rawlins stond op en reikte Joshua de hand. 'Neem me niet kwalijk dat ik er zo plotseling vandoor ga, maar ik heb met die Barnes nog een rekening te vereffenen. Je weet waar ik zit, Josh, in het St.-Luke's. Laten we alsjeblieft geen vreemden voor elkaar zijn.' Ze schudden elkaar de hand. Toen wendde hij zich tot Samantha. 'Het is me een waar genoegen geweest, Mysterieuze Dame. Ik hoop dat we elkaar nog eens tegenkomen. En maakt u zich geen zorgen,' voegde hij er veelbetekenend aan toe, 'uw geheim is bij mij veilig.'

Hij maakte aanstalten om weg te gaan, stond toen stil en zei nog: 'Weet je, Josh, je kleine komedie is geslaagd, maar sommige mensen vinden het misschien vreemd dat een man niet minstens één keer met zijn eigen vrouw danst. Goedenavond.'

Ze keken hem na terwijl hij zich door de menigte heen werkte en uiteindelijk door de hoofduitgang verdween. Samantha sloeg haar waaier open en weer dicht, zich scherp bewust van de zwijgende man naast zich. Tot haar verbazing zei hij: 'Zullen we dansen?'

Samantha had graag geweigerd; Mark Rawlins had Joshua er bijna toe gedwongen. 'Ja, dolgraag.'

Toen ze de dansvloer op liepen zag Samantha weer dat hij hinkte. 'Hebt u zich bezeerd, dr. Masefield?'

'Het heeft niets te betekenen.' Hij hield zijn arm rechtuit, zodat hij haar op een afstand hield, en zijn andere hand legde hij licht in haar taille. Toen de muziek inzette zwierden ze weg en voegden zich naar het ritme; maar het was een heel ander soort dansen dan ze met Mark Rawlins had gedaan, want Joshua bewoog zich automatisch, alsof hij een vervelend karwei opknapte. Hij keek Samantha niet aan, maar hield zijn ogen strak gericht op een punt boven haar hoofd.

'Ik maakte me zorgen om u, dr. Masefield,' waagde ze na een paar minuten. 'U bent zo lang weggebleven.'
'Maar tijdens mijn afwezigheid ben je niet eenzaam geweest.'
Samantha vroeg zich af of het kwam door de onregelmatige verlichting boven hun hoofden, maar Joshua's gezicht vertoonde een vreemde kleur. 'Dr. Rawlins zei dat u en hij oude vrienden waren. Ik had gedacht dat u elkaar meer te vertellen zou hebben.'
Joshua reageerde niet. Hij bleef strak naar een punt achter zijn danspartner kijken en hij maakte de indruk alsof hij zijn best deed zich te concentreren. Op zijn voorhoofd waren inmiddels fijne zweetdruppeltjes verschenen.
'Dr. Rawlins leek me een aardige man.'
Eindelijk keek Joshua op haar neer. 'Hebben jullie een afspraak gemaakt?'
'Hoezo?'
'Hij zou uitermate geschikt voor je zijn. Marks reputatie is onberispelijk, hij heeft een goed inkomen en een uitgebreide praktijk, hij kent geen ondeugden, hij ziet er fatsoenlijk uit en hij is wèg van je.'
Samantha keek hem strak aan.
De walsmuziek bereikte een climax. Toen ze ronddraaiden, trok Joshua haar dichter tegen zich aan. Ze zei buiten adem: 'Ik weet zeker dat je je daarin vergist!'
'Ik ken Mark al heel lang en ik heb hem nog nooit zo naar een vrouw zien kijken. Het is niet zo'n dwaze gedachte, Samantha. De man met wie je trouwt zal een grote invloed hebben op het slagen van je medische loopbaan. Mark zou je steunen, denk ik.'
'Ik wil op dit moment helemaal niet aan een huwelijk denken...'
Hij raakte uit het ritme en leek zijn evenwicht te verliezen.
'Dr. Masefield, voelt u zich wel goed?'
Hij zakte een beetje in elkaar en steunde op Samantha. 'Misschien kunnen we even gaan zitten...'
Ze maakten zich los uit de dansende paren en liepen naar een paar lege stoelen. Hij hinkte nu duidelijk en bette openlijk zijn gezicht met zijn zakdoek.
'Kan ik iets voor u halen, dr. Masefield?'
Hij maakte een handgebaar. 'Ik voel me de hele dag al niet goed. Het zal wel een opkomende verkoudheid zijn. Als ik wat ben opgeknapt, kunnen we beter gaan...'
Tien minuten later hielp ze hem de glibberige trap af. De lakei, in de veronderstelling dat de dokter te veel champagne had gedronken, legde zijn arm om Joshua heen en hielp hem met instappen. Samantha stapte achter hem het rijtuig in en trok snel de deken over zijn knieën. Joshua's gezicht zag angstaanjagend bleek.
Tijdens de langzame rit naar huis, terwijl het paard voorzichtig zijn weg zocht over de met ijs bedekte keien en langs opgewaaide hopen sneeuw, zat Joshua huiverend en transpirerend onder de deken. Maar hij weigerde haar hulp toen ze de stoep bij de voordeur opliepen. Hij beweerde dat de koude

lucht hem goed had gedaan en dat zij regelrecht naar bed moest gaan. Vervolgens haastte dr. Masefield zich naar zijn studeerkamer en sloot de deur. Terwijl Samantha de trap opliep en onderweg de gesp van de chinchilla cape losmaakte, kwam ze tot de slotsom dat de avond toch een succes was geweest. Hoewel ze het jammer vond dat het bal voorbij was, glimlachte ze bij de heerlijke herinneringen eraan en toen ze bij de eerste overloop kwam, wilde ze zelfs wel bekennen dat het leuk zou zijn Mark Rawlins nog eens te spreken.

Er scheen licht onder Estelles deur door. Samantha had zo'n idee dat ze lag te wachten om de laatste roddeltjes te horen en de jurk te bekijken; maar toen Samantha zachtjes klopte en naar binnen ging, zag ze mevrouw Wiggen over het bed gebogen staan. 'Wat is er aan de hand?' vroeg ze en haastte zich naar Estelle.

Estelles ogen gingen trillend open. 'Ach, Samantha, liefje...' fluisterde ze. 'Het is net alsof ik niet genoeg lucht kan krijgen. O, de jurk is prachtig, je hebt precies de goede kleur gekozen, daardoor lijken je ogen hemelsblauw.'

Joshua heeft de kleur uitgekozen, niet ik, dacht Samantha, terwijl ze de cape over het voeteneind legde en ging zitten. Ze pakte Estelles koude handen in de hare.

'Hoe was het bal? Vertel er eens wat over...'

Geforceerd opgewekt noemde Samantha een aantal namen, beschreef de japonnen, vertelde het amusante voorval met president Grant, en deed haar best om de sfeer van het Astor-bal in deze treurige ziekenkamer op te roepen. Maar hoe meer ze vertelde en hoe sneller haar woordenstroom haar uit de mond kwam, hoe verdrietiger ze van binnen werd. Ze verzweeg het feit dat Joshua was verdwenen, zijn onbeleefde houding tegenover een oude vriend, de manier waarop hij haar strak had zitten aankijken, hun vroege vertrek, en nog veel, veel meer...

Estelle sloot de ogen en glimlachte dromerig; ze dacht terug aan de dagen in Philadelphia dat ze zelf een gevierd gastvrouw was. 'En Joshua, heeft hij het naar zijn zin gehad? Heb je vaak met hem gedanst, Samantha? Joshua houdt zo van dansen...'

Samantha wendde zich af, bang dat Estelle haar tranen zou zien. 'Ik moest moeite doen om hem mee naar huis te krijgen. Ik had er genoeg van en kon niet meer op mijn benen staan, maar Joshua had de hele nacht nog wel kunnen doorgaan...' Leugen en bedrog!

'Typisch Joshua. Hij was altijd de spil van het feest, de vrouwen verdrongen zich altijd om hem, in de hoop dat hij een keer met hen zou dansen. Ik zie hem nu zó voor me op het bal van de Astors, in het middelpunt van de belangstelling. Dank je wel, Samantha, fijn dat je dat voor hem hebt kunnen doen...'

Ze vluchtte de kamer uit en liep struikelend over haar eigen benen de trap op, verblind door tranen, en op haar kamer aangekomen liet ze zich op haar knieën voor het bed vallen.

Voor het eerst in haar leven viel het Samantha moeilijk om te bidden. De opgewonden woorden die ze kon uitbrengen brachten geen troost. Ze ratelde de gebeden af die ze als kind had geleerd, en bad zoals haar vader haar dat had bijgebracht. Samantha voelde zich van binnen koud worden. Ze stelde zich voor dat God op haar vader leek – koel en wraakzuchtig – als een prediker in het zwart gekleed, en met een bijbel in de hand geklemd. Ze stelde zich voor dat Hij vanuit Zijn hoge standpunt zei: Voor wie bid je eigenlijk, Samantha Hargrave, voor die arme vrouw daar beneden, of voor jezelf?

Voor Estelle! riep haar schuldbewuste ziel. Ze spreidde haar armen en drukte haar gezicht in de sprei om haar luide snikken te smoren. Ik bid voor Estelle! Ik wil *echt* dat ze beter wordt!

Maar op het strenge gezicht van Samuel/God stond een duidelijke veroordeling te lezen en Samantha voelde hoe ze verkilde. Het had geen zin; hoe intens ze ook bad, hoe vaak ze tegen zichzelf zei dat ze wilde dat Estelle bleef leven, *Hij* hoorde de afschuwelijke waarheid wel die zachtjes in haar hart opklonk, en Hij sprak Zijn vreselijke oordeel over haar uit: je kunt niet voor je zonde boeten door voor die arme vrouw te bidden. Er is maar één manier om de zonde uit te wissen die je hebt begaan door in je hart overspel te bedrijven...

Beneden klonk een luide bons.

Samantha hief met een ruk haar hoofd op en luisterde. Iemand liep op de begane grond heen en weer.

Ze pakte de lamp die bij haar bed stond, eerder die avond aangestoken door mevrouw Wiggen, en sloop zachtjes de gang op. Toen ze zag dat er geen licht onder de deur van de huishoudster vandaan scheen, sloop Samantha zachtjes de trap af en bleef even staan op de overloop. In geen van beide slaapkamers brandde licht en het was er stil: de Masefields sliepen. Ze boog zich over de trapleuning en zag licht onder de deur van de behandelkamer door komen. Met ingehouden adem liep Samantha verder en bleef onder aan de trap staan luisteren. Iemand zocht iets in de medicijnkast en stootte onvoorzichtig flesjes en blikjes om.

Ze overwoog wat haar te doen stond. Het was zeker een patiënt die dringend medicijnen nodig had maar ze niet kon betalen. Het gebeurde bij andere doktoren ook wel dat patiënten inbraken en stalen had Samantha gehoord, maar Joshua overkwam het zelden, want het was algemeen bekend dat als je iets niet kon betalen, hij het je voor niets gaf. Wie het ook was, Samantha wist zeker dat ze redelijk met hem zou kunnen praten.

Ze draaide langzaam de knop om en zwaaide zonder een geluid te maken de deur naar binnen open.

De adem stokte haar in de keel.

Joshua Masefield stond midden in de rommel die hij had gemaakt, draaide zich om en zei tussen zijn opeengeklemde tanden door: 'Waar is het, juffrouw Hargrave?'

Samantha was te verbijsterd om iets te kunnen zeggen. Joshua was als een wilde te keer gegaan en had zonder nadenken allerlei spullen omgegooid. Een flesje kinine lag in scherven aan zijn voeten. 'De morfine! Waar is de morfine?' In zijn ene hand had Joshua een injectiespuit, de mouw van zijn andere arm was opgerold. 'Vanmorgen stond hier nog een fles. Waar is die nu?'

Samantha ging er bijna van stotteren. 'Die jongen van Evans was hier vanmiddag. Hij had bij een hockeywedstrijd een snee aan zijn hoofd opgelopen. Ik moest hem hechten. Dat is gebeurd toen u uit was. Ik heb hem een injectie gegeven...'

'*Alles?*'

'Hij was bang voor de injectie. Hij sloeg mijn hand weg en ik liet de spuit vallen. Toen gooide hij de fles om. Er is een heleboel uitgelopen.'

'Wilt u daarmee zeggen dat er niets meer is?'

'Ik... ik begrijp u niet, dr. Masefield.'

'Wel hel en verdoemenis, mens! Bedoelt u dat de morfine op is en dat u me dat niet hebt verteld?'

'Ik dacht niet dat dat nodig...'

'Morgen is het Kerstmis!' riep hij uit en kwam een stapje dichterbij. 'Hoe kan ik de voorraad dan aanvullen?' Samantha zag dat zijn pupillen abnormaal verwijd waren, dat zijn ogen waterig stonden en dat hij hevig transpireerde. Ze dacht snel na, zette de lamp neer en sloot de deur. 'Als u pijn hebt, dr. Masefield, zijn er nog wel andere middeltjes die u kunt innemen.'

Hij wendde zich met een ruk af en hinkte weer naar de kast.

'Hebt u uw been bezeerd, dokter?'

'Ik moet het kunnen inspuiten,' mompelde hij, terwijl hij de flessen op de plank heen en weer schoof. Toen hij per ongeluk de fles carbol omstootte, schoot Samantha naar voren, maar het was al te laat: hij viel met een klap op de grond, zodat de spatten op haar baljurk kwamen. Plotseling hing er een bijtende, duizelig makende lucht in de kamer.

'Wat is er toch, dr. Masefield? Hoe hebt u zich kunnen bezeren?'

'Wel verdomme, mens! Moet ik het voor je opschrijven! Heb je de afgelopen anderhalf jaar dan helemaal *niets* geleerd? Ik heb me niet bezeerd, ik ben verslaafd aan morfine!'

Samantha's mond viel open. Voor haar stond Joshua: er lag een waanzinnige blik in zijn ogen, zijn haar zat in de war en zijn ogen leken door de verwijde pupillen nog zwarter dan anders. Hij hijgde alsof hij hard had gelopen en zijn overhemd kleefde op sommige plekken aan zijn lijf.

Een lang, leeg ogenblik keken ze elkaar strak aan, toen liep Samantha, met de scherpe lucht van carbol in haar neus, rustig langs hem heen en ging voor de kast staan. Ze moest haar handen ineen klemmen om te verhinderen dat ze trilden en haar stem klonk onvast toen ze zei: 'Er moet toch iets zijn, dr. Masefield, dat u voorlopig kunt innemen. Morgen ga ik wel naar DeWinter...'

'Het is niet genoeg,' zei hij en zijn stem klonk vreemd rustig. 'Ik heb per dag al teveel nodig.'

Samantha zag de kast door een waas van opkomende tranen. Ineens was alles glashelder: de ware reden voor zijn vertrek uit Philadelphia, de ware reden voor zijn teruggetrokken levensstijl, de *ware* tragedie in dit huis... Ze stak haar hand uit en pakte zonder iets te zien een flesje. 'Morfine is toch een opiumderivaat?'

'Laudanum helpt niet. Ik heb mijn taks intraveneus nodig.'

Ze deed haar uiterste best haar zelfbeheersing te herwinnen, draaide zich rustig om en reikte hem het flesje aan. 'In ieder geval verzacht het de ergste symptomen. Morgenochtend ga ik naar meneer DeWinter. Als hij niet thuis is, ga ik naar dr. Newman. Kerstmis of geen Kerstmis, voor noodgevallen moet gezorgd worden.'

Hij keek haar lang aan, met ogen die vol droefheid en schaamte stonden, daarna nam hij gedwee het flesje aan en draaide zich om.

Dr. Masefield ging naar zijn studeerkamer en sloot zachtjes de deur. Zonder erop te letten dat ze haar prachtige satijnen jurk bedierf, knielde Samantha neer en maakte geduldig de vloer van de behandelkamer schoon. Tien minuten later stond ze vanuit de deuropening naar hem te kijken. Joshua zat onderuitgezakt in zijn gemakkelijke stoel en staarde naar de open haard waarin geen vuur brandde; het lege flesje had hij in de hand. Uiteindelijk zei hij zonder op te kijken: 'Het spijt me van die rommel daar.' Zijn stem klonk dof, alsof alle leven hem ontgleden was. 'Neem me niet kwalijk dat ik dat allemaal tegen je heb gezegd. Je kunt je niet voorstellen hoe groot de paniek was toen... God,' kreunde hij, 'die afschuwelijke paniek...'

Samantha ging de studeerkamer binnen en trok een krukje bij. Ze ging naast hem zitten, met haar ellebogen op de leuning van zijn stoel en zei zachtjes: 'Voelt u zich nu wat beter?'

Hij knikte. 'Het heeft wel iets geholpen. De crisis... is voorbij. Maar morgenochtend...'

'Dat komt wel goed. Zodra het licht wordt ga ik naar DeWinter.'

'Dat kan ik niet van je verlangen.'

'U zult het zelf niet kunnen doen, dr. Masefield. Voor mij zal het goed zijn om te leren hoe ik spoedgevallen op medisch gebied moet behandelen.'

Eindelijk kon hij ertoe komen haar aan te kijken. Joshua's pupillen stonden weer normaal en zijn huid was droog, maar hij zag nog asgrauw. 'Je zult nu wel een grote minachting voor me voelen.'

'U beledigt mij, dr. Masefield, wanneer u denkt dat ik u zo veroordeel. Als u geen vertrouwen in uzelf hebt, kunt u tenminste wel vertrouwen hebben in mijn loyaliteit tegenover u.'

Het was alsof haar woorden hem pijn deden, want hij kromp ineen en wendde zijn hoofd af. 'Mooi gezegd,' antwoordde hij droog. 'Bewonderenswaardig hoor, om mij gewoon als een medisch probleem te beschouwen. Maar ik ben een ellendeling, juffrouw Hargrave, en of u dat nu voor uzelf wilt toegeven of niet, een aan narcotica verslaafde is de verachtelijkste onder de mensen.'

Samantha raakte even zijn mouw aan. 'Hoe is het zo gekomen?' vroeg ze vriendelijk.

Joshua staarde in de lege open haard. Zijn stem klonk vlak en afstandelijk. 'Het is twintig jaar geleden begonnen, bij de eerste slag van Bull Run. Toen de burgeroorlog uitbrak, heb ik me als veldchirurg bij het leger van de Union gemeld. De oorlog was pas twee maanden aan de gang en wij, onder generaal McDowell, waren er zeker van dat we de rebellen tot de aftocht konden dwingen, en dan zou het conflict ten einde zijn. Maar. . . het liep allemaal mis. De confederale troepen van Beauregard werden door Jackson versterkt, die zich tijdens die slag met recht de bijnaam 'de muur van steen' heeft verworven, door de Union te schande te maken. Ik kreeg een kogel van onze tegenstanders in mijn dij.'

Hij slaakte een bevende zucht en legde zijn hand over die van Samantha. 'Het bot werd verbrijzeld. Vijf forse mannen moesten me vasthouden toen de chirurg dampend salpeterzuur op mijn uiteengereten wond goot. Gelukkig raakte ik bewusteloos voordat hij probeerde de kogel eruit te halen, want in die dagen werd er te velde geen narcose gegeven. Hoe ik het overleefd heb, zal ik nooit weten. De weken daarna waren een ware hel en ik heb vaak gesmeekt om te mogen sterven. De koorts en de pijn maakten me waanzinnig; ze gaven me morfine om het leed iets te verzachten. Toentertijd wist nog niemand iets over de verslavende eigenschappen van narcotica. Ze werden zonder meer verschaft en vele mannen kwamen zo verslaafd uit de oorlog. De "soldatenziekte" noemen ze het wel.'

Hij zweeg en bevochtigde zijn lippen. 'Ik denk dat ik nog van geluk mag spreken. In de eerste plaats zagen ze kans mijn been te behouden. In de tweede plaats, toen het leger verder trok, hebben ze me meegenomen. De slag van Bull Run vond plaats voordat de Union veldhospitalen en verpleegsters had georganiseerd. De levensgevaarlijk gewonden en degenen die niet konden lopen, werden op het slagveld achtergelaten als we terugtrokken. Maar omdat ik dokter was, had ik voor hen enige waarde, en daarom droegen ze me mee. Ik trok met de soldaten mee en soms leed ik ondraaglijke pijn, soms voelde ik helemaal niets meer. Uiteindelijk herstelde ik en ik heb Gettysburg nog meegemaakt, het keerpunt van de oorlog; ik heb me bij Sherman kunnen voegen toen hij naar de kust optrok. Toen was ik inmiddels al hopeloos verslaafd.'

Eindelijk keek hij haar aan. 'Je kunt het je niet voorstellen, maar iedere dag van mijn leven is een nachtmerrie.'

Samantha keek naar de grote, sterke hand die de hare omklemde. Ze was niet zo onwetend op het gebied van verslaving als hij dacht. Ze had gezien hoe opium en morfine onschuldige gebruikers tot slaven maakten: twee leraressen op Playell's Academy hadden opium gebruikt, beiden waren verslaafd aan dr. Richter's Zenuwen Tonic. Het begon altijd op dezelfde manier: in haar onschuld ging een vrouw naar de apotheek om een middeltje tegen menstruatiepijn. Ze kocht dan een in de handel zijnd drankje, in een mooi flesje met een etiket dat succes garandeerde, 'of u krijgt zonder meer uw geld terug'. Verlichting volgde altijd, want de drankjes bestonden voor een groot deel uit narcotica, hoewel dat nooit op het etiket werd vermeld. Een paar theelepels per dag en de gebruikster voelde zich stukken beter. Maar dan kwam onvermijdelijk de dag dat ze probeerde ermee op te houden en tot haar schrik ontdekte ze dan dat dat niet lukte. Als ze 's avonds laat in bed lag, had Samantha vaak de kreten gehoord van de lerares die had vergeten haar voorraad aan te vullen. Het zweten, het hevige beven, het overgeven en de ondraaglijke pijn. De volgende ochtend volgde dan de wanhopige tocht naar de apotheek in de stad; het flesje werd meegegrist en in het besloten rijtuig werd gretig de eerste slok genomen, gevolgd door het dodelijk besef dat ze nu een gevangene van het spul was. Hoe vernederd en verdoemd voelde ze zich dan.

Samantha fluisterde: 'Kunt u geen kuur doen?'

Hij uitte een kort, bitter lachje. 'Een kuur? Voor de soldatenziekte? Er is maar één kuur, en dat is onthouding, en geloof me, Samantha' – Joshua rolde zijn hoofd opzij zodat hun gezichten elkaar bijna raakten – 'ik heb het geprobeerd. O, God, ik heb het echt geprobeerd! Ik heb gebeden en ik ben uit de buurt van het spul gebleven tot ik weer smeekte te mogen sterven.' Zijn woorden kwamen er met horten en stoten uit. 'Heb je enig idee wat het is om morfine op te geven als je eraan verslaafd bent, Samantha? Het eerste stadium is nog net te verdragen: geïrriteerdheid, waterige ogen, gapen. Maar dat gaat al snel over in een veredelde vorm van marteling. Iedere zenuw voelt aan alsof hij aan de lucht wordt blootgesteld. Sommige spierkrampen zijn zo heftig dat het trekken van een kies daarbij vergeleken niets is. Iedere porie druipt van het zweet. De buikkrampen zijn verlammend. Tegelijkertijd leveren hoofd en hart een strijd op leven en dood, want hoewel het hoofd weet dat men zich van drugs moet onthouden, roept het hart erom, zoals een verhongerde roept om eten. Je hoofd voelt aan alsof het in een bankschroef zit, als een sinaasappel die uitgeperst wordt, tot het laatste stadium aanbreekt: waanzin. Geloof me, Samantha, ik heb geprobeerd ermee op te houden.'

Ze keek hem vast aan, terwijl ze zijn hand in de hare klemde. 'Heb je dat vanavond ook geprobeerd?'

Hij trok snel zijn hand terug en sprong overeind. 'Ja.'

'Maar waarom?'

'Ik had mijn redenen.'

Samantha bleef waar ze was, geknield op het bankje, terwijl Joshua, die niet langer hinkte, achter haar heen en weer liep. 'De laatste keer dat ik heb geprobeerd te stoppen was twee jaar geleden. Het is me toen niet gelukt, maar ik dacht om de een of andere reden dat het nu anders zou zijn omdat...' Hij stond stil en keek op haar neer. 'Je zult nu wel hebben geraden waarom ik eigenlijk uit Philadelphia weg moest. Het was sommige van mijn vrienden wel duidelijk geworden dat ik verslaafd was. Als mijn patiënten er ooit achter waren gekomen...' Hij schudde zijn hoofd. 'Je kunt je niet voorstellen wat een spanning het oproept als je jezelf voortdurend in de hand moet houden. Ik heb zo weinig controle over mijn lichaam en mijn gevoelens, dat iedere minuut dat ik wakker ben één grote strijd is om mijn evenwicht te bewaren. Ik moest vertrekken voordat ik instortte. Estelle was een volmaakt excuus.' Hij draaide zich impulsief om en beende de kamer door.

Toen Samantha zag dat hij een glas cognac inschonk, kwam ze moeizaam overeind. Gehinderd door haar rok en onderrokken, liep ze struikelend de kamer door. 'Dat mag je niet drinken!'

Hij leegde het glas in één teug.

'Joshua!' riep ze uit. 'Niet na die opium!'

Hij lachte vol zelfverachting. 'Waarom niet? Ik kan er wel tegen.'

'Je moet het jezelf niet zo moeilijk maken, Joshua. Het is jouw schuld niet.'

Zijn blik ontmoette heel even de hare, toen keek hij een andere kant op. Zijn stem klonk ineens heel berouwvol. 'Ik... ik wil je nog mijn excuses aanbieden voor het voorval met die jurk. Ik was toen erg onredelijk.'

'Nee hoor,' zei ze vriendelijk. 'Ik had moeten beseffen dat je de mensen wilde laten zien hoe goed je vrouw gekleed gaat. Ik had alleen maar aan het geld gedacht...'

'Wel verdorie, Samantha,' riep hij tot haar verbazing uit. 'Het had helemaal niets te maken met andere mensen imponeren! Ik heb het gedaan om te laten zien hoe mooi jij bent! Je kleedt je altijd zo onopvallend, je verbergt jezelf. Je hebt een goed figuur...' Hij draaide zich met een ruk om en pakte onhandig de karaf beet. 'Je moet je schoonheid goed laten uitkomen. Ik wilde je één keer zien zoals je zou moeten zijn.' Hij schonk weer cognac in zijn glas. 'Je zet een roos toch ook niet in een blikje?'

Samantha was verbijsterd en kon hem alleen maar aanstaren.

Deze keer dronk hij de cognac langzaam op, en na de eerste paar slokjes zei hij rustig, als tegen zichzelf: 'Anderhalf jaar geleden kwam een heel trotse jongedame deze kamer binnen om een paar handschoenen terug te brengen. Ze deed alsof het geschenk haar had beledigd, maar de manier waarop haar wangen gloeiden...'

Joshua draaide zich weer om en keek haar met een onstuimige blik aan. Toen kwam hij dichterbij en streelde even met zijn vingertoppen over haar wang. 'Het is Kerstmis, Samantha.'

Ze sloot de ogen, ervan overtuigd dat zijn vingers een spoor hadden achtergelaten.

'Ik heb je nooit verteld,' begon hij onhandig, 'hoe trots ik op je ben. Ik wil wel toegeven dat ik toen je hier pas werkte, mijn twijfels had. Je leek zo jong, zo kwetsbaar. Maar kijk eens hoe je veranderd bent, hoe volwassen je bent geworden, zo vol zelfvertrouwen, zo zeker van wat je wilt. Lucerne heeft je goed gedaan.'

'Het komt niet door Lucerne,' zei ze zachtjes. 'Het komt door jou, Joshua. Ik houd van je.'

Zijn gezicht vertrok. 'Dat mag je niet zeggen.'

'Toch is het zo.'

Hij bewaarde met moeite zijn zelfbeheersing; er voer een rilling door hem heen en zijn knappe gezicht stond onzeker. Toen brak zijn weerstand, alsof er iets in hem geknapt was, en hij sloeg zijn armen om haar heen waarna hij haar heftig tegen zich aantrok. 'Ik houd ook van jou,' zei hij zachtjes met zijn gezicht in haar haar. 'Al zo lang...'

Samantha had de neiging te huilen en te lachen tegelijkertijd, maar ze bleef rustig en onbeweeglijk in zijn armen staan, en genoot van het ogenblik. Dit was de omhelzing waarvan ze al zo lang had gedroomd, en omdat ze dit moment in haar dromen al talloze malen had beleefd, moest ze nu haar best doen zichzelf ervan te overtuigen dat dit echt was. Samantha beleefde heel intens de tastbare sensaties die het ogenblik tot werkelijkheid maakten: Joshua's mannelijke geur, de diepe trilling van zijn stem bij haar oor, de warmte die hij uitstraalde en het ritmische kloppen van zijn hart tegen haar borst.

Het volgende moment bedekte zijn mond de hare en dat verraste haar zo – de plotselinge werkelijkheid van die kus: ze proefde zijn lippen en tong, en allerlei gevoelens borrelden op die ze zich al zo lang had geprobeerd voor te stellen maar die ver achterbleven bij de realiteit – dat ze haar adem inhield tot de kamer om haar heen begon te draaien. Ze viel, ze tuimelde in de duistere leegte, en er bestond niets anders meer dan Joshua's onstuimige kussen, de koortsachtige bewegingen van zijn tong, en het kriebelende gevoel diep in haar buik, terwijl zijn mannelijke hardheid zich dwingend tegen haar rok aan duwde...

En toen trok hij zich abrupt terug. 'Nee, dit kan ik niet doen! Ik heb er het recht niet toe. Ik wil je niet met me meesleuren.' Hij rukte zich van haar los, waardoor ze zich ineens koud en verlaten voelde.

Joshua zocht steun bij de wand, legde zijn handen er vlak tegen aan, en hield zich overeind met gestrekte armen en rechte ellebogen; hij boog het hoofd tussen zijn schouders en keek naar de grond. 'Ik heb het recht niet. Dat genoegen is niet voor mij weggelegd. Ik houd tè veel van je, Samantha, om je met me mee te sleuren naar het dieptepunt van ellende.'

Ze legde smekend haar hand tegen zijn brede rug en voelde dat zijn spieren zich tot het uiterste hadden gespannen. 'Joshua, Joshua, je neemt me niet mee naar het dieptepunt van ellende, maar naar het toppunt van zaligheid!'

'Je begrijpt het niet,' kreunde hij. 'Mijn lieve, allerliefste Samantha, je begrijpt het niet.' Met grote inspanning duwde Joshua zich van de muur af en keek haar met smeulende blik aan. 'Samantha, je bent niet zomaar een vrouw. Je bent een heel bijzonder iemand, veel uitzonderlijker dan je zelf beseft. Je bent geboren om iets te bereiken, iets groots, je bent geboren met een unieke bestemming. Ik zie dat allang in, en de wetenschap dat ik je help om dat doel te bereiken is mijn enige vreugde in het leven. Maar nu is het veranderd. Door mijn zwakheid heb ik mezelf die beloning ontnomen.'

Haar ogen vlogen snel over zijn gezicht. 'Joshua, ik begrijp je niet.'

'Als we vannacht toegeven, worden we minnaars. En ik weet waartoe dat leidt, waartoe het onherroepelijk zal leiden. Tot een obsessie. Tot zelfver-achting. Nu droom je er nog volop van om dokter te worden, Samantha, maar als je minnaar zal ik de plaats van die droom gaan innemen. Je carriè-re zal niet langer het middelpunt van je leven zijn, *ik* zal dat zijn.'

'En zou dat zo erg zijn?'

'Niet als je een gewone vrouw was. Maar dat ben je niet. Ik heb in mijn zelfzuchtige verlangens om mijn begeerte te bevredigen niet het recht jou te beroven van het ware doel in je leven.'

'Ik kan toch verder studeren en tegelijkertijd van jou blijven houden?'

'O ja?' Zijn mond vertoonde een akelig trekje. 'Ik weet hoe inspannend de medicijnenstudie is, hoe doelgericht je bezig moet zijn, hoe helder van geest je moet zijn. Hoe groot zal je vrijheid van geest zijn als je overdag aan mijn vrouws ziekbed zit en 's nachts in mijn armen ligt? Zul je in staat zijn alle schuldgevoelens en alle gedachten aan mij uit je hoofd te zetten, zodat je je helemaal aan je studie kunt wijden? En als je bent afgestudeerd, kun je je praktijk dan voortzetten, kun je de veelbelovende loopbaan die je wacht voltooien, terwijl je opgezadeld zit met een hopeloos verslaafde man? Voordat jij in mijn leven kwam, was mijn bestaan een lange hopeloze weg met aan het eind ervan die laatste naald die een eind aan mijn misère zou maken. Maar toen kwam jij en door jou kreeg ik nieuwe hoop. Als er dan geen kans was dat *ik* werd gered, dan had ik in ieder geval de voldoe-ning dat ik zag dat *jij* iets werd, dat ik zag dat jij opgroeide tot een vrouw die een onuitwisbaar stempel op de wereld zal drukken. Ik schiep vreugde in de wetenschap dat ik je had bijgestaan om je succes te bereiken. Maar nu, als we deze waanzinnige drang volgen, dan is alles verloren – dan volg jij *mijn* ellendige weg, en dan zal ik moeten leven met de gedachte dat ik jou heb misleid. O Samantha...' De tranen sprongen hem in de ogen ter-wijl hij trillend ademhaalde.

Ze glipte als vanzelfsprekend in zijn armen, alsof ze het al talloze malen eerder had gedaan. 'Ik houd van je, Joshua.'

'Als je echt van me hield, zou je dit huis verlaten en nooit weer terugko-men.' Maar zelfs toen hij die woorden sprak sloeg hij zijn armen nog stevi-ger om haar heen, zijn lichaam bewoog tegen het hare en zijn lippen streel-den haar haar, haar wang, en vonden uiteindelijk haar mond.

Alles wat hij had gezegd zonk in het niets weg, alle gevoelens van schuld en berouw en alle voorboden van een rampzalige toekomst losten op in de vloedgolf van hartstocht die plotseling kwam opzetten en niet langer in de hand te houden was. Hongerig klemden ze zich aan elkaar vast, en alle wijsheid van zijn woorden en de dwaasheid van wat ze gingen doen waren in een oogwenk vergeten. Ze waren zich niets anders bewust dan hun bei-der wanhopige verlangen en ze lieten zich op het kleed glijden. Inwendig verbaasde Samantha zich over haar eigen begeerte, maar het drong nauwe-lijks tot haar door, dat ze dat opmerkte. Haar hart en haar lichaam waren zich alleen nog maar bewust van Joshua; ze wilde zijn eenzaamheid uitban-nen en er een brandende liefde voor in de plaats stellen, alsof ze haar brandmerk op hem wilde achterlaten, zodat hij voor altijd de hare zou zijn, en zij voor altijd de zijne.

In al haar dromen en fantasieën had ze nooit kunnen denken dat het zó zou zijn: een samengaan van pijn en extase; er werd een beker gevuld die nooit vol kon raken; het verlangen, de pijn, de gesmoorde kreet in haar keel, het verrukkelijk gevoel dat hij in haar was, zijn gewicht dat haar de adem benam, de hartstochtelijke uitdrukking op zijn gezicht als ze even de ogen opsloeg, en uiteindelijk het onverwachte hoogtepunt dat haar lichaam deed trillen en daarna verslappen. En na afloop koesterden ze elkaar in een weldadige omhelzing, onbewust van de geur van stof in het kleed, van het ruwe weefsel tegen haar blote rug, terwijl Joshua's hoofd op haar naakte borst rustte – de zalige tevredenheid, het overweldigende gevoel van rust.

Toen ze een beetje tot zichzelf waren gekomen, gingen ze naar haar kamer waar niemand hen zou horen. Daar brachten ze de laatste paar uur door voordat de koude kerstochtend gloorde. Ze leefden alleen voor elkaar, zoekend, tastend, bevredigend, en dat allemaal onder de beschermende dekmantel van de nacht. Maar toen het eerste zachtblauwe licht door de gordijnen viel en Samantha met haar haar uitgespreid op het sneeuwwitte kussen lag te slapen, maakte Joshua zich los en sloop de kamer uit. En later, toen ze de chocolademelk dronk die mevrouw Wiggen haar had gebracht, en ze zich intens tevreden voelde, vond Samantha het briefje.

'Als je dit leest, mijn liefste Samantha, dwaal ik door de straten, op zoek naar morfine. Als ik terugkom heb ik alleen nog maar belangstelling voor mijn spuit – nergens anders voor. Estelle heeft veel pijn vanmorgen, het borstvlies is er door de kou niet beter op geworden. Terwijl jij en ik ons overgaven aan onze zelfzuchtige begeerte, lag mijn vrouw in bed, en ze leed in eenzaamheid. Wat er is gebeurd, liefste Samantha, kan niet ongedaan worden gemaakt, maar we mogen het nooit meer herhalen. Als je oprecht van me houdt, en als de bestemming die je wacht je dierbaar is, dan ga je vandaag nog weg. Gun me in al mijn ellende dat laatste stukje zelfrespect.'

18

Eenzaam liep ze door de winterse straten van Lucerne en ploeterde over sneeuw die zo hoog was opgewaaid dat ze bij de telegraafdraden kon als ze haar hand uitstak. Ze luisterde naar iedere knerpende voetstap, het enige geluid dat de nog ongerepte januaristilte doorbrak. Ze wandelde kilometers ver, haar gezicht werd strak en schraal van de kou, de zoom van haar rok flapte doorweekt en ijskoud tegen haar benen en haar vingertoppen werden gevoelloos, zelfs in de geborgenheid van haar mof van otterbont. Af en toe drong het verre getinkel van arresleebelletjes tot haar door, maar Samantha meed zorgvuldig de wegen waar sneeuw was geruimd en het gedeelte van het meer waar de schaatsers zwierend over het ijs gleden. Haar benen voerden haar naar de eenzame buitenwijken van Lucerne, waar ze niet het risico liep iemand tegen te komen, waar ze niet plotseling een glimlach te voorschijn zou hoeven toveren, of zelfs maar een hoofdknikje. Ze had er behoefte aan alleen te zijn.

In het warme huis schoof Hannah zo nu en dan de gordijnen opzij en keek naar buiten, in de hoop een glimp op te vangen van de kleine gestalte in de donkere cape, die scherp afstak tegen de witte wereld. Maar dan schudde ze haar hoofd, liet het gordijn weer zakken en wijdde zich weer aan het bakken en bedruipen van het vlees. Ze wist niet goed wat ze ervan moest denken, maar op haar nuchtere, ongecompliceerde manier was ze ervan overtuigd dat wat het meisje ook dwars zat, wat er tijdens de kerstdagen ook was gebeurd, dat alles zou mettertijd wel weer goedkomen zoals alle dingen, goede en slechte, uiteindelijk op hun pootjes terechtkwamen. Ze zou wel bijdraaien en zichzelf weer worden.

Dat Samantha nooit weer 'zichzelf' zou worden, kwam niet bij Hannah op. Zij, die nooit behoefte had aan het ontrafelen van diepe geheimen en van de gecompliceerde psyche, was er heilig van overtuigd dat de enige echte verandering die een mens onderging, de dood was. Was zij per slot van rekening niet nog steeds datzelfde levenslustige meisje dat jaren geleden langs de Shannon was opgegroeid? Hannah geloofde dat ze nooit was veranderd, maar als ze ooit de tijd had genomen voor zelfonderzoek, zoals Samantha daar buiten in de sneeuw, zou ze een paar verrassende en waarschijnlijk uiterst onthutsende feiten hebben ontdekt. En misschien was dat de reden dat Hannah Mallone nooit al te diep groef – dat liet ze aan pastoors en filosofen over. Ze wist wie ze was, wat ze wilde en wat haar doel in het leven was. Het had geen zin je gezapige leventje te ondermijnen door al te diep te wroeten, zoals Samantha nu deed. Ach, als het kind dat nu nodig heeft, laat haar dan maar. Als de tijd rijp is, trekt ze wel bij en dan is alles weer vergeten.

Sinds ze was teruggekomen, had Samantha zich niet geroepen gevoeld Hannah alles uit te leggen. Twee dagen na Kerstmis had ze onverwacht op de stoep gestaan, haar gezichtje afgetrokken en bloedeloos, en ze had zich overgegeven aan de alles omhullende, warme en huiselijke bescherming van Hannah's gezellige wereldje. Een paar woorden, meer niet, en daarna verviel ze in een rustige, oppervlakkige routine, ze deed alles automatisch, ze at zonder te proeven wat ze at, ze sliep maar rustte er niet van uit en iedere ochtend trok ze er in haar cape op uit op zoek naar iets wat ze niet onder woorden kon brengen.

Samantha had vaag het gevoel dat ze een fase in haar leven had afgesloten, dat iets – ze wist nog niet wat – voorgoed werd afgedaan. Ze liep de tintelende lucht in, keek naar het verse sneeuwdek dat over de wereld lag, en dacht dan, mijn toekomst begint vandaag.

Ze vond het vreemd, want over het algemeen overzag je de fasen in je leven pas achteraf, als tijd en afstand een objectieve kijk mogelijk maakten. Een vrouw van veertig, zoals Hannah, kon terugkijken en zeggen: 'Op díe dag nam mijn leven een andere wending,' maar zij nam pas het standpunt van een twintigjarige in. Was het eigenlijk wel mogelijk dat iemand van haar leeftijd die scheidslijn zag terwijl ze die overtrok? Vooral nu ze geen idee had waar ze eigenlijk precies vandaan kwam?

Samantha stond aan de oever van het meer en liet de koude wind haar muts van het hoofd waaien. Voor haar, als een horizontale spiegel, lag het bevroren meer. Het oppervlak zag melkachtig wit met donkere plekken erin waar het ijs gevaarlijk dun was. Ze stond daar en worstelde met haar gedachten tot haar pijnlijke huid haar eraan herinnerde dat zelfs tijdens haar geestelijke strijd ook haar lichaam aandacht behoefde. Ze zocht die uitgestrekte, pure witte vlakte af naar iets wat ze niet zag. Wat probeerde ze toch te pakken te krijgen dat zo ongrijpbaar was dat je er gek van werd? Dat het uit was, dat wist ze, maar wat was 'het'? Soms, als ze een witte haas tegenkwam en hem zo aan het schrikken maakte dat hij rechtop, doodstil, met trillende snorharen bleef zitten, dacht Samantha dat ze bijna wat ze zocht te pakken kreeg. Maar dan vloog het dier ervandoor en de gedachte ontglipte haar weer, als een veertje dat je nèt niet kon aanraken.

Ooit zou Samantha het weten, maar dat zou nog lang duren, pas als de jaren en de afstand haar op een punt hadden gebracht vanwaaruit ze kon terugkijken en zeggen: 'Ja, dat was de dag dat mijn leven een andere wending nam. Dat was de dag dat ik mijn onschuld verloor.'

De winter maakte plaats voor een druilerig, modderig voorjaar, en vervolgens voor een geurige, herboren lente die de lijsters en de gekraagde korhoenders terugbracht, en die de weiden tooide met kleurige bloemen. Eind mei kwam Sean Mallone thuis en Hannah onderging een wonderlijke gedaanteverwisseling. Het was alsof de jaren van haar af vielen terwijl ze met een hernieuwde, jeugdige energie in de weer was, waardoor het jonge Ierse meisje, zoals Hannah zichzelf nog steeds zag, weer naar boven kwam. Haar amberkleurige ogen straalden als de vensters van de villa van de Astors, haar wangen droegen een blos die deed denken aan perziken en rozen; ze maakte zich druk over haar haar, sloeg grote hoeveelheden in van het eten dat Sean het lekkerst vond, plus whisky, en zette het huis vol boeketjes aardbeibloesem en Susanna-met-de-mooie-ogen.

Samantha verheugde zich in het geluk van haar vriendin en trok zich terug, opdat ze samen konden zijn. Seans terugkeer had geen invloed op haar leven: Samantha hield zich uit zelfbehoud strikt aan haar routine van college lopen en tot 's avonds laat studeren. In het weekend maakte ze in haar eentje lange wandelingen en zocht af en toe wilde bessen om Hannah te helpen bij het maken van jam en gelei. Routine was een manier van overleven.

Tijdens de laatste studieweek ontdekte ze de open plek in het bos.

De medische studenten waren zo druk en onstuimig dat men vond dat ze te ver gingen, en de ingezetenen van Lucerne zeiden mopperend tegen elkaar, wat ze ieder jaar om die tijd deden, dat ze nooit hadden moeten goedvinden dat er een medische opleiding in de stad kwam. Vier studenten gingen over de schreef: op een dronkemansavond sleepten ze het lijk uit het sectielab, naaiden op de plekken waar sectie was verricht de armen en benen met lange, onhandige steken dicht, zetten het op het ruiterstandbeeld op het marktplein en legden de armen om het middel van de allang vergeten generaal. Daarna hielden ze zich giechelend schuil in de bosjes, en wachtten tot het licht werd om te zien hoe de mensen zouden opkijken. Maar in plaats daarvan vielen ze door het overmatig drankgebruik in slaap en ze werden vredig sluimerend op het gras aangetroffen en nog die zelfde dag werden ze weggestuurd.

Om zich aan haar drukke collega's te onttrekken, vierde Samantha het eind van het studiejaar door lange wandelingen in de natuur te maken. Ze vond de open plek toevallig toen ze diep in gedachten was; ze bleef in het midden staan en draaide zich langzaam om. Het was net een klein kamertje: hoge populieren en berken vormden de wanden, terwijl hun brede takken elkaar boven haar hoofd ontmoetten om een plafond te creëren waardoorheen kleine stukjes blauw zichtbaar waren. De vloer bestond uit dichtgeklonken aarde en was bedekt met een bladertapijt. Een oude stam, lang geleden geveld door de bliksem, deed dienst als een volmaakt bankje. Samantha ging zitten en vroeg zich af of er hier ooit wel eens iemand kwam. Het zag er niet naar uit, want de bramen hingen weelderig aan hun stekelige ranken – zelfs de vogels aten ze niet, want sommige vruchten lagen op de grond te rotten.

Samantha, voor wie het heiligste van alle mysteries – het menselijk lichaam – geen mysterie meer was, had behoefte aan een beetje mystiek in haar leven, en ze beschouwde haar plekje als betoverd, magisch. Ze vond een indiaanse speerpunt en vroeg zich af of de indianen, lang geleden toen ze nog onbedorven en ongetemd waren, deze plek soms als tempel hadden gebruikt. Ze eerden praktische geesten, goden die in het koren, de bomen en het water leefden, goden die je kon aanraken en proeven en met wie je contact had, heel anders dan de afstandelijke, onbekende God van Samuel Hargrave. Met zijn volle geur van lemige aarde en vergaand blad, en de scherpe geur van de rottende bramen, was de plek als een tempel voor de zintuigen. De lucht die er hing was als een koppige heilige wijn die je het gevoel gaf dat de oude goden er nog steeds woonden. In ieder geval was het een ideaal plekje om te zitten nadenken, en Samantha, die net twintig was geworden, kwam die zomer onder de betoverende ban ervan: ze beeldde zich in dat de open plek op haar had liggen wachten...

Het was de ideale plaats om de dingen op een rijtje te zetten, om orde te brengen in de wanorde van haar leven sinds Kerstmis. Ze nam vaak een picknickmand mee met koude ham, koekjes en een fles citroenthee erin. Ze droeg dan een katoenen jurk en een gesteven zonnehoed en ze liet de betovering haar werk doen. Het gebeurde vaak, na hun gezamenlijke lunch die bestond uit konijn of gebraden gevogelte met aardappels in jus, en appeltaart, dat Samantha de lome blik in Seans ogen opving en zag hoe hij dromerig Hannah's arm aanraakte. Samantha verzon dan een smoesje om uit te gaan – ze had een kaartje stopwol nodig of een blikje talkpoeder – waarna ze eerst langs het meer liep om zich ervan te overtuigen dat het er nog was. Vervolgens wandelde ze via het vertrouwde pad naar de open plek en gaf zich over aan de troostende, veilige haven. Vaak werd ze al getroost als ze onder de bebladerde takken stapte. (Samantha had één keer, maanden geleden, de dienst in de presbyteriaanse kerk van Lucerne bijgewoond, maar naderhand had ze het gevoel alsof ze op een geweldig feestmaal was genodigd maar nog steeds honger had. Daar er geen katholieke kerk was, bad Hannah iedere zondagochtend een rozenkrans. Om haar vriendin een plezier te doen had Samantha de woorden geleerd en bad met haar mee, maar het bevredigde haar niet. De open plek in het bos vervulde een eerste levensbehoefte.)

Samantha vond het niet erg dat ze buiten de verhouding tussen Sean en Hannah stond, want haar behoefte om alleen te zijn was even groot als de hunne om samen te zijn. Af en toe dacht ze glimlachend aan wat ze op dat moment aan het doen waren, en vond in hun minnekozerij enige bevrediging uit de tweede hand. Ze verheugde zich erover omdat ze het zelf ook even had gekend, en vervolgens spoorde ze zichzelf aan om aan iets anders te denken om hun hun privacy te gunnen.

In het begin was het bijna altijd Joshua. Maar iedere dag voelde ze zich iets verder genezen en voelde ze zich een beetje meer van hem bevrijd. Was het echt liefde geweest? Ze wist het niet meer. Ze kon het niet met voorgaande ervaringen vergelijken. Eens, heel lang geleden was Freddy er geweest en het was alsof ze van hem had gehouden, maar dat gevoel was nu oud en vaag, te onbestemd om het zich precies te kunnen herinneren, als een onscherpe foto. Misschien bestonden er verschillende soorten liefde. Voor Joshua had ze iets gevoeld dat dicht bij verafgoding kwam. Niettemin was het liefde, maar niet van het soort dat vanzelfsprekend tot seksueel contact leidt. Over dat laatste peinsde Samantha nog het meest, want vreemd genoeg was mèt de liefdesdaad haar liefde voor Joshua veranderd.

Naarmate de zomer dag na dag verstreek, de ene dag niet opmerkelijker dan de ander, kwam Samantha tot een onthullende conclusie. Joshua was een symbool. Hij was als de bloem die je tussen de pagina's van een boek legt: je houdt niet zozeer van die bloem, maar van wat hij vertegenwoordigt, een dierbaar ogenblik. Joshua was het symbool ergens voor, hij vormde het keerpunt tussen haar meisjesjaren en haar vrouw-zijn, en om die reden was hij Samantha het dierbaarst, want dat keerpunt zou ze nooit nog eens kunnen beleven. Eén keer kan maar de eerste keer zijn, en ze was blij dat het Joshua was geweest.

Met behulp van haar plekje in het bos en de oude geesten die er huisden, was Samantha uiteindelijk in staat Joshua een plaatsje in haar hart te geven waar hij altijd zou wonen, en waar ze hem zo nu en dan zou bezoeken. Toen de herfst en het nieuwe studiejaar naderden, had ze leren aanvaarden dat ze hem nooit zou weerzien en nooit meer iets van hem zou horen. Nu de episode Joshua achter de rug was, kon Samantha haar gedachten een grote ommezwaai laten maken: na het overpeinzen van het verleden kon ze nu over de toekomst nadenken. Nog iets anders werd haar duidelijk, dat ze eerst vreemd vond maar hoe meer ze erover nadacht, hoe beter het idee haar beviel en ze aanvaardde het als dè waarheid: ze was inderdaad geknipt voor de doktersstudie. Als ze steeds verder terugkeek, zag ze de ogenblikken in haar leven die naar voren sprongen, beginnend met een oude, gewonde straatkat, vervolgens de zorg voor Freddy en de brandwonden van haar vader, en ten slotte mevrouw Steptoe. Tijdens die ogenblikken had ze zich het meest *zichzelf* gevoeld, het meest in harmonie met wat ze eigenlijk was. Meneer Hawksbill had het gezien, dr. Blackwell had het gezien, en Joshua had het gezien, en nu zag Samantha het zelf in. En nu ze tot dit inzicht was gekomen, dat ze kon aanvaarden en waar ze vrede mee had, kwam Samantha op die open plek in het bos tot de conclusie dat haar koers was uitgestippeld en dat ze zich nooit weer, wat er ook gebeurde, van die koers zou laten afbrengen. In augustus ontving ze het juichende nieuws van Louisa dat zij en Luther naar Cincinnati gingen om te trouwen, en Samantha sloeg een bres in haar spaargeld, dat al aardig slonk, en stuurde een theepot met bijpassende kopjes uit Kendall's Dry Goods. De herfst kwam dat jaar snel in Lucerne, en hulde het stadje en de natuur in een mantel van rode, gouden en bruine tinten. Een nieuw studiejaar was opeens in volle gang. Omdat het het tweede jaar was, werd de taak verzwaard – op dit punt haakten vele studenten af – en Samantha, bevrijd van banden en zorgen, precies zoals Joshua het had gewild, stortte zich met hart en ziel en ware toewijding op haar studie en de vervulling van haar bestemming.

In oktober keerde Sean terug naar de bergen, waarna het huis er eigenaardig leeg en hol bij lag, en toen de novemberregens begonnen, had Hannah weer aandacht voor Samantha. Hoewel ze het niet leuk vond, moest ze toegeven dat het meisje uiteindelijk op de een of andere manier was veranderd.

Hannah vermeed het ontleden van de gevoelens van anderen; haar eenvoudige geest waagde zich niet graag aan veronderstellingen en abstracte beweringen, maar deze keer ging het vanzelf. Als ze in de gezellige lichtkring van de open haard zat, met een pot gloeiend hete thee naast zich en als ze naar de regen luisterde die tegen de ramen achter de zware gordijnen striemde, keek Hannah af en toe op van haar verstelwerk en staarde peinzend naar het jonge hoofd dat over een studieboek gebogen was – het lag open geslagen bij een onfatsoenlijke illustratie – en dan vroeg ze zich af waarom Samantha Hargrave, in tegenstelling tot alle andere vrouwen in de schepping van onze Lieve Heer, nooit eens haar gevoelens uitte.

Wanneer twee vrouwen samen een huis deelden en genesteld zaten in de gloed van het vuur, met een pot thee, en als de regenachtige avond door de klok werd weggetikt, dan was het slechts natuurlijk dat ze kleine intimiteiten uitwisselden, elkaar typisch vrouwelijke probleempjes bekenden en troost zochten bij een zuster-in-de-nood. Vrouwen werden het nooit moe elkaar hun intiemste gedachten toe te vertrouwen, alsof ze recepten uitwisselden. Avonden als deze riepen altijd dingen op die anders verborgen bleven: middeltjes tegen menstruatiepijn, vreemde dromen, die heerlijke, pikante roman onder je kussen, de onverwachte aandacht van die nieuwe man bij Kendall's Dry Goods...

Hannah bestudeerde haar handwerk en probeerde de zaak in gang te zetten, in de stellige overtuiging dat een bekentenis, net als een laxeermiddel, Samantha weer de oude zou maken: ze vertelde zachtjes iets waarover ze zich inwendig zorgen maakte, een droom of een opwelling, en wachtte op de gebruikelijke beantwoording van die vertrouwelijkheid. Maar dat gebeurde nooit. Samantha gaf beleefd antwoord ('Ik weet wat je bedoelt, Hannah, ik droom tijdens mijn menstruatie ook altijd veel levendiger; ik geloof niet dat het iets is om je zorgen over te maken.') en dan trok ze zich weer terug.

Het was niet goed, vooral niet gezien de studie van het meisje. Een beroep waarbij je juist moest openstaan naar buiten toe, dacht Hannah, en waarbij je de meest verborgen plekjes van iemands lichaam moest onderzoeken. Voor een dokter bleef niets verborgen: geen plooitje, geen opening, geen inwendig mechanisme ontsnapte aan zijn aandacht. Hij zag de mensen naakt en hij hoorde meer intieme bekentenissen dan welke priester waarschijnlijk ooit ter ore kwam. Samantha was bezig te leren hoe ze zo iemand moest worden, iemand die al het menselijke wordt onthuld – hoe kon ze dan zelf zo gesloten blijven?

Ach nou ja, dacht Hannah, misschien was dat wel het antwoord, heel eenvoudig: als alle menselijke en lichamelijke feiten je onder de neus werden gewreven, verlangde je misschien juist wel naar iets eigens. Misschien vind je in je hart wel dat het niet normaal is om alles zo helder te zien, en misschien houd je daarom wel, zonder het te weten, zo vast aan dat laatste stukje privacy en onschendbaarheid – je eigen ik. Nu ze erover nadacht kwam Hannah, die weer verder naaide, tot de conclusie dat de oude dokter Shaughnessey ook een zeer gesloten man was; hij wist alles van iedereen in het dorp, maar zelf bleef hij een raadsel. Waren alle dokters zo? Misschien wel. Samantha Hargrave ging zeker die kant op.

Hannah ging zuchtend verzitten en keek even naar haar metgezellin, dankbaar dat de aanstootgevende bladzij was omgeslagen en dat de illustratie verdwenen was, en ze bestudeerde het camee-achtige profiel – de lange slanke hals, de klassieke neus en kin, de volle dichte wimpers, de fijngetekende wenkbrauwen, en dat opvallend hoge voorhoofd – ze nam haar nog eens aandachtig op (ach ja, stille waters... zeggen ze), waarna Hannah alle gedachten van zich afschudde en vond dat haar ongeoefende poging tot zielsontleding niet veel succes had gehad.

In werkelijkheid had Hannah de spijker op de kop geslagen.

19

'Ik heb me nog nooit zo vernederd gevoeld,' zei Samantha terwijl ze een gat in een van haar kousen zat te stoppen. 'Ik zal blij zijn als de opleiding achter de rug is en ik mijn diploma krijg. Dan ben ik dokter, en dan hoef ik me geen beledigingen meer te laten welgevallen.'

Hannah wierp haar vriendin een zijdelingse blik toe, een blik waarin te lezen lag: 'Reken er maar niet te vast op, liefje.' Maar ze deed er het zwijgen toe. Hannah Mallone had op dat moment andere dingen aan haar hoofd. Het was een loodgrijze januarimiddag en de warmte van de gietijzeren kachel leverde een ongelijke strijd tegen de ijskoude tocht die door het huis waarde. Samantha had versteende vingers en haar boosheid hielp ook al niet mee om de naald zijn werk goed te laten doen. Ze voelde zich rusteloos en opgesloten; ze had behoefte om naar haar plekje in het bos te gaan, maar dat lag onder een dik sneeuwdek.

Hannah stond met haar rug naar Samantha toe en sneed worteltjes in keurige blokjes voor de borrelende stoofpot met konijn. 'Waarom moest je dan achter dat scherm zitten, liefje?'

Bij de herinnering werd Samantha weer zo kwaad, dat ze niet uit haar woorden kwam. De gastdocent, het intieme onderwerp van zijn college, de oprechte verontwaardiging toen hij ontdekte dat er een *vrouw* in de zaal zat, zijn hoogdravende weigering zijn college voort te zetten, dr. Jones' dringende verzoek aan Samantha om zich 'voor deze ene keer' te verwijderen, haar eigen koppigheid, de confrontatie, en het uiteindelijke compromis dat de man zijn lezing zou geven als de studente buiten zijn gezichtsveld plaatsnam, zodat ze hem niet stoorde. Er werd een scherm in een hoekje gezet en Samantha kreeg daarachter een plaatsje, zodat ze zijn verhandeling over de menselijke seksualiteit kon aanhoren zonder de man een beroerte te bezorgen door hem aan haar aanwezigheid te herinneren. Tijdens het gedeelte over de manier waarop een vaginaal onderzoek moest worden verricht, moest Samantha een keer niezen, en de eminente docent had moeten gaan zitten om weer bij te komen.

'Gewoonlijk zitten de studenten te gniffelen en te lachen, en ze maken dubbelzinnige opmerkingen tijdens dat college,' had dr. Jones haar na afloop van dit eerste college van een serie van vijf uitgelegd. 'Maar omdat ze weten dat u erbij zit, zij het dan uit het zicht, beheersen ze zich.'

Voor het eerst had Samantha zich aan haar medestudenten geërgerd: dr. Miller had de jongemannen gemaand er vooral voor te zorgen dat ze tijdens een vaginaal onderzoek een absoluut ongeïnteresseerde indruk maakten. Ze moesten hun blik richten op een punt in de kamer, het onderzoek onder de kleren van de vrouw verrichten en *nooit* meer dan één vinger tegelijk inbrengen.

Een van de studenten had zachtjes gelachen en een andere had snel gehoest om dat te camoufleren, maar Samantha had het wel gehoord.

Zonder het ritme van haar werkzaamheden te onderbreken, zei Hannah:

'Ik moet bekennen dat ik het met de professor eens ben. Ik vind het niet goed dat je bij zoiets zit. Het is niet fatsoenlijk.'
'Een dokter moet zulke dingen toch leren.'
'Het is de taak van de echtgenoot zijn vrouw op het gebied van seks in te wijden. Een *echte* dame zit niet in mannengezelschap naar zulke dingen te luisteren. Op die manier ga je niet onschuldig het huwelijksbed in, en er zijn niet veel mannen die dat op prijs stellen.'
'Jij was ook niet onschuldig, Hannah, en Sean vond dat niet erg.'
Hannah haalde haar schouders op. Dat was iets heel anders.
Samantha legde haar verstelwerk neer. Ze dacht aan het laatste college van dr. Miller: 'Bedenk, heren, dat de rol van de dokter daarin bestaat dat hij de vrouw in alles haar zin geeft, daar de meeste vrouwenkwaaltjes toch ongeneeslijk zijn. U zult merken dat de meeste van uw vrouwelijke patiënten bij u komen met onbetekenende klachten waarover ze vreselijke misbaar maken. Om de achtenswaardige dr. Oliver Wendell Holmes te citeren: "De vrouw is een tweevoeter met constipatie en rugpijn." '
Hannah bukte zich en deed de ovendeur open om te zien hoe het met de twee grote aardappelen in de schil stond. Meestal vond ze koken leuk, maar vandaag was ze er met haar gedachten niet bij. Ze was niet zo gelukkig, zoals Samantha, dat ze een ordelijke geest bezat en Hannah's gedachten waren verward. Mannen, het had met mannen te maken.
Haar ongedisciplineerde gedachten gingen terug naar eerste Kerstdag, net drie weken geleden, en de treurige vertoning die het was geweest. Het zou leuk zijn, had ze gedacht, een van Samantha's medestudenten voor het kerstdiner uit te nodigen. Iemand die geen thuis had en die tijdens de vakantie niet naar huis ging, een echte heer, en vooral iemand die de gelegenheid zou aangrijpen een middag samen met Samantha door te brengen. Nu, in díe categorie waren er vast genoeg.
De jongeman was verschenen in een jagersgroene pandjesjas en antracietgrijze pantalon van zo'n uitstekende snit en kwaliteit, dat Hannah ervan overtuigd was dat hij rijk was en dus een goede partij voor Samantha. In de woonkamer, waar in de open haard een fel vuur brandde, had hij zijn beide gastvrouwen verlegen een cadeautje overhandigd: een zakje lavendel voor Hannah en voor Samantha een exemplaar van *Ben Hur,* pas geschreven door de gouverneur van Nieuw-Mexico. Terwijl Hannah onder een voorwendsel veel tijd in de keuken doorbracht, hadden de twee jonge mensen in de salon zitten praten.
Hannah had hun gesprek afgeluisterd: 'Er wordt beweerd, juffrouw Hargrave, dat een Poolse chirurg in Wenen tijdens operaties experimenteert met steriele linnen handschoenen. De andere studenten lachen erom, maar ik geloof dat het misschien een verdienstelijk idee is. Wat vindt u ervan, juffrouw Hargrave?'
'Het is heel wel mogelijk, meneer Goodman, dat wonden worden geïnfecteerd door de handen van de chirurg. Het gaat erom of men een voorstander is van de microbentheorie of niet. Als er inderdaad bacteriën bestaan,

dan is het logisch dat de bacteriën aan de handen van de chirurg infecties veroorzaken. Het lijkt me echter dat de chirurg zijn gevoel verliest als hij handschoenen draagt.'

De jongeman, in een onhandige poging het gesprek op een meer persoonlijk vlak te brengen, had het gewaagd te zeggen: 'Ik hoop echt dat u het een mooi boek vindt, juffrouw Hargrave, het is een uitermate goede versie van het leven van Christus.'

'Helaas heb ik weinig tijd om romans te lezen, meneer Goodman. Maar over lezen gesproken, onlangs heb ik nog in de *Boston Journal* gelezen over een dr. Tait in Engeland, die erin is geslaagd een appendix te verwijderen waarna de patiënt in leven bleef. Hij heeft iets heel opmerkelijks gedaan, meneer Goodman. Hij heeft zijn instrumenten vóór de operatie gesteriliseerd...'

Hannah had de impuls moeten onderdrukken om naar binnen te vliegen en Samantha eens door elkaar te schudden. Wel verdomme, kind! had ze gedacht. Je weet niet hoe goed je het hebt! Stel je hart open en laat die jongen van je houden! Zo word je een oude vrijster, heus!

Hannah nam nu de worteltjes en raapjes en gooide ze in de pruttelende saus. Toen streek ze met de rug van haar hand over haar voorhoofd; wat had ze toch in hemelsnaam vandaag? Ze leek wel een broedse kip. Ze bleef voor het fornuis staan. Haar gezicht betrok. Hannah Mallone wist heel goed wat er aan de hand was. Het zou er niet beter op worden, als ze deed alsof dat niet zo was. Het probleem was, wat moest ze doen? Tja, die angstige beslissing was weken geleden al gevallen; nu was het nog een kwestie van moed vatten en Samantha dat vreselijke voorstel doen...

Hoewel ze zich in hetzelfde vertrek bevonden, leefden ze ieder in een andere wereld. Hannah werd in beslag genomen door haar overweldigende probleem en Samantha had iets anders dat haar bezighield. Louisa's brieven hadden de laatste tijd iets verontrustends. Samantha kon er niet de vinger op leggen, hoe vaak ze ze ook overlas, maar het was duidelijk dat er moeilijkheden waren.

Hannah waste haar handen, droogde ze aan haar schort af en trok een stoel bij de tafel. 'Ik ben bekaf. Ik moet even zitten.'

'Voel je je wel goed, Hannah?'

Hannah gaf geen antwoord. Ze pakte de muts van de theepot, schonk haar kopje vol en schepte er twee lepels honing in. Ze hield het kopje in haar beide handen, alsof ze ze moest warmen, hoewel ze er verhit uitzag.

Terwijl Samantha haar verstelwerk opvouwde en in haar mandje deed, bedacht ze dat Hannah de laatste weken niet veel trek had gehad. Op de tafel tussen hen in stonden nog de restanten van een koude vleespastei die ze bij het ontbijt hadden gegeten; Samantha haalde het doekje eraf, brak een stukje van de korst af en stak dat in haar mond. 'Ik denk dat je een versterkend drankje nodig hebt, Hannah. Bij sommige mensen wordt het bloed 's winters dunner.'

Hannah dacht even na. 'Misschien heb je gelijk, liefje.' Met een vermoeid gebaar dat niet bij haar paste stond ze op, liep naar de kast en pakte een fles van Seans Ierse whisky. Ze ging weer zitten, haalde de kurk eraf en schonk een scheutje in haar thee. Toen hield ze de fles op en keek Samantha vragend aan.

Toen zag Samantha iets in de blik van haar vriendin – ze had dat al eens eerder gezien, toen een patiënte in de collegezaal was getoond en dr. Page zakelijk had verteld dat juffrouw Bates kanker had. Juffrouw Bates had diezelfde blik in haar ogen gehad – een glimpje somberheid, alsof haar ziel het een fractie van een seconde had opgegeven. Het was dadelijk alweer voorbij en Hannah keek haar alleen maar vermoeid aan. 'Graag, Hannah, ik kan zelf ook wel een opkikkertje gebruiken.'

Een paar minuten zaten ze zwijgend hun thee te drinken; zachte pruttelende geluidjes kwamen uit de richting van het fornuis en af en toe schoof er een pak sneeuw van de dakrand en viel met een doffe plof op de grond. Samantha besefte dat er iets aan de hand was.

'Ik moet je iets vertellen,' zei Hannah uiteindelijk.

Samantha wachtte af.

'Ik denk dat je die nieuwe' – Hannah tilde haar kopje een klein eindje op en begon met de andere hand het schoteltje rond te draaien – 'die nieuwe... keurige man bij Kendall's wel hebt gezien?'

Ja, Samantha kende hem, al zou ze hem niet bepaald een keurige heer noemen. Niemand wist veel van hem af. Hij was in oktober op een dag in de stad opgedoken en meneer Kendall had hem werk gegeven zodat hij die dag in ieder geval te eten had. De man was echter zo'n gewillige, beminlijke en efficiënte arbeidskracht gebleken, dat meneer Kendall hem in dienst had gehouden. Alles wat Samantha van hem wist, was dat hij Oliver heette en dat de blik waarmee hij haar aankeek als meneer Kendall niet in de buurt was, haar niet aanstond. 'Wat is er met hem, Hannah?'

'Tja, liefje...' Het schoteltje draaide rond en rond, en maakte krassende geluiden op het geboende tafelblad. 'Hij heeft een beetje een oogje op me, zie je, en hij is erg aardig voor me. Hij verkoopt me de stof wel eens een paar dubbeltjes goedkoper. Je weet hoe krenterig meneer Kendall soms is, maar als hij er niet is, doet Oliver altijd iets van de prijs af. Hij heeft zelfs een keer mijn pakjes voor me naar huis gedragen, en ik heb hem toen op de thee gevraagd.'

Samantha keek strak naar het gestaag ronddraaiende schoteltje.

'Tja, en op een middag, toen jij dat belangrijke examen aan het doen was...'

Laat in november was Samantha zo verstrooid thuisgekomen dat ze tijdens het eten niet had gemerkt hoe ongewoon stil Hannah was. Nu ze terugkeek, herinnerde ze het zich weer.

Het schoteltje stond stil, het kopje werd met een rinkelend geluid in zijn holletje gezet. 'Hij is de hele middag gebleven.' Samantha voelde Hannah's immense schaamte op zichzelf overslaan. 'En het is niet bij die ene keer gebleven.'

Samantha keek op. Hannah's amberkleurige ogen stonden helder. Haar stem klonk alsof ze in tranen was, maar dat bleek niet het geval. 'Ik ben bang, Samantha.'
'Dat Sean erachter komt? Hoe zou dat nu kunnen?'
Hannah schudde haar hoofd. 'We hebben het zo in het verborgen gedaan, daar komt Sean nooit achter.'
'Is het... voorbij?'
'Lieve hemel, kind, het heeft twee weken geduurd en toen heb ik er een punt achter gezet!'
'Waar maak je je dan zorgen over?'
'Ik ben zwanger.'
Samantha keek haar strak aan. 'Weet je het zeker? Ben je naar een dokter geweest?'
'Ik heb geen dokter nodig om me te vertellen wat het betekent als ik mijn maandelijkse periode oversla, 's morgens overgeef en mijn enkels als meloenen opzwellen! Ik heb het vaak genoeg bij andere vrouwen gezien om te weten wat er aan de hand is!'
'O, Hannah...'
Hannah stak haar kin in de lucht en keek vastberaden. 'Daarom vertel ik je dit allemaal, Samantha. Ik wil dat je me helpt.'
'Wat kan ik dan doen?'
'Zorg dat ik ervan afkom.'
Samantha knipperde met haar ogen alsof ze een klap in haar gezicht had gekregen.
Toen ze de blik in haar ogen zag, moest Hannah zich afwenden. Ze stond op, liep naar het fornuis, haalde het deksel van de pan en roerde in het eten. 'Je vraagt je zeker af,' zei ze als van een grote afstand, 'waarom ik het heb gedaan. Waarom ik met een andere man, en dan nog wel een man als Oliver, scharrel, terwijl ik vijf maanden van het jaar een man als Sean Mallone in mijn bed heb.'
Samantha keek haar vriendin aan, maar reageerde niet.
'Weet je, liefje, misschien begrijp je dat nog niet. Je bent twintig jaar oud en slank, en je huid is roomblank, en je hebt die frisheid waardoor mannen naar je hunkeren. Zo was ik ooit ook. Jaren geleden...' Hannah liep de keuken rond en raakte af en toe een voorwerp aan alsof ze de greep op het gewone leven wilde behouden. 'De laatste jaren kijk ik naar mezelf in de spiegel en dan zie ik de rimpels komen, mijn middel dikker worden en het grijs verschijnen in dat mooie haar dat eens mijn trots en glorie was. En dan lig ik 's avonds laat te denken dat Sean misschien van me hield omdat ik een gewoonte voor hem was geworden, omdat ik er nu eenmaal was. En toen kwam het bij me op dat ik niet meer zo'n aantrekkingskracht op mannen had als vroeger.'
Ze draaide zich met een ruk om en keek op Samantha neer. 'En toen zag ik de jaren die voor me liggen. Ik zou steeds dikker en grijzer worden en misschien zou Sean op een ochtend wakker worden, me eens goed bekijken, en

eindelijk zien hoe ik echt ben. Het zou allemaal niet half zo erg zijn, Samantha' – haar stem klonk gespannen – 'als we kinderen hadden gehad. Dan doet het er niet toe dat je oud en dik wordt. Dan heb je iets om trots op te zijn. Een bewijs dat je ooit begeerlijk was en als vrouw je nut had. Maar ik, wat heb ik? Ik zal je eerlijk zeggen, kindje, ik werd bang.'

Ze ging weer zitten en vulde haar kopje met whisky. 'Ik was niet verliefd op Oliver, ik voelde niet eens echte hartstocht voor hem, maar hij maakte dat ik me weer jong voelde – hij flirtte met me en noemde me *juffrouw* Mallone, en toen hij me aanraakte was het alsof ik weer twintig was. Hij heeft me tot leven gebracht zoals Sean al in lange tijd niet is gelukt.' Hannah nam een grote, versterkende slok. 'En toen, na twee weken, waren mijn gevoelens dood en ik was eenvoudigweg een oude vrouw die zich belachelijk aanstelt met een jongere man. Daarom heb ik hem de laan uitgestuurd. Ik heb gezegd dat hij niet meer terug moest komen . . .'

Samantha's hand schoof langzaam over de tafel en legde zich om Hannah's pols.

'Jij weet wat je moet doen, kindje. Jij hebt dat soort dingen geleerd. Jij weet wat je moet doen om me uit deze rotsituatie te redden. Misschien een drankje, misschien . . .'

'Hannah,' fluisterde Samantha. 'Wil je dat werkelijk?'

'Nee, eigenlijk wil ik het niet, maar het moet, zo ligt de zaak nu eenmaal.' Eindelijk vulden haar ogen zich met tranen. 'God weet hoe vurig ik naar een kind heb verlangd. Ik heb wel eens zo lang tot de heilige Maagd gebeden dat mijn knieën ervan bloedden. En dan te bedenken . . .' Hannah keek verwonderd naar haar buik. 'Te bedenken dat het lieve kind er dan eindelijk is, lekker opgerold en lekker slapend, wachtend op de dag dat het op z'n Iers, schoppend en wel, de wereld in kan komen . . .' Haar gezicht betrok. 'Ik houd van dit kind, Samantha, maar Sean is me liever. Daarom moet ik het wegmaken.'

'Maar je hoeft toch niet te kiezen! Je kunt èn het kind èn Sean behouden. Zeg tegen Sean dat de man zich heeft binnengedrongen, dat hij je heeft bedreigd. Sean is een begrijpend en barmhartig mens, hij zal de baby als zijn eigen kind laten opgroeien . . .'

'Daar gaat het niet om, kindje. Ik doe het niet voor mezelf, ik maak me geen zorgen over mijn eigen reputatie, maar wel om die van Sean. Ach liefje, begrijp je het dan niet? Al die jaren dachten we dat het aan mij lag dat we kinderloos waren. Maar dit, dit zou betekenen dat het aan Sean lag, dat hij geen kinderen kan maken, en dat zou een klap voor zijn mannelijk gevoel van eigenwaarde zijn. Ik heb het recht niet hem dat aan te doen. Je moet me helpen Seans gevoel van eigenwaarde te bewaren.'

Samantha keek de keuken rond en zocht naar een antwoord. 'Heb je het Oliver verteld?'

'Nee.'

'Hij heeft er recht op het te weten.'

'Hij heeft helemaal geen rechten. Wat hem toekwam heeft hij boven gekre-

195

gen. We staan quitte, ik ben hem niets verschuldigd.' Hannah boog zich met een bezorgde blik voorover. 'Het hoeft niet snel en pijnloos te gaan, dat vraag ik niet. Ik neem aan dat de Heer me hiervoor wil laten boeten. Ik wil alleen dat je me belooft dat het afdoende werkt!'

Samantha begon te beven. Ze wenste dat ze niet die vreselijke kennis bezat waarmee ze het drankje kon samenstellen dat werkte, dan zou de beslissing niet aan haar zijn. Maar ze bezat die kennis wel, het antwoord lag haar op de lippen. Het zou zo eenvoudig zijn – een mengsel van thee getrokken van katoenzaad, of een dosis bast van de rode elm; zelfs boerenwormkruid kon je bij de apotheek in de stad krijgen – en dan zou Hannah er morgenochtend vanaf zijn. 'Hannah,' fluisterde ze. 'Weet je het *zeker?*'

'O liefje, denk je nu heus dat ik de afgelopen tien nachten niet steeds heb liggen piekeren, denk je heus dat ik niet weet wat ik je vraag? Geloof maar dat het me zwaar valt je hulp in te roepen.' Hannah stond op en probeerde haar waardigheid te behouden, maar de tranen rolden haar nu over de wangen en belandden in grote druppels op haar jurk. 'Het is mijn straf voor wat ik heb gedaan. Ik had niet met een andere man mogen scharrelen. Het is de straf van God, dat is het. Ik zal nooit in de hemel komen, kindje, het wordt het eeuwige vagevuur voor mij, maar. . .' Hannah wankelde en greep de rugleuning van haar stoel beet, 'ik doe het om Sean de waarheid over zichzelf te besparen!'

Samantha vloog overeind en nam de huilende Hannah in haar armen. Ze voelde zelf dat de tranen haar in de ogen schoten, maar ze drong ze terug. 'Ik smeek je, zorg dat het weer goed komt!' snikte Hannah met de handen voor haar gezicht. 'Als alles maar weer is zoals vroeger – ik neem alle schuld op me. Ik weet dat het niet eerlijk is je hiermee lastig te vallen, maar ik heb niemand anders die ik om hulp kan vragen.' Haar stem daalde tot gefluister. 'Ik sta er helemaal alleen voor. . .'

'Nee, dat is niet zo, Hannah. Je hebt mij. We zoeken samen een oplossing.' Samantha streelde haar teder over het rode haar. 'Hannah, weet je zeker dat er geen mogelijkheid is om het te behouden? We zouden misschien samen ergens naar toe kunnen gaan, en als we terugkomen zouden we Sean kunnen vertellen dat het van mij is.'

Hannah haalde luid haar neus op en hikte. 'Je bent lief, kindje, zou je dat voor me willen doen? Maar dan zou je van school moeten, je reputatie zou naar de maan zijn, en dan krijg je misschien nooit dat diploma. Dat wil ik niet op mijn geweten hebben. En we kunnen niet zeggen dat het van iemand anders is, want aan het vuurrode haar zou iedereen kunnen zien dat het van mij is. Nee, liefje, ik heb alle mogelijkheden overwogen, maar dit is de enige oplossing.'

Samantha keek strak naar de rij potjes boven het fornuis; haar stem was tot het uiterste gespannen. 'Hannah, ik ben ervan overtuigd dat ik het leven moet beschermen. Daar wijd ik me helemaal aan. Ik kan. . . een baby niet. . . doden. . .'

Hannah liet haar handen zakken en keek Samantha met vochtige ogen aan.

'En wat denk je van mijn overtuiging? Ik bega een doodzonde. Ik ga hiervoor naar de hel. En denk je dat ik niet houd van dat leventje binnen in me?'

'Neem me niet kwalijk, Hannah, zo bedoelde ik het niet. Ik denk dat ik wel begrijp wat je doormaakt. Ik wilde alleen dat je inziet waarom... waarom ik erover na moet denken. Ik weet niet wat ik moet doen, Hannah. Gun me nog wat tijd. Het kan wel tot morgen wachten, en dan bedenk ik wel iets.'

Hannah's omvangrijke boezem bewoog op en neer, toen slaakte ze een besliste zucht. Ze maakte zich uit Samantha's omhelzing los en veegde met haar schort haar ogen droog. 'Ik ben ineens doodmoe, liefje. Ik denk dat ik naar boven ga om even te liggen.' Ze knoopte haar schort los en hing het zorgvuldig aan het haakje.

'Hannah, ik probeer heus iets te bedenken.'

'Natuurlijk, liefje. Maar denk eraan, ik wil het niet te lang uitstellen. Als jij geen kans ziet het voor me te doen, moet ik naar de weduwe Dorset, en die woont 30 kilometer hier vandaan.'

'De weduwe Dorset?'

Hannah deed een poging dapper te glimlachen. 'Een discrete oude dame die geen vragen stelt, en die prima werk levert. Jazeker, en het verbaast me dat je nog nooit van haar hebt gehoord. De beste vroedvrouw in de omgeving. Laat het eten niet te lang opstaan.'

Samantha at niets. Nadat ze de stoofschotel op een onderzetter had gezet, wikkelde ze de broodjes in een vochtige doek om te voorkomen dat ze uitdroogden, en zette de melk in het raamkozijn. Toen ging ze naar haar kamer.

De uren vlogen met verbazingwekkende snelheid voorbij; ze was zich het verstrijken van de tijd nauwelijks bewust. Het was al donker geweest toen ze naar boven ging, maar nu was het pikkeduister en nijpend koud. Met haar sjaal om haar schouders liep Samantha voor de open haard heen en weer en dwong zich tot een eindeloze beweging, alsof lichamelijke inspanning het vinden van een oplossing vergemakkelijkte.

Samantha was kwaad. Ze wist niet op wie, zeker niet op Hannah, voor wie ze alleen diep en smartelijk verdriet voelde. Misschien was ze boos op de zelfgenoegzame Oliver, die iets had van een forse kater die ongestraft van de room heeft gesnoept. Het was zelfs mogelijk dat ze boos was op zichzelf, op haar onmacht de situatie naar haar hand te zetten en een vast standpunt in te nemen; Samantha had er een hekel aan zich machteloos te voelen. Ze voelde ook iets van schuld, schuld vanwege een daad die een andere vrouw had begaan. En afgezien van die gevoelens was er nog het idee dat ze haar vriendin op de een of andere manier in de steek had gelaten.

Samantha voerde de hele nacht een strijd met zichzelf. Ze probeerde haar verwarde gedachten op een rijtje te zetten, maar steeds weer kwam ze tot dezelfde conclusie: ze moest Hannah helpen.

Toen ze dat eenmaal had vastgesteld, was alles heel eenvoudig: Hannah zat in moeilijkheden en ze had hulp nodig. Net zo goed als ik eens hulp nodig had, dacht Samantha toen ze na uren ijsberen stilstond. Niemand wilde me onderdak verschaffen, alle deuren in de stad gingen voor mijn neus dicht, maar Hannah was zo goed en zo vriendelijk me in huis te nemen. Wat had ik moeten beginnen als ze dat niet had gedaan?

Maar het ging nog dieper dan vriendschap en het bewijzen van een wederdienst. Het ging erom dat Hannah een vrouw was die in moeilijkheden zat; ze tobde met een probleem dat alleen een vrouw kan hebben, en vroeg een andere vrouw om hulp. Hoevele duizenden malen had ditzelfde drama zich door de eeuwen heen al niet afgespeeld: een vrouw, angstig en alleen, vraagt een vriendin, een zuster, of een weduwe Dorset om hulp. Het was een ritueel dat zo oud was als het vrouw-zijn.

Samantha stond in het midden van haar kamer, haar lange schaduw danste op het tapijt, en ze besefte dat er niets meer te overdenken viel. Een keer ging het door haar heen: heb ik het recht over het leven van een ongeboren kind te beschikken? En ze had zo geantwoord: heb ik het recht Hannah de kennis te onthouden die zowel haar als mij zou moeten toebehoren? Toen ze eenmaal vond dat de twijfel was overwonnen, liep Samantha de kamer uit en klopte zachtjes op Hannah's deur.

Het verbaasde haar niet dat ze geen antwoord kreeg. De doordringende kou in de gang vertelde haar dat het diep in de nacht moest zijn, waarschijnlijk zelfs vlak voor zonsopgang, en Hannah zou wel slapen.

Ze klopte nogmaals, harder nu. Toen probeerde ze de kruk en de deur zwaaide open. Hannah's kamer was koud en donker, als een grot, en Hannah was er niet. Samantha haastte zich de trap af. Ze riep haar vriendin, stak haar hoofd om de hoek van de koude, stille kamers, waarna ze naar de hal ging, waar ze snel haar laarzen en handschoenen aantrok, een wollen sjaal om haar hals sloeg en haar zware cape om haar schouders hing. Toen ze de voordeur open deed, stond de ijskoude lucht als een glazen muur voor haar.

Het had die nacht gesneeuwd en er lag een vers dek over de wereld. Het spoor dat van het huis af leidde was goed te onderscheiden, alsof er een vinger door de slagroom was gehaald: Hannah's moeizame voetstappen en het brede spoor van haar rok hadden een pad door de sneeuw gebaand; het was een pijl die de weg aangaf.

Samantha trok haar capuchon dicht om haar hoofd, hield hem aan de hals dicht en trok de spookachtige wereld in. Ze hield haar ogen strak op het spoor gericht en ademde langzaam en oppervlakkig, want de ijskoude lucht beet in haar longen. Ze probeerde de geheimzinnige vormen die rond haar heen opdoemden te negeren: knoestige, donkere bomen en groteske, gedrongen struiken – overdag een lust voor het oog, maar in de nacht vreemd, sinister en dreigend. Het spoor voerde langs de rand van het bos naar het meer. Terwijl ze voorzichtig de gevaarlijke helling afliep, en intussen alleen haar eigen scherpe ademhaling hoorde die in haar capuchon versterkt overkwam, begon het Samantha tot haar afgrijzen te dagen dat Hannah's voetstappen zich voortzetten op het bevroren oppervlak van het meer.

Samantha bracht de handen naar haar mond en riep de naam van haar vriendin. Haar stem klonk rauw en ongepast door de ijselijke stilte. Ze riep nog eens. Er was weinig licht; het meer vormde een fantastisch landschap van wit op wit, omringd door hoog optorende zwarte wachters. Samantha speurde zenuwachtig of ze ergens beweging zag, hield haar adem in om het kleinste geluidje te kunnen opvangen, maar de wereld leek verstild tot een foto, die bevroren, geluidloos en levenloos werd vastgehouden.

De kou was zo intens dat ze niet eens meer huiverde; het was niet het soort kou waardoor je neus en vingers schraal aanvoelen en waarvan je kippevel krijgt, de kou was een mes dat tot je diepste wezen doordrong en je van binnenuit verkilde. Samantha voelde haar handen en voeten niet meer. Ze probeerde zich te bewegen, met haar armen te slaan en met haar voeten te stampen, maar ze was gevangen in een betovering waardoor ze voorgoed deel uitmaakte van de winterse foto.

Toen hoorde ze het. Zachtjes, veraf, als een botje dat knapt. Ze draaide haar hoofd met een ruk in de goede richting. Ja, daar, op het ijs, daar bewoog iets.

'Hannah!' riep ze uit. Samantha rende snel het ijs op en probeerde over het spiegelgladde oppervlak vooruit te komen. Toen ze viel wist ze zeker dat alle botten in haar lichaam zouden breken. Ze worstelde zich overeind, en riep nogmaals buiten adem Hannah's naam. Voorzichtig zocht ze zich een weg over het ijs, met uitgestrekte armen om haar evenwicht te bewaren. Om de paar meter stond ze stil om op te kijken en om er zeker van te zijn dat ze de goede kant opging. Aan haar linkerhand begon de hemel achter de bomen te verkleuren: een eigenaardig pastelkleurig licht straalde over het bos en op het meer. Ze kon Hannah nu duidelijk zien. Haar vriendin stond eigenaardig stil naar iets te staren, en hoorde niet dat haar naam door de lucht schalde.

'Stil blijven staan!' riep Samantha. 'Het ijs begint af te brokkelen. O God...' Ze stond te zwaaien op haar benen, terwijl haar armen cirkels in de lucht beschreven. Samantha probeerde sneller vooruit te komen. Om haar heen klonken splinterende, dreigende geluidjes.

Toen ze haar dicht genoeg was genaderd, zag Samantha dat Hannah stond te wankelen: wat gek, ze had haar schaatsen onder gebonden. 'Hannah...' riep ze buiten adem. 'Sta stil...'

Maar Hannah had haar zeker niet gehoord, want ze deed een stap naar voren en het volgende ogenblik was ze verdwenen.

Samantha knipperde met haar ogen. Ze wreef met haar ijskoude vuisten in de ogen. Toen probeerde ze te rennen, maar merkte dat haar voeten onder haar vandaan schoten en dat ze op haar knieën terechtkwam. Ze kroop op handen en voeten verder, terwijl ze voelde hoe het ijs op een misselijkmakende manier onder haar gewicht doorboog. Ze kwam bij het zwarte gat en riep: 'Hannah! Hannah!' Een stuk jas lag nog op het ijs en gleed in het borrelende water. Automatisch greep Samantha ernaar en probeerde uit alle macht te trekken. Toen hoorde ze nog meer gekraak, als walnoten die onder een hak worden verbrijzeld, en ze merkte hoe het ijs onder haar knieën omhoog kwam, en toen plotseling weer wegzakte.

Het water was zo koud dat ze het niet eens voelde; het hulde haar in een vreemde gevoelloosheid. Samantha snakte naar adem en het water vulde haar longen. Ze sloeg met armen en benen, maar haar rok en cape trokken haar naar beneden. Onder de oppervlakte ontmoetten haar voeten iets stevigs. Terwijl ze fanatiek naar de rand van het ijs tastte, die onder haar hand afbrokkelde, tastte Samantha met haar andere hand onder water en kreeg een streng haar beet. Maar ze zag geen kans Hannah naar boven te trekken. Samantha zakte als een baksteen onder water en het duister sloot zich boven haar hoofd.

Dit is het, dacht ze onverwacht rustig. En dat allemaal omdat ik twijfelde...

Het volgende ogenblik lag ze vreemd genoeg op haar rug, snakte naar adem en keek omhoog naar de lichter wordende hemel. Toen voelde ze twee pijnlijke handen onder haar oksels en besefte dat ze over het ijs werd getrokken.

Tussen perioden ijlende koorts in beleefde ze heldere momenten en ving flarden van gesprekken op. Meneer Kendalls raspende stem: 'Waarom gingen ze op dat uur van de nacht ook schaatsen?' Dr. Jones: 'Los een halve theelepel van dit poeder op in warm water en dwing haar dat om de vier uur in te nemen. Dat onderdrukt de koorts.' De moederlijke mevrouw Kendall: 'De arme vrouw. Wat een zegen dat het zo snel ging. Ze heeft nooit geweten wat er gebeurde.'

Als ze sliep, sliep ze niet vredig, want ze werd gemarteld door nachtmerries. Geesten doemden op uit kolkende mistflarden: Freddy, zijn ruwe, knappe gezicht, zó scherp alsof hij voor haar stond; James, languit op een sectietafel, zijn hals verkleurd door het touw van de beul; de afschuwelijk verminkte Samuel, en de oude meneer Hawksbill, die opgesloten zat in een potje en probeerde eruit te komen. Als Samantha wakker werd, was haar nachthemd vaak doorweekt van het zweet en mevrouw Kendall stond dan over haar heen gebogen en sprak troostende woordjes.

Ten slotte, toen de niet aflatende verzorging van mevrouw Kendall en dr. Jones haar door de crisis had gesleept, was het eind februari en Samantha ontdekte tot haar verbazing dat ze zes weken lang hoge koorts had gehad en in levensgevaar had verkeerd. Ze hoorde dat boer McKinney en zijn zoon haar uit het water hadden gehaald. Voor Hannah, moesten ze tot hun spijt vertellen, was hulp te laat gekomen.

Dr. Jones zat aan haar bed en hield voorzichtig haar pols vast terwijl hij op zijn zakhorloge keek. Toen hij tevreden was, klikte hij het horloge dicht, stopte het weer in zijn vestzak en legde Samantha's arm zachtjes naast haar. 'Zo, jongedame, het ziet ernaaruit dat je het haalt,' zei hij met een brede, hartelijke glimlach. 'U bent zo sterk als een paard, juffrouw Hargrave. Ik heb maar weinig mensen zo'n ernstige longontsteking zien overleven.'

Ze staarde hem met doffe ogen aan.

'U hoeft zich nergens zorgen over te maken. Mevrouw Kendall verhuurt u deze kamer voor de rest van het studiejaar en meneer Kendall heeft al uw spullen uit het huis van mevrouw Mallone hierheen gehaald. Wat de opleiding betreft, u bent zo'n buitengewoon goed studente, dat ik er niet aan twijfel of u haalt uw achterstand moeiteloos in. In ieder geval wordt er rekening mee gehouden.'

Haar lippen waren droog en gebarsten. Ze probeerde ze te bevochtigen voordat ze fluisterde: 'En... Sean...?'

Dr. Jones' gezicht betrok. 'Hij krijgt bericht zodra we weten waar hij precies zit. Maar nu moet u rusten, mijn beste. U hebt een vreselijke beproeving doorstaan. Nog een paar seconden langer in dat water en u was doodgevroren.'

Zodra het een beetje begon te dooien, werd Hannah Mallone begraven. Het was een drukke week voor dominee Patterson, die de uitvaartdiensten moest regelen voor hen die gedurende de winter waren gestorven. Daar de grond te hard bevroren was om graven te kunnen maken, werden de lichamen in de catacombe van de kerk bewaard, en dominee Patterson, die een ziekelijke afkeer van de dood had, was maar al te opgelucht hen te kunnen begraven. Hannah kreeg een eenvoudige steen en een nog eenvoudiger plechtigheid. Het was een van die dagen laat in maart, waarop de winter maar niet kon besluiten of hij nu weg zou gaan of niet. Zelfs toen de aarde op Hannah's eenvoudige grenen kist viel, begonnen er sneeuwvlokken neer te dwarrelen.

Dr. Jones had Samantha ten strengste verboden naar de begrafenis te gaan, omdat ze nog steeds heel zwak was, maar Samantha zou er op handen en knieën naar toe zijn gekropen als dat nodig was geweest. Daarom had hij bakzeil gehaald en aangeboden met haar mee te gaan. Vreemd genoeg echter had Samantha mevrouw Kendall gevraagd haar bij te staan. En zo stonden ze om het graf, een klein, zwijgend groepje mensen, terwijl dominee Patterson zijn best deed zijn protestantse gebeden een katholiek tintje te geven.

Ze stonden allemaal met eerbiedig gebogen hoofd, ieder verzonken in zijn eigen gedachtengang. Meneer Kendall vond het spijtig een goede klant te moeten missen, mevrouw Kendall maakte zich zorgen over het niervet dat op het fornuis stond, dr. Jones keek nieuwsgierig naar Samantha's krijtwitte gezichtje (Wat had hen toch in vredesnaam bezield om op dat uur van de nacht te gaan schaatsen?), en Samantha, die zwaar op mevrouw Kendall leunde, merkte op hoe zorgvuldig sommige graven door toegewijde familieleden van sneeuw waren ontdaan, alsof het voor het stof en de beenderen daar beneden iets uitmaakte.

Maar toen het weer zachter werd en ze alleen naar het graf kon gaan, zaaide Samantha als vanzelfsprekend bloemen in de rulle aarde, wiedde het onkruid en zorgde met zoveel toewijding voor het stukje grond alsof ze voor Hannah zelf zorgde.

Haar open plek in het bos was weer bewoonbaar, maar Samantha merkte dat ze als vanzelf naar het graf werd getrokken. Ze zocht er iedere dag naar antwoorden op haar vragen. Wat is er gebeurd, Hannah? Je wist dat ik je zou helpen, waarom heb je het gedaan? Kwam het door de onhandige manier waarop ik het heb aangepakt? Hebben mijn aarzeling en mijn woorden over de onaantastbaarheid van het leven je onnodig hard met je zonde geconfronteerd? Ik heb je niet goed geholpen, lieve vriendin, ik heb gemaakt dat je je schaamde. Ik heb je in de steek gelaten. Er bestaat helemaal geen weduwe Dorset, hè? Dat heb je alleen maar gezegd om mij zonder schuldgevoelens een beslissing te besparen waarvoor ik nog niet goed was toegerust. En die schaatsen heb je ook ter wille van mij aangebonden, is het niet? Om te voorkomen dat ik je dood zou moeten verklaren. Ik was er niet aan toe, Hannah; ze leren me alles over de werking van het lichaam, maar in het klaslokaal schittert de aandacht voor de menselijke *ziel* door afwezigheid. Er zijn geen boeken die me leren hoe ik de gewonde geest moet genezen.

Een kille lentebries blies over de drassige aarde en droeg Hannah's gefluister met zich mee: 'Maak je daar geen zorgen over, liefje. Het is mijn straf. Ik had het recht niet met een andere man te scharrelen. Het is de straf van God.'

Samantha's hart kwam in opstand. En waar blijft Olivers straf dan, Hannah? Hij had het recht niet met *jou* te scharrelen. Waar blijft het oordeel van de Heer over *hem?*

Naarmate de dagen voorbijgingen, putte Samantha kracht en nieuw begrip uit haar dagelijkse gesprekken met Hannah. Het diepe verdriet veranderde geleidelijk in boosheid, en met die boosheid voelde Samantha haar geestkracht toenemen. Ze hebben er geen idee van, die mannen, wat er in werkelijkheid is gebeurd, ze hebben geen flauwe notie van de diepgaande betekenis van Hannah's daad, en als ze het begrip al gevaarlijk dicht naderden, zouden ze zich snel afwenden, bang voor de waarheid die ze dan zouden zien. De waarheid is namelijk dat zij niet zijn *wat ze denken te zijn.* De mannen hebben ongelijk wanneer ze zichzelf als superieur beschouwen, als de door God aangewezen wachters over leven en dood op aarde. Ze *denken* alleen maar dat ze het dagelijks oordeel over leven en dood in handen hebben, omdat vrouwen hun die illusie gunnen, om hen zoet te houden. De allereerste beslissing over leven en dood ligt alleen bij de vrouwen, dat mysterieuze zusterschap van hen die geheimen bewaren – Hannah heeft dat bewezen. Door de eeuwen heen heeft het stand gehouden: de geheime ontmoetingen, het schoonschrapen en schoonspoelen, de recepten die van moeder op dochter worden doorgefluisterd, een leven dat wordt gesmoord voordat het is begonnen, zoals het leventje dat hier samen met Hannah ligt

begraven – en de mannen weten er niets van, ze weten er niets van...
O, de ontzaglijke macht die wij vrouwen bezitten, Hannah. Geen wonder
dat mannen zo bevreesd voor ons zijn.

Het was op een onstuimige aprildag, toen de guldenroede in de lucht zat
en Samantha met de wind moest worstelen om het bezit van haar cape, dat
haar iets verbazingwekkends werd geopenbaard. Alsof Hannah haar vanuit
haar graf toefluisterde, hoorde Samantha de uitspraak die haar leven voorgoed zou veranderen: 'Omdat ze bang voor ons zijn, houden de mannen
ons klein, maar alleen met onze instemming; zij zijn onze cipiers, maar wij
zijn hun bewaarders.'

Samantha viel op haar knieën en prevelde het weesgegroetje dat Hannah
haar had geleerd. Toen zei ze tegen de vredige grasheuvel: 'Ik zal het je vergoeden, Hannah, ik beloof het je, hoe dan ook. Ik kan je niet weer tot leven brengen, ik kan mijn fout niet goed maken, maar ik kan je plechtig iets
beloven. Ik beloof je, Hannah Mallone, mijn beste vriendin, dat ik je altijd
bij me zal houden. Jouw ziel zal in mij onsterfelijkheid vinden. Je zult niet
voor niets zijn gestorven, want ik put nieuwe kracht uit jouw dood. Nooit
zal ik me door hen de wet laten voorschrijven; ik ben mijn eigen baas. Ik
zal je wijze les altijd met me meedragen, lieve vriendin, zodat ik, als ik op
het pad van de toekomst andere ongelukkige zusters zoals jij ontmoet, zal
weten wat me te doen staat. En ik beloof je, lieve Hannah, dat ik ter wille
van jou nooit, nooit meer zal aarzelen...'

20

Uiterlijk maakte ze een rustige indruk, maar inwendig was Samantha gespannen, ze zag ertegenop. De stoet afgestudeerden stond voor de trap van
de kerk stil, om de fotografen gelegenheid te geven foto's te maken. Ondanks haar trots geheven hoofd echter kon Samantha het sombere gevoel
dat haar was bekropen niet van zich afzetten. Eerst die ongrijpbare droom
vannacht, profetisch en onheilspellend, maar toch vluchtig, en nu het wegblijven van de vrouwen.

Waarom, o waarom moesten ze haar dit na twee jaar aandoen? Ze wist
dat ze nog steeds enig vooroordeel koesterden; de vriendelijke mevrouw
Kendall had er geen geheim van gemaakt dat ze vond dat Samantha haar
reputatie op het spel zette door een mannenopleiding te volgen. Een paar
vrouwen weigerden nog steeds koppig met haar om te gaan en staken de
straat over als ze haar zagen aankomen. Samantha had gehoopt dat in twee
jaar tijd de meerderheid van de vrouwen haar toch wel had geaccepteerd,
omdat ze hadden ontdekt dat ze geen vrouw van lichte zeden bleek te zijn,
en dat haar studie de stad geen kwaad had gedaan. Dit was een vreselijke
teleurstelling. Hannah, als ze nog leefde, zou er wel zijn geweest...

Tijdens het jaarlijkse Appelbloesemfestival was Sean Mallone thuisgekomen. Toen hij terugkeerde in het veel te grote huis bij de elastiekfabriek,

was hij kapot van verdriet, maar Samantha had haar vreselijke geheim bewaard, zodat Sean de troost was gegund dat de dood van zijn vrouw een ongeluk was geweest. Na enige tijd had Sean zich vermand, had Hannah's ziel toevertrouwd aan het Legioen der Heiligen, had het huis verkocht en was voorgoed naar de bergen vertrokken.

Nu Hannah's ziel en haar eigen slechte geweten eindelijk rust hadden gekregen, had Samantha zich die laatste maand van het studiejaar zo op haar werk geworpen, dat ze zich tot ieders verbazing van de twintigste plaats in haar jaar naar de derde opwerkte. De fotografen en verslaggevers besteedden hier veel aandacht aan, en verwonderden zich erover dat iemand die zo jong en mooi was, zich zo had kunnen onderscheiden. Een vreemd natuurverschijnsel, inderdaad.

De indiaanse muzikanten stelden zich op, speelden weer 'America' en de stoet zette zich in beweging. Toen Samantha de duistere kerk binnen stapte, werd ze verrast door het geruis van zijde en een koor van gefluister toen mutsen en hoeden met veren erop zich in haar richting draaiden.

De vrouwen!

Ze vulden de banken en dromden samen op de galerijen; een zee van felle kleuren en ingewikkelde kapsels; waaiers wapperden en sieraden glinsterden; de vrouwen hadden ter ere van haar hun mooiste kleren aangetrokken. *Ter ere van haar.* Samantha's hart zwol van trots; twee grote tranen welden op in haar ogen. De vrouwen hadden haar toch niet in de steek gelaten.

Terwijl de afgestudeerden de voorste banken innamen, drongen de mannen zich de kerk binnen en vulden ieder beschikbaar plekje in de zijgangen. De sfeer was geladen, als het voorspel tot een zomerse onweersbui: het was een grote dag voor een klein stadje. Dr. Jones haastte zich naar het podium dat voor het altaar was geplaatst en zette zijn fluwelen hoofddeksel op. Toen zijn stem boven de gemeente uitschalde, in de toespraak die hij ieder jaar afstak (terwijl hij inwendig Simon Kent, die te laat was, en dat verdomde met de hand geschreven diploma verwenste), stond Samantha nog een schok te wachten. Op het podium, bij de andere professoren, die met hun gezicht naar het publiek zaten, bevond zich dr. Mark Rawlins. Ondanks zichzelf staarde Samantha hem strak aan. Waarom had ze dat niet eerder gezien? Mark Rawlins was een bijzonder knappe man. Ze zag nu wat haar door haar obsessie voor Joshua Masefield op het Astor-bal was ontgaan: het volle donkerblonde haar was gedurfd lang, met onderaan kleine krulletjes die plagerig zijn jaskraag raakten: een gebruikelijke haardracht voor kunstenaars en acteurs, maar ongebruikelijk voor een dokter; de zachtbruine ogen, de grote, rechte neus en de hoekige kaak. Hij was lang en slank, maar de manier waarop hij zat, zoals de stof van zijn pantalon over zijn dijen spande, verried iets van gespierdheid, alsof hij een atleet was en niet iemand die zijn tijd doorbracht achter een bureau en in een ziekenzaal.

Mark Rawlins' blik dwarrelde haar kant op. Hun ogen ontmoetten elkaar en ze keken elkaar een ogenblik aan. Hij glimlachte even, waarbij hij een mondhoek een beetje optrok, zodat Samantha voor het eerst opmerkte dat daar een klein wit littekentje zat, een schoonheidsfoutje. Toen richtten ze beiden hun aandacht weer op dr. Jones.

Dr. Rawlins, zo bleek, was de gastspreker voor de promotie en dr. Jones stelde hem nu voor. Samantha zag hoe hij langzaam overeind kwam, zodat hij boven de kleine Henry Jones uit torende, en met grote, zelfverzekerde passen naar de katheder liep. Samantha herinnerde zich weer hoe het had gevoeld om met hem te dansen.

Mark Rawlins sprak vlot en met overtuiging. Zijn soepele gebaren en zijn accent waaruit duidelijk bleek dat hij uit Boston kwam, wekten de indruk alsof hij bij een open haard, in gezelschap van een intieme kring vrienden, een praatje hield. Het publiek hing aan zijn lippen en terwijl hij aan het woord was, probeerde Samantha zich te herinneren wat hij over zichzelf had verteld. Maar het had geen zin. Ze was zó met Joshua Masefield bezig geweest, dat ze nauwelijks een woord had opgenomen van wat Mark Rawlins die avond tijdens het bal had gezegd. Het was alsof er een volkomen vreemde voor haar stond.

Toen dr. Rawlins weer was gaan zitten, haastte dr. Jones zich het podium op. Hij was tot de conclusie gekomen dat hij de ceremonie niet langer kon uitstellen om Kent de tijd te geven met juffrouw Hargraves speciale diploma op de proppen te komen, en hij begon de namen van de afgestudeerden af te roepen.

Hij riep hen in alfabetische volgorde op. Toen *Domine* Gower en toen *Domine* Jarvis werden opgeroepen, bedacht Samantha dat hij haar zeker voor het laatst bewaarde. Het leek een eeuwigheid te duren. Eén voor één gingen ze naar het podium, namen het diploma in ontvangst en schudden de directeur de hand. Niemand merkte op hoe zenuwachtig dr. Jones was, of dat hij één diploma te kort kwam. De afgestudeerden probeerden stil te blijven zitten en Samantha moest de neiging onderdrukken weer naar dr. Rawlins te kijken.

Er ontstond enige onrust in het zijpad. Een man liep gehaast en zo onopvallend mogelijk langs de muur. Toen hij bij de voorste bank kwam bukte hij zich, fluisterde iets tegen de plaatsaanwijzer, overhandigde hem een voorwerp en trok zich in de schaduw terug. De plaatsaanwijzer richtte zich half op, strekte zijn arm uit en legde het voorwerp op het tafeltje van dr. Jones, juist toen de directeur *Domine* Young opriep. Henry Jones slaakte een nauwelijks waarneembare zucht van opluchting, pakte het diploma, het laatste, van tafel en riep trots: '*Domina* Hargrave...'

Er werd geprobeerd de stoet zo rustig mogelijk de kerk te laten verlaten, maar toen ze eenmaal buiten waren, gooiden de nieuwbakken dokters hun hoeden in de lucht, en joelden en brulden als kleine jongens die uit school komen. Het plein voor de kerk bood een chaotische aanblik: ouders omhelsden hun zoon, heren schudden elkaar de hand, dames brachten hun zakdoek naar de ogen, kinderen schoten tussen benen door, verslaggevers liepen tegen elkaar op, en honden keften. Samantha keek zoekend rond. Dr. Rawlins was verdwenen.

'Juffrouw Hargrave.' Het was de onbehouwen verslaggever van de Baltimore *Sun*. 'Wat moeten de mensen nu tegen u zeggen? Juffrouw de dokter? Dokteres?'

Ze deed alsof ze hem niet had gehoord en keek om zich heen. Hoe hadden zo veel mensen in de kerk een plaatsje kunnen vinden? Mevrouw Kendall, in tranen, kwam naar haar toe en babbelde ademloos over hoe mooi het allemaal was geweest en hoe prachtig Samantha eruitzag. Toen kwam dr. Jones, met zijn borst als een vechtlustige haan vooruit, en hij zei iets in de trant van dat Samantha de trots van de school was, waarbij hij er wel voor zorgde dat de verslaggever het opving. Nog meer mensen kwamen haar glimlachend gelukwensen; ze was het stralende middelpunt. Ze schudden haar de hand en uitten lovende woorden, ook die vrouwen die zich vroeger niet verwaardigden met haar te praten, maar die nu deden alsof ze oude bekenden waren. Andere studenten, de professoren, nog meer verslaggevers, allen kwamen om Samantha heen staan. Ze vermande zich en glimlachte beleefd, en hoorde maar nauwelijks wat ze allemaal te zeggen hadden. Waar was Mark Rawlins gebleven?

Een stem, diep en beschaafd, zei rustig: 'Dr. Hargrave, mogen wij u onze oprechte gelukwensen aanbieden?'

Ze draaide zich om. Voor haar stonden twee vrouwen die ze nog nooit eerder had gezien. Degene die het woord tot haar had gericht, was een vrouw van over de zestig, die, al was ze gekleed in zwart keper en al droeg ze haar grijzende haar in een strenge wrong, opvallend knap was. Haar diepliggende ogen, haar ingevallen wangen en fijnbesneden kaaklijn verleenden haar een indrukwekkend uiterlijk, maar toen ze glimlachend haar hand uitstak, straalde ze hartelijkheid en charme uit. 'Ik ben juffrouw Anthony, en dit is mijn vriendin, mevrouw Stanton.'

Samantha aanvaardde de stevige handdruk. 'Hoe maakt u het.'

De andere vrouw was de tegenpool van haar somber geklede vriendin. Mevrouw Stanton in haar roze satijnen japon vol ruches en kant, was ongelooflijk klein en mollig; haar vollemaansgezichtje werd omringd door een dikke bos witte krulletjes.

Juffrouw Anthony nam weer het woord. 'We zijn vandaag naar uw succesvolle prestatie komen kijken om u namens uw zusters overal in het land onze hartelijke gelukwensen over te brengen. Wat u hebt gedaan, dr. Hargrave, is geen kleinigheid. Evenmin blijft het onopgemerkt. U hebt voor de vrouwen overal ter wereld iets heel belangrijks bereikt.'

Samantha fronste haar wenkbrauwen een beetje.

'Misschien,' zei juffrouw Anthony, terwijl ze haar hoofd iets draaide zodat ze met haar profiel naar Samantha toe stond, 'weet u niet wie wij zijn, of wie wij vertegenwoordigen, maar dat is nu niet zo belangrijk. We zijn hier niet om zielen te winnen, alleen om u te bedanken.'

'Bedanken? Waarvoor?'

'Voor wat u hier vandaag hebt gedaan. Het is zo, dr. Hargrave, dat de vrouwen in dit land geketend zijn, en hun onderdanige positie is des te erger omdat ze het zich niet bewust zijn. U hebt een stap gezet, dr. Hargrave, waardoor ze worden gedwongen te zien en te voelen. Dit zal hen een hart onder de riem steken en hun de moed geven voor hun eigen vrijheid op te komen.'

Het verbaasde Samantha dat juffrouw Anthony zo'n vreemde houding aannam: steeds keerde ze Samantha haar profiel toe. Susan B. Anthony had een gebrek – ze loenste. Een onbekwaam chirurg had eens geprobeerd het te corrigeren, waardoor het oog nog verder de verkeerde kant op was gaan staan. Daar juffrouw Anthony overgevoelig voor haar gebrek was, probeerde ze altijd zich en profile te tonen, zeker op foto's.

Mevrouw Stanton legde haar hand op Samantha's arm en zei kalm: 'Dr. Hargrave, u vertegenwoordigt een nieuwe generatie. Juffrouw Anthony en ik zijn al oud, wij zijn de strijd begonnen, en hebben hem naar beste kunnen gevoerd. We vertrouwen nu het slot van de strijd toe aan de volgende generatie vrouwen.'

Perplex keek Samantha de twee vrouwen na, zonder te merken dat Jack Morley van de Baltimore *Sun* aan kwam slenteren. 'Vriendinnen van u?'

Ze draaide zich om, zag dat hij zijn potlood al boven het papier hield, en zei vriendelijk: 'Neemt u me niet kwalijk, maar ik moet echt naar de anderen toe.'

Terwijl hij haar lange, slanke gestalte met de ogen volgde, likte de verslaggever aan het puntje van zijn potlood en schreef neer wat hij later aan zijn hoofdredacteur zou telegraferen: 'De knappe vrouwelijke dokter Hargrave zou haar praktijk aan hartsaangelegenheden moeten wijden!'

Hij stond boven aan de trap van de kerk rustig met dr. Page te praten. Samantha bleef op een afstandje staan kijken. De aanblik van Mark Rawlins bracht zo vele lang vergeten herinneringen naar boven: het bal bij de Astors, de duizelingwekkende walsen, de champagne, Joshua's kus en hun liefdesnacht. Nu ze hem daar zag staan, volkomen op zijn gemak, met trage handbewegingen als hij een bepaald punt wilde onderstrepen, schoten Samantha andere, allang vergeten dingen te binnen: de pijnlijke scène met Joshua in bijzijn van dr. Rawlins; Mark Rawlins die zich kennelijk niet op zijn gemak voelde en Joshua min of meer had gedwongen met haar te dansen, en toen, later, Joshua's woorden die haar zo hadden gekwetst en verward. 'Ik ken Mark al heel lang en ik heb hem nog nooit zó naar een vrouw zien kijken... hij is wèg van je. Hij is geknipt voor je.'

Pijnlijke woorden die ze snel had weggewuifd. Maar nu ze voor het eerst eens goed naar Mark Rawlins keek, vroeg ze zich af of Joshua misschien gelijk had. Op dat moment misschien wel: mooie muziek en champagne kunnen maken dat een man op een speciale manier naar een vrouw kijkt. Maar het was anderhalf jaar geleden. Herinnerde dr. Rawlins zich die avond nog wel, herinnerde hij zich *haar* nog wel en was zijn aanwezigheid hier vandaag misschien meer dan toeval?

Hij keek haar kant uit, alsof hij had gevoeld dat ze daar stond, en weer ontmoetten hun blikken elkaar even. Toen wendde hij zich tot dr. Page, mompelde beleefd iets ten afscheid en liep de trap af. 'Dr. Hargrave,' zei hij met een gloedvolle glimlach, 'sta mij toe dat ik u mijn gelukwensen aanbied.'

'Dank u, dr. Rawlins. Kunt u zich nog herinneren dat we elkaar al eerder hebben ontmoet?'

'Natuurlijk! Dacht u dat ik dat was vergeten?' Mark Rawlins keek op Samantha neer die, hoewel ze zelf lang was, een kop kleiner was dan hij, en de blik in zijn bruine ogen werd intens. 'Toen ik me in uw charmante gezelschap bevond, kon ik nog niet vermoeden dat ik een jongedame had leren kennen die geschiedenis zou maken.'

Samantha bleef één ogenblik doodstil staan – hij herkende haar! – en toen werd de betovering verbroken. 'Ah, bent u daar,' riep dr. Jones achter haar uit.

Hij transpireerde hevig en zijn gezicht zag kersrood. 'Neem me niet kwalijk dat ik geen tijd voor u had, dr. Rawlins, ik werd letterlijk klem gezet door een kerel van de *Boston Journal!*' Dr. Jones greep Mark Rawlins bij de hand en zwengelde die heftig. 'Ik kan u niet genoeg bedanken voor het feit dat u vandaag bent gekomen! U heeft onze bescheiden promotie wat luister bijgezet. Maar tussen twee haakjes, is mevrouw Rawlins niet meegekomen?'

'Ik vrees dat ze de reis niet kon maken.'

'Ik hoop dat het niet ernstig is?'

'Helemaal niet, een lichte ongesteldheid.'

Samantha sloot zich voor hun gesprek af en dacht, hij is getrouwd!

'...om vier uur,' zei dr. Jones. 'U kunt het niet missen. Het is het grote witte huis op de hoek, met de gele luiken.'

Dr. Jones groette hen beiden met een tikje tegen zijn hoed en liep haastig weg. Mark Rawlins wendde zich tot Samantha. 'Komt u ook op het diner?'

'Jazeker. Ik woon bij mevrouw Kendall.'

'Als u dan zo vriendelijk wilt zijn mij te excuseren, dr. Hargrave. Ik moet in mijn hotel nog iets regelen.' Hij glimlachte aarzelend, alsof hij nog iets wilde zeggen. Toen nam dr. Rawlins zijn hoge hoed af, maakte een kleine buiging en zei: 'Dan zie ik u om vier uur.'

Mevrouw Kendall had zichzelf overtroffen. De tafel kraakte letterlijk onder het gewicht van alle overvloed: het zilver en het porselein schitterde, en de geur van rozen vermengde zich met het aroma dat uit de dampende schalen opsteeg. Ze was vier dagen bezig geweest met de voorbereidingen van het feestmaal en zat nu stralend aan het hoofd van de tafel, terwijl de gasten door de ene verrukkelijke schotel na de andere werden overdonderd. Meneer Kendall, die aan het andere eind van de tafel zat, knikte goedkeurend terwijl de gasten met smaak de romige oestersoep verorberden, de geroosterde ham met rozijnensaus, kalfsoesters, tomatentaart, selderie in het zuur en kool, en dik beboterd saffraanbrood, het geheel vergezeld van royale hoeveelheden wijn uit de wijngaarden rond Lake Canandaigua. In de keuken wachtten nog kastanjepudding, pruimengelei en perziken in cognac.

Samantha zat in het midden van de lange kant tussen dr. Jones en zijn vrouw. Aan weerszijden van hen zaten dr. en mevrouw Page, tegenover hen de weleerwaarde Patterson en zijn vrouw, de man van de *Boston Journal,* meneer Collins, de plaatselijke journalist in Lucerne, en ten slotte, recht tegenover Samantha, Mark Rawlins.

Iedereen was druk in gesprek gewikkeld. Terwijl Samantha luisterde naar de verhalen van mevrouw Jones over haar kleinkinderen, betrok haar echtgenoot, aan Samantha's andere kant, Mark Rawlins in een geanimeerd gesprek.

'Is uw vader ook dokter?'

Dr. Rawlins schonk Henry Jones zijn charmante glimlach. 'Mijn vader is jurist, evenals zíjn vader. Ze hebben allebei in Harvard gestudeerd, en mijn overgrootvader viel de eer te beurt George Washington als adviseur te mogen bijstaan.'

'O ja? Als u stamt uit een geslacht van juristen, vraagt men zich af waarom u niet in hun voetsporen bent getreden.'

'Dat is precies de reden dat ik dat niet heb gedaan. Ik zal u eerlijk zeggen, dokter: ik heb de medicijnenstudie gekozen alleen om mijn vader, die een soort familietiran is, uit te dagen. Een jongeman van achttien kan de autoriteit van zijn vader nog niet goed betwisten, behalve natuurlijk door immoreel gedrag en maatschappelijke rebellie. Ik voelde er niets voor de maatschappij uit te dagen, alleen mijn vader. En dat wilde ik op een fatsoenlijke manier doen. Hij maakte uit dat ik jurist moest worden. In plaats daarvan ben ik dokter geworden.'

Dr. Jones lachte achter zijn servet. 'Inderdaad moet ik toegeven dat u openhartig bent. Maar betekent de geneeskunst niets meer voor u dan iets waarmee u uw vader kunt uitdagen?'

'Eerst niet. Maar tijdens mijn studie ontdekte ik tot mijn genoegen dat ik een natuurlijke aanleg voor de medicijnenstudie had. Sindsdien ben ik mijn vader in stilte dankbaar dat hij me ertoe heeft gedwongen.'

'Hoe denkt hij er nu over?'

'De dag dat ik aankondigde dat ik medicijnen wilde gaan studeren, dat was op mijn achttiende verjaardag, heeft hij me onterfd. Dat is dertien jaar geleden en sindsdien hebben we geen woord meer gewisseld.'

Dr. Jones leunde achterover in zijn stoel. 'Ach, maar dat is toch jammer!'

'Helemaal niet, dr. Jones. Mijn drie broers worden op dit ogenblik door mijn vader getiranniseerd en ze voelen zich daar ellendig bij. Ik ben daarentegen een vrij man.'

'Maar de prijs is wel hoog! Uw wettelijk erfdeel ontgaat u!'

'Eerst was het moeilijk, dat zal ik toegeven, maar het gaat me nu heel goed. Met een praktijk aan Fifth Avenue, blijf je bepaald niet arm.'

'Kan het zijn dat ik wel eens van uw vader heb gehoord?'
'Misschien. Hij heet Nicholas Rawlins.'
'De IJskoning? En of ik van hem gehoord heb! Ik had me al afgevraagd of u familie van hem was, maar ik had er geen idee van dat u zijn zoon was! Zijn verhaal interesseert me in hoge mate, want ik heb begrepen dat het een opmerkelijk relaas is.'

Mark Rawlins wierp een blik op Samantha; ze zat wat met haar eten te spelen, en hoewel ze ogenschijnlijk aandachtig naar de verhalen van mevrouw Jones over haar kleinkinderen luisterde, verried haar blik dat ze met haar gedachten ergens anders zat. Mark Rawlins vroeg zich af waar. 'Het is inderdaad een opmerkelijk verhaal, dr. Jones...' Nicholas Rawlins had in zijn jonge jaren eens de opmerking geplaatst dat het ijs dat 's winters op een nabijgelegen meer lag, verkocht zou kunnen worden, als 'oogst'. In een waagstuk dat even gedurfd was als de man die erachter zat moedig, stak de jonge Nicholas tienduizend dollar in een 'oogst' ijs en vergezelde de lading van 130 ton persoonlijk naar het zwoele eiland Martinique. Daar pochte hij tegenover de eigenaar van het beroemde Tivolipark dat hij goedkoop en snel roomijs kon maken. Van het ene moment op het andere was ijs dè rage op het eiland. Na zes weken was al het ijs op, en Nicholas had een verlies geleden van vierduizend dollar. Maar de mensen op Martinique waren er inmiddels van overtuigd geraakt dat ze niet meer zonder ijs konden.

In Havana verkocht Nicholas gekoelde dranken voor dezelfde prijs als de ongekoelde, zodat de voorkeur voor drankjes met ijs erin handig werd aangekweekt. Toen concurrenten schepen vol ijs uit Nieuw-Engeland aanvoerden, verkocht Nicholas zijn ijs voor een penny per pond, tot het ijs van de concurrenten in de haven wegsmolt. Hij was gewetenloos en zonder scrupules, maar uiteindelijk veroverde hij het wettelijk monopolie in de ijshandel en het alleenrecht om van Charleston tot St. Croix koelhuizen te bouwen. Vervolgens verhoogde hij de prijs, zodat hij al gauw zijn gigantische verliezen had terugverdiend, en vóór zijn dertigste verjaardag namen de mensen van New Orleans tot Tortola het water uit Nieuw-Engeland tot zich.

'Ik neem aan,' zei dr. Jones, 'dat uw vader er geen bezwaar tegen heeft om de IJskoning genoemd te worden?'
'Absoluut niet, dr. Jones!' Mark pakte zijn glas, nipte van de wijn en toen hij zijn blik van dr. Jones afwendde, merkte hij tot zijn verbazing dat Samantha hem openlijk zat aan te kijken.

Mevrouw Jones wisselde inmiddels anekdotes over kleinkinderen uit met mevrouw Page, dr. Jones wijdde zich aan meneer Collins tegenover hem en de anderen zaten te praten met degene die het dichtst in de buurt zat. Alleen Samantha en Mark zwegen, en keken elkaar over de tafel heen aan.

Na een poosje pakte Mark een stukje pompoenbrood en smeerde er royaal boter op. 'Vertel me eens, dr. Hargrave, wat zijn uw plannen na Lucerne?'
'Ik ben van plan een kleine buurtpraktijk op te zetten.'

Onwillekeurig moest Mark denken, u bedoelt net zo'n praktijk als die van Joshua.

'Ziet u, dr. Rawlins, ik wil daar werken waar de nood het hoogst is. Ik heb wat statistisch onderzoek gedaan, en het lijkt erop dat er een schrikbarend gebrek aan evenwicht is in de verdeling van de artsen over New York. Het lijkt tegenstrijdig, maar waar de stad het dichtst bevolkt is, daar wonen de minste dokters.'

Toen zag Mark Rawlins iets in Samantha's ogen dat daar anderhalf jaar daarvoor nog niet was geweest. Zonder twijfel was Samantha Hargrave op de een of andere manier veranderd. Uiterlijk was ze dezelfde gebleven, betoverend mooi, al gedroeg ze zich nu iets zelfverzekerder. Maar in haar ogen blonk een innerlijke kracht die de jonge vrouw die hij op het Astorbal had gered nog niet zo duidelijk bezat. Anderhalf jaar geleden was Samantha Hargrave een tikje nerveus geweest en meisjesachtig geïmponeerd door de uitspattingen in de hogere kringen. Nu zat tegenover hem een Samantha Hargrave die zich ontwikkeld had: kordaat, zelfverzekerd, vastberaden. Niet langer een meisje, maar een vrouw.

'Vertelt u me eens, dr. Rawlins, hoe gaat het met dr. Masefield en zijn vrouw?'

Hij schrok op uit zijn overpeinzingen. 'Het spijt me u te moeten zeggen, dr. Hargrave, dat mevrouw Masefield een poosje geleden aan haar ziekte is bezweken. We hebben in Manhattan een strenge winter gehad en de arme vrouw was daar niet tegen opgewassen.'

Samantha mompelde: 'O... wat vreselijk...' Ze werd overspoeld door oude gevoelens alsof een barrière was doorbroken: oude hartstochten en weggestopte herinneringen kwamen met elkaar in botsing: haar verdriet nu ze hoorde dat Estelle was overleden – haar vreugde nu ze hoorde dat Joshua vrij was. Nee, ze had hem beloofd, zichzelf beloofd, dat alles voorbij was, afgedaan...

'Begrijp ik het goed,' klonk dr. Jones' stem van vlakbij, 'dat u beiden elkaar kent?'

Mark Rawlins' stem klonk wat gespannen toen hij antwoordde: 'We hebben elkaar via een gezamenlijke vriend ontmoet.'

'Nu begrijp ik het! Dan is juffrouw Hargrave de kennis over wie u het in uw brief had.'

Samantha draaide zich naar hem toe. 'Wat bedoelt u, dr. Jones?'

'Een poosje geleden heeft dr. Rawlins me per brief gevraagd naar de datum van onze promotieplechtigheid. Hij en mevrouw Rawlins waren van plan deze bij te wonen, zei hij, omdat een kennis van hem in het laatste studiejaar zat.'

Samantha keek Mark aan. 'Is dat waar? Bent u voor mij gekomen? Dan is het dus toch geen toeval.'

Dr. Rawlins deed zijn mond al open, maar het was dr. Jones die het woord nam. 'Toen ik die brief las, heb ik mijn gedachten er eens over laten gaan. Daar onze studenten meestal uit de buurt komen, valt ons zelden de eer te beurt dat iemand die in zo'n hoog aanzien staat als dr. Rawlins, ons bezoekt. Daarom ben ik zo vrijpostig geweest terug te schrijven om hem te vragen een gastcollege te geven. Maar ik had geen idee, juffrouw Hargrave, dat *u* die bekende was.'

Ze keek dr. Rawlins vast aan. 'Ik voel me gevleid, dr. Rawlins, dat u voor mij die hele reis hebt gemaakt.'

Er vloog een misnoegde uitdrukking over zijn gezicht, en deze keer viel het Samantha op. Dr. Rawlins voelde zich steeds slechter op zijn gemak en ze vroeg zich af hoe dat kwam.

Ze wijdden zich beiden weer aan de maaltijd en deden er verder het zwijgen toe. Toen de tijdelijke dienstmeisjes de tafel afruimden, stond meneer Kendall op en nodigde de heren uit met hem mee te gaan naar de salon voor een glaasje cognac en een sigaar. Mevrouw Kendall, die dolgraag haar korset wat wilde laten vieren, bestelde koffie voor de dames. Samantha stond op om de dames te volgen naar mevrouw Kendalls opzichtig ingerichte boudoir, maar ze werd tegengehouden door dr. Rawlins. 'Kan ik u even spreken?' vroeg hij rustig. 'Onder vier ogen?'

'Jazeker.' Samantha gaf haar gastvrouw de verzekering dat ze zo zou komen, waarna ze toen iedereen weg was de deur van de eetkamer sloot en zich tot dr. Rawlins wendde.

'Dr. Hargrave, ik heb u gevraagd om een gesprek onder vier ogen omdat ik u iets moet vertellen. En iets moet geven.'

Ze wachtte, met haar rug tegen de deur, terwijl dr. Rawlins in zijn binnenzak tastte en er een envelop uithaalde. Hij draaide hem een paar maal om, keek er fronsend naar, waarna hij haar ten slotte recht aankeek en zei: 'Dr. Hargrave, de reden dat ik hier vandaag ben, is een andere dan u denkt. Het was niet mijn idee de promotie bij te wonen, maar dat van Joshua.'

Ze hield de adem in.

'En deze brief is van Joshua. Hij heeft me gevraagd hem aan u te geven.'

Samantha keek naar de lichtbruine envelop die hij haar aanreikte en ze aarzelde een fractie van een seconde voordat ze hem aannam. 'Dank u, dr. Rawlins.'

Ze probeerde hem open te scheuren zonder de envelop te beschadigen, maar haar handen trilden en het papier scheurde. Toen ze het enkele velletje dat erin zat openvouwde, zag ze dat de brief niet in Joshua's handschrift was geschreven. De aanhef luidde: 'Mijn beste dr. Hargrave. Ik spreek u zo aan, omdat ik Mark opdracht heb gegeven u deze brief pas na uw promotie te geven; als u deze woorden leest, bent u eindelijk dokter geworden – en daarmee is mijn hartewens vervuld. Het spijt me dat ik zelf de plechtigheid niet kan bijwonen, en dat ik Mark in mijn plaats stuur, maar op het moment dat ik deze woorden dicteer vloeit het leven uit me weg, en als u dit leest zal ik al dood zijn.'

Ze hield haar hoofd gebogen en keek strak naar die laatste woorden; Samantha hoorde vaag op de achtergrond meneer Kendalls schallende stem uit de studeerkamer komen, gevolgd door een luid mannelijk en bulderend gelach. Ineens zag ze de brief door een waas van tranen. Ze fluisterde: 'U moet me excuseren, dr. Rawlins, maar ik kan deze brief niet hier lezen...'

Hij mompelde dat hij het begreep, en ze reikte blindelings naar de deurknop, zwaaide de deur open en vloog de gang in. Met een automatisch handgebaar pakte ze haar cape, al had ze geen idee wat voor weer het was; ze haastte zich met de brief in de hand geklemd de buitentrap af, en liep in de richting van het meer.

De zon was al bezig onder te gaan toen ze haar open plek in het bos bereikte; de schaduwen waren lang en inktzwart, de hemel zalmroze. Ze liet zich op de boomstam zakken waar ze het afgelopen jaar zo veel belangrijke beslissingen had genomen en probeerde in het zwakker wordende licht Joshua's brief uit te lezen.

'Mark Rawlins heeft als diagnose gesteld dat ik aan congestie van het hart lijd; de linker hartkamer leegt zich niet volledig voordat hij weer uitzet. Ik houd het op endocarditis. Meneer Pasteur in Parijs zou zeggen dat die werd veroorzaakt door bacteriën aan de injectienaald. Misschien heeft hij gelijk. Wie maakt nog uit wat in de geneeskunde goed of fout is? We hebben in onze onwetendheid onvergeeflijke fouten begaan. Bedenk, Samantha, dat het medische onwetendheid was waardoor ik aan morfine verslaafd ben geraakt. Als de doktoren twintig jaar geleden hadden geweten wat wij nu weten, dan zou ik me nu niet in deze ellendige toestand bevinden. Het moet veranderen. Dokters hebben de heilige plicht alleen het goede te doen. De geneeskunde, mijn beste, bevindt zich nog in de duistere middeleeuwen en we zijn niet veel meer dan charlatans.

Ik schrijf deze brief, beste dr. Hargrave, om u een belofte af te dwingen. En ik weet dat u, ter wille van wat we eens samen hebben gedeeld, mijn laatste wens zult uitvoeren. Ik wil dat je hard werkt, Samantha, om licht in de medische duisternis te brengen. Vecht voor het goede; begraaf je alsjeblieft niet in een middelmatige praktijk, ik smeek het je, zoals ik heb moeten doen. Iedere tweederangs dokter kan doen wat ik heb gedaan, maar voor jou zijn grotere dingen weggelegd. Ik weet waartoe je in staat bent, Samantha. Gebruik je kennis en bekwaamheid om de medische wetenschap te verbeteren. Ga verder, wees niet tevreden met alleen je diploma. Laat mij mogen sterven in de wetenschap dat ik de wereld een dokter heb nagelaten die veranderingen zal brengen.

Ik laat je mijn instrumenten na, lieve Samantha. Mark zal ervoor zorgen dat je ze krijgt. Ik vertrouw ze je toe in de veilige wetenschap dat je ze beter zult gebruiken dan ik.

Het heeft nooit zo mogen zijn dat wij bij elkaar bleven, mijn liefste, vanaf het begin lag er een vloek op onze verhouding. Ik heb geen kracht meer je wat me nog rest te vertellen. Mijn hart wordt met iedere slag zwakker. Mark zal je de rest vertellen. Hij weet wat hij moet zeggen. Vaarwel, mijn liefste.'

Er stond een krabbeltje onder de brief; het was nauwelijks te herkennen als Joshua's handtekening.

Ze las de brief nog eens, zelfs al was er nauwelijks licht meer, waardoor ze de woorden niet goed meer kon onderscheiden. Tranen welden op en vielen op het papier, waardoor de inkt uitliep. Samantha snikte of snotterde niet, ze huilde zachtjes, fluisterend, de tranen stroomden haar over de wangen zonder dat haar ogen rood werden. Toen ze een twijgje hoorde knappen, hief ze haar hoofd op en keek in het donkere gezicht van Mark Rawlins.

Ze opende haar mond. Eén woord sprak ze. 'Wanneer?'

'Zes weken geleden.'

Het was ongerijmd, maar alsof het belangrijk was zocht Samantha fanatiek haar gedachten af om te bedenken wat ze zes weken geleden had gedaan. Het was belangrijk om te weten wat ze aan het doen was, wat ze dacht, op het moment dat Joshua stierf.

'Het einde kwam snel en pijnloos,' vertelde Mark rustig. 'Toen hij besefte dat hij ziek was, liet hij mij komen. Hij was er slecht aan toe, maar ik mocht hem alleen digitalis toedienen. Net genoeg, zodat hij een uurtje had om deze brief te dicteren. Hij wilde sterven.'

Ze hield haar gezicht naar hem opgeheven, terwijl de tranen bleven opwellen en langs haar wangen rolden. 'Waarom?' fluisterde ze. 'Waarom wilde hij sterven?'

Dr. Rawlins liep over het tapijt van broze bladeren – hij was als een schaduw die voorbij kwam – en ging naast haar op de boomstam zitten. Fijne stralen maanlicht stroomden door de takken boven hen, waardoor op Samantha's vochtige gezicht een bleke gloed werd geworpen. Mark Rawlins vond haar de mooiste vrouw die hij ooit had gezien. 'Ik heb met hem gedebatteerd. Hij wilde dat ik u iets vertelde, maar ik zag er het nut niet van in. Hij drong aan en zei dat u het móest weten. En dat u zou begrijpen waarom hij het mij liet vertellen.' Marks stem klonk gedempt, alsof hij van heel ver kwam. 'Estelle is niet aan haar ziekte overleden. Joshua heeft haar gedood.'

Samantha bewoog zich niet en liet niet merken dat ze hem had verstaan. Terwijl ze in het bosrijke duister dicht bij dr. Rawlins zat, hun armen raakten elkaar, keek ze hem strak aan. Hij vervolgde: 'Estelle leed vreselijk. Ze kreeg de ene infectie na de andere; ze had voortdurend pijn. Ze werd steeds zwakker en zwakker en ze was zo mager dat ze bijna op een skelet leek. Ze smeekte hem...' Ironisch genoeg legde Samantha haar hand op die van Mark, alsof hij degene was die troost nodig had. 'Hij heeft haar een overdosis morfine gegeven, dezelfde morfine die hem in leven hield, en toen ze de laatste adem uitblies, bedankte ze hem nog...'

Ja, Joshua, dacht Samantha bedroefd. Ik begrijp wel waarom je wilde dat ik dit wist. In de geneeskunde bestaan geen simpele, duidelijke grenzen, niets is of zwart of wit. Een ongeboren baby doden om het leven van een vrouw te redden, een vrouw doden om haar uit haar lijden te verlossen. Soms moet een dokter voor de dood kiezen om het leven te behouden, soms moet hij zich afvragen, wat is belangrijker, de kwantiteit van het leven of de kwaliteit? Niet alle antwoorden staan in de studieboeken, sommige antwoorden moet een arts in zichzelf zoeken – dat was wat je bedoelde toen je me Mark de waarheid over Estelle liet vertellen. Zelfs in je laatste bekentenis, Joshua, heb je me een dierbare herinnering nagelaten. Die zeldzame eigenschap onderscheidt de grote dokters van de middelmatige...

Hij wist het, fluisterde Samantha in zichzelf terwijl ze, plotseling doodmoe, tegen Mark Rawlins aanleunde. Joshua wist dat ik die eigenschap bezit. Zelfs in de dood nog, wijst hij mij de weg...

'Dr. Rawlins,' zei ze zachtjes, 'wilt u me nu alstublieft alleen laten?'

'Hier?' Hij keek de door bomen omringde plek rond, die nauwelijks door de maan werd verlicht. 'Is dat wel vertrouwd?'

'Ik red me wel. Hier kan me niets gebeuren.'

'Maar...'

'Alstublieft. Er is iets waarover ik moet nadenken en dit is de enige plek waar ik dat kan. Het duurt niet lang. Wilt u me alstublieft bij mevrouw Kendall excuseren.'

Nog lang nadat dr. Rawlins was weggegaan, zat Samantha bewegingloos op de boomstam. Ze staarde in het nachtelijk duister, luisterde naar de vertrouwde bosgeluiden die zo vele van haar beslissingen en onthullingen in het verleden hadden begeleid. Samantha voelde dat om haar heen vriendelijke, onstoffelijke wezens rondwaarden: de goden die in de bomen en takken woonden, de geesten van de indianen die deze plek lang geleden bezochten, en van dierbare vrienden, Hannah en Joshua, die haar hielpen zichzelf te leren begrijpen.

Er strekte zich een angstwekkende, gevaarlijke weg voor haar uit, een weg die geen enkele vrouw nog ooit had bewandeld. En Samantha zag nu in, helderder dan ooit tevoren, dat dat de weg was die ze zou inslaan. Met de hulp van God en van hen die ze op die weg was tegengekomen en die ze in de toekomst nog zou ontmoeten, zou Samantha Hargrave ervoor strijden om licht in de medische duisternis te brengen.

Deel drie

NEW YORK

1881

1

Samantha wist dat dr. Prince iets in zijn schild voerde. Ze doorzag zijn plan wel, want vanaf het moment dat ze vier weken geleden via een juridisch achterdeurtje St.-Brigid's Hospital was binnengekomen, zinde hij op een manier om van haar af te komen. Nu probeerde hij haar in de val te laten lopen, maar bij het beramen van zijn plan had dr. Prince één grote fout gemaakt: hij had Samantha Hargrave onderschat. Zij had zelf een plannetje bedacht.

Wat ze vanavond ging doen, was nog nooit door een vrouw vertoond, en hoewel ze erop vertrouwde dat het zou lukken, was Samantha toch zenuwachtig. Ze liep haar kleine kamertje op en neer, balde haar handen tot vuisten en ontspande ze weer, en wachtte ongeduldig op het onvermijdelijke gerinkel van de ambulancebel.

Eigenlijk wilde ze vanavond haar toevlucht niet nemen tot list en bedrog, evenmin als ze dat vier weken geleden had gewild, maar ze was ook nu zo wanhopig dat ze wel moest. Meteen nadat ze uit Lucerne in Manhattan was teruggekeerd, was Samantha gaan solliciteren bij alle ziekenhuizen waar inwonende assistenten werkten. Dr. Jones had haar verzekerd dat dat de enige manier was om in de medische wereld naam te maken. Iedere dokter had een diploma, maar het bewijs van een assistentschap was een teken dat men een eersteklas arts was. Ze was dus vast van plan geweest assistent te worden, om vervolgens tot de ontdekking te komen dat geen enkel Newyorks ziekenhuis een vrouwelijke arts toeliet.

Overal werd ze afgewezen; zodra ze binnenkwam keurden functionarissen van het ziekenhuis haar nauwelijks een blik waardig, namen niet de moeite haar getuigschriften te bekijken, en vertelden haar dat alle plaatsen bezet waren. Nadat ze twee weken overal was afgewezen, kende Samantha de gang van zaken en ze besefte dat ze haar tactiek zou moeten wijzigen voordat haar lijstje met mogelijkheden helemaal was afgewerkt. In plaats van de laatste vier ziekenhuizen persoonlijk te bezoeken, schreef ze brieven, met daarbij ingesloten een overzicht van haar uitstekende opleiding en kopieën van de aanbevelingsbrieven van dr. Jones en dr. Page. Ze ondertekende de brief met S. HARGRAVE, ARTS.

Ze had tergend lang op antwoord moeten wachten, maar het was de moeite waard geweest. Alle vier de ziekenhuizen hadden meteen naar dr. Jones geschreven om een bevestiging en hadden lovende beoordelingen ontvangen. Alle vier hadden per brief laten weten dat S. Hargrave tot hun opleiding werd toegelaten.

Ze had St.-Brigid's Hospital gekozen, en wel om twee redenen: het was een grote instelling met vierhonderd bedden, en er bestond de mogelijkheid tot chirurg te worden opgeleid. Samantha was uiterst tevreden over zichzelf, dr. Silas Prince niet. Toen ze zijn kantoor binnenkwam en hij na enkele ogenblikken van verwarring besefte dat *zij* S. Hargrave was, vertelde de tweeënzestig jaar oude directeur haar, met nauw verholen verontwaardiging, dat ze uiteindelijk onmogelijk kon worden toegelaten. Maar Samantha was op deze ontvangst voorbereid en ze had dr. Prince beheerst en beschaafd geantwoord dat zijn ommezwaai voor de wet gelijk stond met contractbreuk en dat ze zich gedwongen voelde een advocaat in de arm te nemen.

Uiteraard was dat grootspraak geweest, want Samantha had nog maar weinig geld over. Dr. Prince had haar echter op haar woord geloofd en had haar weggezonden nadat hij had gezegd dat hij de zaak aan het bestuur zou voorleggen.

Waar het uiteindelijk op neerkwam was dat die juffrouw Hargrave door onzorgvuldigheid van dr. Prince juridisch heel sterk stond: ze bezat de brief waarin ze werd aangenomen, met de handtekening van Prince eronder. Ironisch genoeg steunde het ziekenhuis haar bovendien, daar er nergens in de statuten met zoveel woorden stond dat vrouwelijke artsen werden buitengesloten. Tja, zo luidde het argument, niemand had het nodig gevonden om vrouwen zo nadrukkelijk in de statuten uit te sluiten, daar men eenvoudigweg had aangenomen dat geen enkele vrouw de brutaliteit zou hebben te solliciteren. De juristen zouden zich vol enthousiasme aan de zaak wijden, evenals de feministes en de liberale pers. Samantha Hargraves zaak tegen St.-Brigid's Hospital zou zorgen voor ongunstige publiciteit – een grote-stadsziekenhuis dat een weerloze vrouw dwarszat – en bepaalde mensen die het ziekenhuis financieel steunden zouden er niet mee ingenomen zijn.

'Goed dan, dr. Prince, we zijn wel gedwongen haar toe te laten. Intussen zullen de statuten worden herschreven om ons in de toekomst te beschermen tegen dit soort situaties, en we nemen aan dat u voortaan zorgvuldiger zult handelen waar het sollicitanten betreft. Bovendien moet u het feit dat wij een vrouwelijke arts in onze staf hebben, binnenskamers houden. We zijn er toch niet op uit om een precedent te scheppen, nietwaar?'

'Maar heren, dit kunnen we toch zeker niet door de vingers zien! Ze is een vrouw. Hoe kan ik een vrouw onder mijn personeel dulden. Ze zal in het bijzijn van mannen patiënten onderzoeken; ze moet bij de assistenten wonen, en gebruik maken van hun voorzieningen...'

'Dat is precies wat we willen, dr. Prince. Ze zal een bijzondere behandeling verwachten in verband met haar sekse. Nu, dan staat haar een verrassing te wachten. U moet ervoor zorgen, dr. Prince, dat dr. Hargrave het *hele* programma voor de assistenten afwerkt en dat ze als gelijke van de mannen wordt beschouwd. Dan pakt ze zó haar biezen.'

Een grove onderschatting. In de eerste plaats was Samantha blij dat er geen bijzondere voorzieningen werden getroffen omdat ze een vrouw was; en in de tweede plaats zou het wel voor een vrouw uit een beter milieu wat te veel gevraagd zijn zo bekrompen te wonen, maar niet voor een meisje dat uit de Crescent kwam. Voor haar was het niet in 't minst afschrikwekkend dat ze een kamer kreeg op een verdieping waar alleen mannen woonden, dat ze met hen die éne badkamer aan het eind van de gang moest delen, en dat ze 's avonds laat hun losbandige verhalen en het getinkel van de whiskyglazen moest aanhoren.

Maar het zou niet gemakkelijk worden. Dr. Prince voelde zich vernederd, hij zon op wraak.

De directeur was niet de enige die bezwaar had tegen haar aanwezigheid. Afgezien van de andere assistenten, die voorzagen dat hun avonden vol mannengenoegens zouden worden beperkt door de storende aanwezigheid van een vrouw, waren de verpleegsters verontwaardigd bij het idee dat ze geacht werden van haar bevelen aan te nemen. Samantha zette hun gevoel voor orde op de kop: dokters waren hun superieuren, vrouwen waren hun gelijken – maar wat moest je met een vrouwelijke dokter beginnen? En degene die de grootste bezwaren koesterde was mevrouw Knight, de oudste zaalzuster.

Behalve dat ze de leiding had over de onderbetaalde, slecht opgevoede en nauwelijks opgeleide verpleegsters (het systeem dat Florence Nightingale voor ogen stond was hier nog niet doorgedrongen), droeg mevrouw Knight ook de verantwoording voor de huisvesting van de assistenten. En toen ze Samantha haar kamer aan het eind van de gang wees, stak mevrouw Knight haar misnoegen niet onder stoelen of banken.

'Ik zal ervoor zorgen dat de portier een slot op de badkamerdeur zet,' zei ze en liet de sleutelbos aan haar ceintuur rammelen. 'Tot die tijd zult u hard moeten zingen om gênante situaties te voorkomen. U moet 's nachts uw kamerdeur op slot houden en onder geen enkele voorwaarde mag u de gang op; tenzij u geheel gekleed bent. De medische staf eet op de derde verdieping; als u niet op tijd voor de maaltijden bent, zult u het zonder moeten stellen. Ik heb er sterk op aangedrongen dat u samen met de verpleegsters zou eten, maar dr. Prince staat erop dat u als lid van de medische staf bij hen komt zitten.' Mevrouw Knight was een forse vrouw met staalgrijs haar; ze deed Samantha denken aan Ursula, de varkensachtige vrouw uit Ben Jonson's *Bartholomew Fair*. Ze vouwde haar handen over haar enorme boezem en snoof verachtelijk. 'U mag best weten, dr. Hargrave, dat ik zeer gekant ben tegen uw aanwezigheid. Dit experiment heeft al eens eerder plaatsgevonden, in het Pennsylvania Hospital, in 1869. Die zogenaamde vrouwelijke artsen hielden het nog geen dag uit. Er werd tabakssap naar hen gespuugd. Vrouwen zijn niet voorbestemd om dokter te worden, ze bezitten niet de juiste kwaliteiten voor zo'n grote verantwoording. Volgens mij houdt u het nog geen maand vol.'

Ze rinkelde nogmaals met haar sleutels om Samantha van haar autoriteit te doordringen. 'Nog één ding. U moet niet vergeten u tijdens uw maandelijkse periode te verwijderen. De verpleegsters worden dan niet op zaal toegelaten, net zomin als u. We kunnen niet toestaan dat een labiele vrouw bij de patiënten komt.'

Het was een akelig kamertje, met een raam dat zo beroet was dat je nauwelijks naar buiten kon kijken. Er stond een gammele kast en een doorgezakt bed, maar voor Samantha was het een paleis. Het werk bleek zwaar en ze maakte lange dagen, maar Samantha's enthousiasme en vastberadenheid gaven haar de nodige kracht om het moeilijke leven van een assistent aan te kunnen (tot ieders grote verbazing). Het enige wat haar tegenviel was dat de andere assistenten haar niet accepteerden. Toen de opleiding begon waren er negen, waarvan er na Samantha's komst zeven overbleven, want twee vertrokken omdat ze weigerden zich zo te laten beledigen. Degenen die bleven hadden grote bezwaren tegen haar aanwezigheid, omdat ze geloofden dat ze de naam van de instelling naar beneden haalde en er de oorzaak van was dat men hen uitlachte. Ze klaagden allemaal bij dr. Prince, en allemaal ontvingen ze de verzekering dat die vrouw het nooit lang zou volhouden. Ze behandelden haar alsof ze niet bestond: niemand kwam tijdens de maaltijden bij haar zitten, ze werd buiten de discussies gehouden, en 's avonds, als de assistenten na een uitputtende dag ontspanning zochten, en gelach en banjomuziek door de gang klonk, werd er nooit bij haar aangeklopt.

Voor dr. Prince was Samantha een voortdurende herinnering aan de vergissing die hij had begaan, en na vier weken kwam de dag dat hij wraak zou nemen.

Hij was het volgende van plan: Samantha Hargrave had zich met behulp van een juridisch trucje het ziekenhuis binnengewerkt, zo zou ze dus ook worden weggewerkt.

In de eerste plaats stond er in de ziekenhuisregels dat alle vrouwelijke werknemers zich te allen tijde keurig moesten gedragen; ze mochten geen tabak, geen krachttermen en geen alcohol gebruiken, en hun uiterlijk moest te allen tijde een afspiegeling zijn van de keurige instelling: jurken moesten over de enkels vallen, en polsen en hals bedekken. Een vrouw die betrapt werd op aanstootgevende kledij werd op staande voet ontslagen.

In de tweede plaats moesten de assistenten volgens rooster een bepaald aantal uren doorbrengen op de Ongevallenafdeling en de Kraamafdeling, en ze moesten Ambulancedienst doen. Geen uitzonderingen. Zelfs niet voor de vrouwelijke assistent, die onmogelijk die laatste plicht, de Ambulancedienst, kon vervullen vanwege de beperkingen die haar kleding haar oplegde. Dr. Hargrave kon zich nooit in haar jurk achter op de ambulance begeven zonder haar rok te scheuren of plat op haar gezicht te vallen. En omdat het haar niet werd toegestaan om een pantalon te dragen (die viel onder het kopje 'aanstootgevend' voor een vrouw) zag dr. Prince werkelijk niet in hoe Samantha Hargrave ooit haar Ambulancedienst kon vervullen. Gevolg: een snel, geruisloos en gewettigd ontslag.

Maar Samantha had het zien aankomen. Toen ze een week daarvoor haar naam op het ambulancerooster had zien staan en had beseft dat ze precies zeven dagen had om iets te bedenken, was ze meteen naar een kleermaker in de nabijgelegen Fiftieth Street gegaan, met een uiterst ongewoon verzoek.

Om het kostuum te kunnen betalen, had Samantha de prachtige, zilveren binauraal stethoscoop moeten verpanden die dr. Jones haar als promotiegeschenk had gegeven; maar de oude jood had geweigerd haar geld aan te nemen. Het kostuum was een uitdaging, had hij tegen haar gezegd, en goede reclame. Als ze nu maar aan iedereen vertelde dat het van Rabinowitz kwam, mocht ze haar plunje gratis hebben.

Een week later ging Samantha, zonder dat iemand in het ziekenhuis ervan wist, weer terug naar de winkel van Rabinowitz.

Het pak was op een slimme manier misleidend. Het uniform was kort genoeg om veilig te zijn, maar toch zó lang dat niemand er aanstoot aan kon nemen; het was grof, maar toch nèt vrouwelijk genoeg en het was gemaakt van marineblauwe serge. Het getailleerde jasje paste perfect en de rok was wonderlijk genoeg niet wat je zou denken: hij bestond uit twee heel wijde pijpen, maar zag er toch uit als een rok. Dr. Prince kon niet beweren dat ze niet netjes gekleed ging en ze zou met gemak de ambulance op en af kunnen wippen. Het pak was voorzien van vele zakken, met daarop kleppen die konden worden dichtgeknoopt, en op de mouwen stond met gouddraad de naam van het ziekenhuis geborduurd.

Vanavond zou het de proef moeten doorstaan en daarom liep Samantha te ijsberen.

De meeste assistenten probeerden nog wat te slapen als ze ambulancedienst hadden, want de bel drong tot hun kamers op de derde verdieping door en ze wisten dat ze binnen de gestelde drie minuten in hun kleren konden schieten en naar de garage konden rennen. Maar voor Samantha was deze avond veel te belangrijk om hem slapend door te brengen; aller ogen zouden op haar gericht zijn om te zien wat ze zou doen. En dr. Prince, die zelden de nacht in het ziekenhuis doorbracht, had zijn gerieflijke slaapkamer aan Park Avenue gelaten voor wat hij was om ter plekke te zijn als de overwinning daar was.

Terwijl Samantha haar kamer op en neer liep, maakte ze zich niet bezorgd over de reactie op haar bijzondere kostuum; of men het afwees of aanvaardde deed nu niet ter zake. Ze verkeerde in angstige spanning over haar eerste spoedgeval. Wat zou het zijn, zou ze weten wat ze moest doen? Al eerder was ze naar het koetshuis gegaan waar de ambulance stond, om zich vertrouwd te maken met het voertuig en de koetsier; ze was weer naar haar kamer gerend en had de tijd opgenomen. Had ze zich nog beter kunnen voorbereiden?

Plotseling bleef ze stilstaan en draaide zich met een ruk om. Buiten op de gang naderden bekende voetstappen en ze voelde boosheid in zich opwellen. Ben je daar nu al weer! dacht ze. En dan nog wel vanavond!

De eerste nacht na haar aankomst, vier weken daarvoor, was Samantha uit een lichte slaap gewekt door het geluid van voetstappen in de gang. Eerst had ze zich er niet druk over gemaakt, maar toen ze naderbij kwamen en ze zich herinnerde dat de badkamer aan het andere eind van de gang lag (aan deze kant was alleen een brandtrap), spitste ze haar oren. De voetstappen hielden voor haar deur stil. Samantha lag star in bed, met ingehouden adem, en vroeg zich af wie daar stond te luisteren; ze had het akelige gevoel dat er door het sleutelgat werd geloerd. Even later waren de voetstappen echter vertrokken en stierven weg in de gang. Samantha had gedacht, vervelende gluurder, en was weer in slaap gevallen.

De voetstappen waren echter steeds weer teruggekomen, meestal drie keer per week, altijd heel laat op de avond, en altijd stonden ze een minuut voor haar deur stil, alsof er iemand stond te luisteren of probeerde binnen te gluren. Samantha had overwogen haar beklag te doen bij mevrouw Knight, maar bedacht dat de al wat oudere zaalzuster alleen zou zeggen dat ze het zichzelf had aangedaan. Wie het ook was, hij had kennelijk geen kwaad in de zin en was waarschijnlijk alleen maar nieuwsgierig naar de vrouwelijke dokter; daarom leek het Samantha beter het maar te negeren.

Maar nu was ze echt boos. Toen ze de voetstappen dichtbij hoorde komen, pakte Samantha de verstuiver met eau de cologne van haar kaptafel en ging naast de deur staan. Toen de voetstappen stilstonden en ze zeker wist dat de spion naar binnen stond te gluren, duwde Samantha de opening van de verstuiver in het sleutelgat en kneep een paar keer flink in het rubber balletje. Aan de andere kant van de deur klonk een verbaasde kreet en toen een bons, alsof er iemand op zijn zitvlak viel. Even later verdwenen de stappen dreunend in de gang.

Ze leunde tegen de muur en gooide nijdig de verstuiver op bed. Het volgende ogenblik werd de stilte van de nacht verscheurd door het schelle gerinkel van een bel uit het koetshuis.

De paarden stonden rillend in hun tuig. Jake, de nachtkoetsier, sprong van de bok om haar een handje te helpen, maar Samantha maakte een gebaar om aan te geven dat hij kon blijven zitten. Ze vermoedde dat dr. Prince zich ergens verdekt had opgesteld. Samantha greep de stang beet en trok zich met zo'n kracht op dat ze bijna halsoverkop in de ambulance terecht kwam. Voordat ze haar evenwicht had hervonden zette het voertuig zich met een ruk in beweging en vloog het koetshuis uit, waardoor Samantha op haar knieën belandde.

Terwijl ze met rinkelende bel Fiftieth Avenue af reden, hield Samantha zich met twee handen vast, dankbaar voor de vele zakken waarin haar doktersattributen zaten. Het was vroeg in de avond en er waren nog aardig wat mensen op de been; degenen die zagen dat de dokter die zich achter op de schuddende ambulance in evenwicht hield een vrouw was, bleven staan en wezen. Samantha zag niets dan een stil tafereel aan zich voorbij schieten: starre figuren op het trottoir, die met open monden stonden te kijken. Haar hart bonsde fel op het ritme van de rinkelende bel. Ze had geen idee waar ze naar toe ging.

Vlak bij East River stopten ze voor een fel verlicht, uit zandsteen opgetrokken huis, waar een rode lantaarn boven de deur hing. Een menigte mensen was de ambulance gevolgd en stond nu nieuwsgierig naar de vrouwelijke dokter te kijken. Toen Samantha zich een weg tussen de belangstellenden door baande, zongen kleine schoffies: 'Haal een man! Haal een man!'

Samantha en Jake werden opgewacht door een vrouw met een smal gezicht, gekleed in grijze bombazijn. Ze ging hen voor naar boven. Er stonden allerlei vrouwen, van jong tot oud, toe te kijken; ze waren schaars gekleed, sommigen stonden te huilen, anderen keken met ziekelijke nieuwsgierigheid naar wat er ging gebeuren.

'Ze is al een paar dagen niet lekker,' zei de strenge eigenares terwijl Samantha de kamer binnenging.

Op bed lag een meisje van nauwelijks veertien; haar magere lichaam was alleen gehuld in een met kant afgezette peignoir. Het leek alsof ze sliep; haar handen lagen gevouwen over haar buik. Zodra Samantha de blauwige kleur om haar lippen en neus opmerkte, vroeg ze: 'Wat heeft ze ingenomen?'

De vrouw wees naar het lege flesje naast het bed. Dr. Hansen's Elixer. 'Al mijn meisjes nemen dat zo nu en dan. Op het etiket staat dat het volkomen veilig is. Ik begrijp niet hoe dit heeft kunnen gebeuren.'

Samantha tilde de oogleden van het slachtoffertje op en zag dat haar pupillen heel klein waren. Het meisje ademde nauwelijks, maar haar pols was nog goed. 'Het is een overdosis opium, Jake. We zullen haar snel naar het ziekenhuis moeten brengen.'

Terwijl ze het meisje op een draagbaar legden en haastig de trap afgingen, kwam de ingetogen vrouw achter hen aan en zei: 'Het is niet mijn schuld, hoor. Dit is een keurig huis. Nog nooit heeft een van mijn meisjes...'

Toen de ambulance op weg ging, boog Samantha zich bezorgd over het meisje heen; ze wreef haar ijskoude handen en bad inwendig, niet doodgaan! Alsjeblieft, niet doodgaan!

De ongevallenafdeling lag er verlaten bij; nadat ze het meisje op de onderzoektafel hadden gelegd, stuurde Samantha Jake eropuit om hulp te halen. Het kind zag inmiddels helemaal blauw.

Samantha probeerde eerst haar maag uit te pompen, maar toen er maar weinig van het 'elixer' naar buiten kwam, wist ze dat het daar al te laat voor was. Ze moest nu drastischer maatregelen nemen. De stem van dr. Page klonk luid op uit het verleden: 'Pas kunstmatige ademhaling toe, sla met een natte handdoek op de buik, maak handen en voeten warm, geef de patiënt zwarte koffie en laat hem lopen...'

Toen Jake terugkwam, bewoog Samantha de krachteloze armen van het meisje op en neer – boven haar hoofd, naar beneden tot op haar buik, drukken; boven haar hoofd, naar beneden tot op haar buik, drukken...

Achter Jake stond een van de oudere assistenten zijn gummiboordje vast te maken. Hij beende naar de tafel, legde zijn vingertoppen in de hals van het meisje, keek eens naar het gezichtje dat helemaal blauw zag, en zei: 'Mijn beste dr. Hargrave, u bent met een lijk bezig.'

Samantha hield even op, lang genoeg om de polsslag op te nemen. Toen ze zeker wist dat ze die had gevoeld, hervatte ze de kunstmatige ademhaling. 'Ik heb hulp nodig, dokter. Tot ze uit zichzelf begint te ademen, moeten wij het voor haar doen.'

Hij schudde zijn hoofd. 'Het is tijdverspilling, juffrouw Hargrave. U probeert een dood kind tot leven te wekken. Ik stel voor dat u het opgeeft en naar bed gaat. Te oordelen naar haar vermoedelijke beroep is ze hoe dan ook beter af als ze dood is.'

Nadat hij vertrokken was beet Samantha Jake toe: 'Haal iemand anders, het kan me niet schelen wie!'

Door de inspanning van het toepassen van kunstmatige ademhaling kon Samantha bijna niet meer op haar benen staan toen Jake met mevrouw Knight terugkwam. Zonder een woord te zeggen nam de verpleegster het van haar over, zonder het ritme te verstoren. Samantha ging echter niet rustig zitten toekijken. Gezien haar ervaring met slachtoffers van een overdosis, hadden ze nog een hele nacht voor de boeg. Ze zette haar hoed af, trok haar jasje uit, en luisterde met behulp van haar stethoscoop met tussenpozen naar het onregelmatig kloppende hart van het meisje. Om het kwartier verwisselden zij en mevrouw Knight, die nog steeds geen woord had gezegd, van plaats.

Rond middernacht, toen de twee vrouwen op de verlaten ongevallenafdeling nog steeds hard bezig waren, verscheen een van de jonge assistenten in de deuropening. Een paar minuten stond hij zwijgend toe te kijken, waarna hij haastig zijn colbertje uittrok en naar voren kwam om mevrouw Knight af te lossen. Jake keek vanuit een hoekje geboeid toe. Het was duidelijk dat dat hoertje de pijp uit was, maar die dr. Hargrave was een taaie, dat moest je haar nageven.

De assistent, die niet zo heel erg geestdriftig pompte, zei: 'Ze is er geweest, dokter. Ik geloof dat u haar dood moet verklaren.'

'Niet zolang ik nog steeds haar polsslag voel, hoe zwak ook. Als u moe bent dokter, neem ik het wel over.'

Maar hij ging door. Nog twee uur zetten ze de behandeling voort: ze pompten, luisterden naar de hartslag, masseerden de blauwe handen en voeten, tot eindelijk, toen er op het voorhoofd van de assistent zweetdruppeltjes parelden, de kleur van het meisje begon te veranderen. Langzaam vervaagde het blauw en haar wangen kregen een roze gloed, alsof de nacht plaats maakte voor de ochtendschemering. Ten slotte haalde het meisje diep en beverig adem, en hoestte.

De assistent hield op met pompen, en terwijl hij en mevrouw Knight toekeken, pakte Samantha een handdoek, die ze in ijskoud water had gelegd, sloeg de peignoir open zodat de buik van het meisje bloot lag, en begon haar flink met de natte handdoek te slaan. Bij iedere ijskoude klets snakte het meisje naar adem en rolde haar hoofd heen en weer. Toen haar oogleden knipperden, zei Samantha: 'Mevrouw Knight, we hebben liters zwarte koffie nodig.'

Al gauw hadden ze het meisje overeind, steunden haar onder de armen en lieten haar heen en weer lopen, terwijl ze haar overvloedige hoeveelheden zwarte koffie naar binnen goten.

Het was vroeg in de ochtend toen Samantha het meisje goed genoeg vond om op zaal te worden gelegd. Toen ze vermoeid haar hoed en jasje pakte.

vond Samantha haar pad geblokkeerd door de assistent. Hij stak haar zijn hand toe. 'U hebt me overtuigd, dr. Hargrave. U bent geweldig.'

Tijdens het ontbijt had iedereen het over de moordaanslag op president Garfield, die diepere indruk op de mensen had gemaakt dan die op Lincoln, zestien jaar daarvoor. Op het moment dat Lincoln werd neergeschoten had het volk al vier jaar van ellende en moordpartijen achter de rug; Lincoln was niet meer dan een van de vele oorlogsslachtoffers. Maar James Garfield was in vredestijd president geworden en was een symbool van de welvaart, zodat het volk heftig reageerde. President Garfield lag nu in het Witte Huis en zijn toestand verslechterde met de dag. Er werd in de wond gewroet, op zoek naar de ontbrekende kogel, soms met een metalen catheter, soms met de ongewassen vingers van een dokter. Professor Alexander Graham Bell had een apparaat ontworpen dat verborgen metaal kon opsporen; de springveren van het matras verstoorden het instrument echter en daardoor maakte het een klikkend geluid, waar het ook boven het lichaam van de president werd gehouden. De vooraanstaande artsen die hem vierentwintig uur per dag terzijde stonden, hadden geen flauw idee wat ze moesten doen. Het was hèt onderwerp van gesprek voor de staf van St.-Brigid's Hospital.
'De democraten zitten erachter!' verkondigde een oude chirurg terwijl hij aan zijn eieren met spek begon.
'Ik zeg u, heren,' klonk een andere stem boven beboterde toost met koffie, 'het is waanzin om de buikholte te openen. Dat die kogel er nog steeds zit, doet er niet toe. Het openen van de buikholte betekent zeker zijn dood.'
Juist op dat moment kwam Samantha de eetzaal binnen en er viel een stilte. Alle hoofden draaiden zich in haar richting om haar aan te staren (een beschaamde jonge assistent incluis, die rode, opgezwollen en tranende ogen had van de verstoven eau de cologne). Dr. Prince stond op en kwam langzaam naar haar toe; in zijn hand had hij de ochtendeditie van de *Tribune*. De ogen van de directeur stonden koud en het was of zijn witte bakkebaarden nijdig wijd uit stonden. 'Hebt u dit gezien, dr. Hargrave?' vroeg hij en stak haar de krant toe.
Ze had het gelezen. Iemand had een exemplaar van de krant bij haar voor de deur gelegd en ze had hem die ochtend gevonden toen ze naar de badkamer ging. Er stond een klein stukje op de voorpagina over Samantha's heldhaftige optreden die nacht.
'Ik stel dit soort dingen niet op prijs, dr. Hargrave. De man die hiervoor verantwoordelijk blijkt, is Jake, de koetsier van de ambulance. Kennelijk straalde er iets van de glorie van het avontuur op hem af en hij heeft staan opscheppen tegenover een verslaggever die toevallig in het koetshuis was. Nu staan er zes verslaggevers op de stoep, die allemaal iets willen weten over die vrouwelijke dokter. Ik heb Jake de les gelezen; er is een aantekening in zijn conduiteboekje gemaakt. En ik raad u aan, dr. Hargrave, ervoor te zorgen dat u zich onopvallend gedraagt en dat u niet probeert op

een goedkope manier bekendheid te verwerven. St.-Brigid's Hospital is geen kermisattractie.'

Ze hield het hoofd geheven en keek hem onvervaard aan. Haar stem was het enige geluid in de stille, zwijgende zaal. 'Goed, dr. Prince.'

Zijn kille ogen vernauwden zich. Dr. Prince was kennelijk niet te spreken over haar kleine overwinning. Deze vrouw was zo sluw als een vos, hij zou haar een volgende keer niet nog eens onderschatten. 'En nog iets, dr. Hargrave. Dat u een hele nacht uw tijd en aandacht besteedt aan een waardeloze prostituée, bewijst dat u op medisch gebied nog niet goed kunt oordelen. Door de inspanning bent u te moe om vanmorgen uw ronde te doen, u hebt het ziekenhuis op onnodige kosten gejaagd door onze eerste verpleegster en nog een assistent in te schakelen, en u was niet beschikbaar voor het geval er nog een spoedmelding kwam. U zult onderscheid moeten leren maken in uw medische excessen, dr. Hargrave.'

'Jazeker, dr. Prince.'

Even overwoog hij nog iets te zeggen, maar toen draaide hij zich abrupt af en beende de zaal uit. Stram van boosheid liep Samantha naar haar gebruikelijke plekje aan een lege tafel en ging langzaam, met weloverwogen gebaren, zitten. Toen de serveerster haar thee en brood met honing kwam brengen, probeerde Samantha te vergeten dat twintig paar ogen haar zaten op te nemen.

En toen begon de assistent aan het tafeltje naast het hare zachtjes, alsof de eerste druppels van een lentebuitje vielen, in zijn handen te klappen.

Verbaasd keek Samantha op.

De anderen volgden zijn voorbeeld. Even klonk er een donderend applaus door de eetzaal, en Samantha, die perplex naar de glimlachende en goedkeurende gezichten keek, zag geen kans haar thee door te slikken.

2

Samantha was verbijsterd toen ze zag hoezeer haar vriendin was veranderd. Het zat hem niet alleen in haar uiterlijk: de extra pondjes, het onverzorgde haar en het opgeblazen gezicht; ook in Louisa's manier van doen was iets veranderd. Haar gebaren verraadden een innerlijke nervositeit, haar groene ogen stonden onrustig en in haar stem klonk vaak iets scherps. Bepaald niet typerend voor een vrouw die acht maanden zwanger was. Samantha was ontzet. Kon één jaar huwelijk hier de oorzaak van zijn?

Toen Louisa haar hand onder in haar rug legde, zich kreunend van de sofa overeind hees en de kamer uit schommelde, had Samantha de gelegenheid de salon eens rond te kijken.

Luther verdiende goed nu hij compagnon van meneer DeWinter was geworden. In een hoekje stond een gloednieuwe muzikale naaimachine, een teken dat de heer en mevrouw Arndt tot de gegoede middenklasse behoorden: als de machine werd aangetrapt, werden ook rollen in beweging gezet die liedjes afspeelden. Helaas lag er een dikke laag stof over de machine, evenals op het beeldje dat erop stond. Louisa was nooit erg netjes geweest, maar deze stoffige, rommelige salon vertoonde tekenen van pure verwaarlozing, een afspiegeling van de vrouw die er haar dagen sleet, een vrouw die het kennelijk niets meer kon schelen.

'Garfield, Garfield, Garfield,' verzuchtte Louisa toen ze terugkwam met een blad waarop twee glazen met een bruin drankje stonden, een paar sneetjes maanzaadcake en iets nieuws waarvan Samantha nog nooit had gehoord: oleomargarine. (Louisa had nog steeds de neiging de nieuwste dingen te proberen ten koste van de goede smaak.) 'Het is een nieuw soort bier, uit plantenwortels,' zei Louisa. 'Het is nog maar pas in de handel.' Samantha pakte een glas. 'Nee, dat is het mijne,' zei Louisa en nam het haar uit handen. Samantha zag dat er minder schuim op stond.

Louisa legde haar opgezwollen voeten op de bank, waarbij ze een postordercatalogus van Montgomery Ward op de grond gooide. 'Ze noemen dit de Zomer van de President. De mensen praten alleen maar over Garfield. Ik word er doodziek van.'

Samantha probeerde haar teleurstelling te verbergen; ze had zich erop verheugd Louisa na zo lange tijd weer terug te zien. Toen ze eindelijk een vrije dag had kunnen krijgen, had ze haar mooiste jurk aangetrokken en was opgewonden op de bus naar Fifth Avenue gestapt. Maar de Louisa die ze aan de deur had verwacht – de Louisa met de volmaakte, goudblonde krullen die eens had geprobeerd de geest van Jeanne d'Arc op te roepen – was niet verschenen.

Hoewel Louisa blij was geweest en haar vriendin zo stevig had omhelsd dat Samantha had gevoeld hoe een onzichtbaar voetje tegen haar aan schopte, was het alsof Louisa zich begon te vervelen na een kwartiertje oude herinneringen ophalen. Het was alsof Samantha een stuk speelgoed was waar het nieuwtje af was, en nu lag Louisa languit op de bank, dik en ongemakkelijk, terwijl haar groene ogen geen moment rust vonden.

Samantha had willen vragen: Wat is er aan de hand? maar ze was bang de gevoelens van haar vriendin te kwetsen. 'Hoe gaat het met Luther?'

'Prima,' kwam het vage antwoord.

'Je vindt het zeker fijn dat hij nu compagnon is geworden.'

Louisa's rusteloze ogen richtten zich op één punt: ze staarde afwezig naar de varen die stoffig en wel op de vensterbank stond te verwilderen. 'Hij is nu aldoor in de apotheek. Ze gaan ijs verkopen. In een drugstore.'

Er moest toch iets zijn waarvoor Louisa belangstelling had; als haar echtgenoot haar aandacht niet gevangen kon houden – hoewel er na één jaar toch nog wel iets levendigers verwacht mocht worden – dan zou de baby dat wel doen. 'Je hebt het zeker druk met de babykamer.'

Louisa keek Samantha leeg en dof aan.

'Is die al klaar? Ik zou hem best eens willen zien.'

Louisa haalde onverschillig haar schouders op en hees zich overeind. Terwijl ze achter haar aan de trap opliep, vroeg Samantha zich af of alle zwangere vrouwen zo waren; misschien verloor je alle belangstelling voor de wereld om je heen als je zo lang moest wachten op iets dat nooit leek te komen. Na de geboorte zou Louisa wel weer de oude worden.

Samantha zei: 'O,' en wilde dat ze niet had gevraagd de babykamer te mogen zien. Die lag boven, naast de ouderslaapkamer, waar Samantha een onopgemaakt bed zag; het babykamertje was leeg, op een gedeeltelijk geverfde wieg en een paar rollen behang op de vloer na. 'Ach, je hebt de tijd nog.'

Weer keek Louisa haar zo leeg en dof aan, dat Samantha dacht, dit gaat helemaal niet goed.

Op weg naar beneden overwoog ze wat haar te doen stond en toen ze weer in de salon zaten vroeg ze ten slotte: 'Wat is er aan de hand, Louisa?'

Tot haar verbazing antwoordde haar vriendin hartstochtelijk: 'Alles, maar dan ook alles, Samantha,' en eindelijk stond haar gezichtje wat levendiger. 'Ik wil je niet opzadelen met mijn ellende, maar ik moet er met iemand over praten. Ik zit al zo lang in dit huis opgesloten, dat ik geloof dat ik er gek van word. Het is niet eerlijk, Samantha, dat zwangere vrouwen zich niet mogen vertonen. De mensen zijn zo schijnheilig. Ze zijn dol op baby's, maar ze willen er niet aan worden herinnerd waar ze vandaan komen. Ik krijg het gevoel dat ik me zou moeten schamen. De maatschappij dringt erop aan dat je trouwt en kinderen krijgt, maar zodra er een onderweg is, word je geacht je op te sluiten. Als ik naar buiten zou gaan, zouden de mensen naar me kijken en direct weten wat ik heb gedaan. Luther heeft het ook gedaan, maar *hij* kan nog gewoon naar buiten zonder dat iemand het merkt. Vrouwen zijn na de gemeenschap getekend, maar aan mannen kan je het nooit zien. Het is niet eerlijk!'

Het komt niet alleen door de zwangerschap, dacht Samantha, want ze beluisterde nog een andere boodschap uit haar woorden. De toon in haar brieven was al veranderd voordat ze zwanger werd; Louisa's probleem ging veel dieper dan ze wilde toegeven, alsof ze er wel over wilde praten maar niet wist hoe. Samantha hielp haar op weg door vriendelijk te vragen: 'Heb je problemen in het huwelijksbed?'

Louisa zat aan de ruche van haar peignoir te plukken en knikte zwijgend. 'Je weet niet wat het is, Samantha, jij bent niet getrouwd.'

Er ging een steek door Samantha's hart toen ze aan Joshua dacht, en daarna tot haar verbazing meteen aan Mark Rawlins. Ze had hem sinds die avond bij de Kendalls niet meer gezien. Hij had haar zijn adres in Manhattan gegeven en had haar gevraagd Joshua's instrumenten te komen ophalen als het haar schikte. Maar Samantha had het steeds uitgesteld; ze maakte zichzelf wijs dat er in haar kleine kamertje geen plaats voor was en dat ze bij dr. Rawlins veiliger waren – ze probeerde van alles te verzinnen om een ontmoeting uit te stellen. De afgelopen twee maanden had Samantha zichzelf wijs gemaakt dat dat kwam omdat hij haar aan Joshua herinnerde. Maar nu, in Louisa's bedompte salon, zag ze de waarheid helder onder ogen: het was vanwege de ongewenste gevoelens die hij in haar opriep...

Louisa sloeg haar diepgroene ogen op. 'Ik weet niet wat ik eigenlijk verwachtte, Samantha. Maar om de een of andere reden dacht ik dat het mooi
en puur zou zijn. Op onze huwelijksnacht was ik diep geschokt. Luther zei
steeds dat dat zo hoorde, dat het nu eenmaal zo ging. Ik huilde iedere keer
dat hij het deed. Samantha, ik werd er misselijk van! Hij hield maar niet
op. Hij zei dat het heel natuurlijk was dat ik het niet prettig vond en dat alleen mannen het prettig horen te vinden. Ik was zo opgelucht toen ik ontdekte dat ik zwanger was, want toen liet Luther me met rust.'
Louisa was niet helemaal eerlijk. Op haar huwelijksnacht was Louisa eigenlijk opgewonden geraakt door wat Luther deed, maar meteen had ze zich
gechoqueerd en beschaamd gevoeld dat ze zulke gevoelens koesterde. Louisa kreeg al gauw een afkeer van zichzelf en verachtte Luther omdat hij zulke
walgelijke gedachten en verlangens had gewekt. Ze had een hekel aan zichzelf omdat ze naar hem verlangde, huilde toen ze ontdekte dat ze zich erop
verheugde met hem naar bed te gaan, en ging geloven dat ze wel een afschuwelijke, ontaarde vrouw moest zijn. Maar omdat Louisa niet iemand
was die kon leven met afschuw voor zichzelf, zag ze kans haar afkeer op Luther te projecteren. Ze maakte zichzelf iedere nacht wijs dat ze zulke gevoelens niet kende en dat het Luther was die ze in haar wakker riep. Na verloop van tijd had ze haar walging op Luther overgebracht en was er na een
jaar in geslaagd zichzelf ervan te overtuigen dat ze helemaal niet van seks
had genoten, maar dat ze het weerzinwekkend vond, zoals het ook hoorde.
'Luther doet de meest vreselijke dingen met me. Hij kan zelfs het fatsoen
niet opbrengen te wachten tot ik me heb uitgekleed en mijn nachthemd
heb aangetrokken en onder de dekens lig voordat hij de slaapkamer bin-
nenkomt. Hij staat erop dat ik alles. . . ik kan het niet over de lippen krij-
gen.En ook nog met het licht op!' Ze huiverde. 'Hij wil dat ik naar hem kijk
en hem aanraak. O, als ik eraan terugdenk word ik weer misselijk!'
Samantha had medelijden met haar vriendin. Vreemd dat dezelfde daad
bij sommige mensen zulke heel andere gevoelens opriep. 'Heb je Luther
verteld hoe je ertegenover staat?'
Louisa zette grote ogen op. 'Je bedoelt. . . dat ik er met hem over praat? Samantha, het idee!'
'Maar jullie wisselen op zekere momenten toch wel een paar woorden. . .'
'O ja, woorden! Zal ik je nog eens iets walgelijks vertellen? Als Luther met
me naar bed gaat, *praat* hij. Hij fluistert allerlei woordjes in mijn oor, vreselijke woorden. Van sommige weet ik niet eens wat ze betekenen.'
'Louisa,' zei Samantha voorzichtig, 'misschien heeft Luther er geen idee van
hoe erg jij het vindt. Een heleboel pasgetrouwde vrouwen huilen in het begin. Daarna raken ze eraan gewend en beginnen het zelfs prettig te vinden.
Misschien denkt Luther dat jij er nog wel overheen komt. Louisa, als je dit
niet recht zet, krijg je nog last van je zenuwen.'
'Ik kan er met Luther niet over praten, punt, uit! Jij bent de enige op de hele wereld tegen wie ik het kan vertellen, Samantha, want jij bent mijn beste
vriendin, en nog dokter ook. Met jou kun je goed praten. Jij begrijpt het.

Als ik met jou zit te praten heb ik nooit het gevoel dat je denkt, stom mens!'
'Heb je dat gevoel bij anderen dan wel?'
'Bij dr. McMahan! Dat is een afgrijselijk kereltje. Hij behandelt me als een klein kind. Als ik klaag dat ik me niet lekker voel, strijkt hij over mijn haar en lacht een beetje. Aan zijn ogen zie ik wel dat hij niet in 't minst met me meevoelt. Hij zegt dat ik me mooi zou moeten voelen, omdat ik functioneer in een goddelijk plan. Kijk naar me, Samantha! Kijk eens naar mijn lijf! Als mannen zwanger konden worden zouden ze het niet lang meer "mooi" vinden!'
Samantha fronste haar wenkbrauwen. Waarom deed Louisa zo? Een zwangere vrouw kon best mooi zijn, stralend mooi zelfs; het was bijna alsof Louisa zichzelf en het huishouden met opzet verwaarloosde, als een daad van verzet.
'Samantha,' klonk haar nu ineens bedeesde stem, 'ik zal je iets vertellen wat ik nog nooit aan een levende ziel heb verteld. Ik heb een hekel aan de baby. Ik vind het vreselijk dat die baby mijn figuur bederft en me aan huis gekluisterd houdt. Samantha, ik voel me zo afschuwelijk! Ik wil de baby helemaal niet! Ik *voel* helemaal niets van liefde. Het is net alsof er een parasiet op mijn lichaam teert. Als ik dat kind niet verwachtte, kon ik naar buiten, boodschappen doen, of ik kon bij Bell Company werken.'
Samantha had geprobeerd haar vriendin wat op te vrolijken door te doen alsof ze haar drankje lekker vond, maar het warme bier smaakte niet bij de cake en de oleomargarine. Samantha veegde de kruimels van haar schoot en zei: 'Maar dan gá je toch naar buiten, Louisa! Je hebt lichaamsbeweging en frisse lucht nodig. Het zou je goed doen.'
Louisa keek duidelijk gechoqueerd. 'Samantha Hargrave, nu je dokter bent, ben je helemaal veranderd! Ik kan zo toch niet naar buiten! Wat zouden de mensen wel niet denken?'
'Louisa, zwangerschap is geen ziekte! Er is geen enkele reden waarom een aanstaande moeder niet in de frisse lucht zou kunnen gaan wandelen. We zouden net als vroeger bij Macy kunnen gaan lunchen, en dan zouden we bij Hotel Everettt naar die nieuwe gloeilampen van Edison kunnen gaan kijken, het zijn er wel honderd! Dat zou je enig vinden, Louisa, ze zijn werkelijk fantastisch!'
Ze toonde enige belangstelling. 'Wanneer dan?'
'Wanneer? Tja, ik weet het niet. Ik heb om de zondag een vrije dag, maar dan moet ik wassen en verstellen...'
'Het doet er ook niet toe, Samantha. Ik kan toch zo niet uitgaan. Misschien als de baby er eenmaal is...' Louisa's gezicht betrok weer en haar groene ogen versomberden terwijl ze dacht – zoals ze de laatste tijd wel vaker deed – ik kan nergens heen en ik heb geen vrienden. Niemand heeft tijd voor een zwangere vrouw. Maar als de baby dood ging, zou iedereen erg meelevend doen en de mensen zouden langskomen en me met extra zorg omringen. Of als Luther een ongeluk kreeg en dood ging, dan zou ik weduwe

worden, en iedereen zou lief voor me zijn. Ik zou nooit meer hoeven trouwen en kinderen krijgen.

Zonder zich ervan bewust te zijn, zette Louisa haar gedachtengang hardop voort. 'Nu, ik ben niet van plan dit nog eens door te maken. Luther moet maar leren het zonder te doen. Of als hij zijn walgelijke dierlijke lusten moet bevredigen, dan zijn er vrouwen genoeg die...'

Het geluid van haar eigen stem maakte haar aan het schrikken en toen ze Samantha's blik ontmoette, schaamde Louisa zich plotseling. Een pijnlijk ogenblik knipperde ze snel een paar keer met haar groene ogen en stamelde iets, waarna Samantha zei: 'Wat is het toch warm vandaag, liefje. Ik denk dat ik me even ga opknappen. Waar is het kleine kamertje?'

Terwijl in haar blik te lezen lag: Alsjeblieft, je mag geen hekel aan me krijgen, wees Louisa naar de achterkant van het huis. Toen ze zag dat Louisa haar glas leeg had en dat de cake op was, pakte Samantha het blad en nam het mee naar de keuken.

Louisa, de geluksvogel, had alle moderne apparaten en gemakken die een vrouw zich kon wensen, maar ook hier bedierven de rommel en de verwaarlozing het effect. Toen ze het blad op het aanrecht zette, zag Samantha de twee lege flesjes Levis & Hires Wortelbier staan, en ernaast lag een van die mooie nieuwe 'automatische' blikopeners. Ze pakte het ding op en speelde er verstrooid mee; ineens viel haar oog op een derde flesje. Dr. Poole's Kalmerende Siroop voor Aanstaande Moeders. Samantha haalde de kurk eraf en rook eens. Een misselijk makende zoete geur drong in haar neus, maar kon toch niet verhullen – wat wel de bedoeling was – dat Dr. Poole's elixer een bedwelmend middel bevatte. Ze kon het niet thuisbrengen maar Louisa gebruikte het.

Even later stond Samantha in de opnieuw ingerichte badkamer (ze hadden zelfs een modern toilet met waterspoeling) en legde een koud washandje achter in haar nek. Naast Luthers scheerkommetje stond een flesje met Dr. Raphael's Elixer voor de Wonderbaarlijke Versterking van de Mannelijke Eigenschappen.

Wat was hier toch aan de hand? Samantha dacht terug aan de twee opgewekte jonge mensen met wie ze haar zondagen had doorgebracht: Louisa wat flirterig en vol energie, Luther trots en royaal. Ze waren nu bijna vreemden voor haar. Zij en Louisa hadden niets gemeen; in het gesprek vielen steeds langere stilten. Louisa had andere vriendinnen nodig, getrouwde vriendinnen, vrouwen met kinderen.

Samantha vouwde het waslapje netjes op en legde het terug. Onze wegen scheiden zich, Louisa. Zie jij het ook? Ben je daarom zo boos op mij, op de wereld? Als de baby er eenmaal is, wordt de afstand zo groot dat we die nooit meer kunnen overbruggen. Verwijt je dat Luther ook?

In de verte hoorde ze de voordeur open en dicht gaan. Nadat ze nog een keer in de spiegel had gekeken, liep Samantha de gang in en schudde Luther stevig de hand. Hij was niets veranderd: nog steeds lang en rijzig, zijn platinablonde haar modieus met een scheiding in het midden en glad gekamd; uit zijn lichtblauwe ogen straalde hartelijke vriendschap. Toen hij zich over zijn vrouw heen boog om haar te kussen, bood Louisa hem haar wang, en toen hij vroeg hoe het met haar ging, klaagde ze over rugpijn. Samantha dacht, ze straft hem.

Ze gingen in de salon zitten en probeerden te doen alsof alles normaal ging. 'Ik heb gehoord dat je het in de apotheek erg druk hebt, Luther.' Terwijl hij antwoord gaf, dwaalden zijn ogen steeds weer in de richting van zijn vrouw. 'Ik moet hard werken en de verantwoordelijkheid is zwaar, maar dat vind ik niet erg. Meneer DeWinter is oud en ouderwets; hij is van plan ooit de apotheek helemaal aan mij over te dragen. Ik probeer de zaak te moderniseren, maar meneer DeWinter houdt me wel eens tegen.'

Louisa geeuwde luid zonder de moeite te nemen haar hand voor haar mond te houden.

Luther boog zich voorover, en zat met ernstig gevouwen handen tussen zijn knieën. 'Ik wil in de apotheek met de tijd meegaan, begrijp je? Dit zal je interesseren, Samantha: Er komt een nieuw wondermiddel uit mijn vaderland. Het is een kristalhelder poeder, dat pijnstillend en koortswerend is, zonder ook maar enigszins slecht voor het lichaam te zijn. Het heet salicylzuur. Bayer in Berlijn is van plan er tabletten van te maken en die onder de merknaam Aspirin op de markt te brengen. Je zult het niet geloven, maar meneer DeWinter wil er niet eens van horen!'

Samantha keek tersluiks eens naar Louisa; terwijl Luther erg zijn best deed, liet Louisa het juist afweten, en dat schiep een tastbare spanning. 'Dat lijkt me iets wat we in het ziekenhuis ook kunnen gebruiken. Aspirin, zeg je?' Luther wreef in zijn handen. 'Louisa, liefje, hebben we nog plannen voor het eten?'

'Jij zou toch iets meenemen.'

Hij kleurde tot in zijn lichte wenkbrauwen. 'Natuurlijk, ik ben het glad vergeten. Misschien kan Samantha blijven eten...'

'Dolgraag, als jij het aankunt, Louisa.'

'O ja...'

'Schitterend!' Luther stond op, liep naar het dressoir en schonk hun alle drie een hartversterkertje in. Samantha zei rustig tegen Louisa: 'Misschien kunnen we later nog wat praten, als je dat wilt?'

Louisa glimlachte. 'Ja, Samantha, erg graag.'

Later, na het eten en na lange gesprekken, bracht Luther Samantha naar de voordeur. Zachtjes, zodat Louisa in de salon het niet zou horen, zei hij: 'Ze heeft het erg moeilijk, Samantha. We moeten geduld met haar hebben.'

'Ik begrijp het wel. Als de baby er eenmaal is, komt alles weer goed.'

'Samantha, ik maak me zorgen om Louisa. Ze is zo bang.'

'Waarvoor?'

'Voor de bevalling. Ze is ervan overtuigd dat ze dood gaat. Ze wil het helemaal niet, Samantha. Bij de gedachte alleen al wordt ze hysterisch.'

Samantha keek lang en peinzend in de richting van de salon. 'Laat mij maar halen, als het zover is, Luther.'

234

3

Het was een verzengend warme septembermiddag, zonder een zuchtje wind, zodat de ongezonde ziekenhuiswalm bleef hangen. De acht assistenten die onder supervisie stonden van een van de stafdocenten, schuifelden ongedurig en staken steeds hun vingers onder hun gummikragen, terwijl ze probeerden aandachtig te luisteren naar het aan het ziekbed gegeven college. 'En daarom luidt de diagnose voor deze patiënt: astma. Welke behandeling zou u toepassen, dr. Weston?'

Een jonge assistent antwoordde: 'Marihuana, drie maal daags.'

'Precies. Vervolgens hebben we hier een vrouw die...' Hij werd onderbroken door een plotseling tumult een paar bedden verderop.

Een vrouw van even in de veertig zat rechtop tegen het hoofdeind en had de dekens tot aan haar kin opgetrokken. Ze keek vol afgrijzen naar een heer in pandjesjas die zich over haar heen boog; ze waren in een woordenwisseling gewikkeld.

'Maar mevrouw,' zei hij ten einde raad, 'hoe kunt u van mij verwachten dat ik u help als u niet meewerkt!'

'U raakt me met geen vinger aan!'

De arts, dr. Miles, maakte een wanhopig handgebaar en sloeg de ogen ten hemel. Toen deed hij een stapje naar voren en de vrouw begon te gillen. 'Wel verdorie, dom mens dat je bent!' bulderde hij. 'U doet wat ik zeg, of anders laat ik u uit deze instelling verwijderen!'

De vrouw barstte in snikken uit en begroef haar gezicht in de dekens. De assistenten begonnen te gniffelen, waarna Samantha zich uit het groepje losmaakte en zich naar het bed toe haastte. Ze ging op de rand zitten en legde haar arm om de schokkende schouders. 'Rustig maar, rustig maar.'

'Hij mag me niet aanraken!' huilde de vrouw klaaglijk. 'Ik zou me doodschamen!'

Samantha keek op naar dr. Miles. 'Wat is er met haar aan de hand?'

'Hoe kan ik dat nu weten? Het domme mens wil niet dat ik haar onderzoek...'

'Nee!' De vrouw hief met een ruk haar hoofd op en keek hem woedend aan. 'Omdat ik toevallig niets betaal, denkt u zeker dat ik geen zelfrespect bezit. Nu, dat is wel zo, en u raakt me niet aan!'

Samantha bleef de vrouw geruststellende schouderklopjes geven en sprak haar troostend toe. Een dergelijk tafereel speelde zich op de vrouwenzalen zo vaak af, dat Samantha zonder nadere informatie al wist wat er aan de hand was.

Toen de vrouw een beetje gekalmeerd was, wendde ze haar vollemaansgezicht uiteindelijk naar Samantha toe. 'U begrijpt het wel, hè?'

'Natuurlijk begrijp ik het.' De meeste vrouwelijke patiënten worstelden met dit probleem. In een maatschappij die vrouwen oplegde hun kuisheid tegen iedere prijs te beschermen, en in een tijd waarin de aanblik van een vrouwelijke enkel een mans hartstocht al kon doen oplaaien, leden vrouwen liever aan hun typische vrouwenkwaaltjes, dan dat ze zich door een mannelijke arts lieten onderzoeken.

'Ze is vannacht binnengebracht met ernstige buikklachten,' zei dr. Miles geïrriteerd. 'Misschien zijn het weeën, maar het stomme wijf is zo dik dat ze niet eens weet of ze zwanger is of niet.'

Samantha zei vriendelijk tegen de vrouw: 'Denkt u dat u weeën hebt?'

'Ik weet het niet.'

'Heeft u kinderen?'

'Er zijn er negen in leven.'

Samantha dacht even na. 'U moet toch onderzocht worden om te kunnen vaststellen wat er aan de hand is...'

'Nee! Ik laat me niet door een vreemde man aanraken!'

'Ik ben dokter. Als ik u nu eens onderzocht?'

De vrouw zette grote ogen op. 'Bent u dokter?'

'Hoor eens even hier...'

Samantha keek dr. Miles aan. 'Ik geloof dat de patiënt zich door mij wil laten onderzoeken, dokter. Als u het goedvindt, heb ik zó ontdekt wat er met haar aan de hand is.'

De vrouw fluisterde: 'Maar niet als hij in de buurt is!'

'Kunt u ons even alleen laten, alstublieft?'

Verontwaardigd mompelde dr. Miles iets over *pestis mulieribis* en beende nijdig weg.

'Wat gaat u doen?' vroeg de vrouw en greep Samantha bij de hand.

'Ik zal u onder de dekens snel even onderzoeken. Niemand zal er iets van zien, dat verzeker ik u. Wilt u zich nu even ontspannen...'

Even later voegde Samantha zich bij dr. Miles. 'Ze heeft een gekantelde baarmoeder, dr. Miles.'

'Hm. Dat komt ongetwijfeld door haar korset. Het stomme mens zat belachelijk stijf ingeregen!'

'Dr. Hargrave.' Ze keek op en zag dr. Prince in de deuropening van de zaal staan. 'Kan ik u even onder vier ogen spreken?'

Op de gang zei hij tegen haar: 'U had het recht niet u met die vrouw te bemoeien. Ze is geen patiënte van ons.'

'Ze had hulp nodig en dr. Miles bereikte helemaal niets.'

'Wat verwacht u dan, de vrouw is hysterisch.'

'Schreeuwen hielp kennelijk niet.'

'Dat is vaak de enige manier om zulke vrouwen aan te pakken. Ze moeten streng worden toegesproken, ze moeten weten wie de baas is. We kunnen ze niet in de watten leggen, dr. Hargrave. Heus, ik weet niet wat die stomme wijven bezielt! We zijn per slot van rekening dokters!'

Samantha kneep haar lippen samen om te voorkomen dat ze iets terugzei. Ze had hem graag willen vragen hoe hij het zou vinden als zijn testikels door een vrouwelijke arts werden onderzocht.

'U mag u er niet meer mee bemoeien, dr. Hargrave. U mag wel dankbaar zijn dat dr. Miles een vergevensgezind man is.' Hij wilde al weglopen, maar

236

Samantha zei: 'Neemt u me niet kwalijk, dr. Prince, maar nu ik u toch spreek, zou ik iets belangrijks willen aansnijden.'

Hij draaide zich om, maar uit zijn houding sprak nauwelijks bedwongen ongeduld alsof hij ieder moment kon weglopen. Dat was zijn manier van doen om iemand snel te laten zeggen wat hij of zij op het hart had, zodat die man of vrouw ging stotteren en zich daardoor in een onderdanige positie plaatste. Meestal werkte het, want dr. Prince won met zijn tactiek bijna alle meningsverschillen. Maar Samantha weigerde zich te laten manipuleren. Ze sprak langzaam en vol zelfvertrouwen, en dat irriteerde hem. 'Mijn naam staat niet op de lijst voor chirurgie van deze maand, dr. Prince. Ik ben hier nu acht weken. Ik heb alle afdelingen en diensten afgewerkt, en nu zie ik dat ik weer op de Kraamafdeling ben geplaatst, waar ik ook ben begonnen. Het is mijn beurt voor chirurgie, dr. Prince. Is er een vergissing gemaakt?'

'Het is geen vergissing, dr. Hargrave. U wordt niet toegelaten tot de opleiding chirurgie.'

Omdat ze hierop was voorbereid, wist ze haar boosheid te verbergen. 'Dr. Prince, dat is toch niet eerlijk. Waarom mag ik niet in de operatiezaal komen?'

'Omdat vrouwen niet op de operatiezaal thuishoren, tenzij ze ondergeschikt werk doen. De verpleegsters dweilen de vloer, lappen de ramen en legen de emmers bloed, meer niet. Chirurgie, dr. Hargrave, is het domein van de man. Vrouwen zijn lichamelijk niet geschikt om operaties te verrichten.'

'Mag ik zo vrij zijn met u van mening te verschillen...'

'Dr. Hargrave, ik ga hier niet met u staan discussiëren over een onveranderlijke waarheid! Ik stel nog liever de kleur van de hemel aan de orde! De onevenwichtige toestand waarin een vrouw iedere maand verkeert, sluit haar van nature uit van zo'n kritische zaak als een operatie die vaak een kwestie van leven en dood is. Ik geef toe dat sommige bijzondere vrouwen de noodzakelijke moed en inzicht bezitten voor de chirurgie. Een keer per maand echter zijn ze net zo ziek als de patiënten voor wie ze zorgen! Het is ondenkbaar dat iemand die onderhevig is aan maandelijkse perioden van onevenwichtigheid en gebrek aan oordeelsvermogen, toestemming krijgt voor een opleiding tot chirurg! Zelfs u, dr. Hargrave, kunt dat niet betwisten.'

'Ik heb te verstaan gekregen, dr. Prince, dat ik verwacht werd alle vereiste onderdelen van het programma af te werken en dat ik geen bijzondere behandeling zou krijgen vanwege het feit dat ik een vrouw ben.'

'U krijgt ook helemaal geen bijzondere behandeling, dr. Hargrave. U wordt niet voor *uw* bestwil uit de operatiekamer gehouden, maar om het bestwil van de patiënten.'

Dr. Prince onderstreepte zijn zinnen graag met dramatische gebaren, dat was zo zijn manier om iemand te herinneren aan zijn superioriteit. Daar hij wist dat die juffrouw Hargrave een pittige discussie niet uit de weg ging, koos hij dit moment om een punt achter zijn betoog te zetten door zich abrupt om te draaien. Ze kon niets anders doen dan nijdig naar zijn rug kijken terwijl hij wegbeende.

Samantha nam een ogenblikje de tijd om weer rustig te worden voordat ze naar de patiënten terugkeerde. Ja, ze had dit wel verwacht zodra ze had gezien dat haar naam niet op het rooster voor chirurgie stond. Maar dr. Prince zou zijn zin niet krijgen; op de een of andere manier, hoe dat wist ze nog niet precies, zou Samantha wel kans zien door die angstvallig bewaakte deuren naar de operatiekamer te komen.

Ze stond op het punt zich om te draaien toen ze abrupt bleef stilstaan. Aan het eind van de gang kwamen twee mensen uit de richting van de ingangshal; hun elegantie en voornaamheid vormden een opmerkelijk contrast met het saaie ziekenhuisinterieur. De man was lang en bewoog zich met een mengeling van soepelheid en militaire stramheid, de zelfverzekerde gang van de aristocratie. Hij droeg een uitstekend gesneden pandjesjas die zijn brede schouders en smalle taille op hun best deden uitkomen, en toen hij zijn zwarte hoge hoed afzette, werden er golven en krullen zichtbaar die ongewoon lang waren. Ze reikten tot zijn boordje en waren niet gepommadeerd. De vrouw deed niet voor hem onder. Ze was slank en sierlijk, en ze ging schitterend gekleed in een nachtblauwe zijden japon die paste bij het blauw van haar ogen en die het zilverblonde, opgestoken haar mooi deed uitkomen – ze was misschien twee-, drieëntwintig, als ze lachte was het alsof er belletjes tinkelden, en kennelijk voelde ze zich aan de arm van de man uitstekend op haar gemak.

Samantha kon er niets aan doen, maar ze stond het tweetal aan te staren. In gedachten had ze mevrouw Rawlins onrecht aangedaan; ze was adembenemend mooi.

Dr. Rawlins keek haar kant op en zijn glimlach verstarde. Toen hun ogen elkaar ontmoetten, voelde Samantha diep binnen in zich een oude reactie, een gevoel waarvan ze had gedacht dat ze eroverheen was, en even wist ze niet wat ze moest doen. Ze wilde dr. Rawlins ontlopen, maar tegelijkertijd werd ze onweerstaanbaar tot hem aangetrokken en net toen ze had besloten de zaal binnen te glippen, had hij haar al herkend.

De vrouw aan zijn arm, die de uitdrukking op zijn gezicht had opgemerkt, volgde zijn blik. Haar glimlach verstarde eveneens, maar op een andere manier: hij verhardde, en toen zij en dr. Rawlins naderbij waren gekomen, had die hardheid haar ogen bereikt. Op dat ogenblik, om redenen die ze pas later zou begrijpen, kreeg Janelle meteen al een hekel aan Samantha Hargrave.

'Dr. Hargrave,' zei hij zachtjes en maakte een lichte buiging met het bovenlichaam.

'Hoe gaat het met u, dr. Rawlins? Wat een plezierige verrassing.' Samantha was er zich tot haar ergernis opeens zeer goed van bewust dat ze onder aan haar jurk een rafelig plekje had zitten. Ze wendde zich een beetje af zodat je het niet kon zien.

'Ik ben bang, dr. Hargrave, dat ik in het voordeel ben. Dat ik u hier aantref

238

is geen verrassing. Eerlijk gezegd had ik half en half verwacht u hier tegen te komen.'

'O ja, dr. Rawlins? Hoe wist u dat ik hier werk?'

Hij begon hartelijk te lachen – een schril contrast met de koelheid die zijn zwijgzame metgezellin toonde. 'Mijn beste dr. Hargrave, in de hele stad gonst het van de geruchten over de vrouwelijke arts die St.-Brigid's Hospital heeft veroverd! Ik heb u afwisselend horen beschrijven als een kenau en een toverheks, in beide gevallen werd u bepaald niet als een dame afgeschilderd!'

'Daar had ik geen idee van!'

'En door uw toedoen worden alle ziekenhuizen in de stad belaagd door vrouwelijke artsen en hun advocaten. U hebt voor grote opschudding gezorgd, dr. Hargrave!'

Ze lachten er samen om en toen de vrouw aan zijn arm haar greep verstevigde, zei dr. Rawlins: 'Ik vergeet helemaal hoe het hoort, neem me niet kwalijk. Janelle, mag ik je voorstellen aan de vermetele dr. Samantha Hargrave.'

Janelle zag er het leuke niet van in; haar ogen bleven ijskoud en hard terwijl ze mompelde: 'Hoe maakt u het?'

'Prettig met u kennis te maken, mevrouw Rawlins.'

Mark keek even uit het veld geslagen en zei toen: 'Mevrouw Rawlins! Lieve hemel, Janelle is niet mijn vrouw! Ik heb de zaak niet goed aangepakt. Dr. Hargrave, dit is juffrouw MacPherson, een oude, dierbare vriendin van me.'

Was het Samantha's verbeelding of flitsten die zwarte pupillen even bij het woordje 'oud'? 'Wilt u me mijn blunder alstublieft vergeven, juffrouw MacPherson. Ik heb zonder meer aangenomen dat u dr. Rawlins' vrouw was.'

Janelle deed er het zwijgen toe, kennelijk kon ze de grap van de vergissing niet waarderen; voor zijn vrouw te worden aangezien was juist wat ze graag wilde. Maar Marks ogen twinkelden, blijkbaar amuseerde hij zich kostelijk. 'Hoe komt u er eigenlijk bij dat ik getrouwd zou zijn?'

'Is dat dan niet zo?'

'Voor zover ik weet niet.'

'Dan begrijp ik er niets meer van. In Lucerne, na de promotie, informeerde dr. Jones hoe het met mevrouw Rawlins ging.'

'Ach ja, natuurlijk. Mijn moeder. Ze had met me mee zullen gaan, maar een aanval van jicht hield haar aan huis gebonden.' Zijn innemende bruine ogen keken haar vriendelijk aan. 'U dacht dus dat ik getrouwd was...'

'Het was me een genoegen met u kennis te maken, dr. Hargrave,' kwam een koele stem. 'Mark, lieveling, we komen te laat.'

Verstrooid klopte hij op de gehandschoende hand op zijn arm. 'Nog één minuutje, Janelle, alsjeblieft. Dr. Hargrave, ik had verwacht dat u uw erfenis zou komen ophalen.'

Een snelle, taxerende blik op het koele, ivoren gezichtje van Janelle Mac-

Pherson vertelde Samantha alles wat ze moest weten over zijn 'oude, dierbare vriendin'. Als een kat die een muis bewaakt, leek juffrouw MacPherson Samantha uit te dagen: probeer maar eens te pakken te krijgen wat eigenlijk van mij is. Je bent nog niet met hem getrouwd, schoot het door Samantha heen, maar je zou het wat graag willen. Als je met de zoon van de IJskoning trouwde, zou je de IJsprinses worden. Hoe toepasselijk.
'Ik heb nog maar weinig tijd gehad voor uitstapjes, dr. Rawlins, maar als de gelegenheid zich voordoet zal ik zeker langskomen. Ik hoop dat u het niet lastig vindt Joshua's instrumenten voor mij te bewaren.'
'Helemaal niet. Vertel me eens, hoe bevalt de ziekenhuisroutine u?'
Het gesprek met dr. Prince schoot haar te binnen. 'Het werk is zowel vermoeiend als stimulerend.'
'Hoelang duurt uw opleiding nog?'
'Nog dertien maanden.'
'Ik kon mijn oren nauwelijks geloven toen ik hoorde dat u met de ambulance was meegereden!'
'Zonder Jakes hulp had ik me geen raad geweten. Hij rijdt er al jaren op uit, en soms is hij mijn beste leermeester. Hij heeft me geleerd hoe ik achterop moet springen zonder er aan de andere kant weer af te vallen, en hij ziet feilloos voor welke spoedgevallen we met halsbrekende snelheid terug naar het ziekenhuis moeten, en voor welke we een rustiger tempo kunnen aanhouden.'
'Ik heb over uw avonturen gelezen. Opmerkelijk.'
Het was vervelend maar doordat Jake zo opschepte, las de hele stad over de moedige 'dokteres' van St.-Brigid's Hospital. 'Ik vrees dat dr. Prince er helemaal niet zo mee ingenomen is. Hij heeft geprobeerd Jake de mond te snoeren, maar sommige mensen die ons financieel steunen, blijken de publiciteit wel op prijs te stellen. St.-Brigid's Hospital wordt allerminst nog beschouwd als een achteraf-ziekenhuisje!'
Zijn vriendelijke ogen namen haar ondoorgrondelijk op. 'U leidt vast een opwindend leven.'
'Aan de ene kant wel, aan de andere kant niet,' antwoordde ze, en liet het onderwerp toen rusten. Samantha wilde Mark Rawlins niet bekennen dat de prijs die ze voor haar bekendheid en bijzondere medische opleiding moest betalen eenzaamheid was. Alhoewel haar collega's haar uiteindelijk hadden geaccepteerd, en velen zelfs haar 'lef' bewonderden, werd ze niet in hun kringetje opgenomen. Doordat ze overgevoelig waren voor het unieke (en soms het twijfelachtig welvoeglijke) van de situatie, deden de assistenten in hun vrije tijd hun uiterste best Samantha's privacy te respecteren, opdat ze zich niet beledigd zou voelen. Het waren al te onkreukbare heren, uiterst beleefd en overdreven netjes, om er toch vooral zeker van te zijn dat de regels van de welvoeglijkheid niet werden geschonden. Als Samantha 's avonds over haar boeken of verstelwerk gebogen zat, hoorde ze vaak door de muren heen gegiechel van vrouwen en het ontkurken van flessen. Het was een oneerlijke, ironische wending van het lot, deze prijs die ze voor

240

haar carrière moest betalen, want al was Samantha dan de enige vrouw in een mannenwereld, en al werd ze door andere vrouwen benijd omdat ze voortdurend mannen om zich heen had en samen met hen werkte, at en woonde, was ze verder van hen verwijderd dan gewone vrouwen. Soms verlangde Samantha vurig naar de intieme aandacht van een man.

Door een geritsel met koele zijde herinnerde Janelle hen aan haar aanwezigheid. 'Vergeef me, lieve,' zei dr. Rawlins. 'Je hebt volkomen gelijk, we moeten verder. Dr. Hargrave, juffrouw MacPherson is voorzitster van de Vrouwelijke Liefdadigheidsbond van Madison Avenue. St.-Brigid's Hospital is een van de begunstigden van die nobele instelling. En daar ik tot de staf van dit ziekenhuis behoor, ben ik uitgenodigd vanmiddag hun vergadering bij te wonen.'

Samantha gaf een beleefd knikje, en probeerde te verbergen dat zijn laatste woorden haar verbaasden. 'O ja? Behoort u tot de staf van St.-Brigid's Hospital? Ik heb u hier nog nooit gezien.'

'Voor de meeste van mijn patiënten is dit ziekenhuis wat ver, en daarom werk ik meestal in St.-Luke's Hospital. Maar af en toe breng ik een patiënt hierheen, want de operatiefaciliteiten zijn uitstekend. Vindt u ook niet?'

'Ik heb dat zelf nog niet kunnen constateren, dr. Rawlins, maar dat komt nog wel. Als u me nu wilt excuseren, ik ben al laat voor mijn ronde. Dr. Rawlins, juffrouw MacPherson, goedemiddag.'

4

Samantha keek naar het kleine horloge in haar hand, en toen de wijzer op de twaalf stond legde ze het neer en pakte de scalpel. Snelheid was van vitaal belang; zelfs al was de patiënt onder narcose, toch bleef het risico van een shock groot. Met vaste hand maakte ze drie incisies; toen legde Samantha de scalpel neer en nam de zaag ter hand. Dit was het moeilijkste.

Ze tastte naar de retractor; hij ontglipte haar en viel kletterend op de grond. Samantha fluisterde: 'Verdomme,' en smeet het kussen nijdig weer op bed.

Ze stond even stil. Haar voeten en haar rug deden pijn, en ze overwoog het voor die avond op te geven. Maar toen keek ze naar het kistje dat open op de grond stond, met de opengeschoven laatjes en de naam die op het zilveren plaatje gegraveerd stond: JOSHUA MASEFIELD, ARTS. En ze dacht, kom, Samantha, probeer het nog één keer.

Het verliep helemaal niet soepel, maar Samantha was vastbesloten er een succes van te maken. Nadat ze Jake naar dr. Rawlins' huis aan Madison Avenue had gestuurd om Joshua's instrumenten op te halen, had Samantha het beste leerboek over chirurgie aangeschaft. Ze had zich vertrouwd gemaakt met alle instrumenten en de lichaamsdelen waarvoor ze bestemd waren, en volgde haar eigen cursus chirurgie. Haar enige hulpmiddelen waren de instrumenten, het boek en een kussen waar al zo vaak in gesneden was en dat al zo vaak weer was opgelapt, dat ze er niet lekker meer op kon slapen.

Ze nam haar plaats bij het kussen weer in en ging aan de slag. Via het raampje boven haar deur hoorde Samantha mannengelach, steeds onderbroken door het hoge gegiechel van een vrouw. Dat zou Amy Templeton, een leerling-verpleegster, wel zijn, die de assistenten bezighield. Ze smokkelden haar regelmatig mee, en kochten haar om met kleine cadeautjes, waarna ze – alle zeven – hun gang gingen.

Samantha had er het volste vertrouwen in dat ze de chirurgie onder de knie zou krijgen. Heus, iedereen die een beetje oefende kon de gangbare operaties verrichten; het meest kwamen de armen en benen aan bod. President Garfield was onlangs gestorven omdat niemand de moed had gehad hem open te snijden om de kogel te verwijderen. Slechts één buikoperatie werd met enig succes uitgevoerd, en dat was de ovariotomie – een snelle actie via een heel kleine opening. Niemand had ooit een buikholte geopend om een kogel te verwijderen, en daarom was de president gestorven. Tijdens zijn proces had de moordenaar Guiteau verklaard: 'De dokters hebben hem *vermoord*, ik heb hem alleen maar neergeschoten.'

Terwijl Samantha deed alsof ze het bot doorzaagde, dacht ze, wat zou het geweldig zijn als we in de buikholte konden komen. Al die levens die we zouden kunnen redden, al die ellende die we zouden kunnen voorkómen: problemen met de baarmoeder, buitenbaarmoederlijke zwangerschappen – onder die dunne huid lag nog een hele wereld, en die was hen nog net zo onbekend als het met sterren bezaaide heelal.

Ze schrok op toen er op de deur werd geklopt. Ze hield haar adem in en keek naar het bovenlicht. 'Ja?'

'Dr. Hargrave,' klonk de stem van mevrouw Knight. 'Dr. Prince wil u spreken, in zijn kantoor.'

'Nu?'

'Nu direct.'

Ze nam even de tijd om haar instrumenten op te bergen en het kistje onder haar bed te schuiven voor het geval iemand toevallig haar kamer zou binnenlopen. Samantha dacht, wat krijgen we nu?

Samantha verbaasde zich er iedere keer weer over dat zo veel medici slechtgehumeurd waren. Ze wist dat het bij velen alleen uiterlijk vertoon was ('Gedraag u altijd ernstig en kijk streng,' werd hun geleerd. 'Niemand heeft vertrouwen in een opgewekte dokter'). Maar van dr. Prince vermoedde ze dat het zijn ware aard was. Ze stond voor hem (hij bood haar nooit een stoel aan) terwijl hij met opzet deed alsof ze er niet was; toen hield hij op met het verschikken van zijn papieren en keek haar koeltjes aan. 'Dr. Hargrave, ieder jaar organiseren de leden van een bepaalde liefdadigheidsvereniging een voorstelling voor een paar Newyorkse ziekenhuizen. Het doel van deze gebeurtenis is vast te stellen welk ziekenhuis dat jaar het geld zal ontvangen dat de vereniging heeft ingezameld. St.-Brigid's Hospital heeft helaas vele jaren achter het net gevist, maar dit jaar maken we een goede kans op de schenking. Het zal een soiree worden waaraan veel aandacht wordt besteed en als regel wonen de assistenten zo'n avond niet bij, maar deze keer is St.-Brigid's Hospital verzocht de nieuwste aanwinst te laten verschijnen. U moet de soiree bijwonen, dr. Hargrave.'

Hij keek haar verwachtingsvol aan; ze gaf geen commentaar.

'Bepaalde invloedrijke leden van de groep willen al lang dat vrouwelijke artsen tot de staf van ziekenhuizen worden toegelaten. Het zijn dames van goede families die zich feministes noemen en bepaald geen blad voor de mond nemen. Ze hebben gevraagd of u wilde komen, opdat ze met u kunnen kennismaken. Ik heb hun verzekerd dat u zult komen. De soiree is morgenavond over een week en dr. Weston zal met u meegaan. Ik verwacht dat u een goede indruk zult maken, dr. Hargrave. De financiën van dit ziekenhuis zijn afhankelijk van hoe u zich die avond gedraagt.'

Lelijke huichelaar die je bent, dacht ze. Ineens heb je me nodig, hè? Nu, misschien kunnen we er een handeltje van maken...

Toen ze zich omdraaide om weg te gaan zei dr. Prince nog: 'Dr. Hargrave, ik kan er niet voldoende de nadruk op leggen dat uw komst die avond uiterst belangrijk is.' Zijn koele blik lag vol onuitgesproken dreigementen. 'U moet stipt op tijd komen, dr. Hargrave, en u moet ervoor zorgen dat de dames een goede indruk van u krijgen.'

Terwijl ze de vele knoopjes van haar grijze zijden promotiejurk dichtknoopte, glimlachte Samantha tegen haar spiegelbeeld. Ze wist precies wat ze ging doen. Als Prince haar medewerking verlangde, zou hij er iets tegenover moeten stellen.

Ze keek naar buiten. De gaslantaarns gingen net aan, als wazige paardebloemen in de avondnevel. 'Ja, mevrouw Stuyvesant,' zei ze hardop, en oefende wat ze ging zeggen: 'Ik voel me helemaal thuis in St.-Brigid's Hospital. Het was inderdaad erg aardig dat ze me de gelegenheid hebben geboden de opleiding te volgen. Maar helaas ben ik nog steeds het slachtoffer van mannelijk vooroordeel, want ziet u, ik wil mij bekwamen in de chirurgie. En toch is het me verboden...'

Er werd hard op de deur geklopt. 'Wie is daar?'

'Er is iemand voor u in de hal, dr. Hargrave,' klonk de jonge stem van zuster Amy.

Samantha keek op het zakhorloge dat ze op haar jurk gespeld droeg. Dr. Weston zou haar zo komen halen. 'Wie is het?'

'Hij zegt dat hij Arnold heet en dat het dringend is.'

Luther!

Hij liep in de hal te ijsberen en zijn gezicht stond lijkbleek. Het ging om Louisa, zei hij. Ze had weeën en gilde dat Samantha moest komen. Ja, er was wel een vroedvrouw bij haar, maar Louisa vond het niet goed dat de vrouw haar aanraakte.

Samantha rende terug naar haar kamer en liet een briefje op de deur achter voor dr. Weston – hij moest maar vast vooruit gaan, zij kwam wat later. Toen pakte ze haar cape en tas, nam Luther bij de arm en samen liepen ze de mistige avond in. Eerst begreep Samantha niet goed waarom Louisa haar had laten komen. Een onderzoek wees uit dat het om een normale bevalling ging, zonder complicaties, en de vroedvrouw zag er fatsoenlijk uit; ze droeg een schoon, wit schort en had roze geboende handen. Maar toen Samantha de onverhulde angst in Louisa's ogen zag, wist ze waarom ze gekomen was.

'Het komt allemaal best in orde, Louisa. Het kind ligt goed, alles gaat precies zoals het hoort. Je hoeft je nergens zorgen over te maken.'

'Samantha!' Louisa's mollige vingers sloten zich om de pols van haar vriendin. 'Ik ga dood! Ik weet het zeker! Ik heb het gedroomd, ik haal het niet!'

Samantha probeerde haar bezorgdheid te verbergen. 'Ik ben zó terug, Louisa. Mevrouw Marchand blijft bij je.' Ze maakte zich uit Louisa's greep los en ging naar beneden. Luther zat in de morsige keuken, hij zag er verloren uit. Hij keek haar somber aan. 'Ze wil het kind helemaal niet, Samantha. Ze haat de baby.'

'Louisa is alleen maar bang, Luther.' Samantha ging naast hem zitten en legde haar hand op zijn arm. 'Als de baby eenmaal is geboren, verandert ze wel van gedachten.'

Hij schudde zijn hoofd. 'Hierna zal ze een nog grotere hekel aan de baby hebben. En mij zal ze ook haten.'

Samantha keek hem aan en dacht, misschien heeft hij wel gelijk.

'Samantha,' kwam zijn zachte stem met het Duitse accent. 'Mag ik niet bij haar zijn? Ze hoeft dit toch niet alleen door te maken. Het is onze baby, we moeten het samen doen.'

Samantha aarzelde. Op het platteland waren de mannen vaak aanwezig als hun vrouw een kind kreeg, en niemand keek daar vreemd van op. Maar om de een of andere reden werden de stadsmannen niet geacht dezelfde constitutie te hebben. Het was uiterst onfatsoenlijk, riep iedereen. Zelfs mannelijke dokters ondervonden sterke weerstand; in de buurten rondom St.-Brigid's Hospital stond een assistent vaak voor een dichte deur. Dit was vrouwenwerk, mannen hadden daar niets mee te maken.

Samantha dacht aan dr. Prince en de soiree. Toen dacht ze aan mevrouw Marchand daarboven. Een lid van de angstvallig beschermde garde van vroedvrouwen met wie niet te spotten viel. Ze zou Luther nooit binnenlaten. Ineens wist Samantha wat haar te doen stond.

Toen mevrouw Marchand Luther achter Samantha aan zag binnenkomen vloog ze overeind en begon te protesteren, maar Samantha zei rustig: 'Meneer Arndt komt helpen.'

Terwijl hij naast Louisa op zijn knieën ging zitten en haar vochtige voorhoofd streelde, kneep de vroedvrouw haar ogen half dicht, trok haar lippen samen en keek uiterst afkeurend. Eerst halen ze er een *dokter* bij en nu ging de man er zich ook nog mee bemoeien. Nu, de heer en mevrouw

244

Arndt konden de volgende keer beter een andere vroedvrouw nemen.
De bevalling verliep tamelijk vlot toen Louisa wat kalmeerde omdat Luther erbij was. Op Samantha's verzoek bleef mevrouw Marchand in de kamer (hoewel het *waarom* haar absoluut ontging) en zat in een hoekje over haar breiwerk gebogen. Af en toe keek ze tersluiks naar die wonderlijke vrouwelijke dokter in haar mooie zijden jurk.
Toen de weeën heviger werden, begon Louisa te gillen. 'Ik wil niet dood! Ik ga dood!'
Toen het hoofdje van de baby eindelijk zichtbaar werd, zei Samantha: 'Je kind komt eraan, Luther. Kom hier zitten en leg je handen zo...'
Bij de volgende wee kreunde Louisa en haar gezicht werd vuurrood. 'Mooi zo,' zei Samantha kalm. 'Het kruintje van je baby is al zichtbaar.'
Luther knipperde met zijn ogen en in een oogwenk was het boordje van zijn overhemd doorweekt van het zweet.
'Zo, Luther, nu gaat het gebeuren.' Samantha pakte zijn handen en legde ze op hun plaats, een boven en een onder. Zelf bleef ze in de buurt.
Het hoofdje kwam te voorschijn, trok zich vervolgens weer terug; het kwam weer naar voren, en trok zich weer terug, als eb en vloed, en met iedere wee perste Louisa flink. Als gebiologeerd hield Luther zijn handen waar Samantha ze had geplaatst en toen het hoofdje plotseling helemaal naar buiten kwam, reageerde hij snel. De hand onder het hoofdje bracht hij naar boven en hij steunde het gezichtje ermee, terwijl zijn andere hand voorzichtig de zachte schedel beschermde terwijl die langzaam draaide.
Luther keek gefascineerd toe, als iemand die betoverd is. Het was alsof zijn handen een eigen wil hadden en instinctief de taak vervulden die ze al bekend was. Hij trok niet aan het hoofdje, zoals Samantha gevreesd had, maar hij wachtte geduldig tot de spildraai gemaakt was en er weer een wee kwam opzetten; hij hield zijn handen al klaar. Toen na Louisa's volgende perswee een schoudertje zichtbaar werd, boog Luther zich met een beschermend gebaar voorover, hield zijn onderste hand vlak en ving het lichaampje op toen het uit de moeder glibberde.
Samantha deed haar mond open om iets te zeggen, maar Luther reageerde al voordat ze de kans kreeg. Snel veegde hij het neusje en mondje met een tipje van de handdoek schoon, waarna hij intuïtief zachtjes op het ruggetje klopte. De baby snakte even naar adem, toen volgde een klein kreetje.
'Is het een jongen?' riep Louisa.
Nu kwam Samantha in actie, ze bond haastig de navelstreng af en zodra ze klaar was wikkelde Luther de kleine in een dekentje, hield hem liefdevol tegen zich aan, stond bevend op en liep naar de zijkant van het bed. Terwijl hij neerknielde en het bundeltje in Louisa's uitgestrekte armen legde, fluisterde hij: 'Ja, Louisa, we hebben een zoon.'
'Een jongen! Een jongen!' Louisa hield de baby dicht bij haar gezicht, nam met ongelovige ogen het kleine gezichtje in zich op en zuchtte. 'O Luther, hij lijkt sprekend op jou...'
Samantha ontspande zich, terwijl iets van hun verrukking op haar oversloeg

en haar hart deed opzwellen. Toen keek ze naar de klok op de toilettafel en zag tot haar stomme verbazing dat het drie uur in de ochtend was.

Luther stond erop haar naar huis te brengen. Hoewel het nog voor zonsopgang was, zagen ze kans een huurrijtuig te pakken te krijgen, en door de dichte mist reden ze door de verlaten straten van Manhattan.

'Ze is nu al dol op de baby, Samantha,' zei Luther verwonderd terwijl het rijtuig kraakte en deinde. De paardehoeven echoden tegen de stille gebouwen. 'En ik geloof dat ze nu ook van mij houdt.'

'Dat heeft ze altijd al gedaan,' zei Samantha met een vermoeide glimlach. Ze wist niet precies wat voor wonder er die nacht was gebeurd, maar dat deed er ook niet toe. Diep in haar hart wist ze dat tussen Luther en Louisa alles weer goed zou komen. Pas toen de indrukwekkende stenen gevel van St.-Brigid's Hospital opdoemde, begon Samantha aan zichzelf te denken.

Nadat hij de koetsier had gevraagd te blijven wachten, liep Luther samen met Samantha de trap op. Ze draaide zich bij de deur om. 'Ik red me verder wel, Luther. Fijn dat je me hebt thuisgebracht.'

'We kunnen je dit nooit vergoeden, Samantha.'

'Ga nu maar terug naar je gezin, Luther. Mevrouw Marchand wil vast graag naar huis.'

Impulsief sloeg Luther zijn armen om Samantha heen en drukte haar innig tegen zich aan. Ze beantwoordde zijn gebaar door haar armen in een zusterlijke omhelzing om hem heen te slaan.

Aan de andere kant van de massief eiken deur liep een man met zware tred door de schaars verlichte hal. Hij was die nacht opgeroepen om een wond opnieuw te komen hechten, en hij haastte zich nu naar huis om nog even te kunnen uitrusten voordat hij die ochtend een operatie moest verrichten.

Mark Rawlins trok de deur open en bleef abrupt stilstaan. In enkele seconden stond het tafereel voor hem in zijn geheugen gegrift – Samantha Hargrave in de vurige omhelzing van een jongeman. Mark trok zich terug, liet de deur zachtjes dichtvallen en verliet via een andere uitgang het ziekenhuis.

Silas Prince was zo woedend dat iedere gedachte aan discretie of etiquette terzijde werd geschoven. Toen Samantha de eetzaal binnenkwam vloog hij overeind, waardoor zijn stoel bijna achterover viel, stevende op haar af, ging pal voor haar staan en zei: 'Waar zat u gisteravond, dr. Hargrave!'

Zijn uitbarsting bracht haar zo van haar stuk dat Samantha niet direct antwoord gaf. Zijn onbeleefdheid en de nieuwsgierige blikken van alle aanwezigen stonden haar tegen.

Dr. Prince herhaalde zijn vraag, hij stond stram en bevend tegenover haar, en Samantha, geschokt door het feit dat hij van haar verlangde dat ze in bijzijn van anderen rekening en verantwoording aflegde, kon alleen maar zwijgend en misnoegd terugstaren.

Achter haar, van het tafeltje dat hij met twee andere mannen deelde, klonk de stem van Mark Rawlins, die uit haar stilzwijgen opmaakte dat ze tijd probeerde te winnen om een excuus te verzinnen. 'Ze was bij mij, dr. Prince.'

Alle hoofden wendden zich meteen in Rawlins richting. Silas Prince trok zijn wenkbrauwen bijna tot aan zijn haar op en stotterde: 'Wat... waar?' Samantha draaide zich om toen Mark opstond en naar hen toe kwam. Hij hoopte dat zijn reactie de spanning in de geladen sfeer wat kon verminderen. 'Het is allemaal mijn schuld, dr. Prince. Dr. Hargrave heeft nog geprobeerd me duidelijk te maken dat we te laat kwamen, maar ik ben zo dom geweest haar over te halen samen met mijn moeder en mij een ritje over Long Island te maken. Voordat we het wisten zaten we vast in de mist.' Samantha keek hem stomverbaasd aan en zei toen: 'Neemt u me niet kwalijk, dr. Rawlins, maar u hoeft geen leugentje op te dissen om mij uit een netelige situatie te redden. Ik ben heel wel in staat voor me zelf op te komen. Dr. Prince,' vervolgde ze, en wendde zich van Mark af, 'gisteravond heb ik een bevalling gedaan. Ik kan u naam en adres opgeven als u mijn verhaal wilt verifiëren.'

Silas Prince was een en al verbazing, en na een verwarde blik op Mark Rawlins zei hij: 'U had toch iemand anders kunnen sturen, dr. Hargrave. U had geen dienst.'

'De patiënte was een vriendin van me. Ik had beloofd de bevalling te zullen doen.'

'Was er geen vroedvrouw beschikbaar?'

'Er was een vroedvrouw bij.'

'Waarom bent u dan gegaan? Waren er complicaties?'

'Helemaal niet.'

'Maar waarom' – zijn stem verhief zich weer – 'waarom bent u daar dan heen gegaan en niet naar de familie Vanderbilt?'

'Zoals ik al zei, dr. Prince, ik had het mijn vriendin beloofd.'

'Dr. Hargrave.' Het was duidelijk dat Silas Prince zijn best deed zijn woede te beheersen. 'U hebt me gisteravond in een lastig parket gebracht. U hebt dit ziekenhuis moeilijkheden bezorgd. We hebben de hele avond op u gewacht. Ik had geen idee wat ik tegen de dame moest zeggen. Ik stond voor schut. Dr. Weston zei dat u was weggeroepen. Onze gastvrouwen waren zeer teleurgesteld.' Hij haalde eens diep adem. 'U beseft wel wat u hebt gedaan, dr. Hargrave. U hebt voor St.-Brigid's Hospital de enige kans verspeeld die het had om dit jaar die financiële steun te verkrijgen. Voor dat geld hadden we de hard nodige bedden en matrassen kunnen kopen, nieuwe verpleegsters in dienst kunnen nemen, we hadden kinine kunnen aanschaffen...' Hij zweeg, op het randje van een uitbarsting die zeker ging komen, en zei beheerst: 'De grondregel van dit ziekenhuis, dr. Hargrave, is gehoorzaamheid. U kunt uw bezittingen inpakken en voor de dag om is moet u vertrokken zijn.'

'Maar dr. Prince, er zijn toch zeker uitzonderingen! Het belang van de patiënt gaat toch boven de strengste regel.'

247

Zijn koude blik trof haar als een pijl. 'Was de patiënte in levensgevaar, dokter?'

'Nee, maar...'

'Liep haar leven of dat van de baby gevaar?'

'Nee.'

'Had ze geen andere hulp?' Samantha zuchtte. 'Jawel.'

'Dan is uw handelwijze onvergeeflijk. U wilt nu wel zo goed zijn zo spoedig mogelijk uit dit ziekenhuis te verdwijnen.'

Samantha bleef midden in de zaal staan nadat Silas Prince was weggebeend, en nadat de andere leden van de staf één voor één wat gegeneerd waren afgedropen. Uiteindelijk bleven alleen zij en Mark Rawlins over. Ze wendde zich naar hem toe en zei: 'Ik stel het zeer op prijs dat u me wilt helpen, dr. Rawlins, maar ik begrijp niet waarom u denkt dat ik uw hulp nodig heb.'

Dr. Rawlins keek de eetzaal rond om er zeker van te zijn dat ze echt alleen waren en zei toen zachtjes: 'Ik kwam vroeg in de ochtend uit het ziekenhuis en toen heb ik toevallig gezien dat u op de stoep afscheid stond te nemen.' Ze fronste. 'Ik begrijp u niet.'

'Ik besefte wel dat u dr. Prince niet goed kon vertellen dat u de soiree hebt gemist omdat u in het gezelschap van een heer was.'

'Een heer? O, u bedoelt Luther. Hij is de man van de vrouw bij wie ik die bevalling heb gedaan.' Samantha's ogen verwijdden zich toen ze hem ineens begreep. 'En u dacht... ik voel me gevleid, dr. Rawlins, maar het was niet wat u dacht! En ik stel uw ridderlijke houding erg op prijs, maar ik verzeker u dat ik geen redder nodig heb. Ik ben uitstekend in staat voor me zelf op te komen.'

'Is dat wel zo? Ik vrees dat uw eerlijkheid er de oorzaak van is dat u hier bent weggestuurd, dr. Hargrave.'

'Ja,' antwoordde ze bedroefd. 'Daar ziet het inderdaad naar uit.'

'Wat gaat u nu doen?'

'Ik weet het niet. Ik had niet verwacht dat hij me zo hard zou vallen.'

'Staat u mij toe dat ik me nog één keer ridderlijk gedraag?'

Samantha keek naar zijn glimlach en dacht even dat hij haar uitlachte; maar toen zag ze de oprechte bezorgdheid in zijn blik. 'Wat bent u van plan?'

'De directeur van St.-Luke's Hospital is me een wederdienst schuldig...'

'Dank u, dr. Rawlins, maar ik zou me niet prettig voelen als ik een betrekking kreeg die verplichtingen met zich meebrengt.'

Hij keek neer op haar mooie gezichtje dat ze zo trots geheven hield en waar toch onder de oppervlakte een kwetsbaarheid uit sprak die erg aantrekkelijk was. 'Alstublieft, wijst u mijn hulp niet zo haastig van de hand. Het is geen teken van zwakheid om een vriend om hulp te vragen.'

Ze keek hem strak aan, en las in zijn ogen dat hij dat oprecht meende. Zijn nabijheid maakte dat ze onbeweeglijk bleef staan. Ze was zich bewust van

een onweerstaanbare mannelijke geur die om hem heen hing, een mengeling van popeline, eau de cologne en een vleugje tabak. Mark Rawlins bezat de verbazingwekkende eigenschap dat hij haar zoals geen andere man het gevoel gaf dat ze uiterst vrouwelijk was. En, op dit moment, hulpeloos. 'Ik vrees dat u gelijk hebt, dokter. Juist nu heb ik alle hulp nodig die ik kan krijgen.'
'Zal ik een goed woordje voor u doen bij dr. Prince?'
'Die voldoening gun ik hem niet, want ik weet zeker dat hij blijft weigeren.'
'Bij de directeur van St.-Luke's Hospital dan?'
Samantha was nog steeds in de ban van zijn blik, en al realiseerde ze zich dat hij ongepast dicht bij haar stond, ze kon zich niet losrukken.
'St.-Luke's Hospital is een goed ziekenhuis, Samantha. Je zou het slechter kunnen treffen.'
Uiteindelijk zei ze glimlachend: 'Ik ben dankbaar dat u zich zo voor me inzet, dr. Rawlins, maar ik weet nog niet wat ik precies ga doen. Mocht ik van gedachten veranderen. . . '
'Je hebt mijn adres. Geneer je niet, zoek me op als het je uitkomt. Ik sta geheel en al tot je dienst.'

Al haar spullen waren ingepakt. Samantha ging bij het raam zitten en telde haar geld nog een keer, in de hoop dat het bedrag nu hoger zou uitkomen. Dat was niet zo. Ze bezat precies $ 29,47.
Toen ze hoorde dat er werd geklopt, opende ze de deur en zag de secretaris van dr. Prince staan. 'Dr. Hargrave,' zei de jongeman, 'ik moest u doorgeven dat u in St.-Brigid's Hospital kunt blijven om uw opleiding te voltooien.'
Samantha keek hem aan en overwoog wat haar te doen stond. 'Wilt u alstublieft tegen dr. Prince zeggen dat ik dat van hem persoonlijk wil horen, anders vertrek ik zoals afgesproken.'
Vijf minuten later moest ze bij hem komen.
'Zo, nu heb ik het u persoonlijk verteld,' zei hij. Hij stond bij het raam, met zijn rug naar haar toe.
'Waarom bent u van gedachten veranderd?'
Dr. Prince draaide zich om en keek haar met enige tegenzin aan. 'St.-Brigid's Hospital krijgt de financiële steun van die liefdadige instelling, dr. Hargrave, maar het bedrag wordt op uw naam geschonken.'
'Waarom?'
'Dank zij de pers hebben de dames het gevoel dat ze u al kennen. De beslissing was, zo blijkt, al voor de soiree genomen, en uw aanwezigheid daar was louter een formaliteit.' Hij kwam achter zijn bureau vandaan en ging pal voor haar staan. 'Dr. Hargrave, ter wille van dit ziekenhuis doe ik concessies, en zet ik zelfs mijn principes opzij. Maar ik waarschuw u nu, dr. Hargrave, en let op mijn woorden: ik blijf tegen uw aanwezigheid hier. Vanwege de grote financiële nood waarin St.-Brigid's verkeert duld ik u,

maar ik haast mij u ervan te verzekeren, dokter, dat er grenzen zijn. Dit incident wordt niet vergeten. Ik raad u aan in het vervolg uiterst voorzichtig te zijn...'

5

Een kille, vochtige herfst ging over in een ijzige, nijpende winter. Alle beschikbare dekens werden over de patiënten heen gelegd en door de kachels op de zalen was de atmosfeer er rokerig. De winter sloot Samantha af van de rest van de wereld: er lag vaak zo'n dik pak sneeuw dat ze de deur niet uit kon om naar Louisa te gaan, en de slachtoffers van ongevallen met rijtuigen en de patiënten met longontsteking hielden haar in het ziekenhuis druk bezig.

Ze kwam Mark Rawlins maar zelden tegen, hoewel ze soms het gevoel had dat hij zijn uiterste best had gedaan om bij haar in de buurt te komen. Meestal was dat in de eetzaal en dan ontmoetten hun blikken elkaar. Hij keek haar strak aan, ook al was hij met iemand aan zijn tafeltje in gesprek gewikkeld. En heel af en toe glimlachte hij, een intieme, veelbetekenende glimlach, alsof ze samen een geheim deelden.

Janelle MacPherson kwam vaak in het ziekenhuis; dan liep ze statig langs de bedden, in haar hermelijnen mantel met bijpassende hoed, vergezeld van een koninklijk gevolg van verveelde jongedames die het goed bedoelden. Ze brachten dekens en bijbels mee voor de patiënten en ieder jaar, tijdens een banket, uitten ze hun tevredenheid over hun goede daden. Als Samantha juffrouw MacPherson tegenkwam, groetten ze elkaar vormelijk, met nauwelijks een teken van herkenning.

Samantha kwam vaak Letitia MacPherson tegen, Janelles beeldschone jongere zusje, een meisje met een gulle lach en haar dat de kleur van een zonsopgang had. Ze leek oprecht met de patiënten mee te leven. Ze was van de groep ook de enige die wel eens even bleef stilstaan om opgewekt een paar woorden te wisselen met de saai geklede vrouwelijke dokter.

's Avonds zette Samantha in haar eentje haar geheime studie van de chirurgie voort. Het was een eenzaam streven, des te eenzamer nog door de vrolijke geluiden van festiviteiten verderop langs de gang, maar ze was vastbesloten door te zetten, meer nog dan ooit. Ten slotte had ze alles geleerd wat er in theorie te leren viel – ze kende het boek uit haar hoofd, de instrumenten lagen haar goed in de hand, en het hechten had ze ook onder de knie. Het enige dat haar nog restte was het geleerde in praktijk te brengen.

De eerste bel stoorde haar in een diepe slaap, maar toen hij de tweede keer rinkelde, rende ze al over de gang in haar wijde uniform en speldde haastig het ambulance-kapje op dat het ziekenhuis haar had verstrekt. Jake sloeg zijn armen tegen zijn lijf om warm te worden en liep bij de paarden heen en weer. 'Een slechte nacht, dok!' zei hij toen hij haar naar boven hielp.

'Wat is het deze keer, Jake?'

'Een ongeluk bij Meadowland. Wat er precies aan de hand is weet ik niet.'
Samantha hield zich stevig vast aan de stang toen de ambulance met een
ruk in beweging kwam en de sneeuwnacht in reed. Ze voelde het ijskoude
metaal door twee paar handschoenen heen. Het Meadowland Theater. Zeker weer een gewonde trapeze-acrobaat. Dat gebeurde regelmatig in zulke
gelegenheden; de artiesten namen enorme risico's om maar volle zalen te
trekken.

Terwijl ze langs de huizen reden, waarvan de ramen kaarslicht uitstraalden,
realiseerde Samantha zich dat het de avond voor Kerstmis was. Niet dat ze
dat erg vond. Samantha had vanavond vrijwillig de ambulancedienst op
zich genomen, opdat haar collega's naar familie konden gaan. De Arndts
hadden haar te eten gevraagd, maar ze hadden niet echt behoefte aan haar
gezelschap, want ze hadden alleen nog maar oog voor de stralend gezonde
Johann. Samantha maakte zichzelf wijs dat het gewoon een avond was als
iedere andere.

De voorgevel van het Meadowland Theater was als een kerstboom: allemaal
lichtjes en kleurrijke affiches. Modieus geklede theatergangers in japonnen
en avondcapes zochten zich nadat ze uit hun rijtuig waren gestapt een weg
over het gladde trottoir naar de ingang, en een paar mensen keken om toen
de ambulance stopte. Toen kwam er een zenuwachtig mannetje aanrennen. 'Mevrouw de dokter,' zei hij gespannen, terwijl zijn ogen heen en
weer vlogen, 'achter het toneel. Rustig alstublieft. Niemand heeft iets gemerkt.'

Samantha en Jake liepen achter de directeur naar een achterdeur, een trap
op en door een chaos van touwen, rekwisieten en mensen in buitenissige
kostuums. Van achter het gesloten doek klonk het geluid van een orkest dat
aan het stemmen was, en het zachte geroezemoes van een opgewonden publiek.

'Wat een avond heeft ze ervoor uitgezocht!' zei de nerveuze man, toen ze
voor een deur stonden met een glinsterende ster erop geplakt. 'We zitten
tot de nok toe vol! Kerstavond, de mensen worden ongeduldig, en dan
moet *zij* zo nodig zoiets uithalen!'

De deur zwaaide open en daarachter bevond zich een rommelige kleedkamer waar volop gaslicht brandde. Van de twee aanwezigen – een lag op een
sofa en de andere zat ernaast geknield – draaide alleen degene die geknield
zat zich naar de bezoekers om.

'Hier is de vrouwelijke dokter uit St.-Brigid's Hospital,' zei de directeur.
De vrouw, gekleed in een met lovertjes bezet pakje en struisvogelveren,
stond op en deed een stapje opzij, terwijl Samantha naar de sofa liep. 'Wat
is er gebeurd?'

De vrouw in het lovertjespak keek naar de twee mannen en zei rustig: 'Ze
heeft een ongelukje met een breinaald gehad.'

Terwijl ze zich op haar knieën liet vallen en naar de deken reikte die over de
vrouw heen lag, keek Samantha over haar schouder naar de twee mannen,

die nog met open mond stonden te kijken. Ze begrepen de wenk en trokken zich haastig terug. Toen sloeg Samantha de deken weg. 'Wanneer heeft ze het gedaan?' vroeg ze, en tilde de rok van de bewusteloze vrouw met een hand op, terwijl ze met de andere haar pols controleerde.
'Weet ik niet. Halfuurtje geleden, denk ik. Ze moest net opkomen. Ze is de Gouden Nachtegaal, moet u weten. Hoe dan ook, vlak voor ze op moet, komt *hij* de kleedkamer binnen...'
Al luisterend onderzocht Samantha in hoeverre de vrouw zichzelf schade had toegebracht en voelde een felle woede in zichzelf opkomen. Waar wanhoop een vrouw al niet toe kon brengen!
'Ze kregen een vreselijke ruzie. We hebben het allemaal kunnen horen. Zij vertelde hem dat ze zwanger was en hij zei dat het niet van hem was. Hij noemde haar een hoer, maar zij smeekte hem haar niet in de steek te laten. Nadat die schoft was weggegaan, heeft meneer Martinelli, dat is de directeur, me naar haar toe gestuurd om erop te letten dat ze op tijd zou opkomen. Ik liep net binnen toen ze dat met die breinaald deed, en ik kon haar niet meer tegenhouden, want het bloed stroomde er al uit, afschuwelijk...'
'Roep de koetsier,' zei Samantha, terwijl ze de jurk naar beneden deed en snel de deken om de benen van het meisje wikkelde.
'Dat van die handdoek was mijn idee,' zei de vrouw toen ze snel naar de deur liep. 'Was dat goed, dokter?'
'U hebt haar waarschijnlijk het leven gered.'

Terwijl ze zich over haar bewusteloze patiënte heen boog in de ambulance die met rinkelende bel zwaaiend en glijdend over de gladde straat reed, leek Samantha's gezicht als uit marmer gehouwen, alsof ze nergens aan dacht. Maar achter die diepgrijze ogen werkte haar brein op volle toeren. De vrouw had zichzelf zwaar verwond, ze had de baarmoeder, het buikvlies en misschien haar ingewanden geperforeerd. Samantha wist dat ze geen enkele kans maakte. Tenzij ze direct geopereerd werd.
Samantha's gedachten sprongen vooruit. Bij dr. Prince thuis werd een kerstfeest gehouden, waar bijna de voltallige staf aanwezig was. Vijf assistenten hadden verlof gekregen om naar huis te gaan. Samantha deed ambulancedienst en de jonge dr. Weston zaalwacht.
Samantha berekende de tijd die het zou nemen om een van de chirurgen bij dr. Prince op te halen, en woog dat af tegen de tijd die deze patiënte nog te leven had. Ze voelde een brok in haar keel. Er was te weinig tijd...
Terwijl Jake de vrouw in zijn armen door de hal droeg, rende Samantha vast vooruit. Dr. Weston stond zijn zitvlak te warmen bij de kachel in de verlaten ongevallenafdeling, toen Samantha kwam binnenstormen en haar cape afgooide. 'Is er behalve u nog iemand aanwezig, dokter?'
Hij schudde zijn hoofd en keek langs haar heen. 'Wat is er gebeurd?'
'Poging tot abortus. Ik denk dat er inwendig letsel is. Ze bloedt dood, dr. Weston. Ze moet onmiddellijk geopereerd worden. Kunt u het doen?'

Hij schudde weer zijn hoofd. 'Ik ben nog maar pas met chirurgie begonnen. Ik zou niet weten hoe ik dat moest aanpakken. Het lijkt me beter dat Jake iemand gaat halen.'
Samantha draaide zich met een ruk om. 'Jake, ga iemand halen, het doet er niet toe wie, de dichtstbijzijnde. Maar breng haar eerst naar de operatiekamer.'
'Wat...?' begon dr. Weston.
Ze draaide zich naar hem toe. 'We moeten vast beginnen, dokter. Deze vrouw verkeert in levensgevaar, er is geen tijd te verliezen.'
'Maar we kunnen niet opereren zonder dat er iemand van de staf bij is!'
'We kunnen vast een begin maken, dokter. Weet u hoe u narcose moet toedienen?'
'Maar dr. Hargrave, u hebt nog geen...'
'Jake, schiet op! Kom, dokter. We verdoen onze tijd.'
Mevrouw Knight, die de ambulancebel had gehoord, kwam hen op de trap tegen en haar forse, indrukwekkende gestalte versperde hen de weg. 'Wat is er aan de hand, dr. Hargrave?'
'We brengen deze vrouw naar de operatiekamer. Wilt u ons alstublieft helpen?'
Terwijl Samantha zich langs haar heen wrong, vroeg mevrouw Knight: 'Maar wie doet de operatie dan?'
Samantha haastte zich verder de trap op. 'Ik.'
Ze werkte snel maar methodisch; ze was gespannen en een beetje angstig, maar de weken van training op de zalen zorgden ervoor dat haar gedachten en lichaam bezig bleven – dit was niet het ogenblik om in paniek te raken.
Terwijl ze in de kasten zocht naar wat ze nodig had (Samantha was nog nooit eerder in een operatiekamer geweest) stak mevrouw Knight de gaslampen aan en dr. Weston bond de patiënte aan de tafel vast.
De ethergeur begon de kamer te vullen en Samantha droeg alle instrumenten die ze nodig had naar een bak. 'Mevrouw Knight, wilt u alstublieft carbol in deze bak gieten?'
'Over die instrumenten?' Een verbaasde blik gleed over het gezicht van de directrice, waarna ze deed wat haar gevraagd was.
Samantha liet de met bloed besmeurde slagersschorten die aan de haakjes hingen, voor wat ze waren, en koos in plaats daarvan liever een schone handdoek, die ze voorspelde. Toen deed ze iets dat de andere aanwezigen verbaasde: voordat ze verder ging, doopte ze haar handen in de carboloplossing. Samantha's stem klonk vast toen ze zei: 'Mevrouw Knight, wilt u alstublieft de benen van de patiënte ondersteunen?' maar in gedachten riep ze uit, o, Jake, schiet op!
De bloeding was minder geworden, maar dat was niet noodzakelijkerwijs een goed teken; misschien waren er inwendige bloedingen. En het licht was waanzinnig slecht – als regel werd er 's ochtends geopereerd als er het meeste licht door de ramen viel; als het bewolkt was werden operaties afgezegd en 's nachts werden er zelden operaties uitgevoerd. Samantha's mond

werd zo droog dat het pijn deed en haar hart bonsde haar in de oren. 'Mevrouw Knight, ik heb meer licht nodig, alstublieft. Misschien een lamp...'
Ze werd wat duizelig van de etherwalm. 'Dr. Weston, dat lijkt me voorlopig wel genoeg. Om de paar minuten een paar druppels alstublieft...'
Samantha pakte een tenaculum uit de bak, deed haar best het trillen van haar hand te beheersen, en bracht hem voorzichtig bij de vrouw in. Ze zag de illustratie uit het studieboek voor zich, en het volgende ogenblik ook Elizabeth Blackwells vaardige handen die met mevrouw Steptoe bezig waren. Terwijl ze de wondhaak in de baarmoederhals klemde, betastte Samantha de uterus en bij het licht van de lamp die mevrouw Knight op de operatietafel had gezet kon ze de perforatie zien.
Samantha had het gevoel alsof de nacht zich eindeloos voortsleepte, maar ze wist dat er in werkelijkheid pas een paar minuten waren verstreken. Terwijl ze in zichzelf bad dat Jake gauw met hulp zou terugkeren, klonk Samantha's kalme stem: 'Hoe is haar pols, dr. Weston?'
'Ongeveer negentig en stabiel.'
'Wilt u dat alstublieft bijhouden terwijl ik bezig ben? Om de paar minuten.' God, geef me alstublieft de kracht. En maak dat ze niet onder mijn handen sterft...
Lange minuten verstreken in een diepe, holle stilte; het was onaangenaam koud in het vertrek. Dr. Weston rilde. De borst van de patiënte, die in een zachte sluimer lag, ging regelmatig op en neer. Samantha werkte zwijgend verder, haar mond stond streng, terwijl mevrouw Knight als een trouwe schildwacht tegenover haar stond.
Samantha's vingers voelden stijf en onwillig aan; ze vocht tegen het opkomend gevoel van paniek, en terwijl ze stap voor stap deed wat ze uit haar studieboek had geleerd, redeneerde ze met zichzelf: Ik had er niet aan moeten beginnen, ik had me hier niet aan moeten wagen. Ja, het móest, het was de enige mogelijkheid. Als we op een chirurg hadden gewacht, was ze nu al dood geweest. Ze leeft nog, nauwelijks, maar ze leeft. Maar hoe lang kan ik haar nog in leven houden? God, ze sterft onder mijn handen. Ik had niet moeten beginnen...
De dubbele deuren vlogen open en Mark Rawlins, nog gekleed in zijn met sneeuw bedekte hoge hoed en overjas, vroeg: 'Hoe gaat het met haar?'
Samantha voelde een overweldigende opluchting. 'Ze leeft nog, dokter. Maar vraag niet hoe.'
Het volgende moment nam hij de plaats van mevrouw Knight aan tafel in en bekeek snel wat Samantha tot nu toe had gedaan. 'Hier,' zei hij en verlegde het tenaculum. 'Zo. Dan hebt u beter overzicht, ziet u wel?'
'Ja...' fluisterde ze.
'Nu moet u deze klem nemen, dokter...' Marks handen leidden de hare, zachtjes en bekwaam, terwijl zijn diepe stem door de kamer klonk. 'U moet meer tampons gebruiken. U moet uw werkterrein te allen tijde schoon houden. Mevrouw Knight, dat licht is om te huilen, zo slecht is het. Dr. Weston, de patiënte voelt iets. Meer ether.'

In plaats van eenvoudigweg het van haar over te nemen, wat Samantha had verwacht, werkte Mark met haar samen, gaf haar aanwijzingen en leidde haar. 'U hebt het goed aangepakt, dokter, maar u heeft meer aan deze retractor als u hem hier gebruikt.' Zijn hand legde zich over de hare. 'Niet te hard trekken, anders scheurt het weefsel. Liggen de hechtingen klaar?' 'Ja. Die liggen in de carbol te weken.'

Hij keek op. Samantha's hoofd was omlaag gebogen en hij keek neer op haar kroon van gitzwarte krullen waarin diamanten druppeltjes van gesmolten sneeuwvlokken hingen. Mark deed zijn mond open om iets te zeggen, maar bedacht zich. Toen Samantha de naald beet pakte, verlegde hij voorzichtig haar vingers, en toen ze bevend een knoop legde, gaf hij haar de schaar aan en deed haar voor hoe ze het best kon knippen.

Samantha keek geen enkele keer op. Ze was zo intens geconcentreerd aan het werk, dat Mark zeker wist dat ze zich zijn aanwezigheid nauwelijks bewust was. Maar in werkelijkheid was Samantha zich zijn nabijheid wel degelijk bewust; hij stond vlak tegenover haar, ze voelde zijn handen, stevig maar toch zacht, over de hare, en ze ontleende aan zijn sterke, troostrijke aanwezigheid een rust waardoor ze al gauw kalmeerde en de macht over haar handen terugkreeg.

Samantha werkte snel en handig, zonder dat haar iets twee keer voorgedaan hoefde te worden. Mark voorzag de kromme naalden van de hechtingen en keek toe terwijl zij het beschadigde weefsel keurig bij elkaar haalde en stevige knopen legde, net zo vaardig en zeker alsof ze het al vele malen had gedaan. Mark wierp een blik op de instrumenten in de bak: die waren allemaal goed gekozen, en hij keek naar de goede lengte van de hechtingen. Toen bedacht hij hoe dapper ze was geweest door dit geval alleen, zonder hulp, aan te pakken.

'U heeft deze vrouw het leven gered, dokter,' zei hij zachtjes.

Nu hief Samantha haar hoofd op. Haar huid was als ivoor in de gloed van de lamp, haar ogen lagen in diepe, donkere schaduwen, en ze fluisterde: 'Zonder u had ik het niet gered.'

Hij keek in die zilvergrijze ogen met de lange wimpers, waaruit zo veel kracht en vastberadenheid spraken, maar ook zag hij, wazig als de ijsbloemen op de vensters, iets van broosheid en onzekerheid. 'U hebt alles uitstekend gedaan, dokter.'

Toen hij haar hand in de zijne nam en die even drukte, sloeg Samantha de ogen neer. In dat onderdeel van een seconde, toen zijn warmte en kracht door haar vingers stroomden, beleefde Samantha een van de gelukkigste ogenblikken in haar leven. Ze had een ten dode opgeschreven patiënte gered, ze had de grote stap naar de chirurgie gewaagd, en ze wist dat ze verliefd was geworden op Mark Rawlins.

'Ze moet de komende vijf dagen nauwkeurig worden geobserveerd, dr. Hargrave,' zei hij, waarna hij haar hand losliet en een schone handdoek van mevrouw Knight aannam. 'Er is grote kans dat ze buikvliesontsteking en bloedvergiftiging krijgt. U moet haar buik minstens drie maal per dag be-

luisteren en haar temperatuur moet goed in de gaten worden gehouden.'
Samantha keek glimlachend naar hem op. 'Jazeker, dr. Rawlins.'
Mark trok het slagersschort over zijn hoofd en beende naar de deur om het
op te hangen. Hij haalde zijn horloge uit zijn zak en klapte het open. 'Het
is Kerstmis, dr. Hargrave.'
Ze keek naar het kantpatroon van sneeuwvlokken tegen de ramen. 'Inderdaad,' antwoordde ze zachtjes.
Hij liep weer naar de tafel en nam nogmaals haar handen in de zijne. Hij
stond dicht bij haar, zonder zich iets aan te trekken van de blikken van dr.
Weston en mevrouw Knight, en keek ernstig naar Samantha. 'U hebt mijn
oneindige bewondering afgedwongen, dr. Hargrave. Ik zal deze avond
nooit vergeten.'

Samantha maakte zich zorgen. Ze had een operatie verricht en nu zou dr.
Prince dan eindelijk wraak nemen. Zou Marks steun genoeg zijn om haar
voor ontslag te behoeden? Ze at niet veel van het kerstdiner bij Louisa en
Luther, en ook sliep ze de nacht daarop slecht. Nadat er vierentwintig uur
waren gekomen en gegaan, gevolgd door een onrustige dag en nacht, zonder de verwachte uitbarsting van dr. Prince, was Samantha ervan overtuigd
dat hij bezig was zijn zaak tegen haar voor te bereiden. Hij zou niet overijld
handelen; ze was hem al te vaak een slag voor geweest. Hoewel Samantha
geen spijt had van wat ze voor de artieste (die herstellende was) had gedaan, begon ze te twijfelen aan haar overhaaste handelwijze.
Twee dagen later moest ze bij hem komen.
Toen Samantha het kantoor binnenkwam, werd ze opgewacht door een
streng kijkende Silas Prince, die met alle waardigheid van een grafsteen
achter zijn bureau stond en, tot haar lichte verbazing, door een vreemde.
'Dr. Hargrave,' zei dr. Prince zakelijk, 'mag ik u dr. Landon Fremont voorstellen? Dr. Fremont, dr. Samantha Hargrave.'
Ze knikte de onbekende terughoudend toe, ondertussen bedenkend dat
zijn naam haar vaag bekend voorkwam. Ze zag dat niet alleen zijn mond
glimlachte, maar dat ook zijn ogen vriendelijk stonden. Toen ze hem snel
opnam zag ze eveneens dat hij begin dertig was (hoewel de terugwijkende
haargrens hem ouder maakte), dat hij de neiging had dik te worden, dat hij
goed gekleed ging en dat hij haar openlijk verbaasd aankeek.
'Gaat u zitten, dokter,' zei dr. Prince, terwijl hij als een rechter plaatsnam.
'Dr. Hargrave, dr. Fremont zou graag even met u willen praten.'
De onbekende leek wat onzeker van zichzelf en schraapte zijn keel om zijn
verlegenheid te maskeren. 'U moet me maar vergeven, dr. Hargrave, maar
ik had niet verwacht dat u er zo... Nu ja, ik had een wat meer volwassen
vrouw verwacht. Ziet u, ik heb al zo veel over u gehoord en gelezen, dat ik,
eh, tja...' Hij maakte een gebaar met zijn mollige handjes. 'Ik zal u niet
lang ophouden, dokter. Ik wil u alleen een paar vragen stellen, als u dat
goedvindt. Ziet u, dr. Hargrave, ik heb gehoord over uw recente ervaringen
in de operatiekamer en ik zou daar graag met u over willen praten.'

Samantha stemde verbaasd in.

Dr. Fremont keek de kamer rond alsof hij een beginpunt zocht, en zijn blik bleef rusten op een geborduurde merklap achter dr. Prince's bureau, waarop stond NIHIL HUMANUM MIHI ALIENUM EST en uiteindelijk keek hij Samantha weer aan; zijn kleine ogen verraadden een intense, levendige belangstelling. 'Dr. Hargrave, dr. Rawlins heeft me verteld dat u vóór de operatie uw instrumenten en uw handen in carbol hebt gewassen. Mag ik u vragen waarom u dat hebt gedaan?'

'Mijn vroegere leermeester, dr. Joshua Masefield, paste ontsmetting toe en heeft me dat geleerd.'

'U bent dus een aanhanger van de bacteriëntheorie?'

'Ik weet het eigenlijk niet, maar als bacteriën inderdaad bestaan, worden ze door carbol vernietigd, en zo wordt de kans op infectie verkleind. Als bacteriën echter niet bestaan, is er nog niets schadelijks gebeurd.'

Dr. Fremont knikte bedachtzaam. 'Jarenlang heb ik wijn gebruikt om wonden schoon te maken, want er zit een soort polyfenol in dat nog sterker is dan carbol, en jarenlang hebben mijn collega's me uitgelachen. Maar bij mij stierven minder patiënten aan infectie dan bij hen, en nu Pasteur op het punt staat te bewijzen wat tot nu toe niet meer dan speculatie is geweest, lachen mijn collega's niet meer zo snel.' Zijn oogjes dwaalden naar Silas Prince. 'Ik heb ook begrepen, dr. Hargrave, dat u dr. Weston hebt gevraagd om tijdens de operatie de polsslag van de patiënte bij te houden. Mag ik vragen waarom?'

'Omdat er zo veel patiënten op de operatietafel sterven aan de inademing van ether, en ook door oorzaken die wij nog niet kennen, dacht ik dat een plotselinge dood op de operatietafel misschien kon worden voorkomen als de vitale functies nauwkeuriger werden gecontroleerd.'

'Ik heb nog nooit gehoord dat zoiets gebeurde. Waar hebt u dat geleerd?'

'Nergens, dokter. Het was mijn eigen idee.'

'En waar hebt u leren opereren?'

'Uit boeken. Ik heb het mezelf geleerd.'

'U hebt geen officiële opleiding gevolgd?'

'Nee. Mag ik vragen, dr. Fremont, waarom u dit allemaal wilt weten?'

Dr. Prince boog zich naar voren en verstrengelde zijn handen op het bureaublad. 'Landon Fremont is onze nieuwste medewerker, dr. Hargrave. St.-Brigid's Hospital heeft subsidie gekregen om een nieuwe specialisatie te beginnen: gynaecologie. Die afdeling komt op de eerste verdieping van de oostelijke vleugel. Dr. Fremont neemt de leiding op zich en hem wordt een assistent toegewezen die bij hem wordt opgeleid.'

Samantha keek weer naar dr. Fremont, die gauw zei: 'Ik hoop dat u me die stroom vragen wilt vergeven, dr. Hargrave, maar toen dr. Rawlins me vertelde wat u had gedaan...'

Even beleefde Samantha opnieuw dat magische uur met Mark, zoals hij haar had bijgestaan, haar had gesteund – zijn nabijheid in het zachte licht, zijn geruststellende, diepe stem, zijn handen die de hare leidden, zijn

257

krachtige uitstraling, de intimiteit van dat ogenblik... Samantha wist dat hoe het hen verder ook zou vergaan, waar hun afzonderlijke bestemming hen ook mocht brengen, zij en Mark Rawlins altijd door dat bijzondere ogenblik een band zouden behouden.

'En daarom, dr. Hargrave...' Ze keek Landon Fremont strak aan. Hij had zitten praten en zij had hem niet gehoord. '...zou het me een eer zijn als u op mijn nieuwe afdeling kwam werken...'

'Dr. Fremont, ik weet werkelijk niet wat ik moet zeggen!' Ze keek naar Silas Prince; zijn gezicht verried niets. 'Dr. Fremont, de eer is geheel aan mijn kant. Ik aanvaard uw voorstel graag, en ik geef u mijn woord dat u uw besluit niet zult betreuren.'

Dr. Fremont stond op en stak Samantha zijn hand toe. Toen bood Silas Prince haar tot haar verbazing ook de hand. Alsof hij een korte wapenstilstand had afgekondigd, zei hij: 'Ik wens u succes, dokter,' en een fractie van een seconde ontdooiden die kille ogen en straalde er iets van bewondering uit.

Maar het was vooral Mark Rawlins aan wie Samantha haar diepste waardering wilde overbrengen. Ze had hem sinds Kerstmis niet meer gezien, maar ze twijfelde er niet aan of ze zou hem gauw weer ontmoeten.

6

Onder de fundering van St.-Brigid's Hospital lagen de beenderen van de zelfmoordslachtoffers die, in de achttiende eeuw, met een stok door het hart langs de weg werden begraven. Op deze schemerige zomeravond liep Samantha door de zaal om de gaslampen aan te steken ten einde de naderende nacht te verjagen. Toen ze zich omdraaide zag ze een van die rusteloze geesten op zich af zweven, met uitgestrekte armen en lang, woest golvend haar. Ze nam de vrouw bij de elleboog en zei vriendelijk: 'Kom, mevrouw Franchimoni, u mag niet uit bed.'

De ogen van de vrouw waren vensters tot een somber landschap. 'Mijn baby, heeft u mijn baby ook gezien?'

Samantha bracht haar weer naar bed en stopte haar in. 'We kunnen echt niet goedvinden dat u zomaar rondloopt, mevrouw Franchimoni. U moet uitrusten na wat u hebt doorgemaakt.'

'En mijn kindje?'

'Slaap, dat is wat u nodig hebt. Kom, ga maar lekker slapen...' Samantha bleef aan het bed wachten tot de vrouw haar ogen dicht deed en zich ten slotte aan de welkome omhelzing van de vergetelheid overleverde. Daarna trok Samantha de dekens glad, rechtte haar rug en keek de zaal rond. Zoals zo vaak in de junischemering, was de nacht achter haar rug als een gordijn neergelaten en de afdeling gynaecologie lag in het duister, dat gelukkig om de paar meter werd onderbroken door de fragiele halo van een gaslamp. De vrouwen sliepen, ze kwamen even tot rust, net als mevrouw Franchimoni die nog niet wist dat haar baby niet was blijven leven. Wanneer zou Landon het haar vertellen? Kwam er ooit een geschikt moment om een moeder te vertellen dat haar baby dood was?

Zuchtend wendde Samantha zich af en liep naar het eind van de zaal, waar een eenzame verpleegster achter haar bureau verband zat op te rollen. Een van Landon Fremonts radicale vernieuwingen op deze nieuwe afdeling was het aannemen van verpleegsters die volgens de ideeën van Nightingale waren opgeleid. In tegenstelling tot de andere zusters in St.-Brigid's Hospital waren de verpleegsters van Landon Fremont goed opgevoed, helder, eerlijk en toegewijd. Mildred hief haar jonge gezichtje naar Samantha op en glimlachte. 'Misschien hebben we voor de verandering eens een rustige nacht, dokter.'

Vermoeid liet Samantha zich op een stoel vallen – ze had de hele dag in de operatiekamer gestaan – en lachte zachtjes. Wat een ijdele hoop, een rustige nacht! Samantha had haar verwachtingen niet al te hoog gespannen, want op de afdeling gynaecologie bleef het nooit lang rustig. 'Mildred, waarom haal je niet een kopje thee voor ons?'

'Jazeker, dokter!' Ze sprong op en was verdwenen.

Samantha zuchtte nog eens en trok een klein voetenbankje onder het bureau vandaan. Ze zette haar voeten erop en merkte dat ze zelfs te moe was om te slapen. Niet dat ze dat erg vond. Het afgelopen halfjaar was de vermoeidheid zeker waard geweest, en de nog resterende vier maanden zouden dat ook zijn. Het was zo'n vreugde onder Landon Fremont te werken, een periode van zo'n onschatbare waarde, dat Samantha wist dat ze het vreselijk zou vinden als het erop zou zitten.

De enige sombere noot deze afgelopen zes maanden was Marks afwezigheid geweest.

Kort na Kerstmis had Nicholas Rawlins een ernstige hartaanval gehad en was gestorven in zijn sombere, grote huis aan Beacon Hill. Samantha had Mark nog maar een keer heel kort gezien, toen hij was komen regelen dat dr. Miles zijn patiënten overnam. Ze was hem op zaal tegengekomen en hij was verstrooid geweest, en duidelijk van streek. Samantha had nauwelijks tijd gehad haar condoléances aan te bieden, toen was hij al weer weg. De maanden daarna had ze steeds naar hem uitgekeken en ze had goed opgelet of ze soms iets opving. Op een keer hoorde ze dat hij nog in Boston was om zijn vaders uitgebreide nalatenschap te regelen, en naarmate de weken en maanden verstreken, begon Samantha eraan te wanhopen of ze hem ooit terug zou zien.

Wat haar bezorgdheid nog vergrootte was het feit dat Janelle MacPherson ook verdwenen was.

Een gekreun dat uit het halfduister opsteeg bracht Samantha onmiddellijk overeind. Ze stond direct naast het bed van de vrouw, boog zich over haar heen, streelde het brandend hete voorhoofd en mompelde troostende woordjes. Dit was een tragisch geval.

De jonge vrouw, achttien jaar oud, was die middag door een wanhopige echtgenoot gebracht; ze had heftige pijn in de onderbuik en had hoge koorts. Dr. Fremont had eerst appendicitis als diagnose gesteld, maar vervolgens had een felrode bloeding duidelijk gemaakt dat het om een buitenbaarmoederlijke zwangerschap ging. Landon en Samantha hadden gedaan wat ze konden, wat neerkwam op weinig meer dan het verrichten van de hopeloze handelingen: de baarmoeder en de eileiders uitspoelen met een zoutoplossing, in de hoop dat het foetus loskwam voordat de eileider doorbrak. Het was hun niet gelukt; zulke spoelingen hadden zelden succes, en nu lag de bewusteloze vrouw in dit ziekenhuisbed te sterven, terwijl haar machteloze dokter in stille woede moest toekijken.

Eén ding dat Samantha het afgelopen halfjaar vooral van Landon Fremont had geleerd, was dat de toegepaste gynaecologie meer frustratie dan voldoening opleverde, dat gevallen vaker een dodelijke afloop hadden dan een gunstige, en dat de gynaecologie uiteindelijk niet veel meer was dan een wetenschap van halve waarheden, speculaties en geheimen. Zelfs de briljante Landon Fremont, die geschiedenis in de geneeskunst maakte met zijn nieuwe operatietechnieken, zag geen kans de buikholte van een patiënt te openen zonder hem te doden. Tot daar iets op was gevonden, waren talloze vrouwen automatisch ten dode opgeschreven door zulke eenvoudige complicaties als een buitenbaarmoederlijke zwangerschap.

Toen ze voetstappen hoorde keek Samantha om en ze zag dat Mildred de kopjes klaarzette. Toen ze naar haar toe ging merkte Samantha op dat de zuster ook een schaaltje beboterde cake had meegenomen, wat haar eraan herinnerde dat het zaterdag was, de dag dat de dames van de liefdadigheidsinstelling in het ziekenhuis op bezoek kwamen.

Terwijl ze naar haar stoel liep en haar kopje pakte, dacht Samantha weer aan Janelle MacPherson en het feit dat ze sinds Kerstmis niet meer met haar gebruikelijke gevolg in het ziekenhuis was geweest, al was haar goudblonde zus Letitia wel gekomen. Dit riep sombere gedachten op en ze wachtte even met het drinken van haar thee. De laatste tijd maakte Samantha zich zorgen over Letitia MacPherson.

Vanaf het begin had Samantha Janelles levendige jongere zusje graag gemogen en ze had altijd waardering gehad voor Letitia die voor ieder een vriendelijk woord over had. De meeste weldoensters zweefden door het ziekenhuis alsof ze in een andere wereld waren, ze waagden zich nooit te dicht bij de patiënten en behandelden de verpleegsters en Samantha nauwelijks beter dan bedienden. Maar Letitia, ondanks haar duidelijk goede afkomst en haar dure kleren, sloeg geen acht op barrières tussen haarzelf en de hard werkende zusters, en evenmin vond ze het beneden haar stand om een paar woorden met dr. Hargrave te wisselen. Letitia MacPhersons glimlach had altijd iets zonnigs.

Maar op een dag – wanneer was het ook alweer? – stond Samantha over een patiënte gebogen om een verband te verwisselen. Ze had de schaar gepakt en had toevallig naar de deur aan het eind van de zaal gekeken. Daar had ze Letitia in een ogenschijnlijk ongepast intiem gesprek gewikkeld gezien met dr. Weston, die, te oordelen naar de breedte van zijn glimlach, kennelijk zeer met de aandacht van de jongedame was ingenomen. Samantha had het voorval van zich afgezet en zou er geen aandacht meer aan hebben geschonken als ze Letitia de week daarop niet in een even intiem tête à tête met dr. Sitwell had gezien.

Vanaf dat moment had Samantha wat meer aandacht besteed aan juffrouw MacPherson als ze haar wekelijkse gaven aan cake en bloemen kwam brengen. Ze had opgemerkt dat Letitia iedere keer kans zag bij de anderen achter te blijven. Vervolgens probeerde ze de aandacht te trekken van de dokter die toevallig in de buurt was, en begon met hem te flirten. Dat Letitia verrukt was over de uitwerking die ze op mannen had was duidelijk, maar besefte het meisje wel dat ze met vuur speelde? Zulke prinsesjes leefden zo beschermd in deze maatschappij: sinds haar geboorte was Letitia MacPherson waarschijnlijk geen minuut onder de strenge blik van een chaperonne vandaan geweest. Kennelijk waren deze wekelijkse ziekenhuisbezoekjes haar enige gelegenheid een spelletje uit te proberen dat haar intrigeerde, maar waarvan ze de regels absoluut niet kende. Samantha had in dr. Sitwells ogen gelezen wat hij van plan was, Letitia kennelijk niet.

'Wat is er met mevrouw Mason aan de hand, dokter?'
Samantha keek Mildred aan. 'Wat zeg je?'
'Bed nummer tien. Vanmorgen gebracht. Wat is er met haar?'
Samantha draaide zich om en tuurde om te zien welk bed het was, maar het eind van de zaal lag in het donker. 'Ze heeft een gelige huid, ze heeft overal jeuk en af en toe felle pijn rechts boven in de buik. Er zijn verschillende diagnoses mogelijk, maar ik denk dat we ons aan de regels van de drie V's kunnen houden.'
'De drie V's, dokter?'
'Een vetzuchtige vrouw van veertig. Als die drie kwalificaties op je patiënte van toepassing zijn, Mildred, kun je er bijna zeker van zijn dat ze een aandoening van de galblaas heeft. En mevrouw Mason is een vetzuchtige vrouw van veertig.'
'Kan ze worden geholpen, dokter?'
Samantha stond op het punt om 'Nee,' te zeggen, toen aan het eind van de zaal de deur openging. Daar stond, als een silhouet door het licht in de gang, een man met een hoge hoed op en een avondcape om.
Hij was ver weg, hij had iedereen kunnen zijn, maar Samantha wist wie hij was. Langzaam stond ze op, zette haar kopje op het bureau en onwillekeurig liep ze langs de rijen bedden, zwevend naar de man in de deuropening. Toen ze bij hem was stak ze haar hand uit en zei zachtjes: 'Dr. Rawlins...'
Hij hield haar hand in een warme greep. 'Ik ben blij dat ik u nog op tref. Het is al zo laat.'
Door zijn stem kwam alles ineens weer boven. De zes maanden verdwenen in het niets: ze stond weer met hem over een operatietafel gebogen, verbonden in een nieuwe intimiteit, en ze voelde weer heel sterk wat ze al die tijd had verdrongen – dat ze vreselijk verliefd op Mark Rawlins was.

'Het is mijn beurt om op zaal te blijven,' hoorde ze zichzelf zeggen. 'Hoe gaat het met u, dr. Rawlins? We hebben u allemaal erg gemist.'
'Ik heb u ook gemist. Ik vrees dat ik een beetje wereldvreemd ben geworden, dr. Hargrave. De afgelopen maanden was ik min of meer een gevangene in mijn ouderlijk huis; ik heb geprobeerd orde op zaken te stellen. Mijn vader had de boel afschuwelijk verwaarloosd.'
'Wat vervelend voor u . . .'
Zijn stem werd zachter, het was nauwelijks meer dan gefluister: 'U hoeft niet meewarig te doen. Hij was een meedogenloze tiran, die de wereld lang genoeg naar zijn hand heeft gezet. Er is geen traan gevloeid, dat kan ik u verzekeren.'
'Dan is de tragedie des te groter.' Samantha keek neer op de sterke handen die de hare vasthielden en vroeg zich af of ze iedere keer dat ze hem ontmoette zou wensen dat er nooit een eind aan zou komen.
'Ik ben net terug,' zei hij. 'En nu zal ik orde op zaken moeten stellen in de chaos die mijn afwezigheid heeft veroorzaakt!'
'Drinkt u een kopje thee met ons mee, dokter?'
Hij boog zich een klein eindje opzij om langs haar heen te kunnen kijken en door die beweging viel er ineens licht op zijn gezicht. Samantha kon een kreet nauwelijks onderdrukken: was Mark Rawlins altijd al zo knap geweest? Of had de liefde haar gezichtsvermogen verstoord? Zelfs het schoonheidsfoutje, dat kleine litteken waardoor zijn mond wat optrok, was ondraaglijk dierbaar.
'Helaas kan ik niet blijven, mijn beste dr. Hargrave. Ik kom u alleen maar uitnodigen om morgen over een week bij mij en mijn familie te komen dineren.'
'Dineren? Dat zou ik heerlijk vinden.'
Hij bleef op haar neerkijken en glimlachte ondoorgrondelijk; voor een man die niet kon blijven had Mark Rawlins weinig haast. 'Hoe bevalt u het werken voor Landon?'
'Het is net alsof een droom werkelijkheid is geworden. En dat heb ik aan u te danken, dr. Rawlins.'
'Onzin. U hebt het verdiend,' zei hij zachtjes. Zijn ogen, verborgen in de schaduw, bleven haar aankijken, en Samantha voelde haar knieën knikken. Op die late aprilavonden, als de regen tegen de ruiten kletterde en als op de gang het luide gelach van haar collega's opklonk, had Samantha in bed gelegen, wakker, starend in het duister; ze had liggen fantaseren, als een vrijwillige gevangene die in zijn ban was geraakt. En nu, net toen ze begon te vrezen dat ze hem nooit zou weerzien, stond hij tegenover haar – dichtbij, overweldigend, terwijl die vertrouwde opwindende uitstraling van zijn hand in de hare overging.
'Ik vrees dat ik weg moet,' zei hij rustig en op vertrouwelijke toon. 'Het rijtuig komt u om acht uur halen.' Hij gaf haar nog een keer een kneepje in de hand en voegde eraan toe: 'U hebt geen idee hoe ik me erop verheug.'

7

Samantha wist wel dat Mark Rawlins' familie rijk was, maar ze had er nooit veel aandacht aan besteed. Toch kon huize Rawlins aan Madison Avenue wedijveren met huize Astor: hoge plafonds, goudkleurige, satijnen gordijnen en palmen in potten – het had een koningshuis kunnen zijn. En de mensen die het bewoonden, net als leden van de adel, pasten er zo wonderwel in, dat Samantha, toen de butler haar door de dubbele deuren de grote salon binnenloodste, vreesde dat ze zich hier nooit zou thuis voelen. Toen zag ze Mark bij de open haard staan, in geanimeerd gesprek gewikkeld met Janelle, en op dat moment wist Samantha dat ze zich wel degelijk thuis voelde.

De jonge man achter de piano keek op en onderbrak zijn levendige polonaise. Alle ogen waren op haar gericht, en toen de butler haar naam met luide stem aankondigde, voelde Samantha zich alsof ze het toneel op moest. Mark kwam meteen op haar afstevenen en de heren die zaten kwamen direct overeind.

'Dr. Hargrave! We vroegen ons al af wat er was gebeurd!' Mark nam haar bij de arm en leidde haar de kamer binnen.

'Neemt u me niet kwalijk, dr. Rawlins. Op het allerlaatste moment moest ik nog naar een patiënt. Ik hoop niet dat ik iemand last heb bezorgd.'

'Helemaal niet,' zei de jongeman achter de piano lijzig; hij stond op en kwam loom op haar toelopen. 'Stiptheid is zo vreselijk vervelend.'

'Dr. Hargrave, mag ik u mijn broer Stephen voorstellen?'

Er was enige gelijkenis, maar slechts vaag. Stephen was misschien tè mooi – hij bezat geen vertederend littekentje aan zijn lip – en Samantha vond zijn glimlach wat zelfingenomen. Toen hij haar gehandschoende hand pakte en kuste, en zijn hakken tegen elkaar sloeg, merkte Mark op: 'Stephen is net terug uit Europa.'

Vervolgens werd ze aan Henry en Joseph Rawlins voorgesteld, beiden jonger dan Mark maar ouder dan Stephen, zodat Samantha hen achter in de twintig schatte; aardige kerels, knap, maar zonder dat bijzondere waardoor Mark opviel en toen ze glimlachten vond Samantha dat er iets leegs in hun welkomstgroet lag. Hun vrouwen zagen er wat gewoontjes uit; het kinderen krijgen en een gemakkelijk leventje hadden al hun sporen op hun tailles achter gelaten en ze maakten op Samantha de indruk dat ze voortdurend tegen elkaar aan het opbieden waren.

Als laatste kwam Letitia naar voren, merkwaardig genoeg gekleed in een roodfluwelen japon die haar niet erg flatteerde en Janelle in koel blauw satijn, wat haar uitstekend stond.

'We wachten op moeder,' zei Mark en bood Samantha een plaatsje op de brokaten sofa. 'Het privilege om als laatste binnen te komen is altijd aan haar.'

Een dienstmeisje bracht een schaal canapés binnen, en Samantha nam er een zonder goed te weten wat het eigenlijk was, met een glas champagne.

Na een pijnlijke stilte werden de gesprekken hervat; Joseph en Henry zetten hun debat voort over een juridische kwestie, terwijl hun vrouwen verder gingen met hun wedstrijd sterke verhalen over hun intelligente kindertjes. Letitia ging achter de piano zitten om een melodietje te pingelen waarvan de woorden, die Samantha eens had opgevangen, te pikant waren om hier te zingen. Toen Mark naar het buffet liep om Janelles glas bij te vullen, nam Stephen de gelegenheid te baat om naast Samantha te gaan zitten.

'Moeder vindt het niet goed dat de New York *Herald* hier in huis komt, dr. Hargrave, want ze vindt de krant te veel op sensatie gericht. Maar ik heb toch wel kans gezien hem te lezen, en ik heb me vaak geamuseerd met de verhalen over uw verbazingwekkende staaltjes.'

'Ik vrees dat die verhalen vreselijk zijn overdreven, meneer Rawlins.'

'Niet als je Mark moet geloven! Ik had eerlijk gezegd verwacht dat u een reuzin was, gewapend met een speer en schild!'

Samantha keek naar Mark, die weer bij Janelle was gaan staan. Ze waren zeker in een ernstig gesprek gewikkeld, want om Marks lippen lag geen zweem van een glimlach, en Janelle praatte rustig en ernstig, met haar hoofd naar hem toegebogen; haar donkerblauwe ogen stonden serieus.

De dubbele deuren gingen open en Clair Rawlins kwam binnen. De muziek zweeg alsof de piano via een mechaniekje met de deur was verbonden, en de vier broers sprongen in de houding alsof het marionetten waren. Zonder twijfel was dit een vrouw met wie men rekening moest houden. Clair Rawlins was helemaal in het zwart gekleed, van haar hals tot haar polsen en tot de zoom van haar jurk die over het tapijt sleepte; haar zilvergrijze haar was opgekamd tot een koninklijke kroon en haar lange, slanke gestalte bewoog zich opvallend soepel voor iemand van haar leeftijd. Ze bekeek de aanwezigen door een roze getinte lorgnet die fel schitterde onder het licht van de kroonluchter.

'Goedenavond allemaal,' zei ze plechtig. Het was of haar ogen zich lang en taxerend op Samantha richtten, waarna Mark naar voren trad en zei: 'Moeder, mag ik u dr. Samantha Hargrave voorstellen? Dr. Hargrave, mijn moeder, mevrouw Rawlins.'

De lorgnet ging naar beneden en tot haar verbazing keek Samantha in een paar vriendelijke bruine ogen. Marks ogen waren het, zacht en gevoelig, de spiegel van een milde, sympathieke ziel, de ogen van een vrouw die had bemind en veel had geleden. 'Ik vind het prettig met u kennis te maken, mevrouw Rawlins.'

Clair knikte onmerkbaar, alsof ze iets in haar trotse jonge gast had gezocht en het, tot haar voldoening, had gevonden. 'Fijn dat u vanavond bij ons kunt zijn, juffrouw Hargrave. Mark vergast ons zelden op het gezelschap van zijn collega's.'

'Moeder, kan ik u verleiden een glas champagne mee te drinken?'

Ze maakte een gebaar met haar arm en aan haar pols weerkaatsten diamanten schitterend het licht. 'Het is slecht voor de eetlust. Ik wil onze gast beter leren kennen.'

264

Haar toon duldde geen tegenspraak en iedereen gehoorzaamde. Letitia ging weer aan de piano zitten en probeerde de sfeer te verbeteren door 'Liebestraum' te spelen, terwijl de anderen de draad weer oppakten – zelfs Mark en Janelle, zag Samantha, hervatten hun ernstige gesprek.

'U hebt mijn nieuwsgierigheid gewekt, juffrouw Hargrave. Hoe en waarom bent u medicijnen gaan studeren?'

Het klonk als een bevel, niet als een vraag, en terwijl Samantha het levensverhaal vertelde dat ze de meeste mensen opdiste, begon ze er steeds meer aan te twijfelen of haar gebruikelijke verklaring voor haar carrière deze vrouw tevreden zou stellen. Clair Rawlins was op meer uit, en Samantha kreeg het gevoel dat ze op de proef werd gesteld.

Toen de bel voor het diner ging, liep Samantha aan Stephens arm achter de anderen aan naar de eetkamer, en ze merkte dat ze aan Clair Rawlins' rechterhand kwam te zitten. Mark, die zich kennelijk ergerde aan de tafelschikking, zat aan het andere eind van de lange tafel, met Janelle en Letitia naast zich.

Het diner was ongelooflijk overdadig, maar Samantha liet niets merken en deed alsof ze gewend was aan twaalf gangen met onuitspreekbare namen; alles werd gegeten met het vele tafelgerei dat om haar bord was gerangschikt en werd opgediend door een niet aflatende stoet bedienden. Twee jaar vechten om te overleven op de medische academie had Samantha geleerd hoe ze op een elegante manier tijd kon winnen: als ze iedere keer dat er een nieuwe schotel werd opgediend een slokje water dronk, kon ze kijken welke vork of lepel de anderen pakten.

'Vertel me eens, juffrouw Hargrave, hebt u geen moeite met uw opvattingen over gepastheid en met uw fijngevoeligheid bij het werk dat u doet?'

Samantha pakte de, naar ze veronderstelde, goede vork, en begon aan haar verse kabeljauw. 'Als je het genoegen smaakt een mensenleven te redden, mevrouw Rawlins, dan lijkt "gepastheid" iets heel onbelangrijks.'

Stephen, die tegenover hen zat, zei: 'Ik geloof dat juffrouw Hargrave liever met "dokter" wordt aangesproken, moeder.'

Clair maakte een hoofdgebaar waaruit afkeuring sprak voor een klein jongetje dat ondeugend is geweest. 'Onzin. Juffrouw Hargrave is in de eerste plaats vrouw, in de tweede plaats dokter, en daarom wordt ze liever als een dame aangesproken. Dat is toch zo, mijn beste?'

'Eerlijk gezegd, mevrouw Rawlins, heeft uw zoon gelijk. Ik word liever "dokter" genoemd.'

Clair legde demonstratief haar vork neer en keek Samantha oprecht verbaasd aan. 'Dat is zeer ongebruikelijk!'

'Ik ben in de *eerste* plaats dokter, mevrouw Rawlins. Per slot van rekening mag ik de titel voeren.'

'Maar als u zich laat aanspreken als dr. Hargrave, hoe kunnen de mensen dan weten of u getrouwd bent of niet?'

'Als ze dat echt willen weten, zullen ze het wel vragen, denk ik.'

'Mijn beste juffrouw Hargrave,' zei Clair op een toon waarmee ze haar schoondochters meestal aansprak ('Mijn beste Elaine, je geeft een diner voor twaalf, en je zet fazant op het menu'), 'geen enkele welopgevoede heer zou u ronduit durven vragen of u getrouwd bent of niet. Velen zullen aannemen dat u getrouwd bent en op die manier mist u goede kansen. Hoe denkt u ooit een echtgenoot te strikken?'

Toevalligerwijs was dit natuurlijk het ogenblik waarop alle gesprekken stokten en Samantha stond in het middelpunt van de belangstelling.

'Moeder,' kwam Marks stem, 'u brengt dr. Hargrave in verlegenheid.'

Samantha glimlachte hem allervriendelijkst toe en zei: 'Het geeft niet, dr. Rawlins. Ik vind het niet erg.' Ze wendde zich tot Clair. 'Ik stel uw bezorgdheid voor mijn status zeer op prijs, mevrouw Rawlins, maar ik verzeker u dat ik mijn huwelijkskansen of mijn vrouwelijkheid door mijn beroep niet in gevaar breng. Als ik ooit trouw, zal het met een heel bijzondere man zijn. Ik weet zeker dat u het met me eens zult zijn, dat het geen gewoon huwelijk zou zijn. Als ik in de toekomst zo'n unieke man zou ontmoeten, en als hij mij als huwelijkspartner zou wensen, dan hoop ik oprecht dat hij zo open en zo eerlijk zal zijn me zonder meer te vragen of ik getrouwd ben of niet. Ik zou zo'n directe benadering beschouwen als een teken van een sterk karakter, mevrouw Rawlins, en niet als onopgevoedheid.'

Iedereen zat even met zijn ogen te knipperen, waarna ze hun lepels en vorken weer vonden, terwijl Samantha en mevrouw Rawlins elkaar strak aankeken. Alleen Mark bleef stil zitten; hij was gebiologeerd. Niemand, zelfs zijn vader niet, had zich ooit tegen zijn moeder verzet.

Uiteindelijk merkte Clair droogweg op: 'Wat voor man trouwt er nu met een vrouwelijke arts?'

Voordat Samantha antwoord kon geven, nam Mark het woord. 'Een man die zelf ook arts is natuurlijk.'

Terwijl Clair haar lievelingszoon strak aankeek, ontging het haar niet dat Samantha en Mark heel eventjes een veelbetekenende blik wisselden. Ook Janelle MacPherson had het opgemerkt en ze ging even verzitten, waardoor haar koel blauwe zijde ritselde.

Stephen maakte een eind aan de pijnlijke stilte door zich met een flirterige glimlach naar Samantha toe te buigen: '*Ik* zou het niet erg vinden om met een vrouwelijke dokter te trouwen.'

Samantha begon zachtjes te lachen en pakte haar wijnglas. 'Als je eten net een keertje te vaak is aangebrand omdat je vrouw voor een spoedgeval is weggeroepen, dan ga je er wel anders over denken.'

Toen de geglaceerde eend werd opgediend, nam het gesprek een andere wending. Men gaf zijn mening over de recente overgang van de impressionistische kunst naar iets dat nog 'lachwekkender' was; het beste voorbeeld was misschien wel Cézannes afgrijselijke (daar waren allen het over eens) *L'Estaque*. Toen dat onderwerp was uitgeput, een moment dat samenviel met de frambozen met suiker, ontstond er tot ieders genoegen een gesprek over de nieuwe roman van Henry James, *The Portrait of a Lady*. Terwijl ze haar aandacht verdeelde tussen Stephen die zijn best deed het haar naar de zin te maken, en Clair die dat juist niet deed, merkte Samantha een paar keer dat Mark haar zat op te nemen.

'Ik geloof,' zei Joseph Rawlins, die aan Samantha's rechterhand zat, 'dat het grondprobleem dat James aan de orde stelt dat van de vrije wil is. Een jong meisje van achttien met een uitstekend stel hersens heeft de vrije keus om haar leven in te richten zoals ze dat wil, maar ze maakt een fatale fout, waarvoor ze de rest van haar leven moet boeten.'

'Jij zegt dus, beste Joseph,' merkte Clair op, 'dat er uit dat boek iets te leren valt.' Ze wendde zich tot Samantha. 'Hebt u het gelezen, juffrouw Hargrave?'

'Ik ben bang dat ik weinig tijd heb voor lectuur buiten mijn vakgebied, mevrouw Rawlins.'

Clair trok haar wenkbrauwen overdreven hoog op. 'Jammer.'

Samantha sloeg de ogen neer en stak haar lepel in haar frambozen, ondertussen tersluiks naar Mark kijkend. Ze had verwacht een van zijn geheimzinnige glimlachjes op te vangen, maar tot haar verbazing zag ze hem breed lachend naar Janelle kijken, die hem kennelijk een boeiend verhaal opdiste. Toen ze glimlachte, straalde ze net zo mooi als de diamanten in haar nauwsluitende collier, en toen ze hardop lachte, legde ze haar hand op haar borst waarmee ze de aandacht op haar lage decolleté vestigde.

'Juffrouw Hargrave,' klonk Clairs stem zakelijk. 'Ik neem aan dat dit niet een van die avonden is waarvoor u ons waarschuwde, dat u voor medische zaken kunt worden weggeroepen?'

Samantha keek op. 'Wat bedoelt u?'

'Letitia gaat tijdens de koffie iets voor ons declameren. Ze kan *Annabel Lee* heel prachtig vertolken. Maar daarna, juffrouw Hargrave, zou ik u graag een paar minuten onder vier ogen willen spreken. Als u dat schikt.'

'Jazeker, mevrouw Rawlins.'

'Dat is eigenlijk de reden dat ik u hier vanavond heb uitgenodigd. Ik heb iets belangrijks met u te bespreken.'

Samantha keek Clair even strak aan, waarna ze haar hoofd naar rechts wendde. Mark zat hartelijk te lachen met zijn hoofd achterover en Janelle keek hem stralend aan.

Verward wijdde Samantha zich verder aan haar frambozen. Het was dus niet Mark die haar hier vanavond wilde hebben, maar Clair. Clair, die zeer afkeurend tegenover Samantha stond, en die het niet nodig vond die afkeuring onder stoelen of banken te steken. Iets belangrijks, onder vier ogen...

Clair had gelijk, Letitia gaf een roerende vertolking van *Annabel Lee* en Samantha zou diep onder de indruk zijn geweest als ze niet zo werd afgeleid. Terwijl ze allemaal in de salon zaten, met hun koffie en cognac, en luisterden en keken hoe Letitia overdreven gevoelig stond te declameren in het gedempte licht (de lampen waren vanwege het effect wat lager gedraaid), moest Samantha ondanks zichzelf steeds denken aan de reden dat ze hier vanavond was. Ook voelde ze zich teleurgesteld. Kennelijk had ze Marks bedoelingen verkeerd begrepen.

Maar toen Letitia met haar handen op haar boezem ineengeklemd zeer geëmotioneerd uitriep: 'Ik was een kind en zij was een kind, In zijn koninkrijk bij de zee, Maar we hadden elkander lief en onze liefde was meer dan liefde...' keek Samantha even naar Mark, die aan de andere kant van de kamer zat. Hij had zijn benen uitgestrekt en de enkels nonchalant gekruist, en ze merkte dat hij haar aandachtig zat op te nemen. Zijn gezicht lag in de schaduw zodat ze niet kon zien hoe hij keek, maar Samantha voelde een intense emotie van hem uitstralen, alsof hij probeerde haar aan te raken. Samantha's kopje kwam niet verder dan haar lippen; ze kon niet slikken. Het was alsof de woorden van Poe hem hadden veranderd: een nieuwe Mark Rawlins keek haar in die vaag verlichte kamer aan. De façade was verdwenen; dit was geen beschaafde man die zomaar naar haar keek: ze voelde zijn kracht, zijn mannelijkheid, ze voelde hoe hij bezit van haar nam. Zijn mond was vastberaden samengeknepen; zijn lichaam was schijnbaar ontspannen, maar ze voelde een zekere gespannen vastbeslotenheid. Samantha kwam in zijn ban en het was alsof het moment een eeuwigheid duurde. Het geluid van een beleefd applaus bracht haar terug tot de werkelijkheid. Stephen draaide de lampen op en iedereen prees Letitia's vertolking, en toen Samantha weer Marks kant op keek, zag ze dat hij haar nog steeds zat op te nemen. Nu er licht op zijn gezicht viel, zag ze hoe ernstig de uitdrukking ervan was, en dat in zijn ogen iets broeide. Ze begon te beven. Mark vroeg zachtjes, zodat alleen zij het kon horen: 'Vond je het een mooi gedicht, Samantha?'

'Ja.'

'Maar tragisch was het wel.'

'Iets tragisch kan ook een zekere schoonheid hebben.'

Iedereen stond op en maakte aanstalten zich naar de andere vertrekken te begeven – de heren om te roken, de dames om lekker te gaan zitten – maar Mark en Samantha bleven staan. 'Wat is jouw lievelingsgedicht, Samantha?'

Ze dacht even na. *'The Prisoner of Chillon.'*

'Byron. Nog tragischer.'

'En het jouwe?'

Zijn lippen plooiden zich al tot een glimlach, toen plotseling Clairs autoritaire stem de kamer vulde. 'Juffrouw Hargrave, kan ik u nu even onder vier ogen spreken?'

Samantha nam plaats in een mooie leren stoel die naar citroenolie geurde, en keek toe hoe Clair cognac in twee kristallen glazen schonk. Ze zaten in de bibliotheek, omringd door vier wanden met boekenkasten waarin een rijkdom aan menselijke kennis stond opgeslagen – twee eenzame vrouwen onder de onpersoonlijke marmeren blikken van Julius Caesar, Voltaire, Napoleon Bonaparte en, vanuit zijn vergulde lijst boven de open haard, Nicholas Rawlins, de IJskoning.

Clair reikte Samantha haar glas aan en kwam naast haar zitten. 'Vrienden van mij, die geheelonthouder zijn, spreken openlijk hun afkeuring uit over mijn gewoonte af en toe een glaasje te drinken, terwijl ze zelf hele flessen versterkende drankjes naar binnen slaan waarin genoeg alcohol zit om een paard onbekwaam te krijgen. Zelfs Nicholas, God hebbe zijn ziel, vond het niet goed.'

Clair keek op naar het indrukwekkende portret. Haar stem kreeg een zachtere klank. 'Het was niet gemakkelijk om van hem te houden, juffrouw Hargrave, maar omdat ik voortdurend moest vechten om hem te behouden, aanbad ik hem des te meer.'

'Tot mijn spijt hoorde ik dat hij is overleden.'

'Het einde kwam snel. Kom, juffrouw Hargrave, laat ik u nu vertellen waarom ik u heb gevraagd hier te komen. Ik keur het niet goed dat vrouwen een beroep uitoefenen. Vrouwelijke dokters, juristen, rechters, fotografen – ze offeren te veel op, ik geneer me voor hen. Ik walg van een vrouw die haar sekse ontkent. En toch – en u zult me wel huichelachtig vinden – voel ik me genoodzaakt u om hulp te vragen juist omdat u bent die u bent. Juffrouw Hargrave, ik heb dringend een vrouwelijke arts nodig. Die bekentenis valt me zeer moeilijk.'

Clair nam een slokje cognac, liet de drank in het glas ronddraaien en vervolgde na enig nadenken: 'Ik ben altijd een robuuste vrouw geweest, met een goede gezondheid en voor de meeste kwaaltjes bleken lichaamsbeweging en goede voeding altijd de beste remedie. Ik heb die zwakke, zwaarmoedige vrouwen die onze maatschappij heeft geschapen, nooit kunnen uitstaan. Een vrouw kan naar lichaam en geest de gelijke van een man zijn, en toch haar vrouwelijkheid behouden. Ik heb mijn maandelijkse ongesteldheid nooit als een excuus gebruikt om me aan verantwoordelijkheden te onttrekken, zoals zo vele vrouwen doen. En mijn hele leven lang, juffrouw Hargrave, heb ik nog nooit één keer een dokter nodig gehad.'

Dat geloofde Samantha meteen, want ze kon zien hoe ze zich door de jaren heen had gehard en hoe ze zich had gewapend met een ondoordringbaar pantser zodat ze zich staande kon houden tegenover de krachten van de maatschappij en die van haar echtgenoot. Maar achter de zachtbruine ogen, achter die harde en zelfstandige façade zag Samantha een glimp van een andere vrouw: een vrouw met een verborgen tederheid, die je vriendelijk aankeek, als een gevangene die door de tralies van een cel tuurt, alsof ze hunkerde naar vrijheid.

'Ik was bang dat u niet zou zijn wat ik zocht, juffrouw Hargrave. Ik vreesde dat u net zo zou zijn als zo vele artsen; heel goed in handige, ontwijkende antwoorden en verpakte leugens, en vol vleierij. Maar ik heb vanavond gezien dat u sterk en eerlijk bent en dat u me de waarheid zult vertellen.'

'De waarheid waarover, mevrouw Rawlins?'

'Over hoe lang ik nog heb te leven.'

Samantha keek haar strak aan. Voordat ze iets kon zeggen, zei Clair: 'Ik wil dat u me onderzoekt. Hoe zou dat het beste kunnen?'

'Wat moet ik onderzoeken?'

'Mijn borst.'

Samantha zette haar glas neer en stond op. 'Op de bank is het beste. Ik kan het alleen niet door uw kleren heen doen...'

Clair maakte een gebaar met haar arm. 'Ik ben niet preuts. Ik wil alleen dat u eerlijk bent.'

Even later vroeg Samantha: 'Hoe lang zit die knobbel er al, mevrouw Rawlins?'

'Vier maanden.'

'Waarom bent u niet meteen naar een dokter gegaan?'

'Juffrouw Hargrave, ik heb me nog nooit in mijn leven aan een man vertoond, behalve dan aan mijn echtgenoot.'

'Die trots is dwaas en gevaarlijk.'

'Dat ben ik me wel bewust, juffrouw Hargrave. Ik dacht ook dat die knobbel vanzelf wel weer zou verdwijnen. Hoe luidt uw vonnis?' Het was een gezwel ter grootte van een mandarijn, keihard, verplaatsbaar, duidelijk begrensd, en de tepel was ingetrokken. Samantha bette hem met haar zakdoek, waar een bruin vlekje op achterbleef. En onder de oksels zaten ook knobbels. 'Een paar maanden, meer niet.'

'Dat is niet lang genoeg, zo kort na de dood van mijn man. Mijn gezin kan nog niet zonder me. Ik heb nog een jaar nodig.'

'Het is niet aan mij u dat te geven.' Terwijl Samantha Clair hielp met de bandjes van haar ondergoed, schoot haar een uitspraak te binnen van soldaten in de Burgeroorlog: *Het maakt niet zoveel uit of je vandaag of morgen dood gaat, maar we sterven toch liever allemaal morgen.* 'Als u direct naar een dokter was gegaan, mevrouw Rawlins, had hij de borst kunnen wegnemen.'

'Ik wil niet sterven als een geschonden vrouw, juffrouw Hargrave. Mijn zuster is al aan borstkanker overleden, dus ik wist wat me te wachten stond. Bij haar is inderdaad een borst verwijderd en ja, ze heeft iets langer geleefd, maar ze hadden al haar spieren weggenomen zodat haar arm krachteloos naar beneden bungelde en haar schouder bijna tot haar borstbeen naar voren werd getrokken. Ze was afschuwelijk verminkt en leed voortdurend pijn. Na de operatie is ze de deur niet meer uit geweest en ze liet alleen nog haar familie op bezoek komen, geen vrienden. Ja, juffrouw Hargrave, mijn leven zou misschien iets gerekt worden, maar zou het dat waard zijn geweest?'

Samantha hielp Clair met de knoopjes van haar japon. 'Weet Mark ervan?' Ze maakte een handgebaar alsof ze het over zoiets onbelangrijks als een menu voor de lunch hadden. Uiterlijk bleef ze onbewogen onder haar doodvonnis, maar de vrouw die gevangen zat in die harde bolster huilde. 'Als ik naar Mark was gegaan, zou hij veel te emotioneel hebben gereageerd. Hij en ik hebben... een heel bijzondere band. Ook zonder dat deze uitspraak komt van de trillende lippen van je eigen dierbare zoon, is het al moeilijk genoeg. En hij mag het niet weten, juffrouw Hargrave, want hij zou er kapot van zijn. Geen van hen mag het weten. Ik wil het tot het allerlaatst geheim houden.'

Ze gingen weer zitten en Clair pakte haar glas. 'Brumaire,' zei ze kalm. 'Mijn mans favoriete cognac. Nicholas was een tiran van wie niemand hield, weet u. Niemand huilde toen hij was gestorven. Ik vrees zelfs dat Joseph en Henry inwendig blij zijn dat hij er niet meer is. Men zal hem niet missen, dat is zeker. En nu begin ik me af te vragen hoe ze *mijn* dood zullen opvatten.' Clair keek Samantha met vochtige ogen aan. 'Ik ben niet bang voor de dood, juffrouw Hargrave, ik ben alleen nog niet goed voorbereid...' Haar stem brak.

Samantha legde haar hand over die van Clair en dacht, ik kijk in de spiegel van de toekomst. Als ik tweeënvijftig ben, zal ik dan net als Clair Rawlins vechten voor mijn waardigheid, al is het alsof alles zich tegen me keert? Wat hebt u opgeofferd, mevrouw Rawlins, waardoor u een zelfstandige vrouw kon blijven? Hoe hebt u zich aan de man van wie u hield kunnen geven en tegelijkertijd uw eigen unieke identiteit kunnen behouden?

Clair snoof eens en klopte Samantha op de hand. 'Ik zou het erg op prijs stellen als u een poosje bij me bleef zitten, juffrouw Hargrave.'

'Natuurlijk.'

'Vertelt u me eens, zal ik veel pijn lijden als het einde nadert?'

Mark zat tegenover Samantha in het zachtjes deinende rijtuig en keek naar haar gezicht dat werd verlicht door de straatlantaarns die ze passeerden. Sinds ze uit de bibliotheek was gekomen, was ze stil en teruggetrokken geweest. Hij maakte zich ongerust, want hij wist hoe zijn moeder kon zijn. Hij was ook verbaasd: wat had zich in hemelsnaam achter die gesloten deuren afgespeeld?

Hoewel Mark een speciale band met zijn moeder had, omdat ze zijn kracht en moed bewonderde waarmee hij vocht voor wat hij ten koste van alles wilde bereiken (de dag dat Mark uit het vaderlijk huis was weggelopen, veertien jaar geleden, merkte Clair dat deze zoon haar liever was dan de anderen), en hoewel ze zich tot Mark wendde als ze raad nodig had, had Clair Rawlins in dit speciale geval haar zoon liever niet in vertrouwen genomen. Ze had over die nieuwe vrouwelijke arts in St.-Brigid's Hospital gehoord, had eens bij Mark geïnformeerd en had ten slotte gevraagd of hij juffrouw Hargrave voor een diner wilde uitnodigen.

'Nu je de unieke eer te beurt is gevallen mijn moeder te leren kennen,' zei hij, terwijl het rijtuig zich voegde bij het late avondverkeer op Broadway, 'wat vind je van haar?'

Samantha glimlachte geforceerd. 'Ze is een opmerkelijke vrouw.'

'Waar hebben jullie zo lang over zitten praten?'

'Over van alles.'

'Geheimen?'

'Vrouwenaangelegenheden.'

Hij keek haar ernstig aan. 'Is ze ziek?'

Samantha beantwoordde zijn blik met een kalmte die ze niet voelde. 'Ze heeft me gevraagd met niemand over ons gesprek te praten, en ik heb haar mijn woord gegeven.'

'Ik begrijp het.' Mark tilde nonchalant zijn wandelstok op en bekeek aandachtig het versierde zilveren handvat, waarna hij hem weer neerlegde. 'Heeft ze problemen op medisch gebied?'

'Daar kan ik geen antwoord op geven.'

'Ik heb er recht op het te weten,' antwoordde hij zachtjes.

Op dat moment voelde Samantha ineens medelijden, niet met Clair, die de dood onaangedaan onder ogen zou zien, maar met Mark, die binnenkort veel verdriet zou hebben. Ze wilde het hem dolgraag vertellen zodat hij zich waardig kon voorbereiden, maar Clair had het haar verboden. Samantha worstelde met haar ethische opvattingen. Vanwege haar liefde voor Mark wilde ze het hem vertellen, zodat ze zijn verdriet kon verlichten. Maar ze kon het vertrouwen van een patiënte niet schenden. Trouw aan zichzelf of trouw aan haar roeping – Samantha had nooit gedacht dat die twee in conflict zouden komen.

'Ze heeft me om raad gevraagd, en die heb ik haar gegeven. Dat is alles wat ik je kan vertellen.'

Hij dacht na en knikte toen instemmend. 'Ik vond het fijn dat je vanavond bij ons was. Daardoor was het een bijzondere dag.'

Samantha moest haar blik afwenden. In gedachten spoorde ze de paarden aan tot een snellere draf. Mark zat zo dicht bij haar en haar verlangen naar hem was zo groot dat ze bang was dat ze haar zelfbeheersing niet lang meer kon bewaren. Ze had zin om te huilen. Niet om Clair maar om Mark. Die ellendige belofte ook. Kon ze het hem maar vertellen...

'Ken je dit gedicht, Samantha?' klonk zijn warme, intieme stem. ' "De vrouwe slaapt. O, dat haar slaap, die eeuwig is, heel diep moge zijn. Moge de Hemel haar een veilige haven bieden. Ik bid God dat zij voorgoed de ogen gesloten mag houden, terwijl de wit omhulde geesten langs trekken..." Samantha!'

'Neem me niet kwalijk...' Ze veegde de tranen van haar wang.

Hetzelfde moment zat hij naast haar, met zijn arm om haar schouders. 'Vergeef me,' zei hij zachtjes en haalde een zakdoek te voorschijn. 'Ik heb je van streek gemaakt.'

Ze drukte de zakdoek tegen haar ogen. Hij rook vaag naar zijn eau de cologne. 'Neem me niet kwalijk,' zei ze nogmaals en haalde eens diep adem. 'Het ligt niet aan jou, Mark. Ik ben moe.'

'Landon laat je natuurlijk veel te hard werken.'

Ze hief haar hoofd op om hem verontschuldigend toe te lachen en merkte opeens dat zijn gezicht heel dicht bij het hare was. Door haar cape heen voelde ze de warmte van zijn lichaam; zijn arm lag in een beschermend gebaar om haar heen, zodat ze dicht tegen hem aan zat. Weer hadden zijn ogen die duistere, omfloerste blik die was opgeroepen door *Annabel Lee*. Hij keek haar indringend en ernstig aan, en weer vroeg Samantha zich af wat die blik te betekenen had. Ze had nog nooit een man als Mark Rawlins gekend, een man die naar buiten toe opgewekt was, de geestige, welopgevoede gentleman die ze op het bal bij de Astors had ontmoet, maar die onder de oppervlakte een geheimzinnige macht en viriliteit bezat. Twee keer had ze een glimp van die andere Mark Rawlins opgevangen en hij had haar een opgewonden gevoel gegeven. Samantha deed de ogen dicht en genoot van zijn nabijheid. Ze had nu eens geen zin om sterk te zijn en het initiatief in handen te houden; ze wilde toegeven aan haar zwakheid en zich door Mark laten beschermen.

Het resterende gedeelte van de rit hield hij haar dicht tegen zich aan, en koesterde haar zwijgend en vol medeleven met zijn kracht en standvastigheid. Als Samantha al verbaasd was over de uitwerking die Mark Rawlins op haar had, Mark was niet minder verwonderd door de uitwerking die zij op hem had. Hoe kon een vrouw zo sterk en onafhankelijk zijn en tegelijkertijd kwetsbaar en broos? Hoe kwam het dat ze bewondering afdwong om haar moed en geestkracht, zodat hij haar zag als een sterke, onafhankelijke vrouw, terwijl hij tegelijkertijd sterk de neiging had haar te beschermen? De bijna overweldigende seksuele opwinding die hij had gevoeld tijdens Letitia's declamatie, toen hij naar Samantha had zitten kijken, had hem verbaasd doen staan. Geen vrouw had ooit zo'n macht over hem gehad, had zo zijn gedachten beheerst, had hem zo in verwarring gebracht en had hem zo'n slaaf van zijn begeerte gemaakt. Ze was net zo'n raadsel voor hem als hij voor haar, een veelzijdige vrouw die steeds weer een nieuw aspect van haar persoonlijkheid aan hem toonde. Iedere keer als Mark dacht dat hij haar dan nu toch werkelijk goed kende, had Samantha Hargrave hem voor een verrassing geplaatst.

Hij wilde dat de rit eeuwig kon duren – het licht van de lantaarns, de zoete zomeravond, de geur van het tuigleer, Samantha die hij onder zijn arm voelde – en hij was teleurgesteld toen St.-Brigid's Hospital veel te gauw naar zijn zin opdoemde.

Mark liep met haar tot in de door gaslicht verlichte hal, waar een slaperige portier zwervers buiten de deur hield, en stond stil. Hij pakte haar bij de schouders. 'Gaat het nu weer goed met je?' vroeg hij teder en keek op haar neer.

Samantha knikte.

Mark wachtte. Er was zo veel dat hij wilde zeggen, ontelbare woorden welden in hem op, maar om de een of andere reden liet zijn gebruikelijke welbespraaktheid hem in de steek. Dus zei hij eenvoudig: 'Welterusten, Samantha.'

En Samantha, die geen ervaring met mannen, liefde en woorden had, fluisterde: 'Welterusten, Mark,' en draaide zich om.

Hoewel het al laat was, was er in de kamer van dr. Weston nog een feestje

273

aan de gang: vrouwengegiechel begeleid door banjogetokkel. Samantha liep er snel voorbij, naar het rustige gedeelte van de gang, waar ze haar eigen kamer binnenstormde en tegen de dichte deur bleef leunen. Ze had moeite haar zelfbeheersing te herwinnen.

Liefde deed toch geen pijn?

Toen klonken er zware voetstappen door de gang, gevolgd door een luide klop op haar deur. In de veronderstelling dat het een beschonken collega was die dan eindelijk vond dat ze erbij moest komen, deed ze met een ruk de deur open en stond tegenover Mark. Hij drong zich langs haar heen naar binnen, smeet nijdig de deur dicht, greep haar bij de armen en zei: 'Verdomme, Samantha, ik houd van je!'

Hij trok haar stevig tegen zich aan, en ze gleed als vanzelf in zijn armen. Toen hij haar mond met de zijne bedekte, ontsnapte haar een zacht gekreun. De hartstocht in haar reactie deed hem versteld staan. Hij trok zich terug, keek met een onstuimige blik op haar neer en zei hees: 'God ik houd van je, Samantha, ik houd van je...'

Daarna verbaasde Mark zich over andere dingen: hoe klein ze in zijn armen voelde, maar toch vol en stevig; hoe helder en onvoorstelbaar diepgrijs haar ogen waren – je kon je erin verliezen; hoe ze plotseling zijn begeerte opwekte, en dat hij er zó op uit zou willen trekken om vuurspuwende draken voor haar te doden. Hij verlangde al lang naar haar en hij had veel aan haar moeten denken, maar *dit*, dit kwam onverwacht. Ze toonde een hartstocht waarvan hij niet had vermoed dat ze die in zich had.

Mark verbaasde zich ook over het feit dat hij voor het eerst in zijn leven de woorden 'houden van' had gebruikt. Er waren in zijn verleden wel vrouwen geweest, maar liefde was daar nooit aan te pas gekomen, zelfs niet bij Janelle. Liefde was voor Mark een onbekend gevoel, want tussen zijn ouders was nooit iets geweest. Hij had een koele, liefdeloze jeugd gekend, en had altijd van zichzelf gedacht dat hij niet tot zulke gevoelens in staat was. En toch stond hij hier nu en de woorden kwamen hem over de lippen alsof hij al lang had geweten dat hij ze zou uitspreken, en zijn verbazing werd nog groter toen hij merkte dat het goed was, dat het goed klonk. Hij meende het...

Deze verbijsterende onthulling nam niet meer dan een fractie van een seconde. Hij trok zich perplex van haar terug, terwijl langzaam tot hem begon door te dringen wat hij had gedaan. 'Vergeef me,' fluisterde hij schor. 'Ik kom zomaar je kamer binnenzetten, ik pak je zomaar beet...'

Haar stem, nauwelijks meer dan gefluister, bereikte hem door het duister, want de kamer was onverlicht. 'Heb je er spijt van?'

'Nee,' antwoordde hij eenvoudig. 'Ik wil met je trouwen, Samantha.'

Hij hoorde dat ze de adem inhield en realiseerde zich dat het haar beurt was om verbaasd te staan. Hij deed er zijn voordeel mee dat ze even uit haar evenwicht was. 'Ik verwacht niet dat je me direct antwoord geeft,' zei hij haastig, 'alleen dat je me de eer wilt aandoen mijn verzoek in overweging te nemen. We kunnen samen een mooi leven krijgen, Samantha, en een gezin. We delen ons beroep, we werken zij aan zij...' Goede God, waar kwamen die woorden vandaan?

Een koele hand pakte de zijne beet; ze trok hem weer dicht tegen zich aan en ging op haar tenen staan om hem op de mond te kussen. Hij sloeg zijn armen om haar heen en die voelden zich alsof ze thuiskwamen. Hij probeerde niet eens zijn seksuele opwinding te verbergen, in de wetenschap dat zij ook naar hem verlangde. En toen hij de knoopjes van haar jurk begon los te maken, hielp ze hem.

Zijn leven lang had Mark Rawlins zich maar aan twee zaken gewijd: hij had zich tegen zijn vader verzet en hij had de geneeskunde gediend. Daar voegde hij nu een derde doel aan toe: hij zou de rest van zijn leven wijden aan zijn liefde voor Samantha Hargrave.

8

'Er moet toch iets op gevonden worden, Landon,' zei Samantha en duwde haar bord met toost en bacon van zich af. 'Ik weiger toe te zien hoe nog meer patiënten doelloos sterven.'

Hij gaf geen antwoord; deze discussie speelde zich iedere week af. Als patiëntes binnenkwamen met een buitenbaarmoederlijke zwangerschap, stierven ze. Het was niet anders. Waarom kon ze zich daar niet bij neerleggen?

Samantha tikte met haar lepel op tafel. 'Een kleine insnijding, snel de eileider afbinden, het foetus weghalen en de patiënte dichtmaken! Waarom kan dat niet?'

Hij keek haar zwijgend aan. Ze wist heel goed waarom niet: omdat de patiënte altijd doodbloedde.

'Landon, kom, denk eens na! Er moet een manier zijn om die bloedingen te stelpen! Als we daar iets op konden vinden, denk eens aan de talloze buikoperaties die we dan veilig konden doen! Blindedarmoperaties, galblazen, hysterectomie...'

De deur van de eetzaal ging open en Mark Rawlins kwam binnen. En Samantha bloosde zonder mankeren. Ze gingen nu drie maanden in het geheim met elkaar om.

Hij keek om zich heen, zei de paar artsen aan de andere tafeltjes goedemorgen en liep toen naar Samantha en Landon toe. 'Goedemorgen, stoor ik?'

'Het geijkte onderwerp, Mark,' zei Landon, terwijl hij zijn zakhorloge te voorschijn haalde en het openklapte. 'Buikholten.'

'Hmm. Eens lukt het wel, dat weet ik zeker. Halsted beweert dat hij met die nieuwe klem van hem goede resultaten boekt.'

'Ik heb een van zijn operaties bijgewoond. Galblaas. Er staken wel vijftig klemmen uit de wond. Halsted had nauwelijks ruimte om iets te doen. Hij heeft er meer dan een uur over gedaan.'

Daar keek Mark van op. 'Een heel uur voor een operatie?'

Landon klapte zijn horloge dicht en stopte het weer weg. 'Ik moest maar eens naar mevrouw O'Riley gaan kijken. Ze is nu al twee dagen bezig. Het ziet ernaaruit dat het een keizersnee wordt.'

'Als ik mijn thee op heb kom ik ook,' zei Samantha.

Hij knikte verstrooid en liep van tafel. Mark keek Samantha met twinkelende ogen aan. 'Hoe gaat het vandaag met u, dr. Hargrave?'

'Uitstekend, dokter, en met u?' Drie maanden geleden hadden ze deze komedie besproken. Mark had hun verloving wel van de daken willen schreeuwen, maar Samantha had erop gestaan dat hij het geheim hield. St.-Brigid's Hospital kende strenge regels voor het gedrag van hun vrouwelijke werknemers, en Samantha wilde haar getuigschrift, dat ze over een maand zou behalen, niet in gevaar brengen. De regels waren duidelijk: werkneemsters mochten niet getrouwd zijn, ze mochten niet verloofd zijn, en ze mochten geen 'verkering' hebben terwijl ze in St.-Brigid's Hospital werkten. En Samantha was in de ogen van Silas Prince een werkneemster. Mark geloofde dat haar vrees ongegrond was, maar Samantha was het niet met hem eens. Hoe dan ook, ze voelde er niets voor de theorie aan de praktijk te toetsen. Een paar weken daarvoor nog was een uitstekende verpleegster ontslagen toen men ontdekte dat ze verloofd was.

Na die eerste nacht, in haar bed, hadden ze geen risico's meer genomen. Ze ontmoetten elkaar heel discreet één keer per week in Marks appartement aan Fifty-seventh Street. Met het oog op haar fel begeerde getuigschrift had hij, zij het met tegenzin, beloofd niemand over hun verloving te vertellen, zelfs zijn moeder niet. En ook Janelle niet, al veroorzaakte dat soms netelige situaties.

Ze zwegen toen de serveerster Mark zijn koffie bracht. Hij bestelde eieren en vroeg wat voor vers fruit er was. Terwijl hij daarmee bezig was, dronk Samantha haar thee en sloeg hem door haar dikke wimpers heen gade.

Ze dacht aan zijn lichaam. Aan zijn borst in het bijzonder. Hij had een prachtige borst, gespierd en dicht behaard; en zijn armen waren pezig, zijn schouders en zijn rug stevig, en zijn dijen...

Het meisje vertrok en Mark zei tegen Samantha: 'Nee maar, dr. Hargrave, u ziet helemaal rood.'

Wat een ongelooflijke ontdekkingen hadden ze in elkaars armen gedaan, wat een opwinding, wat een waanzin! Het was alsof ze naar lichaam en ziel voor elkaar geschapen waren. Ze kenden geen gêne, en hun liefdesspel kende geen grenzen. En als ze zich niet bezighielden met de lichamelijke kant van de liefde, dan maakten ze ernstige plannen voor hun toekomst. Ze besloten waar Samantha haar praktijk zou beginnen, met welk ziekenhuis ze zou samenwerken, waar ze gingen wonen en hoe de kinderen zouden worden opgevoed. Joshua had vreemd genoeg gelijk gehad: Mark Rawlins zou de volmaakte echtgenoot voor Samantha zijn.

Toen zijn eieren werden gebracht vroeg Samantha: 'Hoe gaat het met uw moeder, dr. Rawlins?'

'Uitstekend. Waarom vraagt u dat?'

Samantha had Clair de afgelopen drie maanden diverse keren ontmoet en iedere keer had hun vriendschap zich verdiept. Bij een glaasje cognac, dat een traditie begon te worden, vertelde Clair over het verleden, over de uitdaging om samen te blijven leven met een man met zo'n tomeloze energie als Nicholas Rawlins, over haar poging vier zoons tot zelfstandige mannen op te voeden, wat maar bij één was gelukt, over het wankele evenwicht tussen haar streven om te worden geaccepteerd als een individu met haar eigen rechten, en het behoud van haar vrouwelijkheid. Samantha had geprobeerd Clair duidelijk te maken dat ze in feite precies die vrouwen met een beroep beschreef, die ze zo veroordeelde, maar Clair weigerde dat in te zien. 'Voor een vrouw is maar één natuurlijke rol weggelegd: die van vrouw en moeder. Ik heb het over een vrouw die haar eigen identiteit bewaart bìnnen die kring, niet over iemand die daar uitstapt, zoals jij beschrijft, en die met mannen gaat wedijveren. De plaats van de vrouw is naast haar man, niet tegenover hem.' Ze debatteerden eindeloos, en genoten ervan. Een paar keer had Samantha de neiging gevoeld haar geheim te verklappen, maar het was te riskant – Silas Prince zou dan eindelijk een wapen in handen hebben.

Nog maar één maand, dacht Samantha terwijl Mark zijn ontbijt nuttigde. Over vier weken heb ik mijn getuigschrift.

Ze zag hem zijn bord wegschuiven en zijn mond met een servet afvegen (ze dacht eraan hoe het was te worden gekust door dat littekentje, en vroeg zich af of andere vrouwen ook voortdurend intieme gedachten koesterden ten aanzien van de mannen van wie ze hielden). Maar toen hij zijn ogen naar haar opsloeg en ze zag hoe ernstig die stonden, verdween haar speelse glimlach. 'Wat is er, Mark?'

'Ik ben bang dat ik slecht nieuws heb, Samantha. Ik heb zitten bedenken hoe ik het je moet vertellen. Ik moet volgende week naar Londen...'

Ze keek hem ontzet aan, maar herstelde zich snel toen ze zich herinnerde waar ze zaten.

'Ik word door St.-Luke's Hospital uitgezonden. Ik moet het ziekenhuis vertegenwoordigen op een congres.'

'Kan er niet iemand anders gaan?'

'Het is zowel voor mij als voor het ziekenhuis erg belangrijk. Op dit moment ben ik maar gewoon staflid. Als ik dit goed aanpak, kan ik mijn eigen afdeling krijgen.'

Samantha knikte. Nu al beïnvloedde hun werk hun privé-leven. Dat was iets waarbij ze zich moesten neerleggen als ze een harmonieuze toekomst wilden delen. 'Ik begrijp het, lieveling,' zei ze heel rustig. 'Hoelang blijf je weg?'

'Het is maar voor een week. Mijn overtocht is al geboekt. Ik vaar met de *Excalibur* naar Bristol. Afhankelijk van het weer ben ik de laatste week van oktober weer terug. Om precies te zijn vier dagen vóór de uitreiking van je getuigschrift.'

'Mijn hart zal bij je zijn.'

'En het mijne blijft hier bij jou.'

'Vier weken.'

'Een eeuwigheid.'

'Hoe kom ik de tijd door?'

'Samantha.' Mark wilde zijn hand al naar haar uitstrekken, maar hij trok hem weer terug. 'Laten we nú trouwen, voordat ik wegga.'

Ze dacht even na, maar schudde toen haar hoofd. 'Je moeder zou het niet overleven. Ze kijkt zo uit naar jouw trouwdag; ze organiseert een bruiloftsfeest dat nog grootser is dan mevrouw Astor ooit zou kunnen. Dat kunnen we haar niet ontnemen, Mark.'

'O, moeder is wel bestand tegen teleurstellingen. Ze is een taaie ouwe tante. Ze komt er wel weer over heen.'

'Nee, Mark. Het is maar vier weken. Dan zijn we vrij.'

Ze keken elkaar diep in de ogen. Ze had de neiging om op te staan en te roepen: 'Jullie kunnen allemaal naar de maan lopen!' en Mark zomaar te kussen, waar iedereen bij was. Daarna konden ze snel voor de wet trouwen en een korte huwelijksreis maken. Misschien kon ze zelfs wel met hem meegaan, en na al die jaren Londen weer bezoeken, en dr. Blackwell, en in een sentimentele bui de Crescent. Ze kon Mark dan de plekjes laten zien die ze als kind had verkend, het zou een paradijselijke reis worden...

Maar nee. Dat getuigschrift was veel te belangrijk. Prince zou iedere gelegenheid aangrijpen het haar te onthouden. Bovendien zou Clair van haar laatste droom worden beroofd voordat ze deze wereld zou verlaten.

'Wat een geluksvogel ben ik toch,' zei Mark zachtjes en ernstig. 'Ik vraag me af of ik op een dag wakker word en merk dat jij maar een droom was.'

Samantha gaf een luchtig antwoord dat helemaal niet bij haar stemming paste. 'Ik kan beter maar eens gaan kijken wat Landon uitspookt. Er zijn er vanmorgen vier aan het bevallen! Wilt u zo goed zijn me te excuseren, dr. Rawlins.'

Hij keek haar een beetje bedroefd aan. 'Vanavond?'

Ze dacht even na. Het was een week geleden. Landon zou haar wel vrijaf geven. 'Vanavond,' fluisterde ze en haastte zich de zaal uit.

'Goedemorgen, dr. Hargrave!'

Samantha keek op van haar stethoscoop en zag Letitia's zonnige gezichtje dat haar stralend aankeek. Ze had een mandje rozen aan de arm, ongetwijfeld van de tafelversiering van de vorige avond, en achter haar stond een dienstmeisje met de armen vol lakens.

'Hallo, Letitia,' zei Samantha en trok de dekens weer over de borst van de patiënte.

'Ik heb linnen meegebracht voor verbanden. Mama had er niets meer aan, maar het is nog in goede staat.'

'Wil je je moeder namens ons bedanken? Pearl, wil je ze alsjeblieft aan de verpleegster achter dat bureau geven?'

'En wie krijgt vandaag de bloemen?'

Samantha keek naar de rozen, die nog heel vers waren, en liet haar blik over de zaal dwalen. De septemberzon scheen over de keurig opgemaakte bedden; gouden vlekjes, als zonnestofjes, dreven op de stralen. Samantha's blik bleef op mevrouw Murphy rusten en ze kon een glimlach niet onderdrukken.

De oude mevrouw Murphy was de vorige week binnengekomen met ernstige maagpijn en ze moest voortdurend overgeven. Ze was een vrouw van de oude stempel en had nog nooit eerder een stethoscoop gezien. Toen Samantha het zilveren instrument op haar borst had gezet, had mevrouw Murphy de stethoscoop per abuis aangezien voor een of andere luxe moderne behandeling. Ze had eens diep gezucht en gezegd: 'Hè, ik voel me echt al een stuk beter!'

'Mevrouw Murphy daar zal goed voor ze zorgen, Letitia. Ze zit net haar haar in papillotten te wikkelen.'

Letitia draaide zich om en zweefde als een elfje naar bed zeven; Samantha keek haar peinzend na. De laatste tijd maakte ze zich echt zorgen om Letitia MacPherson.

Samantha dacht terug aan de laatste keer dat ze bij Clair had gedineerd. Samantha was naar de keuken gegaan om een beetje melk te halen, waarmee Clair een morfinepoeder kon innemen, toen ze op haar weg door de ingewikkelde, met tapijt belegde gangen langs een deur was gekomen die op een kier stond. Ze dacht dat ze iemand hoorde kreunen. Haar doktersinstinct maakte dat ze stilstond om te luisteren. Toen duwde ze de deur een eindje verder open en tuurde naar binnen. Het was donker in het vertrek; Samantha kon maar net de omtrekken van zwaar meubilair en enorme planten onderscheiden. Het was een zitkamer waar uitgeputte dames konden uitrusten als Clair Rawlins een van haar extravagante feesten gaf. De kamer was verlaten, op degene na die zich in de schaduw bevond en kennelijk in moeilijkheden verkeerde.

In de veronderstelling dat een dienstmeisje dat wilde gaan schoonmaken was gevallen en zich had bezeerd, wilde Samantha net verder naar binnen lopen toen een zacht, murmelend gelach haar tegenhield. Ze bleef doodstil staan en luisterde; toen herkende ze tot haar ontsteltenis het zuchtende kreunen van de hartstocht, en ze trok zich snel terug.

Nadat ze in de hoofdkeuken warme melk had gekregen van een hulpkok, die gechoqueerd reageerde toen een gast zich in de keuken waagde, ging Samantha weer naar de bibliotheek. Toen ze langs de donkere zitkamer kwam, moest ze snel in een nis wegduiken want de deur ging open. Stephen Rawlins kwam naar buiten; hij streek zijn haar glad. Een stem riep hem iets na. Het was Letitia.

Samantha had het voorval aan Mark verteld, die vervolgens een gesprek met Stephen had gehad. Daar was Letitia echter nog niet mee geholpen, want Samantha vermoedde dat ze naar de gunsten van diverse mannen dong.

Nadenkend keek Samantha toe hoe lief het meisje mevrouw Murphy hielp met het indraaien van de papillotten. De laatste tijd kwam Letitia alleen vergezeld door een dienstmeisje naar het ziekenhuis. Samantha vroeg zich af waarom.

Dr. Weston koos juist dat moment om de zaal binnen te komen. Toen hij Letitia zag, hield hij even de pas in, en toen Letitia opkeek, bloosde ze. Hij liep gewoon verder en zij bleef met mevrouw Murphy doorbabbelen, maar Samantha had het korte oogcontact opgemerkt en het had haar een schok gegeven: Verraden Mark en ik ons ook met duizend en een kleinigheden? Toen Letitia klaar was, sloeg Samantha net een thermometer af en legde hem bij een patiënte in de oksel. Ik zou eens met haar moeten praten, dacht Samantha. Letitia heeft er geen idee van dat ze met vuur speelt.

In werkelijkheid was Letitia MacPherson zich heel goed bewust van het gevaarlijke spel dat ze speelde. Ze had al heel jong de genoegens van een bepaalde in afzondering bedreven activiteit ontdekt. En een paar jaar later, in het prieel van hun zomerverblijf, had Letitia haar eerste seksuele avontuur beleefd. Haar medeplichtige was een neef, hij heette Will. Sindsdien vond Letitia dat geen enkele andere bezigheid haar zo veel voldoening schonk. Ze speelde wat piano, handwerkte een beetje en schilderde middelmatige taferelen, maar in het samenspel met een mannenlichaam was ze een primadonna.

Ze had ook ontdekt dat de opwindende aantrekkingskracht van seks vooral lag in het gevaar voor ontdekking. Getrouwd zijn en iedere nacht met dezelfde man slapen scheen niet half zo'n verrukkelijk vooruitzicht als iedere keer een andere partner te hebben. Het grootste seksuele genot lag in afwisseling, en in de angst voor ontdekking. Wat zwanger worden betreft, op aanraden van een vriendin was Letitia naar een dame in Greenwich Village gegaan. Die had Letitia een flesje met een 'beschermend' middeltje verkocht, plus een sponsje dat in de vloeistof gedrenkt vlak voor de gemeenschap moest worden ingebracht.

Samantha wist hier niets van. Zo op het oog was Letitia MacPherson een blozend jong meisje, net zo fris en onschuldig als een bloem; dat ze dol op seks was wist niemand, zeker de diverse mannen niet die, betoverd door de meisjesachtige glimlach en naïeve maniertjes, allemaal dachten dat ze de eerste waren.

'We gaan zaterdag allemaal naar de Wild West Show, dr. Hargrave. Ze zeggen dat er *echte* indianen aan meedoen!'

Samantha glimlachte en haalde de thermometer onder de arm van de patiënte vandaan. Terwijl ze hem aflas dacht ze, ik maak me zorgen om niets. Letitia is zo lief en verstandig, die zorgt wel dat een man niet te ver gaat.

'Dr. Hargrave!'

Ze keek op. Dr. Weston hield de gangdeur open en wenkte haar. 'Kunt u onmiddellijk komen? We hebben u nodig.'

Bij het binnenkomen zag Samantha dat de ongevallenafdeling een grote chaos was: lichamen lagen op draagbaren, verpleegsters renden rond en dokters rolden hun mouwen op. Er was een ongeluk gebeurd op een kruispunt vlak bij het ziekenhuis, veroorzaakt door een op hol geslagen paard; er waren een paar voetgangers gedood en koetsiers lagen zwaar gewond op de onderzoektafels.

'Hierheen, dok!' riep Jake. Hij probeerde samen met een agent een man in bedwang te houden die vreselijk tekeerging; een rijtuigwiel was over zijn been gereden.

Samantha gaf opdracht de man zijn jas uit te trekken, waarna ze hem een morfine-injectie gaf. Toen hij wat kalmeerde, kon Samantha de verwonding bekijken. Het been was bij de knie finaal afgehouwen, en de agent, een man die zijn positieven goed bij elkaar had, had wat lappen tegen de stomp gelegd om het bloeden te stelpen en had dié de hele tijd op hun plaats gehouden. Nu Samantha erbij kwam, liet hij ze los; voorzichtig trok ze de bebloede lappen van de stomp en tot haar schrik merkte ze dat ze ijskoud waren. Binnen in het bundeltje lappen zat iets keihards.

Toen hij haar verbaasde gezicht zag, vertelde de agent: 'Dat is een trucje dat ik in het leger heb geleerd. Een van de betrokken rijtuigen vervoerde ijs. Ik heb mezelf maar bediend.'

Samantha keek naar het geamputeerde been en zag dat er opmerkelijk weinig bloedverlies was geweest. Maar nu de warmte in het vertrek tot de wond doordrong, zetten de bloedvaten weer uit en het vlees werd roze. Ze wist al dat hij goed zou genezen, zonder al te veel infectie. En hij had zo weinig bloed verloren.

IJs, dacht ze opgewonden. IJs...

9

Het was zo'n oktobermaand waarin de katten hun pels overeind zetten en waarin de petticoats kraakten. Over de trottoirs warrelden de bladeren, rood en goudkleurig, alsof de zonsondergang verfspatjes had achtergelaten; de lucht was geladen. Het was droog en koud; de deur naar de winter stond op een kier.

Samantha stond aan het eind van de zaal haar handen te wassen, en slaakte een diepe zucht. Het was een drukke dag geweest en ze was moe, maar terwijl de ondergaande zon de avond aankondigde en daarmee het eind van haar dienst, voelde Samantha nieuw leven door haar heen stromen: ze had gehoord dat er boven een brief op haar lag te wachten. Van Mark!

Ze stond daar helemaal alleen en glimlachte in zichzelf. Ze glimlachte tegen niets en niemand. Gisteren was de *Excalibur* uit Bristol vertrokken en Mark zou over een week thuis zijn.

Mildreds gezicht verscheen om de deur. 'Dr. Hargrave? Het spijt me vreselijk, maar dr. Weston gelooft dat hij een gynaecologisch geval voor u heeft.'

Samantha glimlachte vermoeid. 'Ik kom er zo aan, Mildred.'

Dr. Weston stond over een jongedame heen gebogen, die in een stoel zat;

heel kies probeerde hij niet al te dicht met zijn stethoscoop in de buurt te komen. Op momenten als deze wou hij dat hij zich zo'n nieuwe binauraal stethoscoop kon veroorloven zoals dr. Hargrave had, in plaats van die oude houten buis die zijn gezicht veel te dicht bij de borst van dit jonge meisje bracht.

Hij kwam overeind toen hij dr. Hargrave hoorde binnenkomen en tot haar verbazing zag ze dat hij vreselijk bleek zag. 'Wat is er, dr. Weston?'

Hij wendde zich van de patiënte af, pakte Samantha bij de elleboog en leidde haar weg tot op discrete afstand. 'Haar familie zegt dat het haar blindedarm is,' zei hij zachtjes, 'maar ik denk van niet.'

Samantha ontging het nerveuze trekje bij zijn mond niet. 'Waarom niet?'

'Ze vloeit.'

Samantha liep langs hem heen en bij de patiënte bleef ze abrupt stilstaan. Het was Letitia MacPherson.

Haar hoofd lag opzij, haar ogen waren gesloten en haar wangen vertoonden hoogrode blosjes. 'Laten we haar op tafel leggen, dr. Weston. Was ze al bewusteloos toen ze werd binnengebracht?' Samantha tilde voorzichtig de rokken van het meisje op en betastte haar buik.

'Ja,' zei dr. Weston en bevochtigde zijn droge lippen. 'Ze zeiden dat ze de hele dag al over misselijkheid klaagde. Even na twaalf uur vanmiddag zei ze dat ze vreselijke buikpijn had en raakte bewusteloos. Ze hebben haar in bed gestopt en de huisdokter gehaald; hij heeft aangeraden haar hierheen te brengen.'

'Waar is hij?'

'Op de gang, met de moeder en haar zuster.'

Samantha keek dr. Weston van terzijde aan en las het hele verhaal af op zijn asgrauwe gezicht. Letitia had dus inderdaad meer toegelaten dan een paar onschuldige vrijheden; als ze zwanger is, ben je bang dat jij de schuld krijgt.

Samantha's lange spitse vingers vonden de kleine zwelling onder de huid; voorzichtig bevoelde ze de zachte uterus, ondertussen kijkend naar de eigenaardige rode plekjes op Letitia's blanke huid. Mevrouw Knight en dr. Weston bleven zwijgend en vol angstige spanning toekijken, en toen Samantha iets zei, schrokken ze op. 'Het is een buitenbaarmoederlijke zwangerschap,' zei ze uiteindelijk, 'en de eileider is net doorgebroken.'

Mevrouw Knight schudde treurig het hoofd en sloeg een kruis, terwijl ze, praktisch als ze was, snel naging of er nog een lijkwade in de kast lag.

'Mevrouw Knight,' zei Samantha terwijl ze Letitia's rok naar beneden sloeg, 'maak de operatiekamer klaar. Ik heb alle lampen nodig die u kunt bemachtigen.'

Mevrouw Knight zette grote ogen op. 'Gaat u opereren, dokter?'

'Ja. En is er in de keuken nog ijs beschikbaar?'

De vrouw knikte onzeker en liep weg om Samantha's bevelen uit te voeren.

'Een operatie!' zei dr. Weston, die zich op een stoel had laten vallen. 'Dat kunt u niet menen!'

'Ik wil dat u voor de narcose zorgt, dokter. En laat iemand naar dr. Fremont gaan, ik heb zijn hulp nodig.'

Samantha haalde diep adem, vermande zich en liep toen door de deuren die naar de gang leidden. Janelle MacPherson vloog overeind, maar de tengere, oudere vrouw die bij haar was bleef zitten.

Samantha klemde haar handen stevig ineen toen ze tegenover Janelle stond. 'Zullen we even gaan zitten, juffrouw MacPherson?' zei ze zo vriendelijk mogelijk. 'Ik vrees dat ik niet zulk goed nieuws voor u heb.'

'Ik blijf liever staan, dr. Hargrave. Wat is er met mijn zuster aan de hand?'

'Letitia moet een spoedoperatie ondergaan.'

Janelles gezicht werd net zo wit als haar platinablonde haar. 'Een operatie? Sinds wanneer wordt een blindedarm geopereerd?'

'Alstublieft, laten we even gaan zitten.'

Toen ze op de bank zaten, probeerde Samantha het haar zo voorzichtig mogelijk te vertellen. 'Letitia heeft geen blindedarmontsteking, juffrouw MacPherson, ze heeft een buitenbaarmoederlijke zwangerschap, die onmiddellijk moet worden geopereerd.'

Een kille herfstbries had via de stoep zijn weg door de kieren in de deur gevonden en blies als een venijnig gefluister door de gang. Janelle MacPhersons donkerblauwe ogen verhardden zich tot staalgrijs. 'Wàt zegt u?'

Samantha wilde haar hand op haar arm leggen, maar Janelle trok zich terug. 'Letitia is zwanger. Het spijt me. Het foetus zit in een van de eileiders en die is gebarsten. De tijd dringt.'

'Hoe durft u!'

'Pardon?'

'Hoe durft u zo'n beschuldiging te uiten aan het adres van mijn zuster!'

'Het is geen beschuldiging, juffrouw MacPherson, dat verzeker ik u. En als ik niet onmiddellijk opereer...'

'U mag mijn zuster niet opereren!'

'Kom, luister eens even,' kwam een diepe baritonstem tussenbeide. Samantha keek naar de man die naast Janelles moeder stond. Hij was zeer oud en zag er uiterst beschaafd uit; zijn gewrichten kraakten toen hij zich bewoog. 'Ik heb de diagnose zelf gesteld. Het meisje heeft blindedarmontsteking.'

Samantha overzag pijlsnel de situatie. Dr. Grimes kwam al tientallen jaren bij de familie, langer dan hij zich kon herinneren, en zijn opvattingen over de geneeskunde beperkten zich tot handen vasthouden en suikerpillen voorschrijven, aanhoren hoe matrones en jongemeisjes uit chique buurten klaagden over hun ingebeelde kwalen, indrukwekkend klinkende uitspraken doen en gigantische honoraria opstrijken. 'Ik ben bang dat ik het met uw diagnose niet eens ben, dokter,' zei Samantha behoedzaam. 'Een blindedarm veroorzaakt geen bloeding.'

'Het meisje is kennelijk ongesteld.'

'Maar de zwelling is duidelijk voelbaar, dokter, en de pijn zit links.'

'Dat duidt nog niet op zwangerschap, mevrouw.'

'Dat is waar. Toch wijzen de meeste symptomen in de richting van een

zwangerschap. Dat is mijn diagnose.'
'Wat het ook is, mevrouw, een operatie biedt geen oplossing.'
'Bloedzuigers ook niet, dokter.'
Hij knipperde even met de ogen en Samantha las er de kille angst in van een man die beseft dat hij de vooruitgang niet heeft kunnen bijhouden. Dr. Grimes was een relikwie, een uitgestorven soort, en hij wist het.
Samantha wendde zich tot Janelle en zei iets vriendelijker: 'Juffrouw Mac-Pherson, ik begrijp hoe vreselijk dit voor u moet zijn, maar we staan voor het feit dat Letitia er ernstig aan toe is en dat haar toestand met de minuut verslechtert. Als we niet meteen opereren, zal ze de nacht niet halen.'
'Dr. Hargrave,' zei Janelle, die zichtbaar moeite deed haar zelfbeheersing te bewaren, 'het is godsonmogelijk dat mijn zusje zwanger is. Wat u beweert is monsterlijk. Dat u de reputatie van een onschuldig kind wilt bezoedelen om uw eigen carrière te bespoedigen. . .' Janelle liet haar stem dalen tot een niveau waarover ze controle had. 'U mag mijn zuster niet gebruiken ter vermeerdering van uw eigen glorie. Als u een groots gebaar wilt maken om in de krant te komen, gebruikt u maar iemand anders.'
Samantha keek naar de trieste kleine vrouw die achter Janelle zat. Mevrouw MacPherson was niet zo gelukkig geweest als Clair Rawlins: ze had het niet in zich gehad om naast haar echtgenoot te staan en te vechten voor haar eigen identiteit. Mevrouw MacPherson zag er oud en moe uit, ver voor haar tijd; ze stond in de schaduw van haar echtgenoot die financier was. Ze was een middel om nakomelingen te produceren, meer niet. Maar de trieste ogen die Samantha aankeken probeerden heel even haar oude kracht van jaren terug te vinden. Mevrouw MacPherson wist kennelijk dat het de waarheid was, ze vermoedde wat voor gevaarlijke spelletjes haar dochter had gespeeld, en bijna, bijna was ze zover dat ze dat Samantha wilde vertellen. Maar ze bracht de kracht niet op, ze was er niet aan gewend een heel eigen mening onder woorden te brengen, vooral niet in bijzijn van haar bazige dochter die, nadat haar echtgenoot haar bestaan was vergeten en haar niet langer tiranniseerde, de leiding van het huishouden had overgenomen. Mevrouw MacPherson gaf het dus op en keek neer op haar handen.
'U mag mijn zuster met geen vinger aanraken, dr. Hargrave. Als u dat wel doet, begin ik een proces tegen u.'

Samantha kwam de ongevallenafdeling weer binnen. Dr. Weston voelde net Letitia's pols.
'Is Landon er al?' vroeg Samantha terwijl ze naar de tafel liep.
Hij schudde zijn hoofd. Toen keek hij op en borg zijn horloge weg. 'Ze heeft een shock, dr. Hargrave. Wat zei de familie?'
'Ze hebben geweigerd hun toestemming voor een operatie te geven.'
'Hm. Dat is maar goed ook. Ze is toch niet te opereren.'
Samantha wierp hem een doordringende blik toe. 'Dat ben ik niet met u eens, dokter.'
'Maar dr. Hargrave, dat is nog nooit vertoond! Als u haar opereert voor een

buitenbaarmoederlijke zwangerschap staat dat gelijk aan moord!'
Net toen Samantha antwoord wilde geven, begon Letitia te kreunen en met haar hoofd heen en weer te rollen. Toen haar ogen even opengingen, had ze even tijd nodig om te zien waar ze was, toen fluisterde ze: 'Dr. Hargrave...'
'Dag, Letitia,' zei Samantha; ze nam de hand van het meisje in de hare en drukte die.
'Waar... ben ik...?'
'In St.-Brigid's Hospital. Alles komt in orde, hoor.'
Letitia likte haar droge lippen, toen legde ze haar hoofd zo dat ze dr. Weston kon aankijken. 'Ik ga sterven,' zei ze.
'Nee, dat is niet waar,' kwam zijn verstikte stem.
'Letitia,' zei Samantha en probeerde de aandacht van het verwarde meisje te trekken. 'Weet je wat er met je aan de hand is?'
'Nee...'
'Je moet geopereerd worden, Letitia. En ik wil het doen. Ik denk dat ik je kan helpen.' Samantha boog zich dicht over haar heen. 'Maar Janelle wil me geen toestemming geven. Letitia?'
'Doe iets om me te redden...' fluisterde het meisje. 'O god, doe iets...'
'Luister eens, Letitia. Als ik je opereer heb je nog een kans. Begrijp je me? Letitia?'
'Ja,' antwoordde het meisje fluisterend. 'Doe... wat u moet doen, dr. Hargrave. Opereer me alstublieft... red me...'
Samantha rechtte haar rug en keek dr. Weston strak aan. Hij slikte moeizaam.

In de kille operatiekamer gaf Samantha mevrouw Knight net opdracht zo veel mogelijk ijs bij de hand te houden, toen Landon Fremont binnenkwam. 'Wat heeft dit allemaal te betekenen, Samantha?'
Nadat ze Letitia's symptomen had beschreven, liep dr. Fremont naar de tafel en keek naar het meisje. 'Dat kun je niet menen.'
'Ik ga het proberen, Landon.'
'Het zal haar dood zijn.'
'Als we niets doen, gaat ze zonder meer dood. Ik heb een plan dat vast succes heeft. Dat ijs, Landon...'
'Samantha,' zei hij en keek haar ernstig aan, 'dat meisje gaat in beide gevallen dood, wij kunnen dus niets meer doen. Wat wel belangrijk is, Samantha, is *waar* het meisje sterft. Als ze in bed sterft, kan niemand ons verantwoordelijk stellen. Maar als het hier gebeurt, zullen ze beweren dat wij haar hebben vermoord.'
'Landon, luister naar me. Geen enkele belangrijke stap in de geneeskunde wordt gezet zonder risico te nemen. Ik heb er schoon genoeg van te moeten toekijken hoe vrouwen als zij sterven! Ik geloof dat we met dat ijs een manier hebben ontdekt om het bloeden te stelpen. Als het werkt, redden we haar het leven. Maar als we het niet proberen, zullen we het nooit weten!'

285

'En als je haar opensnijdt en je ziet dat je er met je diagnose naast zat? Wat als het haar blindedarm of een ander probleem met de ingewanden is? Aan zulke dingen kunnen we niets doen, en dan sterft ze. Daarmee zul je je positie hier hebben gecompromitteerd en haar familie te schande hebben gemaakt door te beweren dat ze zwanger was!'

Samantha inspecteerde haar instrumenten. 'Ik weet dat mijn diagnose juist is, Landon, en ik weet dat we haar kunnen behouden. Maar ik heb je hulp nodig, ik kan het niet alleen.'

Hij bestudeerde haar lange tijd heel intens; hij zag hoe recht ze haar rug hield en hoe vastberaden ze keek. Toen dacht hij ineens, als ik op veilig wilde spelen, had ik verzekeringsagent moeten worden. 'Goed dan,' zei hij ten slotte. 'We hebben samen al veel bereikt, het zou ons werk tot nu toe tot een lachertje maken als ik je nu niet terzijde stond.'

Glimlachend zei ze: 'Dank je, Landon,' maar ze dacht, o, Mark, mijn liefste, was jij nu maar bij me! Hier horen we, we horen samen te werken. Dit is onze toekomst. . .

Samantha ging aan de slag en zei tegen dr. Weston: 'Een paar druppels tegelijk, alstublieft. Niet te veel.'

Hij knikte ernstig. Eén ding stond vast, als deze patiënte stierf, zou het niet aan *hem* liggen.

Onder het gaslicht bestudeerde Landon Fremont Samantha's gezicht. Dit is òf ons einde, òf ons begin. Ik wou dat ik jouw moed bezat, meisje.

Ze spreidde haar vingers over Letitia's buik om de huid te spannen en bracht de scalpel omlaag.

Er waren ogenblikken dat Landon zeker wist dat de patiënte ten dode was opgeschreven – haar pols was niet waarneembaar en ze bloedde hevig – maar Samantha zette door, haar lippen samengeknepen tot een dunne streep. Ze legden voortdurend ijs in de wond, en als het gesmolten was, werden de doordrenkte doeken verwijderd waarna weer nieuw ijs werd ingebracht. Het was opmerkelijk, maar de bloedingen namen af. En Landon dacht, natuurlijk. . .

'Kijk,' zei Samantha zachtjes. 'De doorgebroken eileider waar de placenta uitkomt. Nu bind ik deze ader af. . .'

10

'We zitten behoorlijk in de nesten,' zei Landon ongelukkig.

Samantha knikte vermoeid; ze had de hele nacht niet geslapen en de bijtend koude oktoberochtend had haar niet verkwikt. Letitia leefde nog, maar meer ook niet, en even daarvoor was de advocaat van de familie Mac-Pherson bij dr. Prince gearriveerd, waarna de deur op slot was gegaan. Het zag er niet best uit. Het zag er helemaal niet goed uit. 'Het spijt me dat ik je hierin betrokken heb, Landon. Maar ik moest doorzetten, dat weet je.'

Hij knikte en keek de eetzaal van de staf rond, dankbaar dat die op het vroege uur verlaten was. 'Achteraf bezien, ja, ben ik het met je eens. Maar toch vind ik dat je iets te overhaast bent geweest. Een experimentele operatie zoals deze mag alleen onder ideale omstandigheden worden uitgevoerd.'

'Het meisje leeft. Dat is het enige dat belangrijk is.'

'En wij worden voor de rechter gedaagd.'

'We hebben niets verkeerds gedaan,' antwoordde ze rustig. 'Letitia heeft me toestemming gegeven.'

'Dat is jouw woord tegen dat van hen, en zolang dat meisje in coma ligt, maak je geen enkele kans.'

'Dr. Weston is mijn getuige.'

Landon wilde daar iets over zeggen, namelijk dat Weston zo bang voor Prince was dat ze op hem maar niet moest rekenen; maar hij zweeg.

De deur die het verst van hen af was ging op een kiertje open en dr. Weston keek om de hoek. Toen hij zag dat er verder niemand aanwezig was, kwam hij helemaal binnen en ging bij hen aan tafel zitten. Hij legde zijn opgevouwen krant opzij, wreef over zijn stoppelige kin en zei: 'Nu zullen we ervan lusten! Wat gaan ze volgens u met ons doen?'

'U hoeft zich nergens zorgen over te maken,' antwoordde Landon. 'U heeft alleen bevelen opgevolgd.'

Dr. Westons gezicht lichtte even op, maar betrok toen weer. Daar maakte hij zich eigenlijk niet zoveel zorgen over. Als Letitia MacPherson weer bijkwam, zou ze de naam noemen van de man die verantwoordelijk was voor haar zwangerschap, en dr. Weston geloofde dat zijn charmes de enige waren waaraan Letitia zich had overgegeven.

'Hoe gaat het met haar?' vroeg hij.

'Nog steeds in coma.'

'Maar ze leeft, god zij dank.' Hij keek Samantha hoopvol aan. 'Ze zullen toch geen proces beginnen als ze van Letitia zelf hebben gehoord dat ze toestemming heeft gegeven.'

Samantha's innerlijke spanning sloeg op haar handen over; verstrooid plukte ze aan het randje van dr. Westons krant en dacht, ik betwijfel of de zaak zo eenvoudig ligt. Samantha wist iets, wat haar twee metgezellen niet wisten, dat deze zaak veel dieper ging. De oorzaak van Janelle MacPhersons boosheid lag niet zozeer op het vlak van leven en dood, hoe belangrijk ook, of op het gebied van juridische haarkloverij, hoe verheven ook, maar de oorzaak lag in een eeuwenoud conflict: twee vrouwen dongen naar de liefde van één man.

De secretaris van dr. Prince verscheen in de deuropening; dr. Weston moest komen. Toen hij weg was, probeerde Samantha Landon ervan te overtuigen dat hij geen risico liep, want ze was van plan Janelles beschuldiging grotendeels op zich te nemen. Maar toen dr. Weston een paar minuten later terugkwam, verried Samantha hoe nerveus ze eigenlijk was. Haar kopje belandde kletterend op het schoteltje. 'Dat is snel. Ze hadden je zeker niet veel te vragen?'

'Ze hebben me helemaal niets gevraagd. Ze zijn weg. Het was heel eigenaardig. Juffrouw MacPherson was er, die kwakzalver, twee dure advocaten en dr. Prince. Ik was net gaan zitten toen juffrouw MacPherson ineens een kreet slaakte en op de vloer in elkaar zakte. Ze hebben haar op de bank gelegd en toen ze bijkwam beweerde ze dat ze niet verder kon gaan; ze wilde per se naar huis gebracht worden.'
'Wat was de oorzaak?'
'Voor zover ik het kan beoordelen, had ze net even de krant ingekeken die op het bureau van dr. Prince lag. Toen slaakte ze die kreet.'
Landon pakte dr. Westons opgevouwen krant, sloeg hem open en riep uit: 'Goeie god!'
'Wat is er?'
'Er is een schip vergaan!' Hij streek de krant glad zodat de anderen het goed konden zien; de sensationele kop sprong eruit.
Samantha's hart stond stil.
'Lijnschip in volle zee vergaan,' las Weston hardop voor. 'Het is de *Excalibur!*' Hij keek het artikel snel door en mompelde: 'Op een ijsberg gelopen... met man en muis vergaan... geen overlevenden...' Hij hief met een ruk zijn hoofd op. 'De *Excalibur!* Zat Mark Rawlins niet...'
De kamer begon rond te draaien. Gedempte stemmen drongen nog maar nauwelijks tot haar door. Samantha greep de tafelrand beet; ze voelde de koude, meedogenloze golven van de Atlantische Oceaan over zich heen spoelen. De *Excalibur* was vergaan, Mark was verdronken, het flitste door haar heen in de tijd die nodig is om in te ademen...
Ze voelde armen om haar schouders en vervolgens snoof ze de scherpe lucht van ammonia op. Haar hoofd werd weer helder en ze zag weer scherp. Ze zat nog aan de tafel, en Landon knielde naast haar neer, en hield een flesje reukzout bij haar gezicht. 'Zo, meisje,' zei hij zachtjes, 'laat ons nu niet in de steek.'
Ze keek met knipperende ogen naar de twee gezichten die haar aandachtig bestudeerden en mompelde: 'Hij heeft de boot gemist, hij leeft nog...'
'Kom mee, kindje,' zei Landon en hielp haar overeind. 'Je hebt rust nodig. Je hebt de afgelopen twaalf uur onder enorme spanning gestaan. Ik breng je wel even naar je kamer.'

Aarzelend klampte Letitia MacPherson zich aan het leven vast. Alle moderne snufjes van de geneeskunst waren door een dappere dokter op haar toegepast, nu was het aan het meisje zelf. Samantha bleef bijna vierentwintig uur per dag aan haar bed, zonder dat haar starre grijze ogen zich van het slapende gezichtje afwendden. Ze at alleen wanneer Mildred iets op een blad bij haar bracht en haar dwong te eten. Iedereen nam aan dat Samantha's stilzwijgen werd veroorzaakt door het juridische zwaard van Damocles dat haar boven het hoofd hing. Er werd nog niets ondernomen, want iedereen wachtte af of het meisje het zou halen. Alleen Silas Prince had iets gedaan: hij had Samantha haar officiële ontslagbrief overhandigd. Formeel behoorde ze niet langer tot de staf van St.-Brigid's Hospital, toch bleef ze bij haar patiënte zitten en liet zich af en toe naar boven sturen om te slapen. De rest – het proces en de gedwongen verwijdering van Samantha uit haar kamer – bleef nog onzeker tot er met Letitia iets definitiefs gebeurde. De ware tragedie was niet dat Samantha werd vervolgd omdat ze iets had gedaan waarin ze geloofde, maar dat ze in eenzaamheid moest treuren om de dood van de man van wie ze hield. Voor de buitenwereld kon Samantha alleen de gebruikelijke spijtbetuigingen verwoorden die passen bij de dood van een collega. Innerlijk had ze zo'n verdriet dat ze het gevoel had dat ook zij in het ijskoude water was verdronken. De vage hoop dat Mark de boot had gemist of dat het gebrekkige bericht een paar overlevenden over het hoofd had gezien, werd met de dag minder. Diep in haar hart wist ze dat hij dood was, net zo goed als ze voelde dat een deel van haar persoonlijkheid was afgestorven.

De tragedie werd des te groter toen ze bevestigd wist wat ze alleen nog maar had vermoed: Samantha was zwanger.

En ze kon het niemand vertellen. Louisa en Luther waren met Johann naar zijn grootouders in Ohio; Landon Fremont was te zeer van streek door het proces om goed te kunnen luisteren. Twee keer had Samantha geprobeerd Clair te bezoeken, maar ze was door een butler met een onaangedaan gezicht weggestuurd. Hij zei dat de familie in de rouw was en geen bezoek ontving. Janelle daarentegen, gekleed in het zwart en gesteund door vriendinnen toen ze de bewusteloze Letitia kwam opzoeken, ontving het medeleven en de vriendelijke woorden die Samantha rechtens toekwamen. Het was niet eerlijk; ze had zich nog nooit van haar leven zo verlaten, zo eenzaam gevoeld.

Het was paradoxaal, maar Marks dood was haar redding. Als de *Excalibur* niet was vergaan, dan zou Janelle MacPherson het proces hebben doorgezet, ongeacht het feit of Letitia herstelde of niet, en ze zou hebben gewonnen (want Letitia, zo bleek, kon zich niet herinneren dat ze Samantha had gevraagd haar te opereren). Maar Marks dood hield haar aanval op Samantha lang genoeg op om Letitia tijd te geven voorspoedig te herstellen, zodat ze buiten levensgevaar was.

Het was een wonder zei iedereen: de staf van St.-Brigid's Hospital zwaaide Samantha openlijk lof toe voor wat ze had gedaan. De kwestie van het proces verdween in de doofpot en het meisje ging naar huis om verder te herstellen. Tussen Samantha en de MacPhersons werd geen woord meer gewisseld. Het was alsof ze niet meer bestond en alsof het voorval nooit had plaats gehad.

Alleen Silas Prince bleef haatdragend.

Op de dag dat Letitia uit het ziekenhuis werd ontslagen, ontving Samantha een schriftelijke mededeling van de stafchef dat ze haar plaats weer kon innemen als ze hem in het openbaar haar verontschuldigingen aanbood voor het schandaal dat ze had veroorzaakt.

Haar impuls was de klop op de deur te negeren. Alles was gepakt, en ze wilde zo snel mogelijk vertrekken.

Het was pijnlijk geweest, maar Samantha had haar trots opzij gezet en was naar dr. Prince gegaan om haar verontschuldigingen aan te bieden, ter wille van het getuigschrift. Ze had echter te horen gekregen dat ze haar plaats slechts op zekere voorwaarden kon innemen. Silas Prince, een man die genoot van zijn overwinning (en die een domper op Samantha's succes wilde zetten), had haar meegedeeld dat haar assistentschap was verlengd. Ze was nog niet geschikt, had hij op hoogdravende toon gezegd, om de verantwoordelijkheden van een volledig bevoegd chirurg op te nemen. Loyaliteit en gehoorzaamheid bleven moeilijke punten. Ze kon haar getuigschrift over een halfjaar krijgen.

Landon Fremont, die niets bezwaarlijks in het voorstel van Prince zag, had geprobeerd Samantha over te halen ermee in te stemmen; maar vergeefs. Ze kon niet blijven, was alles wat ze had gezegd, ze moest vertrekken, zelfs als dat betekende dat ze het fel begeerde getuigschrift niet kreeg. En nu stond ze tussen haar koffers te wachten op het rijtuig dat ze had besteld. Er werd opnieuw op de deur geklopt, en Samantha ging opendoen. Janelle MacPherson stond in de gang.

Ze keken elkaar over de drempel heen aan en geluidloos werd er van alles tussen hen gezegd. Samantha deed een stap achteruit, hield de deur open, en Janelle liep naar binnen. Toen ze de koffers zag, vroeg ze: 'Gaat u weg?'

'Ja.'

'Waarom?'

Samantha werd heen en weer geslingerd. Janelle leek nu niet meer dan een vroegere vijand, ze behoorde tot een strijd die niet langer woedde; waar ze om hadden gevochten, bestond niet meer, nu was ze gewoonweg een andere vrouw. Toch bleef Samantha op haar hoede. De wonden zaten te diep. Ze kon Janelle niet vertellen wat Prince had besloten en dat ze zijn voorstel niet kon aannemen omdat ze in verwachting was. Daarom zei ze eenvoudig: 'Ik wil gewoon weg.'

Janelle stak haar hand in haar reticule en haalde er een stukje papier uit, dat ze aan Samantha gaf. 'Ik vond dat u dit moest zien. Het is een telegram van de scheepvaartmaatschappij, waarin wordt bevestigd dat Marks naam op de passagierslijst stond en dat hij op zee is gestorven.'

Samantha probeerde het te ontcijferen, maar de woorden werden onleesbaar door een waas van tranen. Ze hief haar hoofd op. 'Waarom brengt u me dit?'

'Voor het geval u de ijdele hoop koesterde dat hij nog in leven was. Ik heb ook die hoop gekoesterd.' Janelles stem begaf het.

Samantha gaf haar het telegram terug. 'Dank u.'

'Ik weet dat u van hem hield, dr. Hargrave. We hebben allebei van hem gehouden. En ik vermoed dat er tussen u en Mark meer dan alleen een beroepsmatige verhouding was. Ik ben zelfs bang geweest dat hij verliefd op u werd... en mijn jaloezie maakte dat ik u haatte.'

Samantha keek haar met omfloerste ogen aan.

Janelle stak met een trots gebaar haar kin in de lucht. 'Ik geloof dat ik geen kans meer maakte toen u er eenmaal was. U gaf hem iets dat ik niet had. U deelde dit alles samen...' Ze maakte een armgebaar dat het hele ziekenhuis en de geneeskunst moest omvatten. 'Ik ben bang, dr. Hargrave, dat ik u mijn verontschuldigingen moet aanbieden. Dat is de tweede reden dat ik ben gekomen. U hebt Letitia's leven gered. Nu begrijp ik alles. Ze heeft me verteld over haar... over haar indiscrete gedrag. U hebt haar het leven gered, en daar ben ik u dankbaar voor, dr. Hargrave.'

Janelle tastte weer in haar tas en haalde een klein pakje te voorschijn, dat ze Samantha in de hand drukte. 'Letitia heeft me gevraagd of ik u dit wilde geven. Het betekende veel voor haar. Het is de beste manier voor haar om u te bedanken.'

Samantha keek naar het pakje in haar hand. Een hard voorwerp was in vloeipapier gewikkeld en toen ze het papier openvouwde, vond ze een blauwgroene steen, ter grootte van een zilveren dollar.

'Letitia heeft hem jaren geleden van zigeuners in een circus gekocht. Ze vertelden haar dat hij honderden jaren oud was en dat hij de eigenaar veel geluk zou brengen. Er is een bijgeloof aan turkoois verbonden. Kennelijk kan de steen van kleur veranderen. De legende luidt dat als de steen bleker van tint wordt, men hem moet doorgeven aan iemand anders, omdat de eigenaar er geluk aan heeft ontleend. Letitia had hem in haar tas op die avond dat u haar hebt geopereerd.'

De steen was hoogglanzend gepolijst turkoois, de kleur van een lijstereitje, met in het midden een paar eigenaardige aders. De steen was gevat in gelig metaal, alsof hij ooit aan een ketting had gehangen.

Janelle vervolgde: 'Letitia beweert dat de steen nu bleek van kleur is. Ik zelf zie het niet, maar mijn zuster is erg bijgelovig...'

Samantha omklemde de steen, zodat het vloeipapier ritselde. 'Wilt u haar alstublieft bedanken. Ik zal hem goed bewaren.'

Janelle keek naar de koffers. 'Waar gaat u heen?'

'Ik ga gewoon... weg. Naar Californië. En een nieuw leven. Hier rest me niets dan pijnlijke herinneringen. In het verre Westen is nog hoop op een nieuw begin.'

'Kan ik u ergens mee helpen?'

Samantha dacht even na en antwoordde toen: 'Ja, graag.' Ze pakte een envelop die op haar nachtkastje lag; hij was verzegeld en geadresseerd, maar lag nog op een postzegel te wachten. 'Wilt u deze brief alstublieft aan mevrouw Rawlins geven? Ik ben bang dat ze hem misschien niet krijgt als ik hem per post verstuur. Ik heb geprobeerd haar te bezoeken, maar ze ontvangt niemand.'

'Mevrouw Rawlins is weer teruggegaan naar Boston. Marks dood heeft haar dieper geschokt dan verwacht. Ze is ziek geworden en moet het bed houden. Ik zal haar uw brief zeker overhandigen, dokter, en als er nog iets is dat ik kan doen...'

'Dat u bent gekomen is al voldoende.'

Ze omhelsden elkaar even en op dat ogenblik voelde Samantha een verbondenheid met deze vrouw die eens haar tegenstandster was geweest. Ze omhelsden elkaar uit een diepe sympathie, want ieder vermoedde hoe veel verdriet de ander had. En het schoot door Samantha heen hoe ironisch het was dat de lang verwachte troostrijke omhelzing kwam van haar oude tegenstandster.

Nadat Janelle weg was, trok Samantha haar handschoenen aan en keek voor de laatste keer de kamer rond. Ze wist niet wat haar in Californië te wachten stond, waar de weg haar zou heenvoeren, want ze had die verre kust uitgekozen juist omdat hij zo ver weg lag. Samantha wist alleen dat ze moest gaan, ze moest een plek vinden waar haar wonden konden genezen. En een plek waar het kleine leven binnen in haar, Marks kind, geboren kon worden.

We zullen samen een nieuw leven beginnen en een deel van Mark zal altijd bij me zijn...

Deel vier

SAN FRANCISCO

1886

1

Samantha gooide een penny in het kistje, pakte een spits toelopende kaars, hield de lont in het vlammetje van een andere kaars en zette hem stevig op een leeg pinnetje. Daarna steunde ze met haar ellebogen op de bidbank en keek, met de handen onder haar kin gevouwen, op naar de verheven Heilige Maria. Hoewel ze niet katholiek was, had ze al heel lang geleden de vredigheid en rust van de Missie ontdekt. Twee jaar daarvoor hadden vriendelijke priesters haar getroost toen haar dochtertje Clair tijdens een difterie-epidemie was gestorven. Vandaag was het Clairs verjaardag; ze zou drie jaar zijn geworden.

Tranen schoten Samantha in de ogen toen ze opkeek naar het lieve gezicht van de Madonna. De vlammetjes van de vele kaarsen onder aan het beeld vielen uiteen tot vele facetten en schemerden door Samantha's tranen heen. Ze voelde zich bedroefd, ze zou altijd blijven treuren om de dood van haar kind en van Mark, maar de troostrijke sfeer in deze kapel maakte de pijn draaglijker.

Onder haar jurk voelde ze het vertrouwde gewicht van de vreemde steen die Letitia haar had gegeven. Toen Samantha hem nader had bekeken, was het een uiterst merkwaardig voorwerp gebleken.

De steen was niet volmaakt rond, was gevat in geel metaal, en achterop stond een inscriptie in een vreemde taal. Bovendien was hij voorzien van een datum, die niet meer viel te ontcijferen omdat de inscriptie was afgesleten, en ook nog van een paar onherkenbare symbolen. Als je vanuit een bepaalde hoek naar de roestkleurige aderen in de steen keek, was het alsof je een vrouwengestalte met uitgestrekte armen zag; van een andere hoek waren het net twee slangen die om een boom heen kronkelden. Toen Samantha het zich kon veroorloven, was ze naar een juwelier gegaan om een ketting voor de steen te laten maken. De man had gezegd dat hij heel oud en betrekkelijk waardevol was (hij vermoedde dat hij uit de buurt van de Sinaï kwam). Ook had de juwelier iets gezegd over de diepe kleur, een levendige tint blauw.

Het was voor Samantha de enige tastbare band met het verleden en als ze alleen was, haalde ze hem vaak te voorschijn en streelde over het gladde oppervlak wat een eigenaardige rustgevende uitwerking had.

Toen ze pas in San Francisco was aangekomen, had Samantha zich vreselijk eenzaam en verlaten gevoeld, en ze had gemerkt dat een uurtje rustig nadenken en terugkijken op het verleden iets troostrijks had, en het verdriet draaglijker maakte. Haar vingers streken zachtjes over de gepolijste steen. Het was alsof de nog aanwezige energie van de honderden handen die door de eeuwen heen over de steen hadden gewreven, haar een bijzonder heldere kijk op de zaken gaf, en Samantha beleefde dan opnieuw levendig en realistisch herinneringen uit het verleden.

Ze sloot haar ogen en was weer terug in de Crescent, onder de broederlijke bescherming van Freddy en zijn stem klonk haar in de oren alsof hij bij haar in de kamer zat ('Als die ouwe viezerik je ook maar met een vinger aanraakt, sla ik hem de hersens in!'). Vervolgens dwaalden haar gedachten naar andere gelukkige momenten: haar eerste dagen als Joshua's assistente, de idyllische maanden op de medische academie, Louisa's bevalling, de nachten in Marks armen . . .

Ze nam dan afstand en overzag haar leven alsof ze een geoloog was, en nu, na al die jaren, zag ze in dat, hoewel haar leven tot op dat moment opmerkelijk bevredigend was geweest, één ding schitterde door afwezigheid. Hoewel ze er vroeger nooit over had nagedacht, was ze er nu bijna iedere dag mee bezig: *Ik sta absoluut alleen op de wereld. Ik heb misschien vrienden, kennissen, of zelfs minnaars, maar ik heb geen enkele echte bloedverwantschap met iemand.*

Samantha wist wel dat de aard van haar beroep deze gedachten opriep: iedere dag had ze op de een of andere manier wel te maken met het gezinsleven – met geboorten, moeders en baby's, met zuigelingen en nakomelingen, met *familie*. En elke dag werd ze met haar neus op het feit gedrukt dat ze niemand op de wereld kon aanwijzen van wie ze kon zeggen: Wij zijn van dezelfde komaf. De Hargraves waren nu allemaal verdwenen (zelfs de kleine Claire) en Samantha wist niets van haar moeders familie. In de jaren dat ze opgroeide in het sombere huis aan de Crescent had ze nooit een oom zus-of-zo horen noemen; geen bemoeizuchtige tante, oma of opa was ooit de drempel overgekomen. Het was alsof Samantha Hargrave uit het niets was komen opduiken. *Ik sta helemaal alleen.*

Een beweging naast haar deed Samantha neerkijken op het kind dat neerknielde, haar handjes vouwend net als zij en haar gezichtje opheffend naar de Heilige Maagd. Samantha glimlachte vertederd en bedroefd. *Nee, toch niet helemaal alleen.* De Here neemt en de Here geeft, dacht Samantha, en haar hart ging uit naar het meisje aan haar zij.

Het was vandaag precies een jaar geleden – Samantha kwam terug van haar jaarlijkse bezoek aan de Missie – toen haar hulp werd ingeroepen voor een vrouw in een van de huurwoningen achter de opera. Samantha had zich de trappen op gehaast en had nog net gezien hoe een oude, Ierse vroedvrouw een levenloze baby uit een stervende moeder trok. Ze legde hem op kranten en de ratten schoten onder de planken vloer vandaan om de placenta weg te slepen. In een hoek van de kamer stond een mager meisje, met ogen die te groot voor haar gezichtje waren. Ze keek zonder iets te zeggen naar het ellendige tafereel en zoog op alle vier de vingers van haar ene hand. De arme vrouw stierf en de oude vroedvrouw klaagde dat ze het achterlijke kind in huis zou moeten nemen; er was geen vader of familie die voor haar kon zorgen.

Ondanks het feit dat het kind zwaar ondervoed en vreselijk vervuild was, had haar zigeunerachtige gezichtje iets aantrekkelijks. Iets in de manier waarop ze naar Samantha opkeek had haar moederlijke gevoelens, die met Clairs dood niet waren gestorven, gewekt. 'Ze heeft een tik van de molen, die,' had de vroedvrouw gemopperd, terwijl ze de lijkwade zat te maken.

'Ze is de enige van Megans kinderen die nog in leven is, en praten doet ze niet. Ze kijkt maar, en kijkt maar, de mensen worden er nerveus van...'

Samantha kwam er niet achter hoe oud het kind was, maar schatte haar een jaar of acht. Ze heette Jennifer. Samantha had het kind mee naar huis genomen, had haar geadopteerd en haar de naam Hargrave gegeven. *Als we dan alleen moeten zijn, dan zijn we tenminste samen* ..

De zoom van een bruine pij en leren sandalen gleden over de grond toen broeder Dominic vlak bij hen in de schaduw stilstond. Hij glimlachte mild toen hij de twee bij het altaar zag zitten. Die dokteres kwam hier nu al bijna vier jaar – hij herinnerde zich nog heel goed dat ze voor het eerst was gekomen, duidelijk zwanger. Ze had een kaars aangestoken voor haar man die op zee was verdronken. Hij had al drie jaren gehoopt dat hij haar officieel tot het katholicisme zou kunnen bekeren, maar de dokter scheen een beetje bang voor een formele bevestiging. Ze kwam liever als haar ziel daar behoefte aan had. Ze eerde God op haar eigen manier. Ach, broeder Dominic drong niet aan. De uitdrukking op haar gezicht vertelde hem dat ze oprecht hield van de Heilige Maagd, en de rust die ze aan deze bezoeken ontleende maakte duidelijk dat de Maagd haar antwoord gaf.

De kleine Jennifer ging verzitten op de harde, houten knielbank en Samantha streek het kind over de dikke, zwarte krullen. Jennifer was doof en stom, zodat Samantha haar nooit de betekenis van dit ritueel had kunnen uitleggen. Maar het kind deed geduldig mee, omdat zij iets zag dat niemand anders opviel, namelijk dat het gezicht van het beeld precies leek op dat van de vrouw die naast haar knielde. De kleine Jenny wist met eigenaardige zekerheid dat Samantha hier onder andere kwam om met haar eigen moeder te praten.

'We moeten weg, Jenny,' zei Samantha zachtjes. Ze sprak altijd tegen het meisje, al kon ze dan niet horen.

Samantha vond het naar om weg te gaan; ze hield van de geur van wierook, van de zeventiende-eeuwse beelden en de gebeeldhouwde altaren uit Mexico. Maar ze wist dat er patiënten op haar zouden zitten wachten. Samantha sloot zelden haar praktijk en deed zelden iets voor zichzelf, maar deze bezoekjes had ze nodig voor haar gemoedsrust. Als ze angstig was, zich eenzaam voelde, of naar het verleden verlangde, dan ging ze hierheen en liet zich troosten. Maar meer dan een uur kon ze niet missen.

In het begin had Samantha het moeilijk gehad als dokter te midden van de arbeiders in San Francisco. De stad aan de Golden Gate kon hard zijn voor een vrouw alleen, vooral als ze nog zwanger was ook. Maar ze had een flat aan Kearny Street gehuurd en was langzaam aan haar medische praktijk begonnen. Eerst hadden de mensen wantrouwend tegenover haar gestaan, omdat het merendeel van de vrouwelijke 'artsen' in San Francisco aborteuses waren, maar langzamerhand ging haar reputatie van mond tot mond en ze kwamen naar haar toe. Vooral werkende vrouwen en een paar prostituées; sommigen betaalden, velen deden dat niet. Soms beleefde Samantha wanhopige, eenzame nachten. Toen had ze de Missie ontdekt en haar oude geestkracht was teruggekeerd. Haar praktijk groeide en financieel stond ze er beter voor. Ze kreeg haar kind helemaal alleen in haar slaapkamer boven en zag direct dat de baby Marks grote bruine ogen had. En toen de kleine Clair, nauwelijks een jaar oud, ten prooi viel aan de difterie-epidemie, had Samantha haar aan het keeltje geopereerd om haar te laten ademen, maar het was al te laat geweest. De baby werd begraven op een kerkhof op een heuvel die uitzicht bood over de oceaan, maar Samantha bezocht het grafje nooit. De kleine Clair was niet daar, ze was hier, in de liefdevolle zorgen van de Hemelse Moeder.

Via de tuin van de Missie gingen ze weg, want het was zomer en de witgekalkte muren van in de zon gedroogde steen waren een weelde van donkerrode en paarse bougainvillea; om de oude grafstenen bloeiden uitbundig de fuchsia's en de hibiscusplanten, en langs de kiezelpaden stonden poinsettia's, varens en allerlei soorten mos. Als je bij de Missie wegging, werd je nog een keer herinnerd aan Gods levensbelofte.

Terwijl Samantha in de richting van Market Street liep, met Jenny's kleine hand in de hare, voelde ze hoe haar hart opzwol in de zomerzon. Na de doorstane moeilijkheden en ellende, had ze haar vroegere optimisme en enthousiasme weer terug. Hoewel ze aanvankelijk heimwee had gehad, had Samantha nooit overwogen naar New York terug te gaan. 'Terug' gaan was geen oplossing, ze moest haar levensweg vervolgen en hopen op betere tijden. Ondanks het feit dat ze elkaar eerst regelmatig hadden geschreven, was de correspondentie met Landon Fremont verwaterd, en toen hij naar Wenen ging om daar les te geven, hoorde ze nooit meer iets van hem. In diezelfde tijd was Luther met Louisa, Johann en Gretchen, de baby, teruggegaan naar Duitsland, waar hij in München een apotheek had geopend. Uiteindelijk werden alle banden verbroken, tot ze niets meer had dat haar aan New York bond.

Samantha had er vrede mee dat dat deel van haar leven was afgesloten, een tijd zo vol strijd en pijnlijke herinneringen. Bovendien begon ze het in San Francisco prettig te vinden. Heel zelden nog keek ze terug – op bijzondere dagen, als ze op de kalender keek en dacht, vandaag is het Marks verjaardag, hij zou drieëndertig zijn geworden; of, vandaag is de dag dat de *Excalibur* zonk, ik zal met Jenny een kaars gaan opsteken. 's Avonds laat en als ze droomde, maakte Mark deel uit van haar gedachten, maar ze hield hem gescheiden van de veeleisende dagelijkse routine, want de herinnering aan hem knaagde altijd aan haar en maakte haar kwetsbaar. Samantha zou altijd van hem blijven houden en om hem blijven treuren, maar haar drukke bestaan kwam op de eerste plaats.

De julizon was warm en krachtig, de drukke, rumoerige stad inspirerend. Samantha genoot altijd van hun wandeling naar en van de Missie. Vandaag evenwel, terwijl ze met de kleine Jenny in haar kielzog haar weg zocht over het houten trottoir, voelde ze dat haar juichende stemming na het bezoek aan de Missie wat getemperd werd. Tot haar lichte schrik had ze ontdekt dat ze de laatste tijd steeds onrustiger werd.

Terwijl ze langs het nieuwe Crocker Woolworth Gebouw liepen en naar het getingel van de tram luisterden, vroeg Samantha zich peinzend af waar die rusteloosheid vandaan kwam.

Verlangde ze misschien naar een man? Ze dacht van niet. Haar dagen van hartstochtelijke liefde waren voorbij, die waren met Marks dood geëindigd. En bovendien had ze niet te klagen over gebrek aan mannelijke belangstelling. Al was ze zesentwintig en niet langer in de bloei van haar leven, toch ontving Samantha nog steeds liefdesverklaringen en huwelijksaanzoeken – soms van dankbare patiënten (ze was erachter gekomen dat een man soms dankbaarheid voor de verlichting van zijn pijn ten onrechte voor liefde hield), soms van mannen bij haar uit de buurt (meneer Finch, die apotheker was en weduwnaar, viel iedere keer dat zij binnenkwam bijna over de toonbank). Ze had ook een aanzoek gekregen van de vriendelijke wijkagent (Derry McDonough, die haar eens had verdedigd tegen de beschuldiging dat ze een abortuskliniek zou leiden). Ze waren er allemaal van overtuigd dat Samantha het onmogelijk alleen kon redden, en dat ze dus een man nodig had.

Nee, het was niet het verlangen naar een man waar Samantha rusteloos van werd. Het moest iets anders zijn, iets wat niets te maken had met haar levensonderhoud, met het scheppen van een gezellige sfeer in haar huis, of met kameraadschap of vrienden, want al die zaken bezat Samantha al. Wat kon er dan eigenlijk nog ontbreken?

In het begin had San Francisco haar verbijsterd en overweldigd. Het was alsof ze in een wildvreemd land terecht was gekomen: San Francisco was een stad die opgebouwd was uit wonderlijke kleine gemeenschappen, van de Chinezenwijk met zijn vreemde mannetjes met kegelvormige hoeden op, met hun haar in staarten en gekleed in flodderige blauwe pyjama's, tot de zich met rum volgietende, dronken matrozen aan de Barbary Coast; van de taartachtige villa's op Nob Hill tot de lager gelegen bordelen bij Portsmouth Square, waar wel vierhonderd meisjes als gekooide dieren in kleine hokjes waren gepropt. Het had Samantha veel moeite gekost om zich staande te houden. Vervolgens had ze ervoor moeten vechten om geaccepteerd en gerespecteerd te worden; toen volgde het gevecht om baby Clair in leven te houden, en later de uitdaging om een manier te vinden om tot Jennifer door te dringen. Die vier jaar waren een en al strijd geweest. Maar nu was het voorbij, ze werd geaccepteerd en ze had het goed.

Misschien, peinsde Samantha, heb ik het wel *te* goed.

Ze vervolgden hun weg langs het drukke trottoir van Kearny Street. Samantha hoopte net dat mevrouw Keller nuchter genoeg was om avondeten te koken, toen ze een eindje verderop een opstootje zag. Een prachtig rijtuig stond langs het trottoir en het groepje kinderen eromheen stond er met open mond naar te staren.

Samantha dacht, juffrouw Seagram heeft vandaag zeker een rijke bezoeker. Toen ze vier jaar daarvoor het appartement huurde, had ze tot haar genoegen opgemerkt dat haar naaste buurvrouw fotografe was. Kennelijk was het een bloeiend bedrijfje, te oordelen naar haar kleren en de kwaliteit van de ovale portretten die in de erker stonden uitgestald. Maar naarmate de tijd verstreek had Samantha gemerkt dat de klanten van juffrouw Seagram allemaal mannen waren, dat ze lang bleven (soms de hele nacht) en nooit kwam iemand de zaak uit met een foto onder zijn arm.

Toen Samantha boven aan de trap was, zag ze tot haar verbazing dat er een kamenier op haar stond te wachten. Ze kreeg te horen dat het rijtuig helemaal niet voor juffrouw Seagram was, maar dat het een mysterieuze patiënte had gebracht die medische hulp kwam inroepen.

2

Ondanks het warme zomerweer was de vrouw van top tot teen in een luxueuze wollen cape gehuld, waarvan de kap naar voren viel zodat haar gezicht eronder schuil ging. Toen ze uit het rijtuig werd geholpen en vervolgens moeizaam, alsof ze veel pijn leed, de treden van de trap beklom was het onmogelijk haar leeftijd te schatten. Eén ding was echter zeker: de geheimzinnige vrouw was zeer welgesteld.

Samantha nam haar mee naar de kleine salon naast de onderzoekkamer, waar ze vaak gesprekken met haar patiënten voerde: de vitrage en de vazen met vers geplukte bloemen stelden vaak de angstigste vrouwen op hun gemak. Deze eigenaardige vrouw nam nu plaats op een kleine, met brokaat beklede stoel; ze ging heel voorzichtig zitten en Samantha wist direct waarvoor ze was gekomen.

Ze deed de deur dicht en ging op de andere stoel zitten, terwijl de kamenier achter haar werkgeefster ging staan. Toen klonk er vanonder de capuchon een uiterst beschaafde stem en Samantha verbaasde zich dat die zo jong was: 'Bent u dr. Hargrave?'

'Inderdaad.'

Gehandschoende handen kwamen onder de cape vandaan; ze maakten het koordje los en trokken de cape van haar schouders, waardoor een schitterende, daagse japon van zachtblauw satijn met parelmoeren knoopjes zichtbaar werd. Toen de capuchon naar achteren viel onthulde hij een beeldschoon gezichtje, jong en regelmatig, maar getekend door sporen van pijn en uitputting. Vroegtijdige rimpels, donkere schaduwen onder de blauwe ogen, en een bleke kleur die niet erg flatteerde, waren een aanwijzing dat deze jonge vrouw heel ziek moest zijn.

'Dr. Hargrave, ik zit met een intiem probleem en ik ben bij verschillende doktoren geweest die zeggen dat er niets aan te doen is. Mijn kamenier heeft me over u verteld. Ze had vreselijk last van krampen, zo erg dat ze soms niet kon opstaan, en toen ik haar naar mijn eigen dokter stuurde, vertelde hij haar dat ze het zich alleen maar inbeeldde. Ze had over u gehoord, dokter, van een van mijn naaisters, en daarom is ze naar u toe gegaan. U hebt haar genezen. Ze heet Elsie Withers.'

Samantha herinnerde zich het geval wel. Een eenvoudige curettage had de klachten zo goed als weggenomen en Samantha had haar een dagelijkse dosis kamillethee voorgeschreven, plus veel lichaamsbeweging.

'Ze was zo over u te spreken dokter, en daarom...'

De vrouw had het kennelijk moeilijk, en daarom zei Samantha vriendelijk: 'Als u het goedvindt dat ik u onderzoek, kan ik u vertellen of ik al dan niet kan helpen.'

'Ja... vanzelfsprekend...'

In St.-Brigid's Hospital had Samantha veel vrouwen aan deze kwaal zien lijden, en tot Landon Fremont kwam en de geperfectioneerde Sims-techniek introduceerde, waren de arme schepsels gedoemd tot een levenslange lijdensweg. De kwaal heette vesicovaginale fistula; er ontstond een kleine doorgang tussen de blaas en de vagina, meestal door een moeilijke bevalling. Het was een van de grootste rampen die een vrouw kon overkomen. Door een kleine opening in de vaginawand kon er voortdurend urine in de vagina druppelen, wat een ondraaglijke ontsteking veroorzaakte, die niet genezen kon worden. Het duurde nooit lang of er vormden zich etterende gezwelletjes die stonken en waar een vrouw niet afkwam, hoe vaak ze zich ook waste. Het resultaat was dat de arme vrouw de straat niet meer op durfde, want haar onderkleren zouden al gauw doorweekt zijn en de lucht zou de mensen doen terugdeinzen. Een vrouw die aan een vesicovaginale fistula leed, moest uiteindelijk in bed blijven liggen, want ze kon niet eens lang op een stoel zitten zonder de zitting nat te maken, en in bed waren ook de lakens al spoedig doorweekt van de urine. Ze kreeg zweren op haar intieme lichaamsdelen, ze leed pijn en het voortdurende gelek was een onvoorstelbare kwelling. Niemand kwam bij de arme vrouw op bezoek, want het was in de ziekenkamer niet uit te houden en het meest tragische was wel dat ze wist dat ze gedoemd was haar hele leven lang zo te lijden – een ziekelijke, bedlegerige vrouw, geïsoleerd van vrienden en familie, die zichzelf met walging bekeek. Vele gevallen liepen dan ook op zelfmoord uit.

Toen Samantha zag hoever de kwaal zich bij deze jonge vrouw al had uitgebreid, kon ze wel huilen. Nadat ze weer in de salon waren gaan zitten, stelde ze vriendelijk een paar vragen. 'Wanneer is het gebeurd?'

'Met Kerstmis een jaar geleden, toen ik van mijn dochtertje beviel. Het lag aan de tang, daardoor ben ik ingescheurd.'

Samantha knikte begrijpend en liet niet merken dat ze even een felle woede voelde opkomen. Zo vele mannelijke verloskundigen kregen de neiging de tang te gebruiken om bevallingen te bespoedigen. Ze konden niet rustig afwachten en de natuur op haar beloop laten. Ze wilden maar al te graag knoeien om daarmee hun honorarium te verdienen. Deze arme vrouw was niet het enige slachtoffer van zulk onnodig ingrijpen. 'Hoe oud bent u?'

'Vierentwintig.'

'Heeft u nog meer kinderen?'

Tranen welden op in de teerblauwe ogen, haar lippen begonnen te trillen.

'Merry was mijn eerste. En ze zal ook de laatste zijn...'

'U zei dat u ook bij andere dokters bent geweest?'

'Ze zeiden dat er niets aan te doen was.' Ze boog zich voorover en zei ernstig: 'Dr. Hargrave, u hebt er geen idee van hoezeer mijn leven tot een nachtmerrie is geworden. Ik zit de hele dag op mijn kamer, want ik kan niet naar buiten. Ook kan ik niet in de andere kamers van ons huis komen, want dan bevuil ik het meubilair. Mijn man is in een andere slaapkamer gaan slapen en we hebben geen gemeenschap meer. Elsie is de enige die me gezelschap houdt. Ik weiger mijn vriendinnen op bezoek te hebben, want ik weet hoe walgelijk ik ben. Ik moet een paar keer per dag een schone rok aantrekken en hoe ik me ook baad en schoonspoel, die lucht kan ik niet wegwassen. En het schrijnt zo, dokter! Die schrijnende pijn houdt me 's nachts uit mijn slaap, tot ik denk dat ik er gek van word, of de hand aan mezelf zal slaan!'

Samantha bestudeerde het gespannen gezicht, de wanhopige blik in de ogen, en haar hele hart ging naar haar uit. 'Ik geloof dat ik u kan helpen,' antwoordde ze rustig, 'maar er is wel een operatie voor nodig.'

'Een operatie...' Het gladde voorhoofd rimpelde zich. 'Ik zou liever niet naar een ziekenhuis gaan, dokter, maar als dat de enige manier is...'

'Ik doe het hier, in mijn praktijk.'

De opluchting was bijna tastbaar. 'Kan dat heus, dokter? En wat gaat u precies doen?'

In het kort legde Samantha de gang van zaken uit zoals ze die had geleerd van dr. Fremont. Hij was bij de grote dr. Sims in de leer geweest, die de operatie had uitgevonden. Omdat de methode nog zo nieuw en revolutionair was, en omdat Sims niet erg populair was bij de conservatieve, gevestigde artsen, werden zijn denkbeelden maar langzaam aanvaard, wat verklaarde waarom de andere doktoren bij wie deze vrouw was geweest, het niet raadzaam vonden te opereren. Of ze kenden de gang van zaken niet, of ze hadden er geen ervaring mee.

'Ik kan u echter niet garanderen dat de operatie slaagt. De erosie is in een kritiek stadium. De mogelijkheid bestaat zelfs dat ik de zaak verslechter.'

'Dat risico neem ik dan maar, dokter. Hoe gauw kunt u het doen?'

'Omdat er ether bij nodig is en omdat de hechtingen zo teer zijn, moet u hier blijven tot u hersteld bent. Tien dagen, zou ik zeggen. Kan dat?'

'Ik zeg wel tegen mijn man dat ik naar mijn zuster in Sacramento moet.' Toen ze Samantha's verbaasde gezicht zag, sloeg de jonge vrouw haar ogen neer. 'Dr. Hargrave, ik moet u iets bekennen. Mijn man weet niet dat ik hier ben. En als hij erachter komt, dan wordt hij razend. Hij vindt vrouwelijke artsen kwakzalvers en hij denkt dat u me afslacht.'

'En wat denkt u?'

Ze sloeg de ogen weer op en keek Samantha vast aan. 'Ik geloof dat u me kunt helpen.'

'Als u er klaar voor bent, kunt u terugkomen. En neemt u Elsie alstublieft mee. Mijn dochter Jenny helpt ook.'

Ze heette Hilary Gant en voordat Elsie het kapje voor de ether op haar gezicht zette, waren haar laatste woorden tegen Samantha: 'Als er iets met mij mocht gebeuren, weet mijn kamenier wat er moet gebeuren. Uw naam zal niet worden genoemd, dokter, u zal geen enkele blaam treffen, dat beloof ik u.'

Samantha glimlachte en hield mevrouw Gant bij de schouder tot ze sliep. Maak je over mij maar geen zorgen, dacht ze, terwijl ze Elsie en de ether in de gaten hield. Ik heb wel heftiger stormen doorstaan. Laten we ons met u bezighouden en u weer beter maken. 'Een paar druppels maar, Elsie. Hou nu maar op en let op haar oogleden. Als die beginnen te knipperen, moet je weer een paar druppels geven.'

Elsie zag bleek en beefde, maar Samantha's kalmte gaf haar zelfvertrouwen. Ze glimlachte dapper en hield de fles bij Hilary's gezicht; haar mevrouw zou geen seconde pijn lijden.

Jennifer hield gehoorzaam de vaginale klemmen vast terwijl Samantha aan het werk ging. Het doofstomme meisje was eraan gewend bij de praktijk te helpen. Als haar een keer iets was voorgedaan, vergat ze het nooit meer. Jenny verrichtte alle haar opgedragen taken zonder vragen, zonder nieuwsgierigheid, maar werkte ijverig en toegewijd, net als nu. Ze bleef staan tot haar benen pijn deden en haar vingers om de klemmen verkrampten. Haar grote ogen keken toe terwijl Samantha's handen vaardig en snel hun werk deden.

Samantha ging zorgvuldig te werk, en zorgde ervoor dat de randen van de wond netjes tegen elkaar pasten en dat de zilveren hechtingen als ze waren aangetrokken het tere weefsel niet beschadigden. Ten slotte bracht ze een nieuwe catheter in en ging zuchtend achteruit zitten. Ze zei: 'We hebben alles gedaan wat we hier kunnen doen, dames. Nu is ze in Gods hand.'

Zij en Elsie droegen de bewusteloze vrouw naar de slaapkamer beneden en legden haar voorzichtig op de schone lakens. Het was een gezellige kamer, die was ingericht met aandacht voor het herstel van de geest zowel als van het lichaam: verse bloemen, mooie schilderijen en een kleurige sprei waren net zo belangrijk voor de genezing, vond Samantha, als kommetjes, verband en een stethoscoop. De eerste twee nachten sliep Samantha op een vouwbed dat ze naar beneden hadden gebracht; daarna sliep Elsie er. Ze moest voortdurend opletten, want de hechtingen waren teer en raakten gemakkelijk los.

Hilary Gant lag negen dagen in Samantha's logeerkamer en was een gemakkelijke patiënte die nooit klaagde. Elsie voerde, waste en verzorgde haar, en zwijgend liet Hilary zich drie maal per dag door Samantha onderzoeken. Dokter en patiënte hadden niet veel contact; de paar minuten die ze in elkaars gezelschap doorbrachten waren ingetogen en zakelijk. Intussen ontving Samantha haar patiënten in de praktijk en ging op huisbezoek. Na negen dagen verwijderde Samantha de zilveren hechtingen; op de tiende dag verklaarde ze Hilary Gant genezen en stuurde haar naar huis.

Een week later arriveerde het briefje, geschreven op prachtig postpapier:

een uitnodiging om te komen thee drinken. Het adres was California Street, Nob Hill.

3

Tijdens een van haar wandelingen door de stad had Samantha de villa van-af de straat wel zien liggen; ze was blijven stilstaan om te kijken naar het hoekige paleis dat uit de groene gazons opzees. Ze had zich afgevraagd wat voor mensen er woonden. Maar nu ze in het rijtuig van de heer en mevrouw Gant door het smeedijzeren hek reed, zag Samantha de hoge gevel, de to-rentjes en de opvallende versieringen om de vele ramen en daklijsten van dichtbij en ze kreeg het gevoel dat ze bij de koningin op bezoek ging.

In zekere zin was dat ook zo. De Gants in California Street behoorden tot de oudste en rijkste families in San Francisco.

Een Chinese bediende ging haar voor door een gang met gebrandschilderde ramen, spiegels met een vergulde rand, donker tropisch hout, oosterse ta-pijten, varens en beelden. Toen gleden de deuren van de salon open en onthulden een tafereel van een ongelooflijke rijkdom en weelde.

Vier ruime erkers, met ruitjes zó helder alsof ze er niet waren, lieten de middagzon binnen die de kamer tot in alle hoeken bescheen. Het licht viel op de kristallen kroonluchter, de gepolijste tafels met ingelegd blad, zilve-ren en gouden voorwerpen, geglazuurd Chinees aardewerk, rode velours gordijnen, goudkleurige bekleding en boeketten rozen en lelies. Het was een toonbeeld van overdadigheid en snobisme, de inrichting van mensen die het niet kon schelen hóe ze hun rijkdom tentoonspreidden, àls ze het maar deden.

Te midden van dit alles, als een koningin in haar troonkamer, stond Hilary Gant elegant op, waarbij wel twintig meter zijde zachtjes ritselde. Even herkende Samantha haar niet. Tijdens haar tiendaagse verblijf bij Saman-tha thuis had mevrouw Gant op geen enkele manier laten merken wat haar sociale en financiële status was. Toen ze kwam was ze eenvoudig gekleed en in bed had ze een simpele nachtjapon gedragen. Maar hier, omringd door vorstelijke pracht, was Hilary Gant van een oogverblindende schoonheid, met haar diep-roodbruine haar hoog opgestoken met diamanten spelden, haar kaneelkleurige zijden japon die glansde in het zomerse zonlicht, en met diamanten oorbellen en ringen die glinsterden als sterren. Ze zweefde met uitgestrekte handen op Samantha toe; ze bleef voor haar staan en glimlach-te zwijgend, met omfloerste ogen. Toen Samantha haar beide handen drukte, fluisterde Hilary: 'Dr. Hargrave...'

Ze keken elkaar aan – ze hadden twee willekeurige vrouwen kunnen zijn, waar dan ook, midden in een waslokaal of op de wei rond een boerderij, want verschil was er niet tussen hen. Ze waren verenigd door een wederzijd-se achting die dwars door alle sociale rangen en standen heen ging. De on-uitgesproken dankbaarheid in Hilary's blauwe ogen herinnerden Samantha

eraan dat dit was waarvoor ze leefde: ze kon zich niets beters wensen.
'Ik ben zó blij dat u kon komen,' zei Hilary zachtjes.
'De eer en het genoegen zijn aan mijn kant, mevrouw Gant.'
De saffierblauwe ogen bleven Samantha aankijken, welsprekender dan
woorden ooit konden zijn, en door haar handschoenen heen voelde Samantha Hilary's warme, stevige greep. 'U hebt zo veel voor me gedaan, dr. Hargrave, ik zou voor u op de knieën moeten.'
'U brengt me in verlegenheid, mevrouw Gant.'
Hilary permitteerde zich nog eenmaal een kneepje in Samantha's
handen,en deed toen een stapje achteruit. 'Gaat u alstublieft zitten, dokter, dan kunnen we samen thee drinken.'
'Ik kan helaas niet lang blijven, mevrouw Gant. Ik heb mijn dochtertje toevertrouwd aan mijn buurvrouw, en als juffrouw Seagram plotseling een
klant krijgt, moet Jenny naar buiten.'
De thee werd geserveerd uit een zilveren samovar die zo glanzend was gepoetst dat de hele kamer er in het klein in werd weerspiegeld. Samantha
ging op een antiek biedermeierstoeltje zitten en pakte het kopje van sèvres
porselein aan.
'Uw dochtertje,' zei mevrouw Gant verwonderd. 'Dan was u vast heel jong
toen u haar kreeg, dokter!'
Samantha begon te lachen. 'Wat een compliment! Ik verzeker u dat ik oud
genoeg ben om een dochter van negen te kunnen hebben. Maar ik heb haar
geadopteerd, ze is nu een jaar bij me. Ik heb eens zelf een dochtertje gehad, maar zij is tijdens die difterie-epidemie gestorven...'
'O, wat vreselijk. Ik begrijp hoe u zich moet voelen. Mijn eigen kleine Merry Christmas is me het dierbaarste op de wereld. Ik zou niet weten wat...'
Ze zweeg en keek naar de thee in haar kopje, zodat heel even het enige geluid in de kamer de tikkende klok was, terwijl beide vrouwen vluchtig
peinsden over baby's, het leven en de dood. Toen zorgde Hilary, de uitstekende gastvrouw, voor een vrolijker noot in het gesprek. 'Ik ben zo blij u
weer te zien, dr. Hargrave, dat ik helemaal vergeet waarvoor ik u heb uitgenodigd.' Ze pakte een envelop waarop in reliëf een helmteken stond en
overhandigde hem aan Samantha. Samantha zette haar kopje neer, nam de
envelop aan en maakte hem open. Er zat een cheque voor duizend dollar
in.
Stomverbaasd keek ze naar het stukje papier. Haar honorarium voor de operatie was vijftig dollar geweest. In de fractie van een seconde die nodig is
om met de ogen te knipperen, overwoog Samantha de cheque te weigeren,
maar toch dacht ze aan het lesgeld dat nodig zou zijn als Jenny volgend jaar
naar de dovenschool in Berkely zou gaan. Samantha zei zachtjes: 'Dank u,
mevrouw Gant,' en stopte de envelop zorgvuldig weg in haar tas.
'Het is niet genoeg, dokter. Als ik u een miljoen kon geven, zou ik het
doen, en dan nog zou het niet voldoende zijn. U hebt mij het leven gered.
En u hebt mijn huwelijk gered.' De blauwe ogen glinsterden. 'Meneer
Gant slaapt weer bij mij op de kamer...'

Samantha wendde haar blik naar de erkers en keek naar het adembenemend mooie uitzicht over de weidse baai van San Francisco. Over de spitse daken zag ze een uitgestrekte blauwe watervlakte, piepkleine bootjes met een wit schuimspoor, en aan de andere kant olijfgroene heuvels die zich uitstrekten tot de blauwe hemel. Wij denken altijd maar dat die goden en godinnen in hun paleizen daar boven op de heuvel nooit zorgen hebben, maar het zijn per slot van rekening ook mensen, en ze krijgen dezelfde kwaaltjes te dragen als de nederigste vrouwen...

De schuifdeuren gingen open en een keurig kindermeisje in een brandschoon uniform bracht een peutertje met een bos rood krulhaar binnen. Samantha voelde een steek door haar hart gaan: de kleine Merry Christmas was niet veel ouder dan Clair toen ze stierf.

Hilary stond op en nam het engeltje in haar armen, babbelde wat kleutertaal tegen haar, terwijl Samantha glimlachend terugdacht aan de dag, een jaar geleden, dat ze de doofstomme Jenny mee naar huis had genomen. Vanaf het begin was ze een wonder geweest. Toen ze eenmaal in bad was geweest, was de aangeboren schoonheid van het kind als een lentemaan opgekomen. Haar haar lag als een pluizig kapje lamswol om haar hoofd, haar huid was mooi van teint en gaaf, en haar gezichtje had bijzondere trekken. Samantha stond versteld van haar gedweeë aard; ook intrigeerde het haar, want als regel groeiden achterbuurtkinderen ongezeglijk op. Jenny was rustig en meegaand, en ze glimlachte nooit.

Met Kerstmis had het meisje niet geweten wat ze moest beginnen met de pop die Samantha haar had gegeven, en in april had ze het chocolade paasei zonder enige reactie in ontvangst genomen. Op een dag had Samantha Jenny meegenomen naar de zee; ze gingen met de paardentram helemaal naar Seal Point en keken toe hoe de golven op de rotsen onder Cliff House kapot sloegen. Het had Jenny niets gedaan. Maar haar ogen hadden alles nauwlettend en nieuwsgierig opgenomen: de meeuwen, de zeehonden en de bruisende branding. Toen Samantha haar bij de hand pakte om haar mee naar huis te nemen, had Jenny zich gedwee omgedraaid en was zonder nog een keer om te kijken meegelopen naar de paardentram.

Het was een vreemd, in zichzelf gekeerd kind, beschermd door een barrière van zwijgzaamheid; ze was goed van vertrouwen en volgzaam, maar oplettend, altijd oplettend. Daar ze vermoedde dat ze intelligent en niet achterlijk was, had Samantha geprobeerd Jenny het abc en wat eenvoudige sommetjes te leren, maar het was haar niet gelukt. Ook had ze de weg naar het hart van het kind niet kunnen vinden. Jenny was als een schone lei die wachtte tot hij werd beschreven.

Merry Christmas begon te huilen en Samantha schrok op uit haar overpeinzingen. Het kindermeisje nam het kind van Hilary over, er werd druk gekust en gekird, en toen ze weg waren ging Hilary weer zitten. Ze lachte vrolijk: 'Nee maar, wat zijn kinderen toch doodvermoeiend!'

Zwijgend dronken ze even hun thee, ze voelden zich bij elkaar op hun gemak en waren tevreden, en in die stilte zag Samantha gezichten uit het verleden voor zich: Elizabeth Blackwell, Louisa, Estelle Masefield, Hannah – en ze voelde iets trillen in haar hart, zoals ze twee maal de stad San Francisco had voelen trillen. Een trilling, een schokje ging door haar hart toen ze vol liefde terugdacht aan die dierbare vriendinnen die een poosje een rol hadden gespeeld in haar leven, waarna ze weer afscheid hadden moeten nemen. Plotseling merkte Samantha dat ze weer vurig verlangde naar gezelschap op haar levenspad. Ze bestudeerde het vriendelijke gezicht van Hilary Gant, een vrouw die, ondanks de weelde waarin ze baadde, geen onoprechte maniertjes en snobisme kende. Een onbedorven, eerlijke jonge vrouw, die er geen behoefte aan had de wereld aan haar status te herinneren. Samantha's nieuwsgierigheid was gewekt, ze wilde alles over haar weten – op dat moment wist ze van zichzelf dat ze Hilary als vriendin zou willen hebben.

Om zich na Marks dood en na de incidenten in St.-Brigid's Hospital te beschermen, had Samantha geleerd zich afstandelijk op te stellen en zich zelden bloot te geven. Maar nu, voor het eerst in vier jaar, had ze behoefte aan contact. Haar ziel verlangde ernaar, haar hart hunkerde. En het wonder van het toeval wilde dat ze het goede moment had gekozen, want Hilary Gant, die een beetje opzag tegen deze vrouwelijke arts in haar eenvoudige jurk, wilde precies hetzelfde.

Maar omdat het moeilijk is om te zeggen: 'Wil je alsjeblieft mijn vriendin zijn,' werden de eerste stappen voorzichtig gezet. Hilary schraapte haar keel en zei: 'Ik geloof dat het afgelopen jaar nog het ergste was, dr. Hargrave, dat ik me aan neerbuigende mannelijke artsen moest overgeven, ik schaamde me dood. Ze toonden geen enkel medeleven. Zij hebben me nota bene die verwonding toegebracht, en zij hebben me in de steek gelaten.'

Ze had het zonder bitterheid gezegd, alsof ze een feit constateerde. Samantha verwonderde zich over de verdraagzaamheid van deze jonge vrouw, die lichamelijk en geestelijk zo had geleden en die toch geen wrok koesterde. 'Elsie heeft me maanden geleden over u verteld, dr. Hargrave, en ik heb al die tijd nodig gehad om het besluit te nemen naar u toe te gaan. Ik heb nog nooit eerder een vrouwelijke dokter ontmoet en de enige over wie ik hier in de stad wel eens heb gehoord, heeft een, nu ja, *twijfelachtige* reputatie. Eerlijk gezegd was ik bang voor u. Toen raakte ik geweldig in de put. Ik kon de behandeling van dr. Roberts niet meer verdragen. Hij had bloedzuigers in mijn vagina gezet en hij liet ze zo lang zitten tot ik om genade smeekte. Ik besloot toen dat ik nog liever dood zou gaan dan dat ik me ooit nog door hem liet aanraken. Elsie heeft me ten slotte overgehaald naar u toe te gaan. En u hebt wonderen verricht.'

'Het enige wonderlijke aan mij is, mevrouw Gant, dat ik een vrouw ben.'

'Dat u in staat bent te doen wat u doet, dokter, is een grote gave. Toen ik jonger was, voordat ik trouwde, wilde ik ook zoiets bereiken maar het moest een droom blijven, want in mijn omgeving stond mij maar één weg open.' Door de droeve toon van Hilary's stem werd dit een intiem moment; Samantha voelde dat ze iets bekende dat ze nog nooit aan iemand had verteld. 'Begrijpt u me goed, dokter, ik houd erg veel van mijn man en ik leid een prachtig, bevredigend leven. Maar soms, als ik naar de mist zit te kijken die over de baai komt opzetten, dan vraag ik me wel eens af...'

De schaduwen op het tapijt begonnen langer te worden. Samantha keek op de klok die op de schoorsteenmantel stond en sloeg.

Hilary ontging het gebaar niet. 'Ik houd u op, dokter.'

'Ik maak me bezorgd over mijn dochtertje. De vrouw bij wie ik haar heb achtergelaten, kon maar een uurtje oppassen, en Jenny kan niet voor zichzelf zorgen. Ik zou echt graag wat langer willen blijven. Eerlijk gezegd heb ik het idee dat ik hier úren met u zou kunnen zitten praten, mevrouw Gant!'

Hilary's ogen straalden dankbaarheid uit. 'Dat zullen we dan zeker nog eens doen. En van nu af aan zal ik al mijn vriendinnen naar u toe sturen. Ik ken iemand die vreselijk pijn lijdt omdat ze weigert zich door een mannelijke dokter te laten onderzoeken. Ik heb zo'n idee, dr. Hargrave, dat ze zich bij u wel op haar gemak zou voelen.' Hilary voegde er nog rustig aan toe: 'Net als ik.'

Ze stonden op en Hilary vroeg gespannen: 'Kunt u zondag komen dineren? Ik heb mijn man over u verteld en over wat u voor mij hebt gedaan. Hij wilde u graag ontmoeten.'

'Ik kom heel graag.'

Hilary liep met haar mee naar de voordeur, waar ze elkaar weer stevig de hand drukten, te midden van de palmen in hun potten en het donkere hout. Zwijgend en glimlachend bevestigden ze wat er was gebeurd en, nog belangrijker, wat naar hun gevoel nog ging komen.

En zo begon het. De volgende dag werd Kearny Street weer vergast op een opvallend vierspan, toen een elegante dame in wijnrood fluweel haastig de stoep naar Samantha's praktijk opliep; haar gezicht ging discreet schuil achter een voile.

Dahlia Mason was achtentwintig jaar oud en, na zeven jaar huwelijk, nog steeds kinderloos. Alle vooraanstaande artsen in San Francisco hadden een gesprek met haar gehad en haar vervolgens onvruchtbaar verklaard. Het resultaat was dat haar mans hartstocht was bekoeld en dat haar eigen zenuwen het zwaar te verduren hadden. Ze stond wat wantrouwend tegenover deze vrouwelijke dokter, bang als ze was voor kwakzalverij, maar Hilary's genezing was zo wonderbaarlijk, dat Dahlia Mason de moed bijeen had geschraapt en was gekomen.

Het eerste dat Samantha duidelijk werd, was dat geen van de artsen haar ooit had onderzocht; het tweede dat mevrouw Mason absoluut geen idee had hoe de conceptie in zijn werk ging. Nadat ze haar had onderzocht en had ontdekt dat mevrouw Mason een gekantelde baarmoeder had – een toestand waarvan de andere dokters niet op de hoogte konden zijn zonder haar te onderzoeken – tekende Samantha een eenvoudig schema en legde in voorzichtig gekozen bewoordingen uit hoe de abnormale stand van de baarmoeder bevruchting verhinderde. Haar raad was eenvoudig en gemakkelijk op te volgen: 'Na de gemeenschap moet u zeker een halfuur op uw rug blijven liggen, en u mag niet, zoals u gewend bent, spoelen. Ik kan u niet garanderen dat u nu wel zwanger wordt, want uw onvruchtbaarheid zou het resultaat kunnen zijn van andere oorzaken die ik nog niet ken. Als dit echter uw enige probleem is, dan is er geen enkele reden waarom u geen kinderen zou kunnen krijgen.'

Dahlia Mason vertrok in onzekerheid, want dr. Hargrave had haar geen pillen meegegeven, geen bitter drankje, niets waardoor ze het gevoel kreeg dat ze iets aanwijsbaars had gedaan. En het idee dat zoiets ernstigs zó eenvoudig kon worden opgelost, had Dahlia Mason er half en half van overtuigd dat het bezoek tijdverspilling was geweest. Maar de volgende keer dat ze gemeenschap met haar man had volgde ze Samantha's advies toch op, want ze ging ervanuit dat ze niets te verliezen had. Ze bleef het iedere keer doen, tot ze merkte dat ze zwanger was.

Het nieuws haalde de kranterubriek over de society en Samantha Hargrave was ongewild weer een beroemdheid geworden.

Maar het was niet het bescheiden wonder dat ze voor Dahlia Mason had verricht waardoor Samantha van de ene dag op de andere in de society van San Francisco terechtkwam. Dat werd meer veroorzaakt door haar vriendschap met Hilary Gant. Ze werden door een wederzijdse behoefte en bekoring tot elkaar aangetrokken, dat viel niet te ontkennen. De een vervulde een behoefte in het leven van de ander, zodat Samantha steeds vaker te gast was in het huis op Nob Hill, waar ze de merkwaardige aristocratie van San Francisco leerde kennen.

Daar het hen ontbrak aan aangeboren verfijning en beschaving had hun vertoon van rijkdom iets opzichtigs – ze bootsten het leven van een stand na waarover ze niets wisten. San Francisco's 'society' was *nouveau riche;* het was een enthousiaste groep met een groot aanpassingsvermogen. De mensen waren mobiel, hadden oog voor de toekomst en waren trots op hun lage komaf. Darius Gant, Hilary's man, was het beste voorbeeld: een forse, uiterlijk wat ruwe, lieve lobbes, die zijn fortuin in mijnschachten en aan de speeltafels had vergaard. Hilary's vader, een goudzoeker die op het SS *California* was gearriveerd en die een van de stichters van de aristocratie in San Francisco was, had wat zijn oudste dochter betrof hooggespannen verwachtingen. Maar toen ze verliefd werd op deze bombastische, wereldse miljonair, had de oude snob zich laten vermurwen, omdat hij, zij het node, moest toegeven dat hij bewondering had voor de ontwapenende eerlijkheid van de man. En ook Samantha mocht hem wel, vanaf het begin. Darius had financiële belangen in alle aspecten van de economische groei in Californië: wijn, sigaren, oesters, spoorwegen en, de laatste tijd, sinaasappels uit Los Angeles. Hij was een intrigerende, kleurrijke en royale man, hij steunde de kunst en liet graag zien dat hij meedeed met de nieuwste rages. Maar in zijn hart bleef Darius Gant een arme plattelandsjongen; tijdens *La Nozze di Figaro* moest hij nog steeds hardop lachen.

Samantha probeerde iedere week tijd vrij te maken om met Hilary samen te kunnen zijn, een luxe die ze niet had gekend sinds de tijd dat ze met Freddy in de Crescent rondzwierf. Ze maakte kennis met een San Francisco waarvan ze het bestaan niet had vermoed. Hilary deed al het mogelijke om het haar nieuwe vriendin naar de zin te maken: ze gingen naar Isaac Magnin en bestelden een nieuwe garderobe voor Samantha, vervolgens bezochten ze City of Paris voor de accessoires en andere dingen 'waar je niet over sprak', maar toen ze naar Gump gingen voor een porseleinen servies en naar Shreve & Company voor een vulpen, zette Samantha ten slotte een punt achter de uitspattingen. Hilary nam Samantha mee uit paardrijden in Golden Gate Park, waar ze afwisselend op een dameszadel met een zadelknop aan de linkerkant en een aan de rechterkant reden, om hun spieren gelijk te belasten, waarna Samantha kennismaakte met de nieuwe populaire sport: boogschieten, Hilary's grote hartstocht. En daar een nieuwe vriendschap vaak iets heeft van een nieuwe liefdesrelatie, brachten ze al gauw iedere maandag in elkaars gezelschap door. Het hoogtepunt van de dag was altijd een late lunch bij een keurig restaurant in Montgomery Street, waar dames alleen konden komen.

Daar, bij Chez Pierre, leerde Samantha zich tegenover haar nieuwe vriendin te uiten en haar diepste gedachten en haar beroepsmatige zorgen onder woorden te brengen.

'Jouw vriendinnen, Hilary,' zei ze, terwijl ze sandwiches met komkommer verorberden en Oolong-thee dronken, 'zeggen steeds maar weer dat ik mijn praktijk moet verplaatsen. Ze beweren dat ze niet graag in die buurt komen. Ik geloof niet dat ik het ze kwalijk kan nemen, maar als ik verhuis, hoe kunnen mijn eenvoudige patiënten dan bij me komen? Als ik dichter naar het centrum toe ga, moeten ze geld voor de tram uitgeven om bij me te komen. Nu zit ik bij hen in de buurt, dat is gemakkelijk. Ik blijf erbij dat het voor jouw vriendinnen eenvoudiger is om naar mij toe te komen, dan voor mijn arme patiënten om naar een nieuw adres te gaan.'

'Dan verhuis je toch niet,' antwoordde Hilary rustig.

'Dat is niet het enige probleem. Ik heb zo veel patiënten dat ik het niet meer aankan. Ik moet veel grote operaties afwijzen. De kleinere kan ik wel aan, maar de moeilijke gevallen moet ik naar iemand anders verwijzen omdat ik de goede papieren niet heb, en dat betreur ik.'

Hilary knikte. Ze wist precies waarom Samantha haar getuigschrift van St.-Brigid's Hospital niet had gekregen. Zij vond het maar een malle formaliteit dat een fantastisch goede chirurge de ziekenhuizen van San Francisco niet inkwam. Terwijl ze zaten te eten en te praten, rijpte bij Hilary een idee.

Samantha vervolgde: 'En de enorme onwetendheid van mijn patiënten is ontstellend! Niet alleen bij de eenvoudige vrouwen, Hilary, maar ook bij jouw vriendinnen. Je zou verbaasd staan als je wist hoeveel van je vriendinnen geloven dat een ketting van knoflookteentjes voorkomt dat ze zwanger worden! Ik ken een vrouw die gelooft dat ze geen baby krijgt als ze maar

volkomen stil blijft liggen tijdens de gemeenschap en er niet van geniet!'
Samantha nam een slokje thee maar proefde er niets van. 'Ik weet het niet
meer, Hilary. Was er maar een manier waarop ik ze voorlichting kon geven.
Maar ik heb het op het ogenblik zo vreselijk druk, dat ik ze alleen maar kan
onderzoeken en een receptje kan meegeven. Ik heb geen tijd om met iedere
vrouw afzonderlijk te gaan zitten praten, al zou ik dat graag doen.'
Hilary nam weer een hapje van haar sandwich en zei: 'Mijn lieve Samantha,
de oplossing ligt voor de hand. Het is zo glashelder, dat ik niet begrijp dat
je er zelf niet op bent gekomen.'
'En wat houdt die oplossing dan in?'
'Begin een eigen ziekenhuis.'
Samantha knipperde met haar ogen. 'Wat?'
Opgewonden nu ze iets had bedacht wat haar eigenlijk als een briljant idee
in de oren klonk, zei Hilary snel: 'Een ziekenhuis. *Voor* vrouwen, geleid
door vrouwen. Je zou alle operaties kunnen uitvoeren die je maar wilt, je
zou personeel in dienst kunnen nemen en rustig de tijd hebben om vrouwen voorlichting te geven. Het is echt doodeenvoudig, liefje. Wat gek dat
we dat niet eerder hebben bedacht!'
Samantha keek naar Hilary's glimlachende gezicht en ineens werd haar alles
duidelijk, het was alsof de wolken voor de zon verdwenen: de rusteloosheid
die ze op de terugweg van de Missie had gevoeld. Dit ontbrak aan haar leven: een nieuw begin, een nieuwe uitdaging die haar leven een doel zou
geven.
'Mijn eigen ziekenhuis!'
'Je zou je eigen regels kunnen opstellen, je kunt iedereen in dienst nemen
die je maar wilt...'
'Een opleiding voor artsen en verpleegsters, gratis inentingen en voorlichting. O Hilary, zou dat kunnen?'
'Natuurlijk kan het!'
Ze pakten elkaar stevig bij de hand. De stroom van emotie die ze beiden er-
voeren, bracht hen van hun stuk, en op dat moment wisten Samantha en
Hilary dat hun wegen voortaan samengingen; dit was hun gezamenlijke
doel, hun bestaansreden. In die fractie van een seconde kregen ze beiden
een visioen, en zonder het uit te spreken wisten ze beiden dat het plan zou
slagen, dat *zij* zouden slagen.

4

'Dat lukt u nooit, dr. Hargrave. Het hele plan is eenvoudigweg niet haal-
baar.'
Samantha keek de spreker strak aan. LeGrand Mason, Dahlia's echtgenoot
– een bankier – was een gedrongen, tonronde man, die graag met een be-
slistheid sprak waaruit moest blijken dat hij het voor het zeggen had. Maar
het was niet zozeer zijn manier van doen die Samantha verontrustte, het

was het feit dat hij herhaalde wat ze al eerder had gehoord, eerst van Darius, en vervolgens van de juridisch adviseur van de Gants, Stanton Weatherby. Deze drie financiële experts hadden ieder afzonderlijk haar voorstel bekeken, en hadden botweg beweerd dat het onhaalbaar was. Samantha stond op, liep de kamer door en ging voor het erkerraam staan. Het was al laat en de stad lag in mist gehuld. Door de nevel heen, uit zijn onzichtbare bron, klonk het trieste geloei van de misthoorn van Fort Point. Als je een minuut lang goed luisterde, kon je uit de lengte van de stoten opmaken waar de mistbank zich bevond. Samantha huiverde en wreef zich over de armen, hoewel de salon van de Gants werd verwarmd door een fel brandend haardvuur.

De kou die ze voelde kwam van binnenuit, dat wist ze heel goed. Een kou die veroorzaakt werd door de kille angst dat haar droom, die zo kort geleden was ontstaan, geen werkelijkheid zou worden.

Vanaf het moment dat het idee bij Chez Pierre was geboren, was het plan voor het ziekenhuis op moeilijkheden gestuit. Samantha en Hilary hadden de organisatie van diverse ziekenhuizen in het land bestudeerd en hadden vervolgens zelf een begroting opgesteld. Het bleek helaas dat er geen evenwicht bestond tussen debet en credit: te hoge uitgaven en te weinig inkomsten. LeGrand Mason had het idee op papier uitgewerkt en was tot de droeve conclusie gekomen dat het San Francisco Ziekenhuis voor Vrouwen en Kinderen binnen een halfjaar failliet zou zijn.

'Niemand steekt zijn geld in een verliesgevende onderneming,' klonk zijn stem achter haar. 'Als je iedere patiënt om een bijdrage vraagt, heb je alle investeerders die je nodig hebt.'

Ze draaide zich om. 'Meneer Mason, het is belachelijk te verwachten dat een liefdadigheidsziekenhuis winst maakt. De mensen die ons financieel steunen zullen geen investeerders zijn, maar donateurs.'

'Het kan gewoonweg niet. Ik geef toe dat de families Crocker en Stanford een schenking zullen doen voor de oprichting van het ziekenhuis, maar u kunt niet van hen verwachten dat ze er regelmatig geld in blijven stoppen. Het ziekenhuis kost geld als water, dokter. U moet proberen winst te maken.'

'De winst, meneer Mason, zal bestaan uit mensenlevens.'

Hij keek om steun zoekend naar Darius, die opmerkte: 'Samantha, misschien krijg je genoeg geld bij elkaar om te beginnen, maar je kunt de zaak nooit draaiende houden. En dat betekent dat je die winst aan mensenlevens ook niet zult behalen.'

'En toch kan het, Darius. Ik krijg het geld wel bij elkaar.'

'Hoe dan?'

'Hilary en ik hebben allerlei ideeën. Bazars, loterijen, inzamelingen. En uiteraard zijn we van plan de overheid om subsidie te vragen.'

'Dat is dan voldoende om de zaak één maand draaiende te houden.'

'Mooi, dan hoef ik me alleen nog maar zorgen te maken over de andere elf.'

Darius schudde zijn hoofd en staarde weer in het vuur. Hij mocht Samantha Hargrave wel, hij bewonderde haar geestkracht en optimisme (in gedachten maakte hij haar zijn mooiste compliment: ze was net een man), maar haar koppigheid irriteerde hem. Bovendien had ze zijn vrouw aangestoken. Sinds die twee vriendschap hadden gesloten was Hilary ook al een beetje eigenwijs.

Er viel een diepe stilte in het vertrek, terwijl de vijf aanwezigen in gedachten verzonken luisterden naar de verre misthoorns die de schepen in de baai waarschuwden voor de rotsen. LeGrand Mason stond bij de open haard en trommelde ongeduldig op de schoorsteenmantel. Hij was geen tegenstander van het Ziekenhuis, integendeel. Sinds dr. Hargrave op wonderbaarlijke wijze ervoor had gezorgd dat Dahlia zwanger werd, kon LeGrand niet genoeg doen om haar te helpen bij haar fantastische werk. Maar het probleem was dat Samantha het niet goed aanpakte. *Hij* was de bankier, de deskundige; ze zou naar hem moeten luisteren. Een liefdadigheidsziekenhuis, ja, ja. Bij de Stanfords en de Crockers werd de deur al plat gelopen door alle liefdadigheidsinstellingen in San Francisco – dierenasiels, tehuizen voor oude zeelieden, weeshuizen – en nu dit weer. Als hij haar er nu maar van kon overtuigen dat ze iedere patiënt iets moest laten betalen.

De derde man in het vertrek was volledig onder de bekoring van Samantha Hargrave geraakt. Stanton Weatherby, juridisch adviseur van de Gants, was een beschaafde, charmante weduwnaar van vijftig, die er vijftien jaar geleden, toen zijn vrouw stierf, van overtuigd was dat er voor hem nooit meer een vrouw zou komen. Toen hij een paar weken geleden de jonge dr. Hargrave ontmoette, had hij zijn mening moeten herzien.

'Hoe dan ook,' zei Darius, en hij kwam overeind, 'we hebben nog niet eens een bouwterrein voor het Ziekenhuis, en tot dat moment is al dit gepraat over geld pure speculatie.'

'O,' zei Hilary opgewekt, 'maar we *hebben* al een plek gevonden.'

De drie mannen keken haar aan. Ze wierp eerst een wat nerveuze blik op Samantha (ze hadden zich beiden goed voorbereid op dit ogenblik), waarna ze snel verder ging. 'Eerlijk gezegd hebben we niet alleen zomaar een bouwterrein gevonden, maar een *gebouw* dat zo geweldig geschikt is, dat je zou denken dat het voor het Ziekenhuis was neergezet. De ligging is uitstekend, vlak bij de kabeltram, midden in de stad, zodat de patiënten er gemakkelijk kunnen komen.'

'Waar is het dan?' vroeg LeGrand.

'In Kearny Street.'

De drie mannen wachtten af, toen vroeg Darius: '*Waar* precies in Kearny Street?'

'Niet ver van Portsmouth Square.'

Zijn wenkbrauwen vlogen omhoog. 'Welk gebouw is het dan?'

Ze klemde haar handen op haar schoot stevig ineen. 'Het is de Gilded Cage.'

'De Gilded...' sputterde Darius en sprong overeind. 'Goeie god, dat kun je niet menen!'

LeGrand, die dacht dat de dames hem voor de gek hielden, begon zachtjes te lachen; toen betrok zijn gezicht. Ze meenden het wel degelijk.

'Mevrouw,' bulderde Darius, 'hebt u uw verstand verloren?'

'Alsjeblieft, niet zo schreeuwen, lieveling. De Gilded Cage is een volmaakte huisvesting voor ons ziekenhuis,' zei ze rustig. 'Samantha en ik hebben het zorgvuldig bekeken. De bovenste verdieping is uitstekend geschikt als verblijf voor de verpleegsters, en er zijn etensliftjes die vanuit de keuken...'

'Mevrouw Gant!' riep hij uit. 'Wilt u daarmee zeggen dat u daar *binnen* bent geweest?'

'We waren niet alleen, Darius.'

'Met wie waren jullie er dan?'

'Met de makelaar.'

Hij sloeg met zijn vuist op de schoorsteenmantel, zodat de bronzen klok tingelde. 'Bent u stapelkrankzinnig geworden, mevrouw?'

LeGrand legde zijn hand op Darius' arm om hem tot kalmte te manen en zei kalm: 'Wacht eens even. Eens zien of ik de dames goed heb begrepen. De Gilded Cage staat te koop en u beiden, vergezeld van de makelaar, bent er een kijkje gaan nemen?'

'Inderdaad.'

'Maar, lieve dames, realiseert u zich wel...'

'Meneer Mason,' antwoordde Samantha beheerst, 'we weten wat de Gilded Cage is, maar daardoor kunnen we ons niet laten beïnvloeden. Het gebouw staat nu eenmaal te koop en het is volmaakt geschikt voor het Ziekenhuis.'

'Nee,' zei Darius.

Iedereen keek naar hem.

Hij draaide zich langzaam om. Zijn gezicht stond strak. 'Geen sprake van.'

'Maar, Darius, lieveling...'

'Het onderwerp is afgedaan, mevrouw.'

Samantha bleef doodstil zitten, wetend dat de geringste beweging zou verraden hoezeer ze zich ergerde. Zij en Hilary hadden wel voorzien dat het zo zou verlopen. Ze hadden een goed moment afgewacht om de mannen te vertellen waar het Ziekenhuis gevestigd zou kunnen worden, maar de moeilijkheid was dat er zich voor zulk nieuws eigenlijk nooit een goed moment voordeed. Zelfs Hilary had, net een week geleden, tijdens de lunch bij Chez Pierre, geschokt gereageerd toen Samantha voorstelde een beruchte hoerenkast tot ziekenhuis te verbouwen. Maar Hilary was van gedachten veranderd. De aanwezige heren waren dat kennelijk niet van plan.

Samantha raakte eraan gewend mensen geschoqueerd te zien kijken. Toen ze naar het kantoor van de makelaar waren gegaan en hem hadden verteld dat ze het gebouw wilden bekijken: stomme verbazing bij hem, zijn collega's en hun secretaris. Toen de koetsier die hen erheen had gebracht en die de dames uit het rijtuig had geholpen. Vervolgens de portier (want de Gilded Cage was nog in vol bedrijf); de mannen aan de speeltafels, de barkeepers, de pianist en ten slotte 'Choppy' Johnson, de eigenaar.

Samantha en Hilary hadden zich onder die onbeleefde blikken niet erg op hun gemak gevoeld (had iedereen gedacht dat zij misschien de nieuwe 'gastvrouwen' waren?), maar Choppy Johnson was, ondanks zijn reputatie en zijn duistere contacten, een echte heer en hij had zijn best gedaan het gesprek zakelijk te houden. De bezichtiging was niet erg degelijk geweest, want vele kamers waren in gebruik, maar Samantha had alles vanuit medisch standpunt kunnen bekijken. De kamers waar nu de meisjes gehuisvest waren, zouden uitstekend geschikt zijn voor de verpleegsters en inwonende artsen; de voorraadkamer op de bovenste verdieping, die vol roulettes, verschoten naaktschilderijen en kapotte stoelen stond, zou een prima operatiekamer kunnen worden. Op de inrichting van de Gilded Cage was bepaald niet beknibbeld, want Choppy Johnson had een open oog voor de gemakken van zijn klanten. Het gebouw was bijvoorbeeld uitgerust met de modernste sanitaire voorzieningen, gasverlichting door het hele huis, het mooiste met nikkel beslagen fornuis in de keuken, en een reservoir voor warm stromend water. Terwijl Samantha's ogen ronddwaalden, zagen ze niet de vrouwen in hun met lovertjes bezette kleren en netkousen, de mahoniehouten bar met koperbeslag, de gedrapeerde rode velours gordijnen en de mannen die haar zaten aan te gapen. In plaats daarvan zag ze rijen keurige bedden en frisse verpleegsters die karretjes medicijnen voor zich uit duwden. Het zou vrij eenvoudig zijn de zaak te verbouwen. Een legertje schoonmaaksters, gewapend met emmers en schoonmaakmiddelen...

'Hoeveel vragen ze ervoor?' vroeg LeGrand. 'Ik wist niet dat Choppy Johnson het wilde verkopen.'

'Hij wil er twintig mille voor hebben.'

LeGrands snelle, analytische brein maakte haastig een schatting. 'Dat klinkt buitensporig hoog.'

Samantha glimlachte. 'Hij verkoopt het inclusief "de zaak".'

'Uiteraard. Choppy garandeert een trouwe cliëntèle.'

'Wel verdorie!' zei Darius nijdig. 'Ik ben niet van plan in het bijzijn van dames over een dergelijke zaak te praten!'

'Doe maar net alsof het al een ziekenhuis is, lieve,' zei Hilary.

Toen haar echtgenoot haar vermanend aankeek, kreeg Hilary een kleur. Ze was buiten haar boekje gegaan en kon een preek verwachten als de gasten straks weg waren.

'Een ziekenhuis zou in een frisse, gezonde omgeving moeten liggen,' merkte LeGrand op. 'Ik had gedacht dat jullie een terrein in Richmond zouden kiezen.'

'Meneer Mason,' antwoordde Samantha, 'een ziekenhuis moet zodanig gelegen zijn dat de patiënten het gemakkelijk kunnen bereiken. Veel vrouwen die naar mijn praktijk komen, kunnen het zich niet permitteren met de tram te gaan, laat staan om voor zo'n lange reis van hun werk weg te blijven. Daarom is de Gilded Cage zo geschikt.'

'Ze heeft gelijk, Darius.'

Iedereen wendde zich naar Stanton Weatherby, die tot nu toe nog niets had gezegd. Hij glimlachte Samantha welwillend toe. 'Ik vind uw voorstel heel redelijk, dokter.'

Ze beantwoordde zijn glimlach. 'Dank u, meneer Weatherby. Wel, als u de andere heren kunt overhalen in ieder geval eens te gaan kijken...'

'Ik pieker er niet over!' zei Darius.

'Waarom verkoopt Choppy het eigenlijk?' vroeg LeGrand.

'Hij heeft ons verteld dat hij wil gaan rentenieren. Hij gaat bij zijn broer in Arizona wonen.'

'Rentenieren? Choppy Johnson is nauwelijks vijftig.'

Samantha had hetzelfde gedacht, totdat Choppy in het licht was gaan staan dat door de vensters in zijn kantoor naar binnen viel. Toen had ze gezien dat hij verschrikkelijk bleek zag, dat hij kringen onder zijn ogen en ingevallen wangen had en dat hij verstrooid over zijn maag wreef. Choppy Johnson was er slecht aan toe.

'Jullie krijgen die twintig mille nooit bij elkaar,' zei LeGrand.

'Ik denk dat ik er wel twee mille af kan krijgen.'

'Ik zie niet in waarom. Er zijn genoeg, eh, zakenlui in de stad die hem er grif twintig voor betalen. Waarom zou hij het voor minder verkopen aan iemand die van plan is de zaak te sluiten?'

Daar had Samantha ook al aan gedacht. Op het cilinderbureau van Johnson had ze een paar pamfletten zien liggen, waarin zondaars werden opgeroepen berouw te tonen. Ze had zo'n vermoeden dat zijn recente ziekte en het daaruit volgende contact met zijn Schepper hem misschien tot berouw zou brengen. Ze zei: 'Toen we hem vertelden wat we van plan waren, beloofde hij dat hij andere aanbiedingen een week lang zou afhouden.'

'En zou hij zakken tot achttien mille?'

'Eh, dat nu niet precies.'

'Hhmm.'

'Deze discussie heeft geen enkele zin,' zei Darius. 'Ik weiger om zaken te doen met iemand als Choppy Johnson, zelfs als het om een goed doel gaat. Ik wil mijn geld niet in corrupte zakken zien verdwijnen!'

'Je moet niet zo koppig doen,' zei Stanton. 'Het lijkt mij een goede investering. Ik vind dat we er minstens eens een kijkje kunnen gaan nemen.'

'O, het kan zonder meer tot ziekenhuis worden verbouwd,' zei LeGrand. Hij bloosde meteen en voegde er haastig aan toe: 'Tenminste, te oordelen naar wat de dames ons erover hebben verteld.'

Toen het gezelschap een paar minuten later uiteen ging, bood Stanton Weatherby Samantha aan haar in zijn rijtuig thuis te brengen. Terwijl het rijtuig zich meter voor meter door de mist voortbewoog, verzonk Samantha in gedachten zodat haar metgezel haar kon bestuderen. Iedere keer dat hij haar zag, bedacht Stanton, was ze weer een beetje in zijn achting gestegen. Stanton Weatherby, die er jonger uitzag dan vijftig, ging stijlvol gekleed; hij was knap en zijn baard en snor waren onberispelijk verzorgd. Hij was eveneens een charmant en geestig man. Nu nam hij het woord.

'Er is een oud gezegde, dr. Hargrave, dat een commissie een groepje men-

sen is die afzonderlijk niets kunnen doen, maar die bij elkaar komen om tot de conclusie te komen dat er niets gedaan kan worden.'
Ze richtte haar aandacht op hem. 'Wat zegt u? O, neemt u me niet kwalijk, meneer Weatherby. Ik had zo gehoopt dat de avond beter zou verlopen. Ik kan er niet genoeg de nadruk op leggen hoe ideaal de Gilded Cage voor ons doel zou zijn.'
Zijn ogen twinkelden vrolijk. Die vastberadenheid bij iemand die zo jong en knap was, trok hem aan. Ze had hem werkelijk in haar ban. 'Wees maar niet bang, m'n beste dr. Hargrave, ik zal wel eens met Darius praten. Intussen lijkt het me het beste dat u gewoon doorgaat en probeert het geld bij elkaar te krijgen.'
'Dank u, dat zal ik zeker doen.' Met een glimlach voegde ze eraan toe: 'Ik ben u heel dankbaar voor uw steun.'
Hij beantwoordde haar glimlach en dacht, waarom is ze toch in vredesnaam niet getrouwd? Toen schraapte hij zijn keel en zei als terloops: 'Mag ik zo vrij zijn te informeren of u de Victoria Regina in het Golden Gate Park al hebt gezien? Ze zeggen dat het de grootste bloem ter wereld is, van wel één meter vijftig in doorsnee.'
'Ik ben bang dat ik daar nog geen gelegenheid voor heb gehad, meneer Weatherby.'
'Zoudt u me dan de eer willen doen dat ik u op een middag meeneem, een zondag bijvoorbeeld?'
'Jammer genoeg is zondag mijn drukste dag meneer Weatherby. Veel van mijn patiënten zijn werkende vrouwen, ze komen bij me als ze vrij hebben.'
'Ik begrijp het. Jammer.' Hij trok aan zijn glacé handschoenen. 'Hoe dan ook, dr. Hargrave, maakt u zich alstublieft geen zorgen over de Gilded Cage. Ik kan u vrijwel garanderen dat Darius wel van mening verandert.'

Darius wist van geen wijken. Hij las Hilary streng de les en verbood haar ten slotte om zich met de aankoop van de Gilded Cage te bemoeien. Toen Hilary samen met Samantha stilstond voor de imposante villa van James Flood, ging ze dus tegen Darius' wensen in. Het was de tweede keer in haar leven dat ze dat deed, en ze had zo het idee dat het niet de laatste keer zou zijn.
'Zo,' zei Samantha, en schrapte de familie Flood van de lijst in haar boekje. 'We komen nog veel te kort.'
Hilary fronste. In drie dagen tijd hadden ze de meeste leden van de aristocratie op Nob Hill een bezoek gebracht, en tot nu toe wilde het merendeel niets te maken hebben met de aankoop van een van de beruchtste gelegenheden in San Francisco. Al waren het vrienden van Hilary, ze konden zich niet achter haar plan scharen; de naam die de Gilded Cage in vijftig jaar had gekregen zou blijven hangen en een smet op het Ziekenhuis werpen, beweerden ze. Bovendien lag het gebouw in een slechte buurt, ongetwijfeld zouden de meeste patiënten van twijfelachtig allooi zijn. Geen enkele

317

vrouw die zichzelf respecteerde, verkondigden ze, hoe arm of ziek ook, zou naar het Ziekenhuis gaan.

Hilary was boos. 'Over drie dagen verkoopt meneer Johnson het aan iemand anders. Ik wou dat ik geld van mezelf had, Samantha. Mijn vader heeft me aardig wat nagelaten, maar alles staat op Darius' naam.'

'We kunnen het nog niet opgeven, Hilary. Kom, zullen we naar mevrouw Elliott gaan?'

Hilary keek naar de overkant, naar de paleisachtige villa met de torentjes die achter een lange schutting stond. De villa van de Elliotts was de mooiste en oudste op Nob Hill en bekroonde California Street als een middeleeuws fort. Maar er hing iets doods en geheimzinnigs om het huis. Hilary was er nog nooit binnen geweest; dat gold trouwens voor zeer velen uit de society van San Francisco. De enige inwoonster, mevrouw Lydia Elliott, was al heel oud. Ze was tientallen jaren geleden uit Boston gekomen, als de vrouw van een ongeletterde goudzoeker. James Elliott, een legende in San Francisco, was vijfentwintig jaar geleden gestorven tijdens een duel op de oever van Lake Merced, echter niet zonder zijn weduwe en zoon een erfenis, bestaande uit spoorwegaandelen, na te laten. Op de dag van het duel had mevrouw Elliott een zwarte krans aan de voordeur gehangen en had zich nooit meer vertoond. Over de enige zoon deden allerlei vage geruchten de ronde, maar niemand wist wat er van hem geworden was.

'Ik betwijfel of ze ons ontvangt, Samantha. Ze zeggen dat ze niet van bezoek houdt.'

'We kunnen het allicht proberen.'

Toen ze de steile oprijlaan opliepen – twee elegante jonge dames met schoudercapes van otterbont en lange, sluike rokken die strak om hun middel sloten – hadden Samantha en Hilary het griezelige gevoel dat ze werden bekeken. Maar de gedrapeerde gordijnen, die al vijfentwintig jaar dichtgeschoven voor de ramen hingen, bewogen niet, en het huis zag er vreemd verlaten uit. Geen tuinlieden, geen rijtuigen – zelfs de vogels leken te ontbreken.

'Misschien leeft ze helemaal niet meer,' fluisterde Hilary.

Samantha tilde de grote klopper op en liet hem vallen. Stof uit de oude krans dwarrelde op de drempel. Net toen Hilary zich omdraaide en fluisterde: 'Laten we maar weggaan,' ging de deur met een zwaai open. Tot hun intense verbazing stond er een statige en onberispelijk geklede butler voor hen. 'Ja?'

Hilary legde in het kort het doel van hun bezoek uit en overhandigde hem toen haar gegraveerde visitekaartje. Ze gingen in de enorme hal zitten en keken de butler na die met het kaartje op een zilveren blad wegliep. Samantha en Hilary keken met grote ogen om zich heen.

'Het is... prachtig,' zei Hilary zachtjes. 'En zo *schoon.*'

Samantha keek naar de gepoetste luchters, tafels, spiegels en vazen.

De butler kwam terug en nam hen, tot hun nog grotere verbazing, mee naar een kleine, maar overdadig en smaakvol ingerichte ontvangkamer. Ze

gingen zitten en wachtten; een paar minuten later verscheen mevrouw Elliott.

Ze liep met behulp van een stok, voorover gebogen, en haar gezicht was
een netwerk van fijne rimpeltjes. Ze zag er vreselijk oud uit, maar haar
ogen verraadden een scherpe en levendige geest. Haar witte haar was zorgvuldig in het midden gescheiden en over haar oren gekamd en in een
wrong samengebonden. Toen ze de kamer inliep kraakte ze, niet vanwege
haar gewrichten, maar door de crinoline onder haar zwarte japon. Net als
haar kapsel, was de japon ouderwets, een model dat sinds de Burgeroorlog
al niet meer werd gedragen, maar hij was kennelijk pas gemaakt, alsof mevrouw Elliott maling had aan de tijd, en probeerde hem stil te zetten.

Nadat ze zich hadden voorgesteld (de kleine oogjes lichtten op toen het
woord 'dokter' viel), zei mevrouw Elliott: 'Ik ontvang zelden bezoekers, zoals u weet, maar dat komt omdat er tegenwoordig zo weinig komen. Mijn
butler zei dat de reden van uw komst een liefdadigheidsziekenhuis is?'

Hilary nam het woord en mevrouw Elliott scheen vol belangstelling te luisteren. Toen Hilary echter begon over de aankoop van de Gilded Cage, verbleekte de oude vrouw. 'Zwijg,' zei ze. 'U hoeft niet verder te gaan. Ik wil
dat u nu vertrekt. Charnley laat u wel uit.'

'Maar mevrouw Elliott...' begon Hilary toen de vrouw opstond.

'Jongedame,' zei hun gastvrouw, en bonkte met haar stok op de vloer, 'hoe
durft u hier binnen te komen en over die gelegenheid te spreken! Toen
Charnley me over het doel van uw bezoek vertelde, heb ik mijn huis voor u
opengesteld. U hebt dat vertrouwen beschaamd. Ik wil dat u direct weggaat.'

'Mevrouw Elliott,' zei Samantha snel. 'Het spijt me als we u hebben beledigd, maar de Gilded Cage is zo ideaal voor ons doel...'

'Dat u me beledigd hebt?' riep de oude vrouw uit. 'U hebt een oude wond
opengereten en er zout in gestrooid!'

Samantha en Hilary staarden haar aan.

'Daar!' riep ze met trillende stem en wees naar een portret boven de haard.
'Mijn man. Neergeschoten door de eigenaar van precies zo'n gelegenheid
als de Gilded Cage. Dat waren nog de dagen van de burgerwacht, maar ze
hebben de dader nooit voor de rechter gesleept. Het was een duel, zeiden
ze, op het veld van eer!'

'Het spijt me voor u, mevrouw Elliott.'

'Spijt? Dat geeft mij mijn echtgenoot niet terug. En mijn zoon evenmin.
Wilt u nu alstublieft onmiddellijk vertrekken.'

Hilary maakte aanstalten om weg te gaan, maar Samantha wachtte nog
even. 'Wat is er met uw zoon gebeurd, mevrouw Elliott?' vroeg ze vriendelijk.

De levendige ogen schoten vol tranen en de oude vrouw zonk achterover in
haar stoel. Haar stem kwam van heel veraf. 'Hij ging daar altijd naartoe. Ik
wist er niets van. Het was niet eenvoudig om helemaal alleen een zoon
groot te brengen, nadat James er niet meer was. Philip ging er bijna iedere

319

avond heen. Toen heeft hij dat sletje ontmoet en die heeft hem zijn domme hoofd op hol gebracht.'

Samantha en Hilary stonden onbeweeglijk te luisteren.

'De Gilded Cage is de dood van mijn Philip geworden,' vervolgde ze afstandelijk. 'Het was een beste jongen, maar hij was gemakkelijk te beïnvloeden. Ze hebben hem leren gokken en drinken. Toen heeft een van die vrouwen hem verteld dat ze een kind van hem verwachtte. Philip heeft zich netjes gedragen en is met haar getrouwd. Maar er was helemaal geen sprake van een baby. Ze heeft zijn geld er doorgejaagd en is er vervolgens met een andere man vandoor gegaan. Philip heeft zichzelf doodgeschoten.'

Samantha en Hilary keken een ogenblik naar haar, toen zei Hilary zachtjes: 'Mevrouw Elliott, het spijt ons dat we u hebben lastig gevallen.'

'Mevrouw Elliott,' zei Samantha, 'hier ligt uw kans om Philip te rehabiliteren.'

De oude vrouw keek op en zei vermoeid: 'Wilt u alstublieft weggaan. Gedane zaken nemen geen keer. Niets kan het verleden nog veranderen.'

'Dat weet ik wel, mevrouw Elliott, maar als wij de Gilded Cage kopen en er een ziekenhuis van maken, kunnen we voorkomen dat zulke vreselijke dingen in de toekomst nog gebeuren.'

'Ik wil met die afschuwelijke gelegenheid niets te maken hebben. Ik geef de eigenaar geen cent.' Beheerst stond ze op en strompelde naar het schellekoord. Ze trok eraan en zei: 'U hebt pijnlijke herinneringen boven gebracht en ongelukkige geesten opgeroepen. Ik zal voortaan voorzichtiger zijn met wie ik binnenlaat.'

'Mevrouw Elliott,' zei Samantha bijna smekend, 'als wij de Gilded Cage niet kopen, koopt weer iemand zoals Choppy Johnson het gebouw, en dan worden toekomstige Philip Elliotts net als uw zoon het slachtoffer. Hier ligt uw kans om San Francisco te bevrijden van een kwaad dat de stad al veel te lang heeft gekweld. Kunt u zich iets rechtvaardigers voorstellen dan de aankoop van een huis waar vrouwen worden misbruikt, om het te veranderen in een plek waar ze worden genezen?'

De ogen van mevrouw Elliott verhardden zich. 'Verlaat onmiddellijk mijn huis.'

Toen ze over de oprijlaan naar de straat liepen, zei Hilary: 'Dat hadden we niet mogen doen, Samantha, de ziel had wel een beroerte kunnen krijgen.'

Samantha beefde, waardoor de lange reigerveer op haar hoed trilde. Bij het hek bleef ze staan, met haar gezicht in de wind, en ze staarde met niets ziende ogen naar de schuimkoppen in de baai en de schapewolkjes boven de groene heuvels van Marin. 'Er moet toch een manier zijn om ze tot rede te brengen.'

'Samantha, laten we de Gilded Cage maar laten schieten. We vinden wel een ander gebouw. Misschien moeten we LeGrands voorstel opvolgen en in Richmond bouwen.'

Maar Samantha voelde er niets voor om een goed idee op te geven. Zodra ze de danszaal was binnengestapt, had ze de afdeling verloskunde voor zich gezien; in de keuken had ze zich de honderden maaltijden voorgesteld en in de kamers boven de keurige inrichting voor de medische medewerkers. En buiten, in plaats van een schreeuwerig uithangbord dat de mooiste en gewilligste 'gastvrouwen' van de stad beloofde, zag ze al een bescheiden koperen plaat waarop stond dat dit het San Francisco Ziekenhuis voor Vrouwen en Kinderen was. Ze had zó sterk het gevoel gehad dat het goed was, dat ze het niet zomaar kon opgeven.

'Mevrouw Gant!' klonk een stem achter hen.

Hilary en Samantha draaiden zich om en zagen een dienstmeisje met een kapje op en een schort voor de oprijlaan af rennen. Ze stond hijgend stil en stak hun een envelop toe. 'Mevrouw zei dat ik dit aan u moest geven.'

Hilary maakte de envelop open. Erin zaten twee dingen: een cheque voor tienduizend dollar, en een briefje in keurig, krullerig schrift. Het was een verzoek om een afdeling van het Ziekenhuis naar Philip Elliott te noemen.

Met het geld van mevrouw Elliott konden ze het gebouw wel kopen, maar ze hadden nog meer nodig voor de aanschaf van meubilair, instrumenten en het in dienst nemen van personeel.

Ze gingen met LeGrand Mason en Stanton Weatherby om de tafel zitten (Darius zat in Los Angeles om een lading sinaasappels te redden die in een ontspoorde treinwagon lag te rotten). Ze stelden een begroting op: tienduizend dollar, daar waren ze het over eens, zou nodig zijn om de eerste kosten te dekken en om het Ziekenhuis een jaar draaiende te houden; daarna zouden ze weer geld moeten inzamelen. Van die tienduizend hadden ze er vier.

Samantha en Hilary zetten zich energiek en enthousiast in om de resterende zes mille in te zamelen, en daar de society voor het merendeel hun aankoop van de Gilded Cage nog steeds afkeurde, besloten ze zich tot het volk te wenden.

Hoewel ze in het kraambed lag, bood Dahlia Mason haar hulp aan. Toen ze ontdekten dat ze heel mooi en snel prachtige viooltjes kon schilderen, werd haar de taak toebedeeld om bedankkaarten te tekenen en te kalligraferen voor iedereen die een schenking deed, hetzij in natura of in geld (een plaatselijke slager beloofde twaalf geplukte kalkoenen). Die kaarten werden al gauw een fel begeerd bezit. Men trof ze in de hele stad aan, en ze werden vol trots in de salons uitgestald (vooral ook omdat de kaart niet aangaf hoe groot de gift was geweest, of waaruit hij had bestaan), zodat het 'in' raakte een schenking aan het Ziekenhuis te doen (een klok, een gedragen japon, of een hoeveelheid tweedehands beddegoed), en een kaart van Dahlia Mason neer te zetten.

Toen de stroom geschenken wat begon op te drogen, trof Samantha een regeling met een plaatselijke krant; in de nog onverkochte advertentieruimte plaatste ze een lijst namen van donateurs, groot en klein, zodat de golf donaties weer toenam nu de mensen opnieuw gemotiveerd werden omdat ze hun naam in de krant wilden zien. Voor financiële schenkingen van honderd dollar of meer werd een wand in de nu onderverdeelde foyer (waar vroeger klanten hun hoeden en wandelstokken hadden afgegeven) gereserveerd, en een steenhouwer, die zijn diensten gratis aanbood, graveerde de namen van de donateurs erin. Tot de meest gewaardeerde geschenken behoorden echter die dingen die als luxe artikelen werden beschouwd; voorwerpen die ze graag hadden willen hebben, maar die nooit op de begroting van het Ziekenhuis terecht zouden zijn gekomen: gehaakte kleden voor de zitkamers, bloemenvazen voor de verpleegstersverblijven, boeken voor de bibliotheek, en, van Stanton Weatherby, een prachtige vleugel voor in de gezelschapszaal.

Terwijl werklui en schoonmaakploegen dag en nacht zwoegden om de Gilded Cage een nieuw, respectabel aanzien te geven, stonden de mensen in groepjes op het trottoir te kijken en commentaar te leveren, en Hilary liet geen gelegenheid voorbij gaan om met de pet rond te gaan. En naarmate alles wat deed denken aan een hoerenkast geleidelijk verdween, begon de society bij te draaien.

Toen bedacht Hilary iets nieuws om geld bij elkaar te krijgen – het Beddenfonds: iemand kon een jaar lang de financiële zorg op zich nemen voor de patiënten in een bepaald bed. LeGrand had de kosten gespecificeerd; hij schatte dat het dertig cent zou kosten om een jaar lang voor één bed de was te doen, achtenveertig dollar voor de maaltijden, twaalf cent per dag voor verpleegkosten, enzovoort. Daarbij kwamen dan nog de geschatte kosten aan medicamenten en medische behandeling. Ten slotte werd uitgemaakt dat het vijfenzeventig dollar zou kosten om één bed een jaar lang te steunen. Dahlia Mason, in haar elegantste schoonschrift, graveerde in goudverf bordjes die boven ieder bed werden bevestigd, met de naam van de goede gever erop. Het idee sloeg aan: voordat er zelfs maar een matras op lag, hadden alle vijftig bedden al een sponsor.

Hilary en Samantha zaten urenlang over hun plannen gebogen. Behalve de organisatie van haar Vrouwencomité, een elitair groepje dat verantwoordelijk zou zijn voor vele belangrijke zaken, was Hilary ook bezig met plannen voor een groots bal ter gelegenheid van de opening van het Ziekenhuis. Intussen was Samantha bijna altijd in het Ziekenhuis te vinden; ze hield toezicht op de werkploegen, en debatteerde met de architect (hij wilde per se dat de sectiekamer naast de operatiekamer kwam, zoals eeuwenlang het geval was geweest, en Samantha wilde hem per se in de kelder hebben). Ze hield zich ook bezig met het selecteren van sollicitanten.

Haar eerste employée was een voormalig inwoonster van de Gilded Cage, een vrouw van een jaar of veertig, die door Choppy uit sentimentele overwegingen in dienst was gehouden, maar die nu nergens aan de slag kwam. Samantha nam haar aan voor de keuken. Haar tweede employée was Charity Ziegler ('Een geschenk uit de hemel, dat verzeker ik je,' had Samantha tegen Hilary gezegd), die kortgeleden met haar man naar San Francisco was gekomen. Mevrouw Ziegler was zes jaar eerste verpleegster in het Buffalo

General Hospital geweest, en had niet alleen ervaring met toezicht houden over verpleegsters en met het opleiden van leerlingen, ze kon ook speciale 'ziekenkost' koken en kon de samenstelling van de menu's op zich nemen. De waardevolle Charity Ziegler ontving het astronomisch hoge salaris van zeshonderd dollar per jaar.

Samantha's eerste arts-assistent was Willella Canby, een kleine, mollige jonge vrouw die net was afgestudeerd aan het Toland Medical College van de University of California. Ze werd van harte aanbevolen, ze was intelligent en enthousiast, en zag er niet tegenop om onbetaald werk te verrichten, tegen kost en inwoning.

Langzamerhand begon het Ziekenhuis structuur te krijgen. Hilary vormde haar Vrouwencomité, Stanton Weatherby stelde de statuten op, en vergunningen van de stad en de staat werden verleend. Samantha had haar personeel compleet, en in juli 1887, bijna een jaar nadat het idee bij Chez Pierre was geboren, kon het San Francisco Ziekenhuis voor Vrouwen en Kinderen zijn poorten openen.

Het enige dat ze nog nodig hadden was patiënten.

De laatste werkman was vertrokken, de laatste emmers en bezems waren weggezet; de kamers roken allemaal naar nieuwe verf en boenwas. Op iedere verdieping stond een kolenkachel (Samantha had stoomverwarming willen laten installeren, maar dat zou vijfduizend dollar extra hebben gekost). Bij ieder bed hing een bellekoord en door het hele gebouw liep een ingenieus stelsel van spreekbuizen, als op een schip. De verblijven voor de medische staf waren klaar om te worden betrokken; in iedere kamer stonden twee bedden, een wastafel, een klerenkast en een bureau, en er lag een kleed op de vloer. Deze kamers zouden al gauw in gebruik worden genomen door de vijftien zusters en leerlingen, dr. Willella Canby, dr. Mary Bradshaw van Cooper Medical College en dr. Hortense Lovejoy van het Women's Medical College of Pennsylvania, de inwonende artsen. Beneden was de keuken uitgeschrobd en van voorraad voorzien. In de gezelschapszaal, voor de herstellende, lopende patiënten, bevonden zich de vleugel, gemakkelijke stoelen, een open haard en planken vol boeken. Aan de gang lagen de onderzoekkamers, de ongevallenkliniek, en Samantha's privé-kantoortje. Ten slotte hing er in de hal, boven het bureau van de opnamezuster een groot, pas geverfd bord, waarop stond dat het de mannelijke artsen en bezoekers overal in het ziekenhuis verboden was te roken.

Het Ziekenhuis stond nog leeg en wachtte. Samantha stond ook te wachten. Nadat ze alles nog één keer had geïnspecteerd voordat ze de voordeur op slot deed en naar huis ging om zich voor Hilary's bal te verkleden, bleef ze nog even in de gang staan. Het was vroeg in de avond en door de open deur klonken verkeersgeluiden. Samantha draaide zich langzaam om en keek naar de geboende banken, de bloemen, het kistje waarin giften konden worden gedeponeerd, en ze onderging een gevoel van verwondering, opwinding en vage angst. Tot zover hadden ze het gehaald, ze hadden dit opmerkelijke doel bereikt, maar succes werd op geen enkele manier gegarandeerd. Had ze er goed aan gedaan? Zouden de vrouwen kunnen vergeten dat dit ooit de Gilded Cage was geweest, zouden ze bij haar komen? Ze streek met haar hand langs het glad gewreven blad van het bureau en dacht aan Mark. Kon hij er maar bij zijn.

Ze hoorde een geluid achter zich en Samantha draaide zich om. Er stond een klein vrouwtje in de deuropening, dat verlegen haar keel schraapte. Ze was eenvoudig gekleed, zag er moe uit, en hield de sjaal om haar hoofd onder haar kin bijeen. 'Bent u de dokter?' vroeg ze.

Samantha liep naar haar toe. 'Morgen gaat het ziekenhuis open. Kan ik iets voor u doen?'

'Bent u die dokteres? Ik werk op de bloemenmarkt. Ik kon niet eerder komen.'

'Heeft u problemen?'

'Ik heb steeds vreselijke pijn in mijn hoofd. Al een maand.'

'Hoe vaak heeft u dat?'

'Eén keer per dag. Altijd rond het middaguur.'

Samantha zei vriendelijk: 'Morgen gaat het ziekenhuis open. Als u dan terugkomt en de zuster vertelt wat er aan de hand is, brengt ze u bij een dokter.'

De vrouw beantwoordde haar glimlach wat onzeker, maakte een soort buiginkje en draaide zich om.

Samantha legde haar hand op de deurkruk en sloot de ogen. Morgen...

5

Als men de dampkring rond de aarde opzij kon schuiven om naar de hemel te kijken, dan zou men de sterren zien zoals ze werkelijk zijn: starre, koude lichtpuntjes die niet twinkelen. Het is heel wel mogelijk dat veel van de mystiek en aantrekkingskracht weg zou vallen. Zo zag Jennifer het leven, met een zuiver hart dat niet door vooroordelen, leugens, angsten of illusies werd bezoedeld. Jennifer, die nog nooit een onwaarheid, onoprecht gevlei, woorden van bedrog of arrogantie had gehoord, had er geen idee van dat mensen zich achter woorden verscholen. Toen Dahlia Mason dus naar boven naar de kinderkamer kwam om een hoop drukte te maken van de arme kleine Robert, die alleen maar met rust gelaten wilde worden om te slapen, wist Jenny in haar hoekje niet dat de mond van deze vrouw heel iets anders zei dan haar ogen. De kinderjuffrouw hoorde: 'Wat een heerlijke kamer! Ik wou dat mijn Robertje net zo bofte als Merry Gant!' Maar Dahlia's ogen, die vlug om zich heen keken, zeiden: Je zult nooit meemaken dat mijn Robert zo vreselijk wordt verwend!

De mond was waar het bij de vermomming om draaide, hij leidde de aandacht af van de waarheid-onthullende ogen en andere kleine aanwijzingen: de snelle spreker, de gladde prater, de vleier en de leugenaar, allen werden door de meeste mensen gezien zoals ze gezien wilden worden, door middel van hun stem, het volume en hun slimme zinswendingen. Jennifer Hargrave had nooit geleerd om zich door woorden iets te laten voorspiegelen, ze zag de mensen zoals ze werkelijk waren, en heel vaak stond wat ze zag haar niet aan. Dahlia Mason was zo iemand, maar Jenny wist dat ze onschadelijk was en geen bedreiging vormde. Maar er waren anderen, die veel gevaarlijker waren, en die maakten haar bang. Vanavond was er een bepaald iemand beneden aan wie Jenny steeds moest denken.

Toen Megan O'Hanrahan tien jaar geleden was bevallen, had ze een keer naar haar niet zo levenslustige baby gekeken en had haar meteen verstoten. Dat had tot gevolg dat Jenny werd gevoed door wie er toevallig aan dacht; ze werd opgepakt om meteen weer te worden weggelegd. Ze was volgens iedereen wat achterlijk en daarom deed ook niemand zijn best contact met haar te zoeken. Ze vervuilde, en vieze dingen worden vaak verontwaardigd afgewezen. Jenny had nooit ontdekt wat liefde was want, als kinderen inderdaad leren door nabootsen, leren ze ook door uitwisseling: niemand gaf Jenny ooit iets en niemand verwachtte ooit iets van haar. Maar als ze dan geen liefde kende, ze kende ook geen verdriet, en toen haar moeder bijna twee jaar tevoren was gestorven, liet dat Jenny onverschillig.

En toen was zomaar uit het niets die Mooie Mevrouw verschenen en had haar meegenomen.

Jenny had haar nieuwe omgeving aandachtig in zich opgenomen; bang was ze niet, en vooral die Mooie Mevrouw had ze goed bekeken, ze leek op de knappe vrouwen op de plaatjes die in haar andere thuis aan de muur hadden gehangen – vrouwen met kruisjes en bloemen in de hand, en die vreselijk hadden geleden. Deze Mevrouw had vast ook verdriet, want vaak keek ze Jenny met grote droevige ogen aan.

Jenny hield niet van haar, want dat gevoel was niet meer dan een kiem; niettemin beschikte Jenny over instincten, en twee daarvan hadden grote invloed op haar: trouw en een gevoel van gevaar. Ze hield dan misschien niet van haar Mevrouw, maar ze was bezeten van een koppige trouw, als een dier dat is gered en nu te eten krijgt. En haar instinct voor gevaar was in de ruige wereld van de huurkazerne flink aangescherpt. Deze avond roerden die twee instincten zich in dat kleine lijfje.

De kinderjuffrouw had de meisjes meegenomen tot halverwege de trap om naar het feest daar beneden te kijken en Jenny had de man met het zilvergrijze haar gezien die haar Mevrouw steeds met zijn ogen volgde. Jenny wantrouwde hem instinctief.

Samantha begroette een late gast bij de deur naar de balzaal: mevrouw Beauchamp, een weduwe van in de vijftig, een patiënte van Samantha. Mevrouw Beauchamp, die in het zwart gekleed ging al was haar echtgenoot al twintig jaar daarvoor overleden, drukte Samantha enthousiast de hand. 'Mijn beste dr. Hargrave, u hebt er geen idee van hoe fijn ik het vind hier vanavond te zijn!'

Samantha glimlachte. Ze had tot nu toe al driehonderd handen geschud, maar ze was nog net zo fris alsof mevrouw Beauchamp de eerste was. Samantha had alle reden om uitgeput te zijn, maar ze was bezield met een kracht die voortkwam uit haar ongekend goede stemming. Ze waren allemaal gekomen ter ere van de opening van het ziekenhuis, het was ondenkbaar dat Samantha ooit moe werd.

Ze keek langs mevrouw Beauchamp naar Hilary, aan de andere kant van de enorme balzaal en moest glimlachen om haar energieke vriendin. Hilary, vier maanden zwanger, choqueerde de society door dat niet te verbergen. Ze zwaaide de scepter over deze grootse avond alsof het niet meer dan een theemiddag was. Beheerst en efficiënt in haar witte satijnen japon afgezet met hermelijn (opvallend, maar het was Darius' keus geweest), gaf Hilary opdrachten aan de chef-koks, hield toezicht over het legertje bedienden en zag kans aan alle gasten even vriendelijk aandacht te schenken. Ze onderhield zich met even groot gemak met mensen als de prinses van Hawaii, als met haar oude schoolvriendinnen. Ze stond aan de top van haar roem, een elegante koningin met blosjes op de wangen maar zonder een krulletje dat van zijn plaats zat. Toen ze opkeek en haar ogen die van Samantha ontmoetten, glimlachte ze heimelijk en veelbetekenend alsof ze haar vriendin een vertrouwelijke boodschap overbracht. Dit was hùn avond.

Mevrouw Beauchamp zei iets over de kleur van de verpleegstersuniformen – hadden die niet een wat gedektere kleur moeten hebben, iets dat beter paste bij een zuster, in plaats van dat onpraktische lichtblauw? – en Samantha weerlegde vriendelijk: 'Een ziekenhuis is al droevig genoeg, mevrouw Beauchamp, dat moeten we niet nog erger maken. Vrolijke kleuren werken opbeurend, en als men in een goede stemming is, geneest het lichaam sneller. Dat bent u toch met me eens?'

'Ach ja, natuurlijk!' De ogen van mevrouw Beauchamp vlogen het vertrek rond, op zoek naar de beloofde beroemdheden. Samantha realiseerde zich dat de vrouw een fikse dosis van dr. Morton's elixer had ingenomen voordat ze hierheen was gekomen. Mevrouw Beauchamp was naar Samantha gegaan om haar spataderen te laten behandelen, en hoewel ze in de regel Samantha's raad opvolgde, was ze wat dr. Morton's elixer betreft niet van haar stuk te brengen. Het hielp haar door die moeilijke dagen heen als 'haar maag van streek was' riep ze uit, en ze wilde beslist niet aannemen dat het zo schadelijk was als Samantha beweerde. Per slot van rekening kon je het in de beste apotheken kopen; die verkochten toch niet iets dat schadelijk was, nee toch? Samantha had geprobeerd haar uit te leggen dat er nogal wat opium door het elixer zat en dat mevrouw Beauchamp hard bezig was verslaafd te raken. Daarmee had ze haar dodelijk beledigd, want mevrouw Beauchamp geloofde dat zo'n verslaving alleen bij de lagere klassen voorkwam. Als een wasvrouw dagelijks een eetlepel van dr. Morton's elixer nam, was dat een verslaving, maar als een dame uit de society hetzelfde deed, was het een noodzakelijk medicijn.

Meneer en mevrouw Charles Havens waren de volgende gasten en wensten haar uitbundig succes met het ziekenhuis. Zij hadden de operatiekamer gefinancierd. Rosemary Havens was ook een patiënte van Samantha. Ze was jarenlang verslaafd geweest aan arsenicum, waarvan ze dagelijks met Fowler's Oplossing een dosis innam om haar teint wat roziger te maken. In tegenstelling tot mevrouw Beauchamp echter, had Rosemary Havens Samantha's waarschuwing ter harte genomen. Ze nam niet langer Fowler's Oplossing in en behandelde haar teint nu door haar gezicht iedere dag met komkommersap te wassen.

Toen de heer en mevrouw Havens verder gingen om voorgesteld te worden aan prinses Liliuokalani van Hawaii, vroeg Samantha zich af of ze de gelegenheid zou aangrijpen om even een luchtje te scheppen.

Deze gebeurtenis stond op een lijn met het bal bij de Astors; de notabelen van San Francisco hadden hun oorspronkelijke weerstand van een jaar geleden vergeten en bewezen eer aan wat Samantha en Hilary hadden bereikt. Te midden van de buitenlandse hoogwaardigheidsbekleders, de politici en de beroemde namen in de kunstwereld, bevonden zich de Crockers, de Stanfords en de De Youngs. Ze nipten van hun champagne en hadden het over zilvermijnen en hanengevechten in Marin. De heren waren in rok en de dames waren getooid met zijde en kant. Maar het verschil tussen dit bal en dat van acht jaar terug was dat vanavond Samantha de eregast was: iedereen was vanwege haar gekomen. Bovendien, op dat andere bal, was Mark Rawlins aanwezig geweest.

Het was juli en de tuin van de familie Gant geurde naar jonge bloesem en pas gemaaid gras. Sommige gasten hadden ook de avondlucht opgezocht; er klonk geroezemoes onder het schijnsel van de tuinlampen en ze bedienden zich van de bladen die hun werden voorgehouden. Voor deze grootse gelegenheid had Hilary de beste koks van San Francisco gehuurd en ze zette haar driehonderd gasten tripe à la mode de Caen voor, schildpadsoep, ragoût van jonge eend, garnalen in gelei, en kreeft in roomsaus met sherry; bladen met kaviaar, gerookte zalm, allerlei soorten kaas, fruit en noten deden voortdurend de ronde, en, typerend voor de society van San Francisco, er werden alleen wijnen uit Californië in kristallen karaffen geserveerd. Een serveerster kwam met een blad champagne naar Samantha toe, maar Samantha schudde glimlachend haar hoofd. Sinds haar laatste diner bij Mark thuis, vijf jaar geleden, had ze nooit meer champagne gedronken, en dat zou ze ook nooit meer doen. Sommige dingen moesten iets bijzonders blijven, en bleven gereserveerd voor het dierbare verleden.

Ze ging op een beschutte marmeren bank zitten; ze peinsde niet over het ziekenhuis of het feest dat achter haar aan de gang was, maar Samantha liet haar gedachten – iets dat ze zich zelden toestond – afdwalen naar Mark, nu ze overspoeld werd door gevoelens van intense voldoening.

Hij zou hier bij haar moeten zijn...

'Neemt u me niet kwalijk, dr. Hargrave.'

Ze keek op.

'Ik heb het juiste moment afgewacht. Heb ik verkeerd gekozen?'

'Het juiste moment waarvoor, meneer?'

'Om u mijn compliment te maken. Toen ik eerder op de avond aankwam, stonden er zo veel mensen om u heen. Ik geef de voorkeur aan privé-gesprekken. Ik ben Warren Dunwich, en ik sta geheel tot uw dienst, mevrouw.'

Vol belangstelling keek ze naar hem op. Hij was te chic en te verfijnd om uit San Francisco te komen, en toch verried zijn accent zonder twijfel dat hij van de westkust kwam. Begin vijftig schatte ze, maar nog jeugdig; het mooie zilvergrijze haar maakte hem niet ouder, maar verscherpte eerder de indruk van kracht en energie.

'Hoe maakt u het, meneer Dunwich. Woont u hier pas?'

Hij glimlachte op een vreemde, koele manier. Hij was knap, maar op een strenge, bijna harde manier; zijn kaaklijn, holle wangen en smalle arendsneus getuigden van een oude Europese aristocratie en Samantha zag hem even voor zich als de heer en meester van een vervallen kasteel, omringd door het langzame verval van oude adel. 'Ik kom ieder jaar weer als een vreemde naar San Francisco, mevrouw, al beschouw ik de stad als mijn thuis. Ik moet veel reizen.'

Warren Dunwich had ongelooflijk blauwe ogen. Zijn blik was scherp en intens, evenals zijn hele houding eigenlijk, want hij hield zich stram rechtop en boog zich vanuit zijn middel naar haar toe. Samantha had het gevoel alsof ze in het gezelschap van een graaf verkeerde. 'Kan ik iets van het buffet voor u halen, dokter?'

'Nee, dank u, meneer Dunwich. Ik moet eigenlijk terug naar mijn gasten.'

'Mag ik u dan begeleiden?'

Ze stak haar arm door de zijne. 'Wat is uw beroep, meneer Dunwich, dat u zo vaak weg bent?'

'Ik heb belangen bij vele ondernemingen, mevrouw. Maar ik zou erg graag iets horen over dit bijzondere ziekenhuis en nog liever over de oprichtster.'

Hilary was in gesprek gewikkeld met Lily Hitchcock Coit, de legendarische mascotte van Knickerbocker Hose No. 5, toen ze opkeek. Ze fronste haar wenkbrauwen een beetje toen ze Samantha aan de arm van een onbekende zag binnenkomen, en dan nog wel lachend ook, alsof ze zich uitstekend op haar gemak voelde.

Hilary kneep haar lippen samen. Hoe heette hij toch ook alweer? De hoffelijke vreemdeling, die lid was van Darius' herenclub, maakte bij Hilary zowel positieve als negatieve gevoelens los; hij was buitengewoon knap en ze geloofde dat hij rijk was, en ongetrouwd. Maar er was nog iets anders, zijn manier van doen was kil en stijf, wat haar afstootte.

Ze excuseerde zich en liep tussen de mensen door naar hen toe. Onderweg ving ze flarden van gesprekken op en het verbaasde haar niet dat het twistpunt nog steeds de gemoederen bezighield: moesten vrouwen met een twijfelachtige reputatie nu wel of niet worden opgenomen? Hilary kon een glimlach niet onderdrukken. Ze konden debatteren wat ze wilden, Samantha bleef bij haar standpunt. Sommige mensen hadden aan hun bijdrage de voorwaarde verbonden dat het Ziekenhuis geen prostituées of gevallen van geslachtsziekten toeliet, anderen weer dat geen Chinezen of Mexicanen zouden worden behandeld. Samantha had dat geld teruggezonden. Het Ziekenhuis moest openstaan voor *alle* vrouwen.

'Nee maar, Samantha Hargrave, ik geloof werkelijk dat jij in het gezelschap bent van de enige in deze zaal die *jij* wel kent en *ik* niet!'

Samantha stelde hem voor en zag dat er een bijzondere glans in de ogen van haar vriendin lag. Hilary liet er geen gras over groeien. 'Ik geloof dat u lid bent van de club van mijn echtgenoot, meneer Dunwich. Het is me een genoegen met u kennis te maken. Stelt u me vanavond ook voor aan uw vrouw?'

Samantha wierp haar een vermanende blik toe, maar Hilary negeerde die. Ze hadden meer dan eens over dit onderwerp gesproken: het feit dat Samantha ongetrouwd was. Hilary, een geboren koppelaarster, beweerde steeds dat Samantha een man in haar leven nodig had en Samantha verklaarde rustig dat dat niet zo was. 'Mijn vrouw is overleden, mevrouw,' zei meneer Dunwich. 'Dat is nu acht jaar geleden.'

'Woont u in San Francisco, meneer Dunwich?'

'Ik heb een huis in Marin, maar ik kom vaak in de stad.'

'Nu, dan moet u werkelijk gauw eens komen dineren...'

'Hilary, liefje, ik geloof dat Darius je aan het zoeken is.'

'O ja?' Hilary keek over haar schouder.

Op dat moment voelde Samantha zich ineens duizelig. En toevalligerwijs Hilary ook. Terwijl ze allebei snel hun hand naar hun voorhoofd brachten, klonk er een onderaards, zacht gerommel, als onweer dat over de baai komt aanrollen. Het volgende ogenblik klonk door de hele zaal het getinkel van kristal. Het orkest hield op met spelen, alle gesprekken verstomden. De trilling was snel voorbij, maar liet een griezelige stilte na. Geen enkele van de driehonderd gasten bewoog zich of zei iets. Vervolgens zuchtte iedereen opgelucht, waarna er zenuwachtig werd gelachen. Toen de gesprekken werden hervat, wendde Hilary zich tot Samantha. 'Lieve hemel, dat was een behoorlijke...'

Door de klap die het huis vervolgens deed schudden viel ze op haar knieën. Deze keer was het gerommel oorverdovend en de mensen keken niet langer naar de zwaaiende kroonluchters: ze zochten snel dekking waar dat ook maar kon. Samantha wankelde, maar werd op de been gehouden door meneer Dunwich, die zijn arm stevig om haar middel had geslagen. Het was alsof het een eeuwigheid duurde, maar in feite was het een kleine aardschok. Samovars tuimelden van het buffet, champagne-emmers vielen op de grond en dames slaakten kreten of vielen flauw.

Toen het voorbij was bewoog niemand zich, niemand ademde, alsof iedereen de lucht aftastte om een bepaald teken op te vangen. En toen, met dat instinct dat typisch is voor de inwoners van San Francisco, vermanden de gasten zich, in de wetenschap dat de aardbeving voorbij was.

Warren Dunwich, die Samantha nog steeds omvat hield, stond op het punt haar te vragen of alles in orde was, toen zij tot zijn lichte verbazing eerst naar hem informeerde, waarna ze snel om zich heen keek. Van boven klonk plotseling gehuil. 'De kinderen!' riep Samantha en snelde weg.

Diverse mensen renden naar boven naar de kinderkamer, maar Samantha kwam als eerste binnen. Merry Christmas gilde het uit in de armen van haar kinderjuffrouw, terwijl een luid brullende Robert door zijn moeder werd opgepakt. Jennifer zat in een hoekje met wijd open ogen en een uitdrukkingsloos gezichtje.

Samantha liet zich op haar knieën vallen en bestudeerde het gezicht van het meisje. Gewoontegetrouw vroeg ze: 'Is alles goed, liefje?' Ze controleerde Jenny's pupillen, haar kleur, en zocht naar tekenen die wezen op een shock of angst, maar die waren er niet. Het was alsof er niets was gebeurd. Wat niemand kon weten was dat Jenny, in haar doodstille wereldje, over hetzelfde scherpe instinct beschikte als de nu luid blaffende honden van de familie Gant; ze had de aardbeving voelen aankomen en was er niet door overvallen. Samantha streek over Jenny's dikke krullen. 'Alles is goed, liefje, het was alleen maar een aardbeving.'

Op dat moment hief Jenny haar hoofd op en haar pupillen verwijdden zich toen ze keek naar iets dat zich boven Samantha's hoofd bevond. Nu ze zag dat het kind angstig keek, draaide Samantha zich om en keek op. Warren Dunwich was net komen binnenlopen en stond achter haar; hij keek op Jenny neer. Samantha keek langs hem heen en zag tot haar afschuw dat er een afgrijselijke scheur in het plafond van de kinderkamer zat.

'Het is wel goed, lieveling,' zei ze en nam het kind in haar armen. 'Het plafond komt heus niet naar beneden, dat verzeker ik je.'

Maar het was niet die scheur waar het meisje ineens zo bang voor was en terwijl ze Samantha's omhelzing lijdelijk onderging, staarde Jenny met grote, wantrouwende ogen op naar Warren Dunwich. En hij, ook een gevoelig mens, staarde terug en wist wat het kind had gezien.

6

'Er gaat iets mis, dokter. Ze reageert niet.'

Samantha liep weg bij de sterilisator en kwam bij het hoofd van de patiënte staan. 'Probeer een ietsje meer,' zei ze en keek aandachtig toe terwijl de verpleegster ether op het kapje liet druppelen. De patiënte bewoog zich even onder de lakens, en werd toen rustig. 'Zo is het wel genoeg,' zei Samantha en ging weer naar de sterilisator.

Die had ze zelf uitgevonden. De meeste chirurgen gebruikten carbol àls ze hun instrumenten al steriliseerden, maar Samantha had gemerkt dat het zuur de gevoelige weefsels van de patiënten irriteerde. Ze had gelezen over een nieuwe sterilisatietechniek die werd getest – stoom – en nadat ze zelfstandig had geëxperimenteerd, had Samantha haar eigen sterilisator ontworpen. Voor zover ze wist was hij enig in zijn soort en hij had al voor veel commentaar gezorgd. Wat vooral de aandacht trok was dat het aantal infecties bij het Ziekenhuis lager lag dan het landelijk gemiddelde.

Toen ze de hete instrumenten eruit haalde en ze in een bak legde, merkte Samantha op dat de glazen deuren van de kast naar de sterilisator besloegen. In gedachten besloot ze het ding te laten verplaatsen; ze pakte een handdoek en veegde voorzichtig het glas schoon. Dit was een speciale kast. Op de planken lagen Joshua's instrumenten. Ze waren in lange tijd niet gebruikt en zouden waarschijnlijk nooit meer dienst doen, omdat ze verouderd waren; toch deed Samantha ze niet weg. Die mooie oude instrumenten waren voor Samantha een symbool voor de Toekomst en de Vooruitgang. Ze herinnerden haar eraan dat dit een Nieuw Tijdperk was. In de sterilisator zaten de instrumenten die ze speciaal had besteld en die alle chirurgen tegenwoordig gebruikten: de nieuwe, gladde, massief metalen instrumenten waarop alle chirurgen in het hele land overstapten. Naarmate de bacteriëntheorie snel terrein begon te winnen, werd het duidelijk dat de ouderwetse instrumenten met de handvatten van been en hout weg zouden moeten, want ze konden niet gesteriliseerd worden. Die schitterende kunstwerkjes, prachtig uitgesneden in een tijd dat de kwaliteit van een chirurgisch instrument werd afgemeten aan hoe mooi het eruitzag in plaats van aan zijn functie – die waren nu ouderwets geworden. Samantha had ze kunnen verkopen, maar ze hield ze liever, om zich voor ogen te blijven houden dat alles voortgang moest maken, en dat ze ooit een belofte had afgelegd.

Ergens van beneden, klonk veraf en mooi de melodie van 'Stille Nacht, Heilige Nacht' nu het Vrouwencomité door de zalen ging met vruchtencake en brandewijn met suiker en eieren, terwijl ze kerstliedjes zongen. Het was de dag voor Kerstmis, een heldere, zonnige dag, en in het Ziekenhuis gonsde het van de activiteit. Niet, dacht Samantha met een vermoeide glimlach, dat het ziekenhuis één stille dag had gekend sinds het vijf maanden daarvoor was geopend. Ze waren bang geweest dat er geen patiënten zouden komen, maar op de ochtend na het grote bal hadden zij en haar nieuwe artsen een groep mensen aangetroffen die rustig voor de deur stonden te wachten, en sinds die dag had geen enkel bed nog leeg gestaan.

Het klonk misschien paradoxaal, maar het succes van het Ziekenhuis bleek zijn eigen ondergang te zijn: door de zware patiëntenlast werd LeGrand Masons voorspelling bewaarheid: na vijf maanden al was het geld bijna op.

'Dr. Hargrave!'

Ze hief met een ruk haar hoofd op. Zuster Collins had moeite de patiënte onder het etherkapje in bedwang te houden. Samantha snelde naar de tafel, hield de schokkende schouders naar beneden en zei: 'Nog meer ether, zuster!'

'Maar ik zit al aan de dodelijke dosis, dokter!'

'Nu, kennelijk werkt het niet! Geef haar nog maar wat!'

De bleke jonge vrouw gehoorzaamde met trillende handen en even later sliep de patiënte weer vredig.

Op dat moment kwam dr. Canby binnen, terwijl ze nog bezig was een kapje op haar hoofd te spelden. 'Het spijt me dat ik te laat ben, dokter. Ik werd weggeroepen voor een huisbezoek – o, u bent nog niet begonnen.'

'De patiënte reageert niet op de ether. Wilt u even een oogje op haar houden, alstublieft?' Samantha pakte de kaart die aan een haakje aan het voeteneind van de tafel hing en herlas nog eens mevrouw Cruikshanks ziektegeschiedenis en de resultaten van het onderzoek. Tot haar grote verbazing vond Samantha niets in haar achtergrond of huidige gezondheidstoestand dat verklaarde waarom ze niet op de ether reageerde.

Toen de patiënte weer schokkende bewegingen begon te maken, terwijl dr. Canby probeerde haar in bedwang te houden, zei Samantha: 'Goed. We zullen de operatie moeten uitstellen tot we erachter komen wat er aan de hand is.'

'Wat vreemd,' zei dr. Canby. 'Ik heb nog nooit zoiets meegemaakt!'

'Ik wel,' antwoordde Samantha fronsend. 'Eén keer. Dat was nog in New York. We moesten een amputatie doen bij een havenarbeider, maar hoeveel ether we hem ook gaven, hij bleef niet lang genoeg bewusteloos om hem te kunnen opereren. Later bleek bij navraag dat hij een zware sigarettenroker was. Er kon kennelijk geen gas in zijn longen meer doordringen.'

Dr. Canby keek naar mevrouw Cruikshank, een vrouw van middelbare leeftijd die geopereerd moest worden aan een cyste aan een van de eierstokken. 'Dat is het bij haar toch niet?'

'Dat lijkt me hoogst onwaarschijnlijk. Hoe dan ook, zuster Collins, houd haar alsjeblieft goed in de gaten tot ze helemaal wakker is, en breng haar dan terug naar bed. Ik zal straks wel met haar praten.'

Dr. Canby liep samen met Samantha de operatiekamer uit. 'U moet eens op de Kinderafdeling gaan kijken, dr. Hargrave, het Vrouwencomité heeft er een kerstboom neergezet!'

'Wat zouden we toch zonder het comité moeten beginnen?' mompelde Samantha terwijl ze zich de trap af haastte. 'Ik ga straks wel even kijken.'

Dr. Canby bleef staan en schudde haar hoofd. In de vijf maanden die ze nu bij het Ziekenhuis werkte, had ze dr. Hargrave niet één keer langzaam zien lopen. Hun directrice was een lichtend voorbeeld voor hen allemaal – wie zou zijn plicht verzaken als dr. Hargrave de hele nacht doorwerkte zonder te slapen? Maar Willella wenste wel, voor Samantha's bestwil, dat ze het af en toe een beetje kalmer aan zou doen.

Willella kwam net terug van een huisbezoek. Het was een naar geval geweest: een arme zieke oude vrouw had verwaarloosd in bed gelegen en had van het doorliggen zweren gekregen. Nog erger was dat de familie er onverschillig tegenover stond en nauwelijks naar dr. Canby's aanwijzingen had geluisterd. Willella besloot naar haar kamer te gaan om zich op te frissen. Niemand klaagde over de bekrompen behuizing. De verpleegsters, die dankbaar waren dat ze waren uitgekozen (uit ruim honderd sollicitanten waren er maar vijftien aangenomen), deelden zonder morren kamers die nauwelijks groot genoeg waren voor één bewoonster. De drie inwonende artsen, die alledrie door andere ziekenhuizen waren afgewezen vanwege hun sekse, beschouwden hun kleine suite aan de gang waar ook de operatiekamer lag, als een luxe. In de grootste van de twee kamers stonden drie bedden, en daar hun diensten gespreid waren, lag er altijd wel iemand te slapen. Ernaast was een zitkamer met een kolenkachel, gemakkelijke stoelen, boeken, een kleed op de grond, en een spiritusstelletje om thee te zetten. Omdat het Kerstmis was, lag de suite verlaten: dr. Bradshaw was naar familie in Oakland en dr. Lovejoy was op zaal. Dr. Canby ging naar de wastafel.

In de spiegel inspecteerde ze haar haar. Dr. Hargrave had strenge regels voor het uiterlijk van de staf: meer dan eens was een zuster van zaal gestuurd omdat er een lok haar was losgeraakt. Dr. Canby keek vervolgens lang en aandachtig naar haar gezicht.

Willella was behept met die aangeboren molligheid waarvan, als een meisje jong is, wordt gezegd, 'ach, daar groeit ze wel uit', maar die niet verdwijnt, hoe hard er lichamelijk ook wordt geoefend, of hoe streng er dieet wordt gehouden. Ze had bolle wangen, haar gezicht was rond en popachtig mooi, ze was klein en stevig en ze had geen queue de Paris nodig. Dr. Canby's manier van doen en haar persoonlijkheid pasten bij haar uiterlijk: ze was praktisch ingesteld, eerlijk en openhartig. De medewerkers mochten haar graag, de patiënten aanbaden haar en dr. Hargrave hoopte dat dr. Canby nadat ze haar assistentschap had voltooid, bij het Ziekenhuis zou blijven. Maar onder dat betrouwbare, nuchtere uiterlijk, school in werkelijkheid nog een andere Willella: romantisch, dweperig en wanhopig verlangend naar de liefde. Onder haar kussen lag *Het leven van Napoleon* verstopt, geschreven door Sara Mitchell en voorzien van schitterende gravures. Willella Canby kon uit de schrijftrant met zekerheid opmaken dat juffrouw Mitchell verliefd was op de Kleine Korporaal, net als Willella in stilte.

En daar lag het kernpunt van haar grote dilemma. Hoewel Willella blij was dat ze dokter was geworden (ze kon zich niet herinneren dat ze ooit iets anders had willen worden), prettig bij het Ziekenhuis werkte en hoewel ze dankbaar was dat ze onder Samantha Hargrave kon studeren en graag zou blijven, was dr. Canby een jonge vrouw die hunkerde naar romantiek, een man en kinderen. Maar naarmate de dagen en weken tussen deze muren verstreken en ze vrouwelijke patiënten behandelde en samenwerkte met een staf die geheel uit vrouwen bestond, begon dr. Canby haar leven te beschouwen als dat van een non in een klooster. Er waren geen mannen in haar leven; ze had niemand om naar uit te kijken. Ze was vijfentwintig jaar oud, een oude vrijster al, en ze begon te vrezen dat haar hoop een loze droom zou blijken.

Ze dacht aan dr. Hargrave, die ze bewonderde maar ook benijdde; de directrice scheen geen gebrek aan bewonderaars te hebben, vooral die amusante meneer Weatherby, die altijd toespelingen maakte, en die geweldig aristocratische meneer Dunwich. Samantha Hargrave bofte maar! Dat ze dokter was bleek *haar* kansen op romantiek niet in de weg te staan, en ongetwijfeld zou ze over niet al te lange tijd trouwen. Maar wat voor kansen had Willella? Klein, mollig en dokter – er was geen man in San Francisco die haar een tweede blik waardig zou keuren!

En toch gaf ze de hoop niet op (Josephine was tweeëndertig toen ze Bonaparte ontmoette). Dr. Canby kneep eens in haar wangen om er meer kleur op te brengen, inspecteerde nog een keer haar uniform en beende gelaten de kamer uit.

Wat zouden we ooit zonder het Vrouwencomité moeten beginnen? dacht Samantha Hargrave nogmaals toen ze de grote zaal binnenliep. De dames die hadden gezongen gingen net weg: chique jonge vrouwen in blouses met pofmouwen, lange, slank makende rokken en bontcapejes die bij hun hoeden pasten. Het waren vriendinnen van Hilary, een klein legertje vol energie en ideeën, zo anders dan Janelle MacPhersons groepje in St.-Brigid's Hospital. Hilary's Vrouwencomité, dat al gauw grote bekendheid in de stad had gekregen, was meer dan een stelletje vrouwen die niets beters te doen hadden en eens per week bloemen en bijbels kwamen uitdelen. Ondanks het feit dat ze uit prachtige rijtuigen werden geholpen en door de mannen in hun omgeving in de watten werden gelegd, moesten deze vrouwen niet worden onderschat. Hun diensten gingen verder dan bloemen en cakes brengen, en zelfs nog verder dan geldinzamelingen die van onschatbare waarde waren (wat op dit ogenblik hun hoofdtaak was). Het Vrouwencomité zorgde voor de baby's die op de stoep van het Ziekenhuis werden neergelegd of die wees waren geworden nadat hun moeder bij de bevalling was gestorven. Ze zorgden ervoor dat ze in goede gezinnen werden opgenomen. In de hele stad signaleerden ze krepeergevallen, en meldden die aan Samantha, zodat die een zuster kon sturen. Ze lazen de zieken voor; ze luisterden naar patiënten die bang waren, gaven goede raad aan mensen in nood en hielden de hand van stervenden vast. Het San Francisco Ziekenhuis voor Vrouwen en Kinderen verwierf zich al gauw de reputatie dat het meer was dan alleen een ziekenhuis – het was een veilige haven van medemenselijkheid en troost, vrouwen hielpen vrouwen door moeilijke levensfasen heen, en Hilary's Vrouwencomité speelde daarbij een grote rol. Nu, dacht Samantha toen ze stilstond om een verband te controleren, in het nieuwe jaar ligt er een grote taak voor hen.

Ze waren zo krap bij kas dat Samantha kolen en hout al op krediet kocht. Aan het eind van de maand zou de slager aan het lijntje moeten worden gehouden. Hilary had, zoals altijd, wel een paar oplossingen bedacht, maar vanwege haar situatie (ze verwachtte over een week een baby), kon ze niet actief deelnemen aan de activiteiten van het comité. Maar als ze weer op de been was, beloofde ze, zou ze de dames bij elkaar roepen en een paar geldinzamelingen organiseren. Een daarvan zou een jaarmarkt worden: ieder stalletje zou een maand van het jaar uitbeelden, zodat men door de seizoenen kon slenteren en Valentijncadeautjes kon kopen, geschenken voor een junibruid, zelfgemaakte herfststukjes enzovoort. Haar andere idee voor een inzameling was een fietstocht voor dames door het Golden Gate Park. Samantha miste Hilary heel erg. Vanwege haar toestand behoorden hun wekelijkse lunches even tot het verleden, boogschieten was onmogelijk, en zelfs naar het kopje thee in Samantha's kantoortje als Hilary langskwam, kon ze niet uitzien. Samantha zag soms kans zich even van het ziekenhuis los te rukken en naar California Street te gaan, maar hun gesprekken draaiden dan onvermijdelijk om het ziekenhuis en geld.

Bij het volgende bed wisselde Samantha glimlachend een paar woorden met de patiënte, een opgewekte jonge vrouw die opzat en brandewijn met suiker zat te drinken. Twee weken daarvoor was ze bewusteloos en koortsig binnengebracht, met een doorgebroken appendix. Samantha en Willella Canby hadden haar geopereerd en nu was het meisje volledig hersteld. Toen Samantha het gezonde roze litteken inspecteerde, dacht ze terug aan de vele gevallen van blindedarmontsteking in het verleden, zelfs aan Isaiah Hawksbill, die allemaal waren overleden. Nu had de patiënt tenminste een kans, al bleef het een riskante operatie.

Toen de deur aan het eind van de zaal openging en een verpleegster met haar armen vol lakens binnenkwam, drong Samantha even het aroma van gebraden gans in haar neus. Voor die patiënten die het konden verdragen, bestond het kerstdiner uit gevulde gans, broodwortel en saus, gevolgd door rozijnentaart en citroenthee. Nu ze daaraan dacht, merkte Samantha dat ze honger had. Het was al middag, en ze had noch ontbeten noch geluncht, zo druk had ze het gehad. Maar vanavond zou ze dat inhalen. Vanavond ging ze naar Coppa met Warren Dunwich.

De paar avonden die ze vrij had en die ze niet bij Jennifer doorbracht, werden verdeeld tussen Stanton Weatherby en Warren Dunwich, die haar allebei ijverig het hof maakten. Hilary's verwachtingen waren in het begin hoog gespannen geweest, en ze had Samantha met zachte drang naar een huwelijk proberen te praten, maar uiteindelijk had ze het opgegeven. Samantha en Hilary hadden al lang geleden geleerd openlijk met elkaar te spreken en elkaar dingen toe te vertrouwen die ze voor alle anderen verborgen hielden. Toen Hilary Samantha dus openlijk vroeg naar haar relatie met de twee mannen, had Samantha openhartig geantwoord: 'Ze zijn aardig, maar ze doen me niets.'

Al deden ze haar dan niets, toch keek ze uit naar deze avond. Warren Dunwich was prettig in de omgang, een fijne afwisseling na het slopende tempo in het Ziekenhuis. Hij was hoffelijk, uiterst ridderlijk, en altijd eropuit het haar naar de zin te maken. Toen Samantha de wens had geuit eens een kijkje te nemen in het Monkey Block, had Warren die wens prompt vervuld.

Het Monkey Block was de kunstenaarswijk waar schilders en schrijvers samenkwamen. Het was een buurt vol schilderachtige figuren en Spaanse en Franse restaurantjes, en de hogere kringen vonden het 'chic' om daar 's avonds na de opera heen te gaan. Warren met zijn zijden hoge hoed en rood gevoerde avondcape zou Samantha begeleiden naar Coppa, waar ze in het kleine, rokerige eethuisje Coppa's beroemde kip à la Portola zouden eten – kippeboutjes, gebakken spek, paprika, uien, maïs, tomaten, kokos en een kruidige 'geheime' saus, dat alles werd een uur lang in een kokosnoot gestoofd. Bij de maaltijd een fles Clos Vougeot, waarvoor de formidabele som van vier dollar moest worden betaald.

Ze voerden lange gesprekken. Warren vroeg naar het ziekenhuis en luisterde met oprechte belangstelling; hij vertelde haar altijd over zijn houthandel in Seattle en vleide haar met zijn wereldse attenties. Maar ten slotte werd Samantha zich altijd bewust hoe laat het was, ze dacht aan Jenny die thuis was, bij de huishoudster en aan de vroege dienst de volgende ochtend; dan vroeg ze Warren of hij haar naar huis wilde brengen. Zo ging het altijd. Warren Dunwich, met zijn aristocratische uiterlijk en zijn adellijk voorkomen, deed nooit dat essentiële vonkje overspringen.

Stanton Weatherby daarentegen was op en top een inwoner van San Francisco. Zijn geestigheid en zijn gevoel voor humor maakten haar altijd aan het lachen. Hij nam haar mee naar de meest wonderlijke gelegenheden: Woodward's pretpark en the Poodle Dog, een eethuisje. Hij maakte altijd woordspelingen en citeerde geestige uitspraken ('Een hengel is een stok met aan de ene kant een haakje en aan de andere kant een dwaas'). En, net als Warren, deed hij altijd zijn uiterste best het haar naar de zin te maken. Maar ook hier weer, geen vonk.

Samantha mocht beide mannen graag, maar als ze niet in hun gezelschap verkeerde, dacht ze zelden aan hen, en als ze wel bij hen was, moest ze hen onwillekeurig met Mark vergelijken.

Mark Rawlins was haar enige liefde, en dat zou altijd zo blijven. Iedere dag weer werd ze door allerlei kleinigheden aan hem herinnerd. Als een patiënt bij haar kwam dan dacht Samantha, Mark zou dit of dat voorschrijven. In de operatiekamer, als ze een tenaculum pakte dacht ze, hij heeft me geleerd het zo vast te houden. Een dokter die op bezoek kwam, Mark droeg ook zo'n jas, maar hem stond het zoveel beter... En 's nachts was haar laatste gedachte als ze haar hoofd op het kussen legde, altijd weer voor hem. Ze stelde zich voor hoe hij eruitzag, hoe het zou zijn weer met hem te vrijen, ze bracht hem weer tot leven; zijn warmte, zijn mooie, sterke lijf, de eindeloze kussen die hij haar gaf. Soms schonken die fantasieën haar kracht en dan was ze dankbaar voor wat ze eens had gehad; maar soms huilde ze, bedroefd om wat er nooit meer zou zijn.

'Dr. Hargrave?'

Ze keek op terwijl ze de dekens van de patiënte rechttrok. Zuster Hampton, die vandaag de opnames regelde, stond aan het voeteneind van het bed. 'Er wacht een nieuwe patiënte op u.'

'Dank u, ik kom er zo aan.' Tegen de patiënte in bed zei ze: 'Morgen eet je het kerstdiner weer thuis, Martha.' Ze drukte het meisje de hand en liep weg.

Terwijl ze naar de deur liep, liet Samantha net als altijd haar ogen keurend over de bedden gaan, en onderweg gaf ze nog een paar opdrachten. 'Leg alsjeblieft een boog over de voeten van mevrouw Mayer. Ze heeft jicht, weet je nog. Mevrouw Farber kan niet bij de bel. Die mevrouw in bed zes ademt moeilijk. Leg nog maar een kussen in haar rug.'

Er was zo veel te bedenken, zo veel om toezicht op te houden. Samantha had er, toen het ziekenhuis net openging, geen idee van gehad hoe ver haar plichten zouden reiken. Ze had alleen patiënten voor ogen gehad; maar aan het directrice-zijn zat nog meer vast dan diagnoses stellen en behandelingen voorschrijven. Charity Ziegler kwam bij haar met beoordelingen van de verpleegsters; mevrouw Polanski had problemen met haar assistente in de wasruimte; meneer Buchanan, de portier, was weer eens dronken, en kennelijk zaten er muizen in de kelder.

Voordat ze de onderzoekkamer binnenging, keek Samantha op haar horloge. Het was al laat en ze wilde nog even bij Jenny zijn voor Warren haar kwam halen.

De vorige avond had Samantha Jenny een kerstboom gegeven en had haar voorgedaan hoe ze die moest versieren. Het meisje had alles precies nagevolgd en had er de strikjes en strengen popcorn in gehangen. Haar grote ogen stonden vol aandacht, en haar vaardige vingertjes maakten geen fouten. Maar zoals altijd toonde Jennifer geen enkele nieuwsgierigheid of verwondering, en toen de boom klaar was en de kaarsjes brandden, had ze er zonder enige uitdrukking op haar gezichtje naar zitten kijken.

Samantha had maanden daarvoor besloten Jenny toch niet naar de dovenschool in Berkely te sturen. Ze wilde haar thuis houden, in de hoop dat ze een manier zou ontdekken hoe ze tot dit bijzondere kind kon doordringen. Maar, zoals Hilary en Darius hadden uitgelegd, Samantha had geen tijd genoeg om het gestelde doel te bereiken. Het zou een hele dagtaak zijn om een manier te ontdekken om contact met Jennifer te krijgen. Daarom had Samantha een compromis gesloten. Na de eerste januari zou er een huisonderwijzer komen, Adam Wolff, die haar door de school was aanbevolen als een uitstekende leermeester voor dove kinderen. Al kon hij wel spreken, hij was zelf ook doof.

Toen Samantha die beslissing eenmaal had genomen, ging ze in gedachten nog een stap verder. Daar ze alleen het beste voor Jenny goed genoeg vond, had Samantha bedacht dat het, nu haar patiënten naar het ziekenhuis kwamen en niet langer naar hun huis aan Kearny Street, misschien verstandig zou zijn een andere woning te zoeken. Per slot van rekening was Kearny Street een drukke verkeersader, het was er gevaarlijk en ongezond. Bovendien was het huis eigenlijk te klein voor haar en het kind, de inwonende huishoudster en binnenkort, meneer Wolff. Darius had Pacific Heights aanbevolen, een rustige buurt met huizen die niet tè groot waren maar groot genoeg, alle met een stukje grond erbij. Een tuin zou fijn zijn voor Jenny, en Samantha zou graag een studeerkamer thuis hebben. Misschien zou ze Darius vragen na de vakantie iets voor haar te zoeken.

Ze duwde de deur naar de onderzoekkamer open en zei: 'Hallo, ik ben dr. Hargrave.'

De jonge vrouw, niet ouder dan zeventien, sprong overeind. Voordat ze naar het fonteintje ging om haar handen te wassen, had Samantha met een snelle blik vastgesteld dat het meisje zenuwachtig met de franje van haar sjaal speelde, dat ze ongewoon bleek zag en dat ze zich stijfjes en schichtig gedroeg. 'Het is de avond voor Kerstmis,' zei Samantha met een glimlach terwijl ze haar handen afdroogde. 'Ik kan me allerlei plaatsen voorstellen waar ik liever zou zijn dan in een ziekenhuis, jij niet?'

'Ja, dokter...'

Samantha bood het meisje een stoel aan en ging tegenover haar zitten. Toen vroeg ze vriendelijk: 'Wat is er aan de hand?'

Ze was twee keer niet ongesteld geweest en was 's morgens misselijk, legde het meisje stamelend uit. Al luisterend viel het Samantha weer op hoe schichtig het kind deed. Aan haar kleren te zien was ze een werkende vrouw en Samantha wist dat er iets niet goed zat. Meisjes van de arbeidersklasse gingen zelden naar een dokter om een zwangerschap te laten bevestigen. Ze leerden al vroeg hoe de voortplanting in zijn werk ging en vaak woonden ze in een groot gezin waar altijd wel een moeder of een tante raad kon geven. Niettemin onderzocht Samantha haar en zei: 'Gefeliciteerd, mevrouw Montgomery, u bent zwanger.'

De reactie van het meisje verbaasde haar niet. 'Ik ben *juffrouw* Montgomery en ik kom hier niet om gefeliciteerd te worden. Ik wist al dat ik in verwachting was.'

'Waarom bent u dan wel gekomen?'

Juffrouw Montgomery ontweek Samantha's blik. 'Ik wil het niet.'

'Wilt u de baby niet?'

'Ziet u, het was een ongelukje. Tja, we hadden wat gedronken en die vent bood aan me naar huis te brengen. Ik geef niet gauw toe, dokter, maar hij had het gedaan voordat ik het wist. Ik zie hem waarschijnlijk nooit weer; het was dus allemaal een ongelukje.'

'En wat wilt u nu dat wij voor u doen?' Samantha wist het antwoord wel; dit soort verzoeken kwam meer voor, maar ze wilde het uit de mond van het meisje zelf horen.

Juffrouw Montgomery keek naar de grond. 'Ik wil dat u het voor me wegmaakt.'

'Waarom wilt u het niet houden?'

Het meisje sloeg haar ogen op, die angstig stonden. 'Ik kan heus niet thuisblijven en ervoor zorgen. Ik verdien de kost voor mijn pa en mijn kleine broertjes. Ik ben de enige die geld binnenbrengt en als ik dat niet doe, sterven ze van de honger.'

'Waar werkt u?'

'Bij de wasserij in Mission Street. Daar kan ik blijven tot je het gaat zien' – de tranen sprongen haar in de ogen – 'en dan gooit meneer Barnes me op straat. En dan lijden mijn pa en mijn broertjes honger en dan is het afgelopen met ons allemaal. Hoor eens, dokter, ik heb spijt van wat ik heb gedaan, maar ik kan het kind niet laten komen.'

Samantha knikte peinzend. Even later zei ze: 'Juffrouw Montgomery, ik geloof dat u een gebed verhoort.'

'Hoezo?'

'Ik ken een vrouw, een heel lieve dame, die al jaren probeert een kind te krijgen, maar het lukt niet. Sinds kort proberen zij en haar man een baby te adopteren, maar ziet u, juffrouw Montgomery, er doet zich een probleem voor. De vrouw wil dat de baby zo veel mogelijk op haar lijkt, en de enige weesjes die we de laatste tijd hebben gehad zijn Mexicaantjes of oosterse kinderen. Maar nu zit u hier, juffrouw Montgomery, en u hebt dezelfde teint en kleur haar als deze vrouw. Ik noem dat een gebed dat verhoord wordt.'

Het meisje fronste. 'Maar ik wil er niet vanaf nadat het is geboren. Ik wil er *nu* vanaf.'

'Dat weet ik wel, juffrouw Montgomery, maar ik dacht aan die vrouw en haar man, en hoe graag ze uw kind zouden aannemen. Het zijn goede mensen, dat verzeker ik u, en ze hebben een mooi huis. Uw baby zou worden opgevoed in...'

Het meisje boog zich naar voren en zei smekend: 'Maar ik kan het niet krijgen! Hoe kan ik nu naar de wasserij gaan met zó'n buik!'

'Inderdaad,' antwoordde Samantha. 'Dat kan ook niet. Ik heb een idee. Toevallig zit ik dringend om hulp in de wasserij hier verlegen. Vanmorgen vroeg mevrouw Polanski nog of ik er niet iemand bij kon nemen. Wat zou u ervan zeggen, juffrouw Montgomery, als u uw baan opgaf en hier kwam werken? U zou hier tot de bevalling kunnen blijven, ik zou ervoor zorgen dat het werk niet al te zwaar was, en naderhand kunt u het baantje houden als u dat wilt. We zullen u niet op straat zetten. Wat vindt u ervan?'

Juffrouw Montgomery veegde de tranen van haar wangen. 'Ik weet het niet goed...'

'We betalen je wat je nu ook krijgt.' Samantha's brein werkte koortsachtig. Ze moest ergens anders op bezuinigen om het salaris te kunnen betalen. En ze zou mevrouw Polanski moeten uitleggen waarom ze weer een assistente had aangenomen.

'Meent u het echt?'

'Natuurlijk. En u kunt meteen beginnen.'

Haar gezichtje klaarde op; ze bewoog haar schouders alsof iemand haar een zware last had afgenomen. 'Goed, dokter! Ik werk trouwens veel liever hier!'

Samantha stond op en liep naar de deur. 'De dag na Kerstmis moet u zich melden. Mevrouw Polanski zet u wel aan het werk.'

'Dank u, dokter!'

'O ja, juffrouw Montgomery, u hoeft de baby niet per se af te staan. Als u het kind na de geboorte liever houdt...'

'Dat is wel goed, dokter. Ik heb liever dat die aardige mevrouw de baby krijgt. Dank u wel, God zegene u!'

Terwijl ze door de gang naar haar kantoor liep, haalde Samantha een aantekenboekje en een potlood uit haar zak en schreef op: Iemand zoeken die de baby van juffrouw Montgomery wil adopteren.

'Dokter! Dokter Hargrave!'

Samantha bleef staan en keek op. Zuster Hampton kwam op haar toe rennen. Met een hand hield ze haar rokken omhoog, met de andere gebaarde ze. 'Dokter! Een bevalling! Buiten! We kunnen haar niet uit het rijtuig krijgen!'

Samantha vloog langs haar heen.

Langs het trottoir voor het ziekenhuis stond een mooi rijtuig stil, het paard bewoog zich nerveus in het tuig, terwijl de koetsier de deur openhield en in snel en vurig Italiaans tekeerging. Toen Samantha langs hem heen drong, zei hij: 'Dokter, u moet haar eruit halen! Ze ruïneert mijn bekleding!'

Samantha negeerde hem, klom naar binnen en knielde naast de vrouw die op de bank lag, met haar handen tegen haar gezwollen buik. 'Ik ben dokter Hargrave,' zei Samantha. 'Laat mij u naar het ziekenhuis helpen.'

Het gezicht van de vrouw vertrok van pijn, ze klemde haar tanden op elkaar en de aderen bij haar slapen zwollen op. Toen zei ze half-hijgend: 'Dat kan niet! Het komt al. O god!'

'We dragen u wel.'

De vrouw riep uit: 'Nee!' en rolde haar hoofd van de ene kant naar de andere.

Samantha draaide zich om en zei over haar schouder: 'Zuster, haal mijn stethoscoop, een deken, een paar handdoeken en de instrumenten. En een lantaarn!'

'Hé!' schreeuwde de koetsier. 'Ze kan in mijn rijtuig geen kind krijgen!'

'Wilt u alstublieft de deur dichtdoen om mevrouw hier wat privacy te gunnen!'

Nadat ze de vitale functies van de vrouw had onderzocht, tilde Samantha de zware fluwelen rok op. 'Ik controleer even hoe het met de baby staat. Het doet geen pijn.'

Maar Samantha wist dat de vrouw te veel pijn had, het kon haar allemaal niets meer schelen – de weeën volgden elkaar snel op en bij iedere contractie gilde ze het uit. Samantha tastte naar het hoofdje van de baby; het zat nog tegen de baarmoedermond aan, er was zo'n tien centimeter ontsluiting. Toen de deur van het rijtuig openging en ze de stethoscoop aangereikt kreeg, beluisterde Samantha de hartslag van de baby. Buiten hielden zuster Hampton en een agent een menigte op afstand. Samantha luisterde. Ze keek op haar horloge. Niet meer dan honderd slagen per minuut.

De baby was in moeilijkheden.

Snel maakte ze het bundeltje instrumenten open dat de verpleegster had gebracht. Samantha zei: 'Goed, nu ga ik de vliezen breken. U voelt er niets van. Als u even stil kunt liggen...'

Met vaste hand leidde ze de tang en schaar bij het schijnsel van de lantaarn die tussen de benen van de vrouw stond. Samantha knipte het vlies door en bestudeerde het vruchtwater dat ontsnapte.

Haar ergste vermoedens werden bewaarheid. Het gewoonlijk heldere vruchtwater zag groenachtig bruin, wat betekende dat het meconium bevatte, ontlasting van de baby, die daarmee aangaf dat hij in moeilijkheden verkeerde.

Samantha beluisterde nogmaals de hartslag. Die was gezakt naar negentig. In een onderdeel van een seconde moest ze een beslissing nemen: moest ze tijd nemen om de vrouw naar de operatiekamer te brengen voor een keizersnee, of moest ze de bevalling hier verrichten?

Samantha nam haar besluit: er was geen tijd de vrouw nog te verplaatsen. Bij de instrumenten zat een Franse verlostang. Ze keurde het regelmatige gebruik ervan af, maar in noodgevallen kon hij mensenlevens redden.

Het hoofdje was nu zichtbaar, maar de baby maakte geen verdere vorderingen. De moeder gilde het bij iedere wee uit.

Niet wetende of ze het hoorde of niet, zei Samantha: 'Ik ga de baby nu halen. Als u me voelt trekken, wil ik dat u perst zo hard als u kunt.'

'Laat me alstublieft even uitrusten!' riep ze uit. 'O god, laat die pijn ophouden! Geef me iets om te slapen!'

'Dat kan niet. Ik heb uw hulp nodig. U moet even flink meewerken.'

Terwijl Samantha de bladen van de verlostang het geboortekanaal inbracht, deed ze haar ogen dicht en tastte met de vingers van haar andere hand naar het hoofdje en gezichtje van de baby. De tang moest zo worden aangebracht dat de schedel niet beschadigd werd: vlak voor de oren, langs de kaak. Toen ze goed zaten zei ze: 'Mooi zo, laten we hem halen. Meewerken. Persen!'

Samantha trok, ontspande zich, trok toen weer, in een nabootsing van het geboorteproces, en toen het hoofdje halverwege naar buiten stak verwijderde ze de tang en nam het zachte schedeltje voorzichtig tussen haar handen. 'O Jezus!' jammerde de vrouw. 'Hou op!'

'Weer persen! Het is bijna voorbij. Persen!'

Samantha liet het hoofdje de draai maken en hielp toen het schoudertje naar buiten. Dat was het moeilijkste, wat de moeder vaak de grootste schade toebracht. Om inscheuren te voorkomen, legde Samantha haar vingertoppen stevig tegen het perineum, tilde de baby op en liet het andere schoudertje geboren worden. De rest van het kleine lichaampje volgde snel en als vanzelf.

Normaal gesproken moest ze nu de navelstreng afbinden; de baby zou worden ingepakt en samen met zijn moeder naar het ziekenhuis worden gebracht, waar ze de placenta veiliger en hygiënischer kon halen. Maar daar was nu geen tijd voor.

De baby ademde niet.

Samantha hield het bij de voetjes omhoog en tikte hard tegen de voetzooltjes. Geen reactie. Ze kneep de baby in de billetjes. Toen gaf ze er een tik op.

Snel maakte Samantha met een rubber slangetje het verstopte neusje en mondje schoon. Het kind zag bleek. Maar het hartje klopte nog zwakjes.

341

Gelukkig was de moeder bewusteloos geraakt. Ze zag niet hoe dr. Hargrave haar mond over het gezichtje van de baby legde en adem in de longetjes blies. Ze zag niet hoe bleek de dokter werd terwijl ze fanatiek probeerde de stervende baby leven in te blazen. En ook zag ze niet dat de tranen haar in de ogen sprongen.

Leef, smeekte Samantha in gedachten. *Leef alsjeblieft!*

Ze ademde uit, en keek hoe het borstkasje omhoog kwam en weer inzakte. Weer blies ze het kind adem in. Toen wachtte ze, of het uit zichzelf begon te ademen.

Maar terwijl het kleine lichaampje steeds kouder werd, en uiteindelijk ook de hartslag stilstond, wist Samantha dat het geen zin had. Ze hield de baby dicht tegen zich aan, boog haar hoofd en begon geluidloos te huilen.

7

Het rijtuig was veel te chic voor haar, maar Samantha had niet kunnen weigeren. Mevrouw Bethenia Taylor, vrouw van de treinmagnaat, had jarenlang aan een hernia in de dij geleden en Samantha had haar daarvan genezen door middel van een techniek die ze van Landon Fremont had geleerd. Uit dankbaarheid had de vrouw haar een elegante coupé geschonken, met vierkante petroleumlampen van zilver, schuine ramen en harde rubberbanden, waardoor het voertuig heel soepel reed. Samantha had het willen verkopen, maar daar wilde Hilary niet van horen. Een dokter heeft een rijtuig nodig, had ze gezegd. Het was niet zoals het hoorde dat Samantha per tram op huisbezoek ging. Toch geneerde Samantha zich iedere keer nog een beetje als ze ermee voor kwam rijden en ze zag het maar al te graag in de gehuurde garage aan de overkant verdwijnen.

Vermoeid liep ze de trap op; ze had helemaal geen zin meer om vanavond met Warren Dunwich uit te gaan. Ze wilde slechts een rustige avond alleen met Jenny, haar dochter, haar kind...

In de drie jaar dat ze Jennifer bij zich had, had Samantha nooit de hoop opgegeven dat het meisje op een dag op haar af zou komen rennen om haar te omhelzen als Samantha thuiskwam. Maar nu ze in de deuropening stond te luisteren naar het geluid van vlugge voetstappen, hoorde ze alleen juffrouw Seagram kerstliedjes spelen op de piano, en het geratel en getingel van het drukke vakantieverkeer buiten op straat.

Samantha zuchtte en deed de deur dicht.

Juffrouw Peoples, de inwonende huishoudster, kwam te voorschijn terwijl ze haar handen aan haar schort afdroogde. 'Dr. Hargrave, is er iets? U ziet er niet goed uit.'

'Ik ben moe, juffrouw Peoples. We hebben een afschuwelijke dag achter de rug.'

De ogen van de huishoudster, die hadden geleerd de stemmingen van het gezicht van haar werkgeefster af te lezen, merkten de spanning op, de

342

bleekheid, het verdriet. En ze dacht, weer iemand verloren. 'Het spijt me dat ik het moet zeggen,' merkte ze rustig op terwijl ze Samantha's jas en tas aannam, 'maar meneer Dunwich is er.'
'Wat? Maar dan is hij uren te vroeg!'
De huishoudster maakte een hulpeloos gebaar met haar handen.
'O, laat ook maar, juffrouw Peoples. Bied hem een glas cognac aan en zeg maar dat ik over een paar minuten bij hem kom.'
Samantha ging naar boven en verwonderde zich over meneer Dunwich' onverwacht vroege komst, dat paste niet bij hem en ze ergerde zich een beetje. Ze had dringend behoefte aan rust en tijd om na te denken.
Waarom? Waarom was de baby gestorven? De medische wetenschap maakte tegenwoordig zulke grote vorderingen en toch stierven er nog zo veel baby's. Het was niet eerlijk.
Maar de dood van die naamloze baby was niet de enige reden voor Samantha's sombere stemming op deze avond voor Kerstmis; er zaten haar nog andere dingen dwars, niet in het minst het probleem met mevrouw Cruikshank.
Nadat ze een poosje alleen in haar kantoortje had gezeten om van de rampzalige gebeurtenis bij te komen, was Samantha naar de zaal gegaan om een praatje met de vrouw te maken.
Nadat ze haar had uitgelegd waarom de operatie was uitgesteld – 'We kunnen het niet riskeren; de ether maakte u niet bewusteloos' – stelde Samantha een paar vragen, maar de antwoorden leverden niets nieuws op. Nee, ze rookte niet; nee, ze dronk geen alcohol, zelfs niet af en toe een glas wijn; nee, er kwamen geen ademhalingsstoornissen in de familie voor. Samantha wist werkelijk niet wat ze ervan denken moest, tot de vrouw zei: 'Ik ben mijn hele leven zo gezond als een vis geweest, dokter, behalve deze cyste. En die bloedarmoede natuurlijk.'
'Bloedarmoede?'
'Dat heb ik jaren geleden gehad. Maar dat is helemaal over, daarom heb ik het er nooit over gehad. Mijn bloed is nu fantastisch goed.'
'Hoe is die bloedarmoede genezen, mevrouw Cruikshank?'
'Mijn dokter zei dat ik een middeltje moest gebruiken om mijn bloed op peil te brengen. Ik ben naar een apotheek gegaan en daar raadden ze Johnstons bloedtonic aan. En jawel hoor, zodra ik dat innam, voelde ik me een stuk beter.'
'Hoelang geleden is dat?'
'Zeventien, achttien jaar.'
Samantha schudde haar hoofd. Daar had ze ook niets aan.
'Er stond op het etiket wel een waarschuwing,' vervolgde mevrouw Cruikshank, 'dat de bloedarmoede zou terugkomen als ik ermee zou stoppen. Uiteraard ben ik het blijven innemen.'
'U drinkt dus al achttien jaar Johnstons Tonic!'
'Met de regelmaat van de klok.' De vrouw reikte in het kastje dat tussen haar bed en het volgende stond, en pakte een flesje. 'Ik neem het overal

343

mee naar toe. Ik heb het in mijn tas zitten.'

Samantha nam het flesje aan en las wat er op het etiket stond. Het beloofde alles te genezen, van kaalheid tot impotentie, maar het beweerde in de eerste plaats dat het 'het bloed dikker maakte en versterkte'. De samenstelling werd nergens vermeld.

'Hoeveel neemt u ervan, mevrouw Cruikshank?'

'Tja, dokter, achttien jaar geleden was een eetlepel 's morgens en 's avonds genoeg, maar na een poosje voelde ik dat het nodig was de dosis te verhogen. Ik denk dat je aan zo'n medicijn gewend raakt. Nu neem ik 's morgens vroeg, om twaalf uur, bij het avondeten en bij het slapen gaan een glas.'

'Maar mevrouw Cruikshank, dat is de hele fles!'

'Een fles per dag, daar komt het wel op neer, dokter. Maar het is goed spul. Het houdt me in topconditie. Als ik ooit zonder kom te zitten, merk ik hoe slecht mijn bloed eigenlijk is. Dan word ik heel slap en trillerig en raak ik vreselijk uit mijn doen.'

Samantha haalde de kurk van de fles en snoof eens. De geur van alcohol was zo sterk dat het was alsof ze whisky rook. Daar had je het probleem: behalve roken was er nog een kwaal die narcose bemoeilijkte: alcoholisme. Mevrouw Cruikshank was alcoholiste, en ze wist het niet eens.

Nu Samantha aan haar toilettafel zat en haar haar losmaakte om het eens flink te borstelen, voelde ze een geweldige frustratie opkomen. Hoewel het Ziekenhuis een eindeloze voldoening en dankbaarheid schonk, waren er ook teleurstellingen geweest. Je kon het mooiste ziekenhuis bouwen en de meest ervaren staf van de hele wereld aanstellen, maar uiteindelijk bleef het grootste probleem overeind: onwetendheid. Samantha begon te beseffen dat het duidelijk was dat medische zorg achteraf niet voldoende was, vrouwen moesten voorlichting krijgen, vóórdat ongelukken, verslavingen en onhygiënische toestanden de kans kregen.

Maar dat was niet eenvoudig. Niet alleen moest de onwetendheid van het publiek worden weggenomen, maar het vooroordeel van de goed opgeleide mensen eveneens. Een week geleden nog had een hoofdartikel in de *Chronicle* kritiek geuit op het Ziekenhuis omdat het gesteriliseerde melk verschafte. 'Al het goede wordt eruit gekookt,' stond er te lezen. 'Men kan een baby net zo goed water geven.' Pasteurs nieuwe manier om melk en wijn te zuiveren werd in Amerika maar heel langzaam gemeengoed, en totdat de bacteriëntheorie onomstotelijk kon worden bewezen, zou pasteurisatie gelijk staan aan kwakzalverij.

Waar lag de verantwoordelijkheid van een dokter en waar lagen haar grenzen? De honderden gevallen die ze in het Ziekenhuis onder handen had gehad, hadden Samantha tot het inzicht gebracht dat vele ervan veel verder gingen dan eenvoudige medische problemen: ze hadden ook te maken met morele en sociale opvattingen. Hoever moest zij, als dokter, gaan?

Het was begonnen met intieme problemen, vrouwen die raad vroegen om de geslachtsdaad draaglijk te maken zodat ze hun echtgenoten niet hoefden af te wijzen. Toen kwamen de vrouwen die een nieuwe zwangerschap niet konden of wilden verdragen (ze deden de slaapkamerdeur op slot zodat hun man niet naar binnen kon) en die advies op het gebied van geboortenregeling vroegen. Toen verschenen de prostituées, de vrouwen tot wie de afgewezen echtgenoten zich hadden gewend. Dit was het punt waarop het zuiver medische vraagstuk een sociaal probleem werd. Helaas, hoewel Samantha wel zag waar de oorzaken lagen, kon ze geen oplossing aandragen. De meeste van haar patiënten zochten naar anticonceptiemiddelen. Als ze zich aan hun echtgenoot konden geven zonder angst voor zwangerschap, zou het hen gemakkelijker vallen om liever en gewilliger te zijn, en op die manier zouden hun mannen thuis blijven. Er zouden minder baby's op de stoep van het Ziekenhuis worden achtergelaten, minder abortuspogingen worden gedaan en er zouden minder vrouwen op hun dertigste sterven omdat ze voor de twaalfde keer zwanger waren; bovendien zou de verdorvenheid in San Francisco een stuk afnemen. Maar de wet was duidelijk: het verstrekken van anticonceptiemiddelen was verboden.

Samantha stond er versteld van hoe weinig de meeste vrouwen wisten over hun eigen lijf en over eenvoudige gezondheidszaken. Neem mevrouw Cruikshank, die in haar onschuld een hoeveelheid alcohol per dag dronk die gelijk stond aan een halve liter whisky, en die verslaafd was. Vrouwen die de afwas deden in hetzelfde water waarin de hele familie op zaterdagavond had gebaad. Vrouwen die dachten dat de 'veilige' dagen vielen in het midden van hun cyclus, of die dachten dat zwangerschap werd voorkomen door direct na de gemeenschap te urineren, of dat een kruidnagelarmband een goed anticonceptiemiddel was. Van vrouwen uit de betere kringen die zich zo stijf inregen dat hun ribbenkast werd vervormd, tot werkende moeders die hun huilende baby's stil kregen met Winslow's Kalmerende Siroop, niet wetende dat er morfine in zat – iedere dag kreeg Samantha kwalen onder ogen die met een beetje kennis, een beetje nadenken, hadden kunnen worden voorkomen.

Ze merkte ineens dat ze naar haar spiegelbeeld zat te staren en dat de borstel vergeten in haar hand lag. Juffrouw Peoples had gelijk, ze zag er niet goed uit.

Met iedere vrouw die doodgaat sterft er iets in me. En met iedere baby...
Ze voelde de tranen in haar ogen branden. Ze verloren er zo veel, zo veel. Baby's met aangeboren hart- en longafwijkingen, baby's die blind werden geboren, of kreupel – zoveel geboortegebreken die te wijten waren aan onvoldoende verzorging tijdens de zwangerschap omdat de moeder eenvoudig niet beter wist. Het was niet eerlijk. Al die bloedeloze lichaampjes die ter wereld kwamen, worstelend om te overleven en die geen enkele kans maakten. Het Ziekenhuis vertoonde een lager sterftecijfer onder baby's dan het landelijk gemiddelde, maar dat was niet genoeg. Er gingen er in de verloskamer nog te veel dood, en later stierven peuters die net leerden praten en zich hun omgeving bewust werden aan ziekten die op onzichtbare voeten door de stad slopen.

Samantha boog haar hoofd en steunde het in haar handen.

Een zachte klop op de deur bracht haar tot de werkelijkheid terug. Samantha keek op haar horloge. Waar was de tijd gebleven? Ze was al een uur thuis. Meneer Dunwich!

De huishoudster stak haar hoofd om de deur. 'Ach, zit u hier, dokter. Ik dacht dat u even een dutje deed.'

'Neem me niet kwalijk, juffrouw Peoples. Ik ben helemaal de tijd vergeten. Ik hoop dat meneer Dunwich het niet vervelend vindt.'

'Hij zit rustig in de salon met zijn cognac. Ik heb hem uitgelegd dat u zich moest verkleden en zo. Hij had er alle begrip voor.'

'Ja, zo is hij wel. Ik zal me haasten.'

'Ik wilde u nog vragen, dokter, wat ik met juffrouw Jenny moet.' De huishoudster kwam nu helemaal binnen, met Jennifer aan de hand. 'Zal ik haar nu vast te eten geven?'

Van het ene moment op het andere waren Samantha's zorgen vergeten. Dit was haar kind. Ze liet zich op haar knieën vallen en stak haar armen uit. 'Kom maar hier, liefje.'

Na een duwtje van juffrouw Peoples liet Jenny zich gelaten omhelzen. 'Ik ben bang dat alles een beetje in het honderd loopt, nu meneer Dunwich zo vroeg is gekomen,' zei ze tegen de huishoudster, terwijl ze het meisje over het haar streek. 'Ik zal niet veel tijd voor haar hebben.'

Jenny was nu elf jaar oud, maar nog klein voor haar leeftijd. Haar kleine lijfje voelde broos aan in Samantha's armen. 'Het spijt me zo, liefje,' zei Samantha zachtjes. 'Maar ik beloof je dat ik het zal goedmaken. Morgen is helemaal voor ons samen. Als we onze pakjes hebben uitgepakt maken we een heerlijke rit met het rijtuig...'

Juffrouw Peoples, een al wat oudere, weekhartige dame, keek bedroefd toe. Ze was altijd bijna tot tranen toe bewogen als de dokter zo tegen het kind praatte, alsof het normaal was. Waarom kon ze het meisje niet accepteren zoals ze was?

De vorige zomer, toen Samantha had besloten Jenny niet naar de bijzondere school in Berkely te zenden, was ze van plan geweest de achtergrond van het meisje te onderzoeken om erachter te komen wat de oorzaak van haar doofheid was. Maar de arme dokter, zo wist juffrouw Peoples, was naar die krottenwijk gegaan om tot de ontdekking te komen dat de huurkazerne was gesloopt. Er was een nieuw pakhuis voor in de plaats gekomen en alle Ieren hadden zich verspreid. In de katholieke kerk was een oude pastoor die zich de O'Hanrahans en hun vreemde dochtertje nog wel voor de geest kon halen, maar het enige dat hij Samantha kon vertellen was dat hij zich meende te herinneren dat er een aantal jaren geleden een roodvonkepidemie had gewoed. Het kind moest toen een jaar of twee zijn geweest. Als dat waar was, en als Jennifer inderdaad roodvonk had gehad, dan kon dat de oorzaak van haar doofheid zijn. Maar dat verklaarde nog niet het feit dat ze stom was, noch haar eigenaardige, teruggetrokken houding.

Samantha hield Jenny lange tijd tegen zich aan, en wachtte op de beantwoording van haar omhelzing, die nooit kwam. Toen stond ze weer op.

'Wilt u alstublieft aan meneer Dunwich zeggen dat ik over vijf minuten beneden kom,' zei Samantha en ging weer aan de toilettafel zitten.

Terwijl juffrouw Peoples Jenny mee de kamer uit nam, zag noch de huishoudster, noch Samantha, hoe het meisje verlangend omkeek naar die mooie Mevrouw met dat lange haar dat langs haar rug viel.

Warren Dunwich keek op de klok op de schoorsteenmantel en vergeleek de tijd van zijn eigen horloge. Er was een verschil van drie minuten. Hij klapte zijn zakhorloge dicht en liet het in zijn vestzak glijden. Die op de schoorsteenmantel liep niet gelijk; als er iets was waarop Warren Dunwich prat ging, dan was het zijn accurate tijdsgevoel. Dat hij vanavond zo vroeg was gekomen, was eigenlijk strijdig met zijn aard, maar het was noodzakelijk. Nadat hij dagen had gewikt en gewogen, vond meneer Dunwich dat deze avond volmaakt geschikt zou zijn om zijn belangrijke vraag te stellen, en daarvoor wilde hij met Samantha alleen zijn.

Hij keek eens kritisch de salon rond. Het was beklagenswaardig dat een vrouw met het prestige en de status van Samantha Hargrave zo moest wonen. Het was er schoon, smaakvol en netjes, maar de finesse ontbrak. Ze had het de laatste tijd wel eens gehad over een huis in een andere buurt. Nu, Warren Dunwich had een beter idee. Hij ging de villa kopen die aan de familie Harrold had toebehoord en hij zou Samantha vragen die met hem te delen, als zijn vrouw.

Dat wilde niet zeggen dat Warren Dunwich verliefd was op Samantha, want hij was een koel mens, en hij was niet in staat tot zulke tedere gevoelens. Wat Warren voor Samantha voelde was een onuitsprekelijke geboeidheid, een bijna obsessionele belangstelling voor haar raadselachtige aureool.

Vijf maanden daarvoor had Warren Dunwich de uitnodiging voor het grote bal alleen aangegrepen om oude contacten te herstellen, daar hij door zijn veelvuldige zakenreizen de voeling met het uitgaansleven verloor, en hij had verwacht maar korte tijd te blijven. Maar toen had hij dat verrukkelijke schepsel ontdekt, die dr. Hargrave, van wie hij had verwacht dat ze afstotelijk mannelijk zou zijn, en hij was onmiddellijk geboeid geraakt. Warren Dunwich vond niets zo fascinerend als een mysterieuze vrouw. Hij pikte er een uit en begon haar dan te verkennen als een duister continent, tot hij, als hij haar door en door kende, aan de kant zette en op zoek ging naar een nieuwe uitdaging. Slechts één vrouw in zijn verleden had zich niet zo eenvoudig laten strikken, en dat had hem zo gestoken dat hij haar uiteindelijk had getrouwd, want hij wilde zijn speurtocht niet opgeven voordat de vrouw alles had onthuld. Warren was die vrouw, de eerste mevrouw Dunwich, al gauw moe geworden, en hun huwelijk was veranderd in een beleefde dialoog tussen twee vreemden. Nu had hij een nieuw mysterie ontdekt, en volgens Warren Dunwich was Samantha Hargrave in al de jaren dat hij rokken had gejaagd, de verrukkelijkste en de verbazingwekkendste.

Hij had zich direct de taak gesteld haar te verkennen, alles te ontdekken wat hij kon, om tot zijn intense verbazing te merken dat ze zichzelf zorgvuldig gesloten hield, wat zijn nieuwsgierigheid alleen maar vergrootte. Alsof ze zijn bedoeling doorgrondde, had Samantha intrigerende barrières opgeworpen, zodat hij alleen af en toe heel tergend een glimpje van haar ware aard opving. In plaats van hem te ontmoedigen, had dit zijn belangstelling alleen nog maar aangewakkerd.

Het was Warren geleidelijk aan gaan dagen dat hij de ware Samantha nooit zou ontdekken, al maakte hij haar nog zo intens het hof – af en toe naar de opera, een wandeling door het Golden Gate Park. Als hij zijn doel wilde bereiken, moest hij een drastische stap zetten. Warren beschouwde het huwelijk niet, zoals sommige mannen, als een opoffering maar als een middel om een gewenst doel te bereiken, en hoewel hij een koel man was, was hartstocht hem niet geheel vreemd: een huwelijk met Samantha Hargrave zou hem niet alleen de gelegenheid bieden haar door en door te leren kennen, de belofte van het huwelijksbed was een verdere aansporing.

'Meneer Dunwich, wilt u me alstublieft vergeven.'

Hij stond op en liep naar het midden van de kamer om haar te begroeten. '*Ik* zou om vergeving moeten vragen, mevrouw. Mijn vroege komst heeft ongetwijfeld de normale gang van zaken verstoord. Maar ik verzeker u, mijn beste dr. Hargrave, dat het geen impulsieve beslissing was.'

Warren Dunwich was zonder meer het aanzien waard: het prachtige, zilvergrijze haar, dat achterovergekamd om zijn smalle hoofd sloot, glansde in het schijnsel van het vuur; zijn magere wangen en scherp afgetekende kaken waren als gebeeldhouwd. Paste zijn persoonlijkheid maar bij zijn overweldigend mooie uiterlijk! 'Gaat u toch zitten, meneer Dunwich. Mag ik uw glas nog eens bijvullen?'

Toen Samantha naar het serveerwagentje liep dat in de ronding van de erker stond, zag ze dat de straat in een glinsterend duister gehuld lag. Dat verbaasde haar. Het was zo'n zonnige dag geweest, maar nu kwamen er dikke wolken van zee binnendrijven en een fijne motregen was de voorbode van naderend slecht weer.

Ze gingen in de twee hoge fauteuils bij het vuur zitten. 'Hoe gaat het met het Ziekenhuis, dokter?' vroeg hij zoals altijd.

Ze aarzelde. 'Druk, maar alles gaat goed, dank u. En de houthandel?'

'Voorspoedig.' Hij nam een slokje van zijn cognac. 'En hoe gaat het met Jenny?'

'Ze is nog steeds mijn grote vreugde en ik heb nog steeds verdriet om haar.'

'U zorgt bewonderenswaardig goed voor het meisje, mijn lieve mevrouw, in aanmerking genomen dat ze uw eigen kind niet is.'

Samantha keek hem even oplettend aan en wendde haar blik toen weer af. Ze herinnerde zichzelf eraan dat niet iedereen haar denkbeelden over de universaliteit van het kind deelde. Ze bedacht ook dat Warren, hoewel hij het vijf maanden lang oprecht had geprobeerd (hij bracht altijd een cadeautje voor Jenny mee), er niet in geslaagd was het kind voor zich te winnen. Jenny toonde dat uiteraard niet en op haar gezichtje viel niets te le-

348

zen, maar Samantha voelde haar angst en wantrouwen aan, en ze verwonderde zich erom.

'Ze is nu elf, over een paar jaar is ze een jonge vrouw. Ik maak me zorgen om haar, meneer Dunwich. Ze is niet gewapend, ze is als een jong poesje, absoluut weerloos.'

Hoewel hij er het zwijgen toe deed, was Warren het niet met haar eens. Die grote donkere ogen hadden hem zo vaak aangekeken, dat hij de onderstroom heel goed aanvoelde: het kind was niet zo hulpeloos als Samantha wel dacht. En ze was pienter – veel te pienter. Hij had het gevoel dat ze finaal door hem heen keek, en dat idee stond Warren helemaal niet aan.

'Misschien zou u een bijzondere school moeten overwegen.'

'Nee, ik heb definitief besloten Jenny niet uit huis te doen. Meneer Wolff, de huisonderwijzer die ik in dienst heb genomen, heeft naar men beweert opmerkelijke successen geboekt.'

'Zei u niet dat hij zelf ook doof is?'

'Hij heeft zijn gehoor door een ongeluk verloren, maar hij spreekt gewoon.'

'Wanneer komt hij?'

'Volgende maand. Hij krijgt de slaapkamer beneden, en ik heb mijn voormalige behandelkamer als leslokaaltje ingericht. Ik hoop van harte dat Jenny hem aardig vindt.'

Warren was teleurgesteld dat Samantha zich niet had laten overhalen het meisje uit huis te doen, maar dat maakte haar voor hem des te boeiender – Samantha weigerde zich te laten overheersen.

'Jenny zal een mooie jonge vrouw worden,' vervolgde Samantha. 'Zelfs nu al kijken de mannen naar haar. Ik zal er niet altijd zijn om haar te beschermen. Als meneer Wolff kans ziet haar de allereerste beginselen van communicatie bij te brengen, zal ik al heel dankbaar zijn.'

'Het schijnt me toe, lieve vriendin, dat het kind een beschermer nodig heeft.'

'Ze heeft mij. En als ik er niet ben, is juffrouw Peoples er.'

'Ik bedoel iemand van een wat betrouwbaarder kaliber dan een huishoudster. Het meisje heeft een vader nodig.'

'Helaas is het onbekend wie Jenny's vader is, meneer Dunwich.'

'Ik doelde daarmee op mezelf, mevrouw.'

Ze keek hem vol aan. 'Wat wilt u daarmee zeggen, meneer Dunwich? Is dat een huwelijksaanzoek?'

'Inderdaad.'

Samantha wist niet waarom, maar ze werd overvallen door een triest gevoel.

'Het is heel vriendelijk van u, meneer Dunwich, dat u zich zo bezorgd toont voor Jenny...'

'Mijn bezorgdheid geldt ook u, mijn beste.'

'Vindt u dat ook ik een beschermer nodig heb?'

'Niet in het minst. Ik dacht eerder aan een bondgenootschap.'

Ze wendde haar blik af. Haar droefheid nam toe. 'Maar ik ben niet verliefd op u, meneer Dunwich.'

'Ik ook niet op u. Maar een goed huwelijk is toch zeker gebaseerd op andere dingen. Wederzijds respect, een gezamenlijke belangstelling.'

'Er zijn wel andere mannen in mijn leven geweest.'

'Mijn beste dr. Hargrave, ik ben tweeënvijftig jaar oud. Ik koester niet veel illusies meer.'

Ze staarde in het vuur en dacht terug aan dat andere aanzoek, zo lang geleden – Mark die haar kamer binnenstormde, haar beetpakte, hun kus, de hartstocht, de intense gevoelens. En hier zat meneer Dunwich en hij vroeg haar hetzelfde, wat nonchalant, alsof hij het over de regen had die nu tegen de ruiten kletterde.

'Goeie hemel,' zei hij rustig. 'Ik geloof dat ik u van streek heb gemaakt.'

'Ik moet u bekennen dat dat inderdaad zo is, meneer Dunwich, maar dat ligt niet aan u. Ik ben niet in zo'n beste stemming thuisgekomen, want er is vandaag iemand gestorven bij het ziekenhuis. Een baby.'

'Wat naar voor u.'

'En uw aanzoek riep een bepaalde herinnering op, van zo heel lang geleden...'

Hij kon zijn opwinding nauwelijks onderdrukken. De onoverwinlijke dr. Hargrave had dus wel degelijk haar zwakke plek! 'Ik heb het helemaal verkeerd aangepakt,' antwoordde hij en nam haar hand in de zijne. 'Mijn stijgende bewondering voor u, mevrouw, heeft me vervuld met de dwaze hoop dat u mijn gevoelens beantwoordde. Ik vrees dat ik me heb vergist.'

'Meneer Dunwich, u hebt u zelf niets te verwijten. Als ik u in de waan heb gebracht dat mijn bedoelingen ernstig waren, dan bied ik u mijn verontschuldigingen aan.'

Hij drukte haar hand en liet hem weer los. 'Alstublieft, u moet me niet meteen afwijzen, lieve vriendin, maar beloof me dat u er in ieder geval over nadenkt.'

'Meneer Dunwich, ik heb nooit overwogen te trouwen. Het gaat niet om u, maar ik ga zo op in mijn werk dat ik u niet de aandacht en toewijding kan schenken die u van een vrouw verwacht.'

'Mijn beste dr. Hargrave, ik ben me uw verantwoordelijkheden als dokter heel goed bewust en ik zou er niet over piekeren ze u voor één minuut te ontnemen! Ons huwelijk zou niet de gebruikelijke huiselijke verbintenis zijn, maar eerder een wederzijdse kameraadschap. En als u dat zou willen, al beloof ik u dat ik u mijn rechten als echtgenoot op dat gebied nooit zou opdringen, zouden we eens kinderen kunnen hebben...'

Samantha kwam uit haar stoel, bleef even aarzelend voor het vuur staan, en wendde zich toen af. Ze liep naar de serveerwagen en schonk zich een klein glaasje cognac in. Ondertussen merkte ze op dat de regen nu in stromen naar beneden kwam.

Warren Dunwich had zonder het te weten een gevoelige snaar geraakt. Terwijl Samantha naar de paarden keek die glansden van de regen en naar de rijtuigen, herinnerde ze zich een andere, onstuimige nacht, vier jaar geleden, de nacht dat Clair was geboren.

De weeën waren zo plotseling opgekomen dat Samantha geen tijd meer had gehad een vroedvrouw te halen. Alleen in haar bed boven had ze Clair ter wereld gebracht. Ze had zelf de navelstreng afgebonden en had de baby tegen haar borst gelegd om de placenta af te wachten. Het was het mooiste ogenblik van haar leven geweest.
Om weer een baby te krijgen...
Samantha nam een slokje cognac en voelde hoe de drank haar verwarmde. Warrens aanzoek kwam niet als een grote verrassing, net zo goed als ze vermoedde dat Stanton Weatherby dezelfde vraag aan het voorbereiden was. Oppervlakkig bekeken viel er niets te overwegen: ze hield van geen van beide mannen, ze wijdde zich helemaal aan haar carrière en ze hoefde niet te trouwen. Zo vele vrouwen begonnen aan een liefdeloos huwelijk om aan het brandmerk van oude vrijster te ontkomen; velen trouwden uit eenzaamheid. Voor Samantha gold dat allemaal niet.
Ze hield het glas aan haar lippen. Of, fluisterde het van binnen, ben ik wel eenzaam? Het antwoord deed een rilling langs haar rug lopen: Ja... soms. Maar is dat een reden om te trouwen?
Samantha bestudeerde haar spiegelbeeld, en zag op de achtergrond meneer Dunwich bij het vuur zitten, elegant maar oninspirerend; hij wachtte geduldig op haar antwoord.
Er was geen enkele reden waarom ze erover zou piekeren met hem te trouwen!
Samantha's vingers verstevigden hun greep om het glas. Waarom wijs ik hem dan nu niet meteen af? Waarom aarzel ik nog?
Wat heerlijk om weer een baby te krijgen...
Toen dacht ze aan Mark en plotseling had ze er wanhopig behoefte aan om alleen te zijn.

Op de gang duwde juffrouw Peoples Jennifer voor zich uit en, net als de meeste mensen, sprak ze uit gewoonte tegen het kind. 'Kom maar, juffie, we gaan je moeder welterusten zeggen en dan zal ik je naar bed brengen. Vannacht komt de kerstman door de schoorsteen.'
Toen ze bij de deur naar de salon kwamen, had juffrouw Peoples eigenlijk willen kloppen, maar toen ze hem open zag staan, liep ze naar binnen en duwde Jenny voor zich uit. Ze wilde net hun aanwezigheid bekend maken, toen ze zag dat meneer Dunwich, die hen niet had opgemerkt, plotseling opstond en naar het raam liep waar dr. Hargrave stond. Hij legde zijn handen op haar schouders en draaide haar naar zich toe. Toen ze besefte dat ze een blunder had begaan, trok de huishoudster het kind terug.
Maar tot haar verbazing stribbelde Jenny tegen. Ze stond stijf rechtop en het meisje keek strak naar de man met het zilvergrijze haar die haar Mooie Mevrouw bij de schouders hield en zijn lippen snel bewoog.
Haar Mooie Mevrouw keek alsof ze verdriet had.
Toen Warren zijn hoofd boog en zijn mond op die van Samantha legde, rukte Jennifer zich los. Krijsend vloog ze hem aan. Verrast draaide Warren

zich om. Jennifer brulde het uit, bewerkte hem met haar kleine vuistjes en sloeg toen haar armen om Samantha's middel.

'Wel verdorie!' riep hij uit.

Onthutst probeerde Samantha de armen van het meisje los te maken, maar Jenny klemde zich met verbazingwekkende kracht aan haar vast. Uit haar keel ontsnapte een griezelig, klaaglijk geluid.

Juffrouw Peoples snelde naar binnen. 'Het spijt me, dokter! We kwamen welterusten zeggen. De deur stond open. Ik had er geen idee van dat we stoorden...'

'Jenny?' zei Samantha en keek neer op het hoofdje dat in haar rok was verstopt. Zachtjes maakte Samantha de handen van het meisje los, liet zich toen op haar knieën zakken zodat haar gezicht op dezelfde hoogte was als dat van Jenny. Samantha zag tot haar schrik dat de grote ogen angstig stonden; de lippen trilden en het bleke gezichtje drukte een sterke emotie uit.

'Jenny,' zei Samantha zachtjes en verwonderd, terwijl ze haar over haar haar streek.

'Wat is er toch, verdorie?' vroeg Warren autoritair.

'Ze dacht dat je me pijn deed,' zei Samantha rustig. De tranen sprongen haar in de ogen. 'Ze voelt dus wel degelijk iets. En kijk, ze probeert te praten!'

Jenny's kaak bewoog zich moeizaam op en neer; haar ogen keken nu aandachtig naar Samantha's mond, terwijl ze probeerde er iets uit te brengen.

'Je hebt ook nog je stem nodig, liefje,' zei Samantha teder. 'O Jenny, hoe kan ik je toch bereiken?' De tranen rolden Samantha over de wangen. 'Kijk eens hoe ze haar mond beweegt. Ze weet het niet. Lieve god, geef haar alstublieft haar stem!'

Vanwaar hij stond keek Warren, die boven hen uit torende, toe hoe een klein handje Samantha's wang aanraakte. Jenny's vingertoppen volgden de weg van de traan, toen liet ze los en volgde met haar vingers dezelfde weg over haar eigen wang.

'Ze wil huilen,' zei Samantha zachtjes. 'Toe maar, Jenny, huil maar.'

Weer sprongen haar tranen in de ogen en weer bracht het meisje ze met haar vingertoppen over op haar eigen wang.

'Ik wou,' zei Samantha gespannen, 'ik wou dat ik wist hoe ik je kon bereiken. Ik wou dat ik in die kleine gevangenis van je kon doordringen. Hoe kan ik je bereiken, Jenny?'

'Samantha.'

Ze keek op. Warren keek onbewogen op haar neer. 'Ik denk dat je beter kunt gaan, Warren,' zei ze.

Hij wilde iets zeggen, bedacht zich en liep naar de tafel waar zijn hoed en handschoenen lagen.

'Meneer Dunwich,' zei Samantha. 'Jenny is kennelijk bang voor u. Ik geloof dat het beter is dat we elkaar niet weer ontmoeten.'

Hij knikte kort, te trots om zijn verontwaardiging te tonen. Maar terwijl juffrouw Peoples Warren naar de voordeur bracht, maakte zijn boosheid plaats voor ergernis. En binnen een paar minuten, terwijl hij in zijn rijtuig wegreed, dacht hij al aan zijn diner.

Samantha kwam moeizaam overeind, vroeg juffrouw Peoples om thee te zetten, en liep toen met Jennifer naar de open haard. Ze ging zitten en zette het meisje voor zich neer, waarna Samantha het gespannen gezichtje bestudeerde en keek hoe haar kaak op en neer bewoog.

'Lieve kind,' zei Samantha zachtjes, 'ik had gelijk en alle anderen hadden ongelijk. Je beschikt wel degelijk over gevoelens en je kunt wel geluiden maken. Maar hoe kan ik maken dat je die emoties uit? Is er angst voor nodig? Moet er gevaar dreigen? Jenny, o Jenny. Hoe kan ik je bereiken?'

Jenny's vingertoppen raakten Samantha's lippen aan, en gingen toen naar haar eigen lippen. Samantha pakte de hand van het meisje en legde die op haar keel. 'Hier, voel je dat? Je moet geluid maken, Jenny. Je hebt stembanden. Er is geen enkele reden waarom je niet zou praten.'

De grote ogen knipperden verwonderd. Jenny trok haar hand terug en legde die op haar eigen keel. Haar lippen vormden een o en een a en een e, maar het had geen zin, ze begreep het gewoon niet.

'Jenny, het is begonnen. Je hebt de eerste stap gezet. Hoe krijg ik je nu verder? Nadoen is niet genoeg, je begrijpt het gewoon niet. Lieve god, helpt u me alstublieft om tot haar door te dringen.'

Toen de bel ging dacht Samantha dat Warren was teruggekomen. Omdat juffrouw Peoples achter in de keuken was, ging Samantha zelf naar de deur; ze zou voet bij stuk houden. Het was helemaal voorbij tussen hen. Ze dacht er niet aan om met een man om te gaan voor wie haar dochter bang was.

Maar in plaats van Warren zag Samantha in de stromende regen een jongeman staan met een druipend valies in de hand; zijn lange haar zat tegen zijn hoofd geplakt en zijn pak was een paar maten te klein voor zijn tengere gestalte.

Hij knipperde met zijn ogen om de regendruppels kwijt te raken en zei verlegen: 'Dr. Hargrave? Ik ben Adam Wolff van de dovenschool. Kom ik op tijd?'

Deel vijf

SAN FRANCISCO

1895

1

Hilary drong met moeite haar tranen terug, kuste ieder kind op het voorhoofd en duwde hen allemaal in de richting van de wachtende kinderjuffrouw. Merry Christmas, nu elf, onderging de kus zonder hem hoorbaar te beantwoorden, zoals haar broertjes en zusjes deden. Zij was nu een echte jongedame, en echte jongedames beheersten zich, al verlangden ze er in hun hart nog zo naar om hun genegenheid openlijk te tonen. Koeltjes nam ze haar moeders kus in ontvangst en wendde zich toen af. Eve daarentegen, die acht jaar was, sloeg nog haar armen om haar moeders hals en plantte een vochtige kus op haar wang. Toen was de beurt aan Julius, een ernstig jongetje van zeven. Hij vond het gepaster om zijn moeder een hand te geven, maar op het laatste ogenblik, net als anders, knuffelde hij haar uitbundig, zoals zoons dat kunnen doen – op een manier die al vaag doet denken aan het heer, meester en minnaar zijn.

De tranen die Hilary terugdrong waren niet bestemd voor deze drie, want zij waren Hilary's trots en glorie; ze waren met vreugde ontvangen en op de wereld gezet. Maar voor de kinderen die daarna waren gekomen had ze willen huilen: de gezellige kleine Myrtle, van wie ze onplezierig zwanger was geweest en moeizaam was bevallen; de vierjarige Peony, die eigenlijk een 'ongelukje' was, want na Myrtle had Hilary geprobeerd zichzelf en Darius te beperken tot de 'veilige' dagen; en ten slotte de tweejarige Cornelius op zijn wankele beentjes. Het was een schok geweest toen te bemerken dat ze zwanger was, omdat Hilary heimelijk aan geboortenbeperking had gedaan. Toen de kinderen naar bed marcheerden, rechtte Hilary haar rug en legde haar handen op haar buik. Weer voelde ze de tranen opkomen, bijna liepen ze haar over de wangen. Zes kinderen in negen jaar, dacht ze somber. En nu was een zevende onderweg...

'Vergeet niet de fles van Cornelius uit te koken, Griselda,' zei ze tegen de baker met haar gesteven schort voor die de kleine optilde.

'Jazeker, mevrouw.' Griselda, die al in de zestig was, vond in haar hart die nieuwe bacteriënmanie die zich over het hele land verbreidde, maar onzin. In de veertig jaar dat zij baker was had ze zich nooit hoeven bezig te houden met die idiote angsten en dat overdreven gedoe waar mevrouw Gant mee aankwam. En het waren niet alleen de Gants. Als Griselda haar ene vrije middag per week samen met haar collega's doorbracht, klaagden ze allemaal over die nieuwe anti-bacteriën-rage die hun het leven zuur maakte. Poe, een paar jaar geleden wist niemand nog wat een bacterie was, en nu riep iedereen ineens heel hard: 'Bacteriën!' Kindermeisjes en dienstmeisjes in het hele land werden plotseling achter hun vodden gezeten: ze moesten het huis steriel houden. De kindermeisjes klakten met hun tong en waren het erover eens dat het in die goeie ouwe tijd allemaal veel beter was. Als Griselda na een glaasje sherry eensklaps uitriep: 'Kijk eens! Een *bacterie!*' en vervolgens met haar voet op het kleed stampte, dan barstten haar vriendinnen in lachen uit.

Hilary liep de gang door en bleef op een gegeven moment staan om naar de intense stilte in het huis te luisteren. Ze onderdrukte een snik – de bedienden mochten haar zo niet zien – toen ze aan Darius dacht, die het weekend op de nieuwe boot van vrienden doorbracht (weer zo'n modieus nieuwtje, zeilen), en ineens voelde ze een intense wrok opkomen. Voor de eerste keer in vijftien jaar huwelijk had Hilary een hekel aan Darius omdat hij een man was en dus vrij, en vervolgens kreeg ze een hekel aan hem omdat het zijn schuld was dat zij een hekel aan hem had.

Toen ze zich bewust werd van haar verwrongen gedachtengang, snikte Hilary het ten slotte hardop uit en haastte zich verder de gang door. Ze stormde de slaapkamer in en sloeg de deur achter zich dicht, waarna ze haar tranen de vrije loop liet. Ik haat je, Darius Gant, omdat je me dit weer hebt aangedaan. En ik haat je omdat het jouw schuld is dat ik deze baby niet wil!

O, het was allemaal zo verward, zo ingewikkeld! Hilary hield nog net zoveel van Darius als op hun huwelijksdag, maar grenzen werden gemakkelijk overschreden.

Toen de tranenvloed afnam, droogde ze haar gezicht met een zakdoek en begon zich vermoeid uit te kleden. Normaal gesproken hielp Elsie haar, maar de laatste tijd was Hilary zich ertegen gaan verzetten dat alles voor haar werd gedaan. In al haar drieëndertig jaar had ze nooit stilgestaan bij het feit dat ze voortdurend op haar wenken werd bediend, maar de afgelopen paar maanden had Hilary gemerkt dat ze ongeduldig reageerde als butlers deuren voor haar openhielden, mannen haar de trap op begeleidden en kameniers haar aan- en uitkleedden.

Ze stond even stil. Haar slapen begonnen te bonzen. Twee maanden ver was ze, en ze voelde zich tijdens deze zwangerschap al net zo ellendig als toen ze Myrtle verwachtte. Nog zeven maanden lang misselijkheid, pijn en lusteloosheid. En dan dat vreselijke opgeblazen gevoel. Hilary ging naar de aangrenzende badkamer, deed een kastje open en pakte een flesje. Farmers Vrouwenvriend. Dahlia Mason had het aanbevolen omdat haar eigen tweede en derde zwangerschap ook onplezierig waren geweest. 'Het is echt een wondermiddel,' had ze tegen Hilary gezegd. Hilary had het tijdens haar laatste zwangerschap ingenomen en was dat zo nu en dan blijven doen, want rugpijn en menstruatiekrampen werden erdoor verlicht. Het etiket beweerde dat het elixer op wetenschappelijke basis was samengesteld, speciaal voor de zwangere vrouw. 'Als u last hebt van een van deze symptomen,' stond er op het etiket, 'zoals lusteloosheid, loomheid, matheid, misselijkheid, een vieze smaak in de mond, slechte gezondheid in het algemeen, een droge huid, vaak moeten urineren, pijn in de borsten, angstgevoelens, bange voorgevoelens, sterretjes zien, bonzende slapen, slechte nachtrust, hartkloppingen, depressieve gevoelens, of een van de symptomen waarmee zwangerschap gepaard gaat, dan geneest Farmers Vrouwenvriend ze direct allemaal, anders krijgt u uw geld terug.'

Niet al die symptomen plaagden Hilary, maar sommige wel degelijk. Vooral de depressieve gevoelens en lusteloosheid. En het middeltje werkte beslist. Het had tot nu toe altijd geholpen haar sombere stemming te verdrijven.

Ze nam er een eetlepel van, wachtte even, en nam er toen nog een.

Het was deze keer niet alleen die zwangerschap. De laatste tijd voelde Hilary zich rusteloos en ze had overal genoeg van. Ze ging gebukt onder het gevoel dat ze nutteloos was. De afgelopen zeven jaar was haar werk bij het Ziekenhuis heel bevredigend geweest, maar ze had het maar zeer beperkt kunnen doen omdat ze voortdurend zwanger was. Na Cornelius had ze gehoopt dat ze die toestand die haar aan huis gekluisterd hield, kon vermijden, en ze had zich helemaal op het werk voor het Vrouwencomité gegooid. Nu was haar hoop de bodem ingeslagen.

De week daarvoor, toen ze somber de komende zeven maanden overzag, had Hilary nog gedacht dat ze zich misschien nuttig kon maken in het huishouden. Misschien kon ze de verantwoording delen, dat zou haar het gevoel geven dat ze nodig was. Ze had Darius gevraagd haar uit te leggen hoe hun financiën in elkaar zaten, maar hij had haar gewoonweg uitgelachen. Toen ze had gevraagd om het chequeboekje te mogen zien had hij haar verwonderd aangekeken, en toen ze naar haar eigen schulden en inkomsten had geïnformeerd had Darius verontwaardigd gezegd dat ze moest ophouden met die onzin.

Op dat moment had ze met kille zekerheid geweten: ik ben overbodig!

Nu ze aan haar toilettafel zat te wachten tot het drankje begon te werken, had ze het gevoel alsof haar leven haar door de vingers glipte, alsof ze de greep erop verloor.

Hilary moest nodig eens met Samantha praten. Maar Samantha was tegenwoordig niet zo gemakkelijk te bereiken.

Het Ziekenhuis was groter geworden dan ze beiden hadden voorzien. Twee jaar geleden hadden ze een tweede gebouw aangekocht en gerenoveerd. Er konden vijftig bedden in en de verpleegstersopleiding was naar een huis aan de overkant van de straat verplaatst. Nieuwe apparatuur, meer personeel, gegoochel met de begroting en een stroom nieuwe ontdekkingen op medisch gebied hadden Samantha van veel vrije tijd beroofd. Op de vergaderingen over het Vrouwencomité en geldinzamelingen na, was het alsof Samantha geen tijd voor haar vriendin kon vrijmaken. Het was alweer zes weken geleden dat ze voor het laatst bij Chez Pierre hadden geluncht.

Hilary overlegde in zichzelf. Ze móest met Samantha praten. Ze keek op de klok naast haar bed en vroeg zich af waar Samantha op dit tijdstip zou zijn – thuis, of, dat was waarschijnlijker, in het Ziekenhuis. Hilary was er die ochtend langs gegaan, maar ze had te horen gekregen dat Samantha aan het opereren was. Daarna was ze naar Dahlia Masons huis gegaan, om te horen te krijgen dat haar vriendin was gaan paardrijden.

Zij zijn vrij, maar ik niet.

Hilary keek weer naar haar spiegelbeeld en vond dat ze er ouder uitzag dan ze eigenlijk was. Plotseling voelde ze zich vreselijk eenzaam.

Ze stak haar hand uit en trok een laatje open. Ze haalde er een Chinese gelakte sieradendoos uit die, als je hem openmaakte, 'Für Elise' speelde door middel van een verborgen mechaniekje. Binnenin zat een gewoon kartonnen doosje dat eruitzag alsof er een prulletje uit een Chinese winkel in zat. Als Darius ooit eens in de sieradendoos zou kijken, zou hij het doosje geen blik waardig keuren.

Maar in werkelijkheid bevatte het een voorwerp dat over leven en dood besliste.

Samantha leunde achterover en zette haar bril af; die voelde vanavond zwaarder aan dán anders. Ze wist echter best dat het niet zozeer de bril was die zwaar drukte, dan wel de juridische kwestie die voor haar lag: dr. Willella Canby was ervan beschuldigd in het Ziekenhuis een illegale operatie te hebben uitgevoerd – een abortus.

Samantha keek op van haar werk en zag tot haar verbazing dat het buiten donker was. Toen ze was gaan zitten was het nog licht geweest. Ze stond op om het elektrische licht aan te doen, waarna ze naar de openslaande deuren liep; in de ruitjes zag ze een lange, elegante vrouw op zich afkomen. Ze zag er jonger uit dan vijfendertig, hoewel de bril haar misschien een beetje ouder maakte, en vergeleken met de onzekere jonge vrouw die dertien jaar geleden op de heuvels van San Francisco haar geluk had gezocht, was ze niet veel veranderd. Haar spiegelbeeld zag eruit alsof ze op deze september-avond een wandelingetje maakte. Samantha wou dat ze dat kon gaan doen, dat ze zich die luxe kon gunnen, maar deze zaak kwam morgen voor en dan moest ze voorbereid zijn.

Willella was erg van streek. De patiënte had haar er met een bekende truc in laten lopen: ze had een levende kip gekocht, had het beest de hals doorgesneden en had een lap in het bloed gedrenkt. Toen was ze met de lap in haar ondergoed de ziekenhuistrap opgewankeld en had beweerd dat ze een miskraam kreeg. Technisch bezien had Willella een abortus gepleegd, ethisch bezien had ze niets dan een routine-operatie uitgevoerd.

Nog steeds naar buiten kijkend luisterde Samantha naar de stilte in huis. Darius en Hilary hadden een Edison-fonograaf voor haar gekocht, een van de eerste in de stad, om de onnatuurlijke stilte die er heerste te compenseren, maar Samantha gebruikte hem nooit. Ze was de voortdurende rust gewend en was er zelfs op gesteld geraakt.

Ze keek op haar kleine horloge aan haar pols (nog zo'n modern snufje, een geschenk van Darius) en bedacht dat de kinderen wel zouden slapen.

Die gedachte bracht zoals altijd een glimlach om Samantha's lippen. Ze was misschien oud genoeg om Jenny's moeder te kunnen zijn, maar zeker niet die van Adam. Toch kon ze er niets aan doen, maar ze dacht altijd vol liefde aan hen als aan haar kinderen. Vanaf die regenachtige kerstavond, toen hij doorweekt en met die verloren uitdrukking op zijn gezicht, bij haar op de stoep had gestaan, had Samantha Adam Wolff als haar zoon beschouwd. Toch was hij maar zes jaar jonger dan zij.

De verlokking van de tuin was te groot. Samantha besloot zichzelf de luxe van een wandelingetje te gunnen voor ze weer aan het werk ging.

Het drie verdiepingen tellende huis aan de Jackson Street in de wijk Pacific Heights was een volmaakt rustpunt, ver weg van de voortdurende drukte in het Ziekenhuis. Toen Samantha zeven jaar daarvoor was gaan zoeken, was ze van plan geweest een huis in de stad te kopen dat gunstig lag ten opzichte van haar vrienden en het ziekenhuis. Niet te groot, zoals dat van Hilary, maar groot genoeg om ieder zijn vrijheid en privacy te gunnen. Liefst een huis met uitzicht over de baai en een gazon eromheen. Bijna meteen al had ze precies gevonden wat ze zocht. Het stond boven op een heuvel, niet ver van Divisadero, met uitzicht over Marina, Alcatraz Island en de Golden Gate zelf. Groot was het niet – net ruim genoeg zodat Samantha over eigen kamers kon beschikken en over een studeerkamer die aan de tuin grensde; Adam en Jenny hadden ieder hun eigen kamer plus een leskamer, en boven was er plaats voor twee dienstmeisjes en juffrouw Peoples. De stoep aan de voorkant grensde direct aan het trottoir, maar opzij van het huis lag een gazon dat hen van de buren scheidde; aan de andere kant stond een koetshuis voor haar rijtuig en de twee paarden, terwijl aan de achterkant een terrasvormig aangelegde tuin lag met een prieel.

Samantha hield haar gezicht in de zachte wind en snoof de pittige, zilte lucht op. Ze genoot van de twinkelende lichtjes ver beneden haar op de kade. Tegenwoordig werd er zo veel beslag op haar tijd gelegd dat ze, als ze zo nu en dan een moment voor zichzelf had, daar ten volle van profiteerde. Tijdens die gestolen ogenblikken verbaasde ze zich altijd weer over de wending die haar leven had genomen. Ze had het gevoel dat veel van haar dromen vervuld waren: ze vond bevrediging in haar werk, haar ziekenhuis floreerde, ze had dierbare, fantastisch goede vrienden, ze woonde tevreden in een gerieflijk huis en ze had haar twee 'kinderen'.

Het wonder dat zich die kerstavond, zeven jaar geleden, had afgespeeld, was tot op de huidige dag voelbaar. Het was alsof het die avond zo had moeten gebeuren: Jenny's plotselinge doorbraak en Adams toevallige komst. Ja, het was inderdaad of het zo voorbestemd was geweest.

Samantha was er heilig van overtuigd dat Adam Wolff door God was gezonden. Binnen een uur na zijn aankomst had hij de unieke, bijzondere band met Jenny gelegd die zich door de jaren heen had verstevigd, en die zo wonderbaarlijk vruchtbaar was gebleken. Adam had er ieders bewondering en lof mee afgedwongen, zodat degenen die van hem hielden nu niet meer zagen hoe lelijk hij was.

Adam Wolff had een knappe jongeman kunnen zijn. Het ongeluk was in 1876 gebeurd, toen hij tien jaar oud was en samen met zijn vader deel uitmaakte van een groep puinruimers die Telegraph Hill opbliezen vanwege de rotsblokken die dat opleverde. De jonge Adam, een knappe, robuuste jongen, die met puin kruien tien cent per dag verdiende, had te dicht bij de ontploffing gestaan. Hij was zijn gehoor kwijt geraakt, zijn gezicht was afschuwelijk verminkt en zijn vader was omgekomen. Via de broeders van de Missie was hij door de Dovenschool opgenomen als leerling die van de bedeling leefde. Gedurende zes jaar had hij het vingeralfabet en liplezen geleerd, de vijf jaar daarna had hij er lesgegeven.

De overeenkomst met dr. Hargrave zou aanvankelijk van korte duur zijn. Adam Wolff zou blijven tot hij Jenny de eerste communicatievaardigheden had bijgebracht. Maar er was iets wonderlijks gebeurd. Op een bepaald moment, terwijl hij het meisje geduldig het vingeralfabet probeerde bij te brengen, had Adam Wolff zonder het te weten de rijke, ongrijpbare gedachtenwereld van Jennifer Hargrave ontsloten.

Het was niet plotseling gebeurd, maar geleidelijk, tot iedereen op een dag was vergeten dat de jongen ooit had zullen vertrekken. Hij bleef, werd een lid van het gezin, en bemerkte dat hij, nadat hij zijn hart op de dag van de ontploffing had afgesloten, toch nog in staat was tot liefhebben.

Samantha had zich in het begin wel eens afgevraagd of er aan het uiterlijk van de jongen iets te doen viel. Maar toen ze hem nader onderzocht bleken de littekens te diep, te blijvend te zijn. Hij mocht in feite dankbaar zijn dat hij niet ook nog blind was geworden. Maar de misvorming was alleen op het eerste gezicht afschrikwekkend. Iedereen die de jongen voor het eerst ontmoette reageerde geschrokken. Dan volgde medelijden, maar als zijn vriendelijkheid en gevoeligheid merkbaar werden, vergaten de mensen de littekens al gauw en na een poosje zagen ze alleen nog een aardige, dichterlijke jongeman.

Samen vormden ze een opmerkelijk paar.

Jennifer, nu negentien, was opgebloeid tot een angstig mooie jonge vrouw; haar schoonheid werd nog vergroot door haar stilzwijgen, haar geheimzinnige aureool, en die bijzondere blik in haar ogen. Jennifer had een manier van kijken, een manier van 'luisteren' als iemand aan het woord was, die de indruk wekte dat ze meer opving dan woorden: het was alsof ze op gevoeliger communicatiemiddelen was afgestemd. Naast Adam scheen haar schoonheid nog opvallender. Wanneer ze samen door de stad reden of liepen, in het rijtuig of op hun lange wandelingen, trokken ze altijd nieuwsgierige blikken van voorbijgangers. Ze bewogen zich in hun eigen wereld en spraken met hun handen in hun eigen taal; Jenny en Adam vormden een buitenissig paar door de tegenstelling tussen zijn mismaaktheid en haar schoonheid.

Er waren die afgelopen zeven jaar zo veel wonderen geweest, bepeinsde Samantha nu. De ontdekking dat er een uiterst gevoelige Jenny schuilging achter haar sprakeloosheid. De jonge Adam, eenzaam en gemeden, bitter en gemelijk, leerde zijn gevoelens te uiten. Samantha zag haar dochter opbloeien en zag hoe Jenny voor het eerst het woord 'moeder' met haar vingers spelde.

Samantha staarde met omfloerste ogen naar de baai en lachte bij de zoete herinnering. Na het vingeralfabet had Adam Jenny leren lezen. Hij had haar het woord 'lopen' geleerd, en deed haar voor wat het betekende. Maar toen las Jenny in haar leesboekje dat 'het schip de haven binnenloopt'. Na

Adams uitleg kwam ze tot haar verbazing in de krant tegen: 'De verkoop van fonografen loopt goed'. Haar verbazing werd nog groter toen ze las: 'De kraan loopt', 'De bomen lopen uit', en 'Het loopt tegen half zes'. Aan het eind van de avond had Samantha moeten lachen toen ze zag dat Jenny's onbegrip Adam tot wanhoop bracht.

Zo veel vreugde, die afgelopen zeven jaar. . .

Samantha ging op een bankje tussen de bloemen zitten en haar gedachten dwaalden weer af naar Mark. Nog steeds was hij aan haar zijde, hij was de enige man in haar leven. Sinds ze Warren Dunwich had weggestuurd, had Samantha zichzelf voorgehouden dat ze nooit zou trouwen, want Mark zou altijd haar echtgenoot blijven. Bovendien had ze geen behoefte aan een eigen baby – behalve Jennifer en Adam had ze nog al die kinderen in het Ziekenhuis die van haar waren, al was het maar tijdelijk. En daarom had ze op een vriendelijke manier een eind gemaakt aan Stanton Weatherby's hofmakerij (hij was nu een goede vriend en haar advocaat), aan Hilary's gekoppel en aan alle serieuze bedoelingen die een man misschien toonde.

Vanwaar ze zat, aan de voet van de tuin die tegen de heuvel lag, hoorde Samantha de telefoon niet rinkelen. Juffrouw Peoples was een eindje gaan wandelen. Het was de vrije avond van de dienstmeisjes en de andere twee bewoners konden de bel niet horen. Zo kwam het dat niemand de telefoon opnam.

Samantha keek naar de navigatielichten van een privé-jacht dat in de haven lag gemeerd en ze herinnerde zich dat Darius met precies zo'n schip was uitgevaren. Hilary had tegenover Samantha haar bezorgdheid over deze nieuwe tak van sport uitgesproken, maar Darius was niet te houden geweest. Als het nieuw en modern en in zwang was, dan wilde hij het ook. Samantha dacht terug aan die dag dat hij zo'n nieuwe handbediende camera had gekocht en iedereen in diverse onnatuurlijke poses in de tuin had gezet om te oefenen in het nemen van 'kiekjes'. Samantha vroeg zich af waar Darius zijn energie en fantasie vandaan haalde. Nu was hij weer druk bezig met sinaasappels – een gewaagde onderneming waarvan iedereen voorspelde dat hij zou mislukken, maar waarvan Darius zeker wist dat er geld aan te verdienen viel, als er maar een manier van verladen werd ontdekt waarbij ze niet bedierven. Hij verdeelde zijn tijd tussen Los Angeles, waar geoogst werd, en Sacramento, waar hij de blauwdrukken bekeek voor een experimentele, gekoelde goederenwagon.

We hebben het tegenwoordig allemaal zo druk, dacht Samantha, terwijl ze opstond. We hebben nauwelijks tijd om menselijk te blijven.

Toen ze over het pad van flagstones naar huis liep, gingen Samantha's gedachten naar het Ziekenhuis. Zoals altijd weer: geld. Die broodnodige stoomverwarming bleef zo onbereikbaar dat ze er gek van werd. Steeds wanneer er geld binnenkwam, was iets anders nog veel noodzakelijker. En nu werd er van buitenaf druk uitgeoefend om een speciale ooglijderskliniek te openen.

Terug in haar studeerkamer, ging Samantha meteen weer achter haar bureau zitten, zette haar bril op en las nogmaals de aantekeningen door die ze voor de verdediging van Willella Canby had gemaakt. Stanton Weatherby had haar ervan verzekerd dat de aanklager (de woedende vader van de patiënte) de aanklacht zou intrekken, zodra hij op de hoogte was van de omstandigheden (het feit dat zijn dochter hen om de tuin had geleid). Nu wilde Samantha iets doen om zulke ongelukkige gebeurtenissen in de toekomst te voorkomen.

Ze had gelezen dat in ziekenhuizen in grote steden zogenaamde miskramen zo aan de orde van de dag waren, dat een dokter van een ander ziekenhuis had aangeraden om, voordat de patiënte automatisch meteen gecuretteerd werd, eerst het bloed onder een microscoop te onderzoeken. Dat zou afdoende bewijzen of de patiënte inderdaad een miskraam had: de rode bloedcellen van een kip hebben een kern, die van de mens niet. Samantha pakte haar pen en begon te schrijven.

Hilary staarde strak naar de telefoon en dacht, je bent ook nooit meer thuis, Sam. De enige manier om jou te spreken te krijgen is ziek worden.

Ze stond op en glipte in haar nachtjapon. Haar spiegelbeeld bewoog met haar mee: het lichaam van een jonge vrouw die niet meer zo slank was als vroeger. Ze keek weemoedig naar haar mollige silhouet. Ze had in geen jaren paard gereden; boogschieten had ze misschien eens in de paar maanden gedaan. Ze was bezig een echte moeke te worden. Hilary had een hekel aan zichzelf.

Als je ontevreden bent, zie je de dingen niet helder meer: Hilary's groeiende teleurstelling over haar leven had haar blik versluierd, want ze was niet minder mooi en aantrekkelijk dan ze vroeger was. Het extra gewicht maakte haar zelfs eerder meisjesachtiger; ze kreeg kuiltjes in haar wangen als ze glimlachte, en iedereen zei dat ze er fantastisch goed uitzag. Maar het had geen zin – Hilary was niet tevreden met zichzelf.

Ze liet zich op de stoel bij haar toilettafel zakken en keek naar het kleine kartonnen doosje.

Ze deed het deksel open en keek naar het weerzinwekkende voorwerp dat in het doosje lag. Ooit was ze opgewonden en blij geweest dat ze er een had; nu had ze er een hekel aan. Vermeende bescherming is erger dan helemaal geen bescherming. Ze gaf het ding de schuld van deze ongewenste zwangerschap.

Anticonceptie was zo oud als het vrouw-zijn, maar in Amerika was het in strijd met de wet. Terwijl Europese vrouwen zonder moeite konden beschikken over de populaire en betrouwbare dingen als het pessarium en het cervix kapje, moesten Amerikaanse vrouwen hun toevlucht nemen tot de lukrake anticonceptie van hun moeders en grootmoeders: sponsjes die in kinine waren gedoopt, stukjes bijenwas en knoflookkettingen. Het werd in Amerika bekend dat er in Europa een nieuw middel was, en er ontstond grote vraag naar. De paar ringen die de Verenigde Staten werden binnengesmokkeld, gingen voor een hoge prijs van de hand. Het San Francisco

Ziekenhuis voor Vrouwen kreeg iedere maand honderden verzoeken, maar ze konden niets doen. De wet wond er geen doekjes om: het verstrekken van zulke voorwerpen hield in dat iemands medische vergunning onmiddellijk werd ingetrokken.

Het was een vraagstuk waar Samantha het moeilijk mee had gehad. Aan de ene kant wilde ze helpen, en aan de andere kant was ze bang het Ziekenhuis schade te berokkenen. Zij en haar staf hadden de wet af en toe omzeild door tampons en irrigators te verstrekken, zogenaamd voor de behandeling van vaginale infecties. In werkelijkheid bevatten ze sperma dodende middelen. Het was een riskante zaak en ze verkeerden voortdurend in angst ontdekt te worden, maar de arme vrouw die haar versleten lichaam naar het Ziekenhuis sleepte, en verkondigde dat de volgende zwangerschap op zelfmoord zou uitlopen, konden ze niet in de kou laten staan. En toen Hilary Samantha om hulp had gevraagd, had Samantha haar vriendin zonder aarzelen voorzien van een sponsje met sperma dodende vloeistof.

Het sponsje had een halfjaar gewerkt, zonder dat Darius zelfs maar wist dat het bestond. Toen had het het één nacht laten afweten, en één keer was genoeg: Cornelius was het resultaat.

Hilary had daarna kans gezien via een vriendin een verboden ring te bemachtigen. Samantha had hem aangebracht en had haar verteld hoe ze hem moest gebruiken, terwijl ze zich intussen heel goed bewust was van het feit dat ze allebei gearresteerd konden worden als het werd ontdekt. De geweldige Franse vinding had twee verrukkelijke jaren lang gewerkt, maar had haar nu ook in de steek gelaten. Hilary had het gevoel alsof ze weer van voren af aan moest beginnen.

Met een vermoeid gebaar klapte ze het deksel dicht, stopte het doosje weer in het geheime laatje en stond op. Haar slapen bonsden nog steeds.

Ze liep weer naar de badkamer en pakte de fles Farmers.

2

Samantha was boos.

Dit was niet het eerste incident: het Ziekenhuis zag meer van zulke gevallen dan haar lief was. Terwijl ze neerkeek op de bleekblauwe oogleden en het vredig slapende gezichtje, dacht Samantha, ik vervloek ze.

Ze rechtte haar rug. Het leek erop dat het meisje het wel zou halen, hoewel ze vanmorgen vroeg dicht bij de dood was geweest. God zij dank had Willella Canby haar positieven bij elkaar gehouden; haar voorstel om bij het bewusteloze meisje de maag uit te pompen had haar het leven gered. Nu moest Samantha zich voorbereiden op het moment dat het meisje bijkwam, want dan zou het haar pijnlijke plicht zijn haar te vertellen dat ze nog steeds zwanger was. De 'cyclus-regelaar' die ze bij de apotheek had gekocht, had niet gewerkt.

Samantha vouwde haar stethoscoop samen en liet hem in een van haar grote zakken in haar jurk glijden. Het aantal gevallen waarbij men een overdosis nam van geneesmiddelen die bij de apotheek te koop waren, nam voortdurend toe. Steeds meer onschuldige meisjes en vrouwen raakten verslaafd, of, erger nog, pleegden zelfmoord met medicijnen waarvan werd beweerd dat ze onschadelijk waren en de gezondheid bevorderden.

Samantha keek peinzend langs de rijen bedden. Minstens twaalf van deze patiënten lagen hier omdat ze patentgeneesmiddelen van kwakzalvers hadden ingenomen. Nog eens tien anderen hadden aangeboren gynaecologische problemen die vooralsnog niet konden worden verholpen. Vier waren gevallen van hysterie: de oorzaak van hun kwalen was eerder geestelijk dan lichamelijk. En van twee wist niemand precies wat eraan mankeerde. Van die veertig zouden er acht aan hun ziekte overlijden. Tien zouden geopereerd worden en van die tien zouden maar acht het overleven. Vijftien zouden het ziekenhuis verlaten zonder geheel genezen te zijn en op de een of andere manier voorgoed verzwakt, en de rest zou, hetzij door middel van geluk of medisch ingrijpen, genezen.

Samantha was niet tevreden over die cijfers.

Ze ging naar haar kantoor, onderweg een paar woorden wisselend met enkele patiënten, overleggend met dr. Lovejoy over de patiënte met een fikse vleesboom; verder nam ze met Charity Ziegler het menu door, en moest opnieuw horen dat de portier dronken en slapend was aangetroffen op de sectietafel. Toen ze bij de deur van haar kamer kwam, en zich verheugde op een kopje thee, vertelde zuster Constance haar dat er een nieuwe patiënte in de onderzoekkamer zat te wachten.

Samantha ging naar binnen. De patiënte was een gezette, moederlijke vrouw. Ze droeg een ouderwetse queue de Paris en een hoed met struisvogelveren die bijna de hele kamer vulde. Ze was opgewekt en flink, en was in tegenstelling tot de meeste nieuwe patiënten niet in het minst verlegen. Ze had geen probleem, maar een vraag: ze was tweeënvijftig jaar oud en haar menstruatie was een jaar geleden gestopt, maar nu was ze weer gaan vloeien en ze wilde weten of ze zwanger kon worden.

Samantha dwong zich tot een beroepsmatige glimlach. De symptomen van de vrouw wezen niet op een nieuwe vruchtbaarheid, maar juist op het tegendeel. Ze hielp haar op de onderzoektafel, onderzocht haar voorzichtig en haar ergste vrees werd bevestigd. Kanker.

Samantha bleef nog een poosje bij mevrouw Paine zitten, bood haar vlugzout en een zakdoek aan, waarna ze aan de bel trok en zuster Hampton vroeg met mevrouw Paine naar een van de zitkamers te gaan. Nadat ze waren weggegaan, bleef Samantha op haar kruk zitten.

Het was onmogelijk een baarmoeder met een kankergezwel weg te nemen zonder de patiënte te doden. Er waren andere organen mee gemoeid en een kwaadaardige tumor bloedde heftig. Zelfs een hysterectomie voor een eenvoudige vleesboom was riskant – één op de vijf vrouwen overleefde zo'n operatie niet. Mevrouw Paine had zojuist haar doodvonnis gehoord.

Er werd op de deur geklopt. Het was zuster Constance. 'Dr. Hargrave?'

'Ja, Constance?'

'Er is een Chinees voor u. Hij zegt dat het dringend is.'

Dringende gevallen waren niets ongewoons, maar de mans afkomst wel: weinig inwoners van het Hemelse Rijk kwamen naar Samantha toe. Het bleek een bediende van de Gants – en hij was ten einde raad. 'Juffie Gant erg ziek. Kom gauw!'

Samantha vloog overeind. 'Welke juffrouw Gant?'

'Juffie *Mevrouw* Gant. Kom gauw mee, alstublieft!'

Terwijl ze achter hem aan de gang doorliep, en naar zijn lange staart keek die ondanks zijn snelle pas recht naar beneden bleef hangen, begon Samantha ongerust te worden. Ze droeg de zorg voor het ziekenhuis over aan dr. Canby, stapte in het rijtuig van de Gants en reed de schemering in.

De huishoudster stond haar op te wachten. De altijd zo onberispelijke mevrouw Mainwaring was duidelijk uit haar doen en stond handenwringend bij de deur. Ze nam Samantha mee door het stille huis, de trap op en de met dik tapijt belegde gang door. Aan het eind van de gang stond ze stil, klopte en zei zachtjes met haar hoofd vlak bij de deur: 'Hier is dr. Hargrave.'

Elsie deed de deur open. Ze zag zo bleek dat Samantha ervan schrok. 'Wat is er aan de hand, Elsie?' vroeg ze, terwijl ze haastig haar jas liet afglijden. Maar voordat de kamenier kon antwoorden, zag Samantha Hilary al languit op bed liggen. Ze was bewusteloos.

'O dokter Hargrave,' zei Elsie met een klein stemmetje. Onzeker liep ze achter Samantha aan toen die naar het bed toe snelde. 'Het was verschrikkelijk! Ze is van de trap gevallen!'

Samantha controleerde de belangrijkste lichaamsfuncties: Hilary's pols was zwak en langzaam, haar huid voelde klam, haar handen en voeten waren ijskoud en haar lippen zagen blauwachtig. Samantha tilde de oogleden op en zag dat de pupillen zo klein als speldeknopjes waren. 'Hoe is dat gekomen, Elsie?' vroeg ze terwijl ze Hilary onderzocht op eventuele gebroken ledematen.

Elsie keek alsof ze probeerde al haar vingers uit het lid te trekken. 'Mevrouw Gant deed de hele morgen al zo vreemd. Ik had grote moeite haar wakker te krijgen en daarna was het alsof ze een beetje... *wazig* was. Ze is de hele dag op haar kamer gebleven. Toen hoorden we daarnet een bons en daar lag ze, onder aan de trap!'

Samantha fronste. 'Wat bedoel je met wazig, Elsie? Kun je haar toestand iets nauwkeuriger beschrijven?'

'Tja, ze was een beetje suffig. Ze zei dat ze barstende hoofdpijn had en dat ze vreselijke dorst had. Ik moest haar karaf steeds bijvullen. O dr. Hargrave, gaat ze nu dood?'

'Ik moet weten of ze iets heeft ingenomen. Pillen, medicijnen...'

'Dit heeft ze ingenomen.' Elsie duwde Samantha een leeg flesje onder de neus. Farmers Vrouwenvriend.

Samantha fronste diep toen ze de kleine lettertjes las. 'Geneest gegarandeerd depressieve gevoelens, sombere buien en helpt goed tegen de angstgevoelens die zwangere vrouwen in de regel ondervinden.'
'Hoeveel heeft ze ervan gedronken, Elsie?'
'Gisteravond was het flesje nog vol, dokter.'
Samantha staarde naar het flesje. Vrouwenvriend. Angstgevoelens...
'Weet je wanneer ze dit heeft gekocht?'
'Dat flesje? Gisteren, geloof ik. Toen het andere op was.'
Samantha hief met een ruk haar hoofd op. 'Het andere? Wil je daarmee zeggen dat mevrouw Gant dit al eerder heeft ingenomen?'
'Ze neemt het al een poosje, dokter. Ik geloof dat ze ermee is begonnen toen ze meneer Cornelius verwachtte. Komt het weer goed met haar?'
'Ja hoor, Elsie,' antwoordde Samantha rustig. 'Ze wordt weer beter. We hebben liters zwarte koffie nodig. Hele sterke.' Ze keek naar het paniekerige meisje. 'Elsie?'
'O! Ja, dr. Hargrave!' Elsie nam de benen, blij dat ze iets te doen had en Samantha keek nog eens naar het flesje. Ze had wel vaker met slachtoffers van Farmers Vrouwenvriend te maken gehad. Er zat een heleboel opium door het drankje, hoewel dat niet op het etiket stond, terwijl ook niet was aangegeven hoeveel men er maximaal van kon innemen.
Ze keek naar het gezicht van haar slapende vriendin en de moed zonk haar in de schoenen. O Hilary...
Samantha en Elsie waren een uur bezig om Hilary wakker te krijgen. Ze masseerden haar handen en voeten, bewogen haar armen en benen op en neer, en gaven haar tikjes op de wangen om haar bij haar positieven te laten komen. Hilary kwam bij, om vervolgens weer weg te zakken; haar oogleden knipperden en ze kreunde. Samantha hield af en toe alleen even op om haar hartslag te controleren, die nu iets sneller kwam. Even later werd Hilary's ademhaling weer normaal en haar lippen zagen niet langer blauw.
Toen Hilary wat doezelig maar wakker was, sloeg Samantha een arm om haar schouders en liet haar van de sterke koffie drinken.
Hilary begon te hoesten en mompelde: 'O, wat voel ik me ziek. Wat is er gebeurd?'
'Je bent van de trap gevallen.'
'Eerlijk? Ik weet er niets meer van...'
'Gelukkig was je zo bedwelmd dat je als een ledenpop moet zijn neergekomen. Je had je nek wel kunnen breken.'
'Zo bedwelmd?' Hilary probeerde Samantha vast aan te kijken. Ze voelde zich warrig, houterig. 'Bedwelmd?' vroeg ze nogmaals.
'Farmers Vrouwenvriend. Je hebt wel een hele fles gedronken.'
Hilary kreunde. 'Toen ik wakker werd had ik zo'n vreselijke hoofdpijn. Ik denk dat ik niet meer wist hoeveel ik op had.'
'Kom, drink nog wat koffie, daar kikker je van op. We moeten iets tegen die opium ondernemen.'
'Opium? Ik heb helemaal geen... o nee, dat zou ik nooit...'

'Nee, ik weet wel dat je dat nooit zou doen. Niet met opzet. Maar Farmers bevat een hoge dosis opium.'

Hilary knipperde niet begrijpend met haar ogen. Ze dronk haar koffie en likte haar lippen af. 'Nee, je moet je vergissen. Het is een plantaardig drankje. Dat staat erop... Samantha, ik voel me afschuwelijk. Heb ik een miskraam gehad?'

Samantha keek haar vriendin aan. Hilary had haar niet verteld dat ze zwanger was. 'Nee, liefje, met de baby is alles goed.'

Toen Hilary's hoofd tegen Samantha's borst zakte, zette ze het kopje neer en streelde over de kastanjerode krullen die zo zacht waren als die van een kind. Ze hield haar vriendin heel lang tegen zich aan.

Ze schrok toen er op de deur werd geklopt. Samantha stond op uit de stoel waarin ze de afgelopen twee uur had gezeten en deed de deur open voor Darius. Hij was gekleed in een zeiljopper, een witte pantalon en een kapiteinspet. 'Samantha! Mevrouw Mainwaring zei...'

Ze legde haar vinger tegen de lippen. 'We kunnen beter even naar beneden gaan.'

'Is alles goed met haar? Mevrouw Mainwaring zei dat ze van de trap is gevallen.'

Samantha legde zachtjes haar hand op zijn arm. 'We mogen haar niet storen. Laten we beneden maar even praten, Darius.'

In de salon ging Darius midden voor de open haard staan; zijn schaduw vulde de kamer en danste met de vlammen op en neer. Samantha ging voor hem zitten, vouwde haar handen ineen en zei rustig: 'Hilary heeft een drankje gedronken waardoor ze wat wazig is geworden. Ze heeft haar evenwicht verloren en is gevallen.'

'Wat voor drankje?'

'Het wordt verondersteld te helpen tegen depressies. Wist jij dat Hilary depressief was?'

'Nee, dat wist ik niet...' Darius liep naar een fauteuil. 'Ik ben de laatste tijd niet veel thuis geweest, maar als ze depressief was, zou ze me dat toch wel hebben verteld, of niet soms?'

Samantha zuchtte. 'Ik ben haar beste vriendin, Darius, en *ik* wist niet eens dat ze problemen had. Darius, dat drankje is speciaal bestemd voor zwangere vrouwen. Is Hilary niet blij met deze zwangerschap?'

Hij keek haar verbaasd aan. 'Ik wist niet eens dat ze zwanger was.'

Samantha dacht even na, en toen herinnerde ze zich dat ze laatst op een ochtend had gehoord dat Hilary langs was geweest terwijl zij aan het opereren was. Samantha was van plan geweest Hilary 's avonds op te bellen, maar toen was de zaak Canby ertussen gekomen. Er schoten haar andere dingen te binnen: Hilary's sombere stemming tijdens haar laatste zwangerschap, het stiekem gekochte pessarium, de hoop die ze had uitgesproken dat ze dàt nu allemaal achter de rug had.

Er ging een steek door haar heen. Hilary had me nodig en ik was er niet!

'Darius,' zei ze zachtjes, 'we hebben haar in de kou laten staan. Jij had het te druk met je sinaasappels, en ik met het ziekenhuis.'

'Maar Hilary heeft het druk! Ze heeft haar Vrouwencomité, zes kinderen, een huis om voor te zorgen!'

'Misschien is dat wel niet genoeg, Darius. Of misschien wìl ze dat wel helemaal niet. Hilary is al een hele tijd ongelukkig en we hebben het niet eens gemerkt.'

'Ik begrijp er niets van. Waarom zou ze ongelukkig zijn? Vooral nu ze weer zwanger is. Ze zou dolblij moeten zijn!'

'Misschien wil ze geen kinderen meer, Darius.'

'Dat is belachelijk.'

'Wist je dat ze anticonceptiemiddelen gebruikte?'

Hij keek haar als met stomheid geslagen aan.

Toen kwam er een andere, sombere gedachte bij Samantha op. Van de trap gevallen. Was het wel een ongelukje geweest?

'Maar waarom dan?' zei hij gespannen fluisterend. 'Waarom zou ze geen kind meer willen?'

'Darius.' Samantha pakte hem bij de hand. 'Hilary is een goede echtgenote en moeder, maar ze heeft behoefte aan méér. Sinds ik haar heb leren kennen is ze haar halve leven zwanger geweest. Als een gevangene. Ze heeft er genoeg van, Darius. Ze wil vrij zijn.'

'Vrij? Vrij waarvan?'

'Van het voortdurend zwanger zijn.'

'Maar daar is een vrouw voor geboren.'

'Ze heeft zes kinderen, Darius. Ze heeft haar bijdrage geleverd.'

'Het is niet eerlijk.' Hij schudde heftig met zijn hoofd. 'Dat ze anticonceptie toepast zonder mijn medeweten! Ik heb ook mijn rechten!'

'Hilary ook, Darius. Ze heeft het recht een vrije vrouw te zijn. Daar draait het bij anticonceptie om, daarom is ze die middelen gaan gebruiken.'

'Ik begrijp het niet, Sam.'

'Anticonceptie is een gebaar waarmee een vrouw haar onafhankelijkheid aantoont, denk ik. Zolang jij haar steeds zwanger kunt maken, is Hilary aan jou onderworpen. Maar door jou die tirannie te ontnemen, verklaart ze zich onafhankelijk van je.' En ik neem aan, dacht Samantha bedroefd, dat ze zich door troost te zoeken bij een flesje uit de apotheek, onafhankelijk van mij wilde opstellen.

Hij keek haar verslagen aan. 'Ben ik haar dan kwijt?'

Samantha was pijnlijk verrast, want diezelfde gedachte was bij haar ook al opgekomen, maar ze zei: 'Nee, je bent haar niet kwijt. Je hebt je huwelijk nog, Darius, en de liefde die je met haar deelt.'

'Nee, niet als ze geen kinderen meer van me wil.'

'Het gaat nu niet om kinderen, Darius. Het zit veel dieper. Het gaat zelfs terug tot die dag, negen jaar geleden, dat ze zo timide naar mijn praktijk kwam en jou pas naderhand over die operatie vertelde. Sinds dat ogenblik heeft ze geprobeerd een zekere zelfstandigheid te bereiken, Darius. Hilary

hunkert naar een beetje vrijheid, maar ze wil dat op een eerlijke manier verwezenlijken.'
'Ik begrijp het niet. Wil ze dan scheiden?'
'Een vrouw kan getrouwd zijn en toch vrij.'
Maar Darius fronste alleen maar zijn wenkbrauwen. Dat was net alsof je beweerde dat soep tegelijkertijd heet en koud kon zijn. 'Ze wil me niet meer.'
'Praat eens met haar, Darius. Hilary houdt niet minder van je alleen omdat ze naar vrijheid verlangt. Praat met haar, Darius, en *luister* dan naar haar.'
Hij knikte wat onzeker. 'Ik wil alles doen om haar gelukkig te maken.'
Er gleed een glimlachje over Samantha's gezicht, toen duwde ze zich overeind. Terwijl ze haar lange rok glad streek dacht ze, en ik weet wat *mij* te doen staat.

3

Ze bleef in de deuropening staan om haar ogen even te laten wennen voordat ze uit het felle middaglicht naar binnen stapte.

Het was een apotheek als vele andere in de stad, met planken vol flesjes en blikjes tot aan het plafond, nieuwe glazen toonbanken waarin gezondheidsmiddeltjes en reukwatertjes stonden uitgestald, een soda-fonteintje met krukjes erbij, en een grote glazen spiegel met reclame voor Coca Cola, Bromo Seltzer en Moxie erop. Tussen de uitgestalde geneesmiddelen op de toonbanken stond een postzegelautomaat, er was een plek waar je films kon afgeven om ze te laten ontwikkelen en er lagen wasrollen voor de fonograaf op een draaiplateau. Er liepen een paar klanten rond te neuzen en een nam net een pakje aan van de apotheker. Samantha besloot er eens een kijkje te nemen.

Er werden honderden produkten aangeboden, die beloofden alles te genezen, van een gespleten teennagel tot hersengezwellen. Een flesje Gono beweerde dat het 'een ongeëvenaarde remedie' was tegen 'alle onnatuurlijke afscheidingen en ontstekingen; geneest beslist gonorroea en etterende zweren'. Een doosje dr. Roses corpulentiepoeders richtte zich tot 'dikke mensen' en garandeerde dat men er in 'betrekkelijk korte tijd' van zou afvallen. Barry's haarlotion beloofde haaruitval te genezen; Sozodont beweerde dat het tanden verhardde en conserveerde; Browns ijzerbitters spiegelde de mensen voor dat het 'verval van de lever, nieren en ingewanden' tegenging; en Lydia Pinkhams groentemix garandeerde 'een baby met ieder flesje'. Tubes braakwijnsteenzalf waren bestemd voor bezorgde ouders om op de genitaliën van hun zoons te smeren om hen van masturbatie af te houden; een flesje De Onfortuinlijke Vriend garandeerde genezing van syfilis; en er waren vaginale tampons die een 'wondermiddel' bevatten om de 'menstruele cyclus te herstellen die door nerveuze spanningen en andere oorzaken' ontregeld was geraakt.

Samantha liep langzaam langs de toonbanken, hier en daar stilstaand om injectiespuiten en naalden te bekijken; klisteerspuiten vergezeld van flesjes 'rustgevende, slaapverwekkende wijn' en middeltjes om 'de vrouwelijke buste te vergroten en te verfraaien'. Nadat ze zich geleidelijk naar de kassa had begeven, waar de oude, onaantrekkelijke apotheker een oudere dame adviseerde, bleef Samantha nog even stilstaan bij een uitstalling van Sara Fenwicks Wonderdrank, waarvan een hele piramide op de toonbank was opgestapeld. Ervoor lag een keurig stapeltje foldertjes, waarbij stond: 'Geheel gratis. Om mee te nemen'.

Ze pakte een fles en las wat er op het etiket stond. Het plantaardige drankje garandeerde alle mogelijke vrouwenkwaaltjes te genezen, te herstellen en te verbeteren; het zou verjongen en versterken. De samenstelling werd niet vermeld.

Samantha pakte een van de foldertjes. 'Iedere vrouw kan haar eigen dokter zijn,' stond erin. 'Ze kan zichzelf behandelen zonder haar gênante kwaaltjes aan iemand te hoeven bekennen, en zonder zich onnodig intiem door een dokter te laten onderzoeken. Wilt u dat een vreemde man alles hoort over uw *intieme* klachten? Zou u zich op uw gemak voelen als u die vreemde man al die geheimen zou moeten onthullen die alleen een vrouw bekend zouden moeten zijn? Dat ligt niet in de aard van de vrouw, het strookt niet met haar gevoeligheid voor verfijning en bescheidenheid. Iedere *echte* vrouw rilt van afschuw als ze eraan denkt haar intieme kwaaltjes aan een man te onthullen, of hij nu arts is of niet. Mevrouw Fenwick begrijpt dat, want ze is zelf een vrouw. Schrijf naar mevrouw Fenwick en u ontvangt Gratis en Persoonlijk goede raad. Mannen krijgen uw brieven absoluut niet onder ogen. Op ons kantoor werken geen jongemannen. Alle correspondentie wordt door vrouwen afgehandeld, door vrouwen gelezen en *alleen door vrouwen* beantwoord!'

Hierna volgde een selectie uit 'onze uitgebreide briefwisseling over het hele land'.

Mevrouw G.V. uit Scranton schreef: 'Jarenlang heb ik getobd met mijn baarmoeder. Ik heb in vier jaar vijf gezwellen gehad; ik ben ervoor naar dokters geweest, maar ze hebben me geen goed gedaan: ze waren niet erg meelevend en gaven me morfine. Ze zeiden dat ik mijn baarmoeder operatief moest laten verwijderen, maar toen hoorde ik van mevrouw Fenwick. Ik heb haar geschreven en ze antwoordde dat ik na iedere maaltijd en steeds als mijn maag van streek was, een eetlepel van het wonderdrankje moest nemen. De gezwellen verdwenen direct. Ik voel me nu zeer fit en mijn gezondheid is met sprongen vooruit gegaan. Ik ben altijd opgewekt en mijn echtgenoot komt iedere avond graag naar huis! Ik kan oprecht zeggen dat ik was gestorven als ik Sara Fenwicks wonderdrank niet had ontdekt.'

Samantha bekeek het flesje nog eens. Op het etiket op de achterkant stond: 'Voor de meeste vrouwen is een operatie een veel te schokkende gebeurtenis. De wonderdrank laat gezwellen in de baarmoeder pijnloos geheel en al verdwijnen.'

Ze wierp een zijdelingse blik op de apotheker, die net stond af te rekenen;

ze haalde snel de kurk van het flesje en rook eraan. Er zat minstens dertig procent alcohol in.

Ze zette het flesje weer op zijn plaats en keek er nadenkend naar. *Laat gezwellen in de baarmoeder verdwijnen...*

'Kan ik u van dienst zijn, mevrouw?'

Ze keek de apotheker aan. 'Ja. Ik zoek Farmers Vrouwenvriend.'

'Jazeker, mevrouw.' Hij pakte een flesje van de plank achter hem.

Samantha pakte het aan, las het etiket en zei: 'Is het veilig?'

'Gegarandeerd onschadelijk, mevrouw.'

'Ook voor een zwangere vrouw?'

'Daar is het speciaal voor bedoeld, mevrouw.'

Samantha zei: 'Geeft u het dan maar.'

Terwijl de apotheker het flesje in een vierkant stuk bruin papier pakte, keek Samantha terloops de planken achter hem langs. 'Listerine,' mompelde ze. 'Zeker toevallig naar dr. Lister genoemd, neem ik aan.'

'Het is geen toeval. Twee slimme verkopers uit Missouri zijn op dat idee gekomen. Dr. Lister heeft hun zijn naam verkocht, hij ontvangt een honorarium en ik behaal er een enorme omzet mee.'

'U beschikt over een uitgebreid assortiment.'

'Ik probeer alles in voorraad te hebben wat een mens nodig heeft.' Hij trok een stukje touw van een rol en bond het om het pakje. 'Kijk, de mensen gaan niet graag naar een dokter om twee dollar te dokken en dan te horen te krijgen dat hij ze niet kan helpen. Ze komen hier, vertellen wat eraan scheelt, en ik beveel ze iets aan. Het is goedkoper, sneller en gemakkelijker, en genezing wordt gegarandeerd. Nu, welke dokter doet me dat na?'

Ze haalde een dollar uit haar tas en legde het bankbiljet op de toonbank. Terwijl de kassa rinkelde, vervolgde de apotheker: 'Ik verkoop de mensen wat ze willen. Die dames van de blauwe knoop, bijvoorbeeld. Die roepen heel hard dat bier verboden moet worden en dan komen ze hier een flesje Parks groentetonic halen. Bier bevat hoogstens acht procent alcohol. Parks tonic eenenveertig.' Hij telde het wisselgeld in haar hand uit. 'Schijnheilig, begrijpt u wat ik bedoel?'

Ze stopte de muntjes in haar portemonnee. 'Misschien weten ze het niet,' zei ze en wees naar een flesje van het drankje. Het etiket beweerde uitdrukkelijk 'Bevat beslist geen alcohol'. Ze nam haar pakje in ontvangst.

'Neem dat daar,' ging hij verder. 'Gileads balsem. Goedgekeurd door de geestelijkheid. Zeventig procent alcohol. De geheelonthouders vormen voor mij geen bedreiging. Ik ben er helemaal voor. Sluit de bars, dan komen de mensen in drommen naar de apotheek!'

Samantha knikte vol belangstelling. 'Staat u achter alles wat u verkoopt?'

'Absoluut. Als ik iets niet goed vind, dan verkoop ik het niet.'

'Wist u dat het drankje dat ik net heb gekocht vol opium zit?'

Hij knipperde met zijn ogen. 'Wat bedoelt u?'

'Farmers Vrouwenvriend bevat een heleboel opium. Wist u niet dat dat schadelijk is voor een zwangere vrouw en haar ongeboren kind?'

Zijn vriendelijke houding verdween. 'Wie zegt dat het opium bevat?'
'Dat heb ik toch net beweerd?'
'Dat staat anders niet op het etiket?'
'Kom nu toch, meneer. We weten toch allebei wel hoe het met etiketten gaat. Het verbaast me alleen dat u willens en wetens een schadelijk produkt verkoopt.'
'Mevrouw, in dat drankje zit geen opium.'
'Daar zou ik zelf graag eens achter willen komen. Kunt u me alstublieft het adres van de fabrikant geven?'
'Dat kan ik niet doen.'
'Ik heb toch het recht te weten wat ik inneem. Geeft u me alstublieft het adres van Farmer.'
Hij keek haar met een ijzige blik aan. 'Mevrouw, als het u niet aanstaat wat erin zit, koopt u het dan niet.'
'Hoe kan ik nu weten wat erin zit als dat niet op het etiket staat en als u het niet weet, of het een klant niet wil vertellen? Ik weet toevallig dat dit drankje een gevaarlijk verdovend middel bevat. Mijn vriendin is er bijna aan overleden. Dit zogenaamde geneesmiddel maakt de niets vermoedende gebruikers tot verslaafden. Ik vind, meneer, dat u verplicht bent òf uw klanten te waarschuwen, òf die flesjes van uw planken te verwijderen.'
Hij keek haar nog even woedend aan, waarna hij zachtjes op boze toon zei: 'Mijn enige plicht op dit moment, mevrouw, is u te vragen weg te gaan. Wat u insinueert bevalt me niet.'
Samantha keek hem even koeltjes aan, waarna ze met een blik op de andere klanten het flesje tegen zich aanklemde en rustig naar buiten liep.

'En wat heb je toen gedaan?'
'Ik heb hier in het Ziekenhuis een analyse laten maken. In Farmers Vrouwenvriend zit nog meer opium dan in laudanum.'
'Mijn beste Samantha, wil je alsjeblieft stilstaan?'
Samantha liep in haar kantoor te ijsberen en Stanton Weatherby, haar oude vriend, zat toe te kijken. Samantha bleef bij het raam staan en keek naar buiten. De stad was gehuld in een mantel van avondmist en in Kearny Street hing een mysterieuze sfeer – de straatverlichting gloeide als hangende lantaarns en rijtuigen bewogen zich als prehistorische dieren langzaam in en uit de nevel; de hoorn van een onzichtbare automobiel klonk door de stille namiddag.
'Ga verder, alsjeblieft,' zei Stanton.
Ze draaide zich om en keek hem aan. 'Dat is alles. Meer niet.'
Stanton, die een van de regenten en ook de advocaat van het Ziekenhuis was, kwam eenmaal per week bij Samantha langs om de zaken te bespreken. Vanmiddag echter, in plaats van hun gebruikelijke plezierige gesprek tijdens de thee, had hij een geagiteerde Samantha aangetroffen en geen thee.
Ze begon weer heen en weer te lopen. 'Het was vreselijk om te zien, Stanton! Wat een kwakzalverige groothandel is zo'n apotheek! En de apothe-

kers kan het òf niet schelen, òf ze hebben geen idee wat ze eigenlijk verkopen. Hoe dan ook, de klant geniet geen enkele bescherming.'
'Het is niet in strijd met de wet.'
Ze stond stil om hem aan te kijken. 'Nee, illegaal is het niet, maar dat zou het wel móeten zijn. Iedereen kan met een beetje gekleurd water en een mooi etiket onschuldige mensen om de tuin leiden. En hen misschien schade berokkenen.'
'Gekleurd water doet niemand kwaad.'
'Juist wèl, Stanton. Die zogenaamde medicijnen weerhouden de mensen ervan om goede medische behandeling te zoeken.'
Hij bestudeerde haar knappe gezicht en wenste dat ze zijn avances niet had afgewezen. 'Je kunt er toch niets aan doen, Samantha.'
'Het publiek heeft recht op informatie, Stanton. Ze hebben er recht op te weten wat er in die flesjes zit. En als de mensen dat eenmaal wel weten, dan zullen ze proberen hervormingen door te voeren, bijvoorbeeld een wet die voorschrijft dat op het etiket moet staan wat er precies in zit.'
Stanton schudde zijn hoofd. Hij stond op en liep naar het raam waar de witte muur van mist zijn gestalte weerkaatste; zijn blik was sceptisch. 'Het zal een harde strijd worden, Samantha. Het Medisch Genootschap heeft een machtige achterban. Ieder jaar worden er in het Congres wetten ingediend en ieder jaar sterven ze een kalme dood.'
'We kunnen de kranten erbij halen.'
'Daar hoef je niets van te verwachten. Een groot deel van hun inkomsten komt uit de advertenties van de geneesmiddelenindustrie.'
'Er moet toch een manier zijn om er iets aan te doen!'
Hij draaide zich om en balanceerde op zijn hakken. 'Samantha, heb je wel eens van Harvey Wiley gehoord?'
'Ja, ik geloof van wel. Is hij niet de voorzitter van de Afdeling Chemie van het ministerie van Landbouw?'
'Wiley probeert voedselproducenten en ondernemers ervan te weerhouden met hun produkten te knoeien om hogere winsten te maken. Aluin in het brood om het zwaarder te maken, zand in de suiker, stof gemengd met koffie, kalk in de melk, gebalsemd vlees in blik – de lijst gruwelijke voorbeelden is eindeloos. Kruideniers en groothandelaars, net als geneesmiddelenproducenten, zijn vrij om alles met voedsel te doen wat ze willen, zonder de consument daarvan in kennis te stellen. Harvey Wiley voert een campagne om producenten te dwingen de klant op de hoogte te stellen van eventuele toevoegingen, maar tot nu toe zijn al zijn wetsvoorstellen in het Congres blijven steken. En Harvey Wiley is een invloedrijk man.'
'Stanton, we moeten iets doen.'
Stanton dacht na. 'We leven in een vrij land, Samantha. Een geneesmiddelenfabrikant heeft het recht in zijn medicijnen te stoppen wat hij maar wil. De regering kan hun niet vertellen wat er in moet.'
'Ik zeg ook niet dat dat zou moeten. Ik beweer alleen dat om de klant te beschermen de fabrikant verplicht zou moeten zijn de samenstelling van de

medicijnen te vermelden. Het publiek heeft het recht te weten wat er in het middel zit dat hij koopt. Degene die een apotheek binnengaat, heeft het recht te weten wat hij voor zijn geld aanschaft.'

'Je hebt het over ingrijpen van overheidswege, Samantha.'

'Integendeel, ik heb het over meer rechten voor het publiek. Het recht om te weten wat ze kopen. En het recht om niet te worden bedrogen.'

Ze kwam naast hem staan en keek naar buiten. 'Stanton, ik voel al jaren dat er in mij een boosheid steeds groter wordt. Iedere keer als er een slachtoffer van een ondeugdelijk medicament bij me in het ziekenhuis komt, heb ik zin het uit te schreeuwen. Nu, de tijd is gekomen dat ik er iets aan ga doen.'

Hij bestudeerde haar vastberaden profiel en een blik die hij al vele malen eerder had gezien, en hij wist dat het geen zin had verder te argumenteren.

'Wat ben je van plan?'

'In de eerste plaats ga ik de vrouwen die naar dit ziekenhuis komen beter voorlichten. Vervolgens ga ik proberen een groter publiek te bereiken. *Iemand* zal naar me luisteren...'

4

Andere mensen mochten misschien gewend raken aan zijn lelijkheid, maar Adam zelf nooit. Iedere keer wanneer hij een glimp van zijn spiegelbeeld opving, voelde hij iets van afkeer. Dat was de reden dat er geen spiegel in zijn kamer was, en dat zijn haar nooit netjes gekamd zat. Toch was het wel eens onvermijdelijk: overal in huis hingen spiegels, de ramen weerkaatsten zijn gezicht, bij het prieel lag een vijvertje – alle confronteerden hem met zijn spiegelbeeld alsof ze hem uitlachten. En elke keer als zijn hart ineenkromp, dacht de negenentwintigjarige Adam Wolff weer: maar *zij* ziet het niet.

Nee, Jenny viel het niet op dat Adam lelijk was. Net zo goed als ze eens door de knappe façade van Warren Dunwich had heen gekeken tot in zijn harteloze innerlijk, zo zag Jenny de littekens op Adams gezicht niet meer; zijn inborst overstraalde ze.

Lang geleden had Adam geloofd dat de ontploffing op Telegraph Hill meer had aangericht dan zijn doofheid en mismaaktheid: ook zijn hart had zich verhard. Terwijl hij een lap tegen zijn bloedende gezicht hield en toekeek hoe zijn vader onder het puin vandaan werd getrokken, te geschrokken om te merken dat hij het geschreeuw niet kon horen, had de jonge Adam gevoeld hoe het stof van de explosie via zijn keel zich voorgoed om zijn hart kapselde, als een stenen muur die het definitief afschermde. En in de maanden die volgden, levend in de goten, ellendig en alleen, overgeleverd aan een ieder die misbruik van hem wilde maken, was de jongen er vast van overtuigd geweest dat hij samen met zijn vader was gestorven.

Zo hadden de Franciscaners van de Missie hem gevonden; ze hadden hem in een armenhuis voor kinderen gedaan en hadden geregeld dat hij naar de dovenschool kon. Later hoorde hij van het hoofd van de school dat hij, als hij direct goede medische verzorging had ontvangen, niet zo vreselijk mismaakt zou zijn geweest. Maar nu was het te laat, had de man treurig gezegd; Adam Wolff was gedoemd zijn leven lang in een stille wereld te verkeren en iedereen die naar hem keek een schok te bezorgen.

Daarom had Adam, toen hij zijn opleiding had voltooid, besloten als leraar aan te blijven, want binnen de beschermende muren van de school in Berkely had hij geen last van de blikken van normale mensen. Als zijn leerlingen eenmaal aan hem waren gewend, accepteerden ze hem zoals hij was. Adam wist niet meer precies wanneer hij zich eenzaam was gaan voelen. Het alleen-zijn was hem niet vreemd sinds die dag dat hij van de plek des onheils was weggerend en zich in de achterafstraatjes van North Beach had schuil gehouden. Maar de *eenzaamheid*, het bewustzijn dat hij werkelijk anders was, zelfs geïsoleerd van de andere doofstommen, *dat* gevoel was opgekomen toen hij een jongeman was geworden'– in die moeilijke periode dat Adam naar de knappe meisjes op school had gekeken en naar hen had verlangd, wetend dat ze zijn gevoelens nooit zouden beantwoorden. In die tijd had hij de stenen muur rond zijn hart verstevigd: als ze hem dan niet wilden hebben, dan had hij hen niet nodig. Niemand. En toen hij van jongeling jongeman werd, veranderde Adam Wolff in een rustig, gereserveerd en onbereikbaar mens.

Maar als leraar kende hij zijn gelijke niet. Toen hij zo afgezonderd leefde, afgesneden van vrienden en gezelschap, had Adam zich ontwikkeld. Hij had gelezen, gestudeerd en nagevorst. Hij observeerde, leerde daarvan, en ontdekte betere onderwijsmethoden. Bij hem muntten de leerlingen uit in het vingeralfabet. Zijn scherpe inzicht en toewijding brachten de weerspannigste leerlingen ertoe goede resultaten te behalen. De moeilijke gevallen werden naar hem verwezen en al gauw werd hij privé-docent. Toen de directeur, Wilkinson, dus een brief van Samantha Hargrave ontving – een vrouw die hij diverse malen had ontmoet en die hij bewonderde – waarin ze om hulp voor haar ernstig gehandicapte dochter vroeg, bestond er geen twijfel aan of Adam Wolff was de aangewezen persoon voor deze taak.

Adam had zich eerst verzet omdat hij bang was weer naar buiten te treden, maar na enig nadenken beschouwde hij het als een uitdaging, gewoon weer een van de vele uitdagingen, en hij had besloten het eens te proberen. Of liever, hij wilde zichzelf op de proef stellen, om te zien of het hem lukte. In de postkoets hadden de mensen hem zitten aanstaren, evenals op de veerboot en in de tram, en toen hij langs Kearny Street wandelde. Toen hij laat die kerstavond doorweekt en humeurig bij de Hargraves arriveerde (vanwege een kloddertje inkt twee weken te vroeg, hoorde hij tot zijn afgrijzen), had Adam Wolff voor zichzelf uitgemaakt dat hij bij de eerste geschokte of medelijdende blik rechtsomkeert zou maken.

Maar de beminlijke vrouw die de deur opendeed had alleen maar geglimlacht, had hem mee naar binnen genomen, zijn natte tas en jas aangenomen en had hem voor het laaiende vuur gezet.

En toen, het volgende ogenblik, was er iets ongelooflijks gebeurd.

In de gloed van de dansende vlammen stond een meisje, elf jaar oud, en ze had hem met grote, vochtige ogen aangekeken. Het was alsof het ogenblik een eeuwigheid duurde – Adam stond daar nat en verlegen bij de haard, het meisje staarde hem aan. Toen was ze langzaam op hem afgekomen, alsof ze in trance was. Vlak voor hem was ze stil blijven staan, heel dicht bij hem, en had naar hem opgekeken. Ze had haar arm opgetild, haar vingers tegen zijn geschonden wang gelegd, en ze had geglimlacht.

Adam had een beweging achter zich gevoeld. Toen hij zich omdraaide, zag hij dat de vrouw haar handen tegen haar mond drukte, met een uitdrukking op haar gezicht die een mengeling van schrik en vreugde was, en toen ze haar handen weghaalde, zag hij dat haar lippen zeiden: 'Jenny! Je lacht!' Hij had weer naar het meisje gekeken en op dat moment had hij gevoeld dat er een wonder gebeurde.

Adam voelde ineens alle bitterheid en cynisme wegsmelten; het was als een mystieke ervaring. Neerkijkend op het meisje werd hij plotseling herinnerd aan al het goede op de wereld dat ook bestond. Hij was Saul van Tarsus op weg naar Damascus: de schellen vielen hem van de ogen, de muur om zijn hart brokkelde af en voor het eerst in elf jaar voelde hij *ontroering*.

Daarna was alles net een droom, zo fantastisch was het: de warme, liefdevolle sfeer in huis, dr. Hargrave, een menslievende vrouw, Jenny, die tegen Adam opkeek alsof hij een god was die van de Olympus was afgedaald. Hij hoorde van dr. Hargrave hoe gesloten, raadselachtig en geheimzinnig Jenny was, en Adam was voortgegaan haar uit die gevangenis te bevrijden. In het begin was dat niet gemakkelijk geweest: het vingeralfabet beschouwde ze als een spelletje. Maar uiteindelijk hadden haar intelligentie en verlangen naar contact de code gebroken. *Ze begreep het.*

De dagen, weken en seizoenen verstreken, maar Adam was zich dat nauwelijks bewust. Jenny's leergierigheid inspireerde hem tot nieuwe prestaties. Kunst, poëzie, de natuur – er was niets dat haar niet met verwondering en verrukking vervulde. En het was alsof dat allemaal geschenken van *hem* waren. Adam Wolff gaf Jennifer de hele wereld, en zij op haar beurt schonk hem haar verering. Meer kon hij niet verlangen.

Tot op dit moment.

Nu hij door de tuin naar het prieel liep waar Jenny een bundel gedichten van Elizabeth Browning zat te lezen, voelde Adam Wolff zich bezwaard. Ze was inmiddels negentien geworden. Zelfstandig, intelligent, met een goede opvoeding, en heel goed in staat voor zichzelf te zorgen. Ze had hem niet meer nodig. Zijn taak was beëindigd.

Bij het rozenprieel stond Adam stil en keek naar haar, zonder dat zij hem zag.

Altijd weer ontroerde Jennifers schoonheid hem, en tijdens de jaren dat ze opbloeide had hij tot zijn verwondering gezien hoe het meisje, dat hij als een zusje beschouwde, zich tot zo'n schoonheid ontwikkelde. De laatste tijd echter had Adam vreemde, nieuwe verlangens voelen opkomen; gevoelens die hij sinds zijn jonge jaren op de school niet had gekend. Hij merkte dat hij haar niet langer als een zuster maar als een vrouw bekeek. De genegenheid die hij haar toedroeg begon te veranderen in verlangen. Toen hij zich realiseerde wat er aan de hand was, voelde Adam zich droef te moede. Hij had het recht niet verliefd te worden – niet op zo iemand als Jenny. Toen ze zijn aanwezigheid voelde, keek ze ineens op. Ze glimlachte, legde haar boek weg en stond op. Adam voelde zich overweldigd door liefde, en ook door droefheid. Het was niet eerlijk! Hij verlangde naar haar op een manier die ze niet zou begrijpen. Adam was, naar hij wist, altijd een broer voor haar geweest, meer niet, en dat zou zo blijven. Hij wilde weggaan, maar hij kon het niet. Ze was zo slank, zo hemels mooi in haar luchtige jurk die opwoei in de wind, haar volle zwarte haar viel over haar schouders, haar ogen, haar lippen. . .

Hij kwam achter de rozen vandaan en liep naar haar toe. 'Hallo,' gebaarde hij. 'Vind je de gedachten mooi?'

Jenny's slanke vingers antwoordden soepel: 'Ja. Dank je. Het was een fijn cadeau. Kom je bij me zitten?'

Hij aarzelde. Er zat een brief in zijn zak, geadresseerd aan directeur Wilkinson, waarin hij vroeg om naar de school te mogen terugkeren; hij wilde die brief graag gaan posten.

Hij ging tegenover haar zitten. Door de krachtige zeewind dansten haar krullen van haar schouders en Adam voelde een intens verlangen met zijn handen door haar haar te strijken. Hij dwong zich naar haar rap bewegende vingers te kijken.

Jenny beheerste het vingeralfabet net zo goed als anderen hun spraak. Dat verheugde Adam. Op school werd ook liplezen geleerd, maar Adam schrok terug voor Alexander Graham Bells 'zichtbare spraak' omdat het de aandacht op zijn gezicht vestigde.

'Ik heb je vandaag nog niet zien lachen,' gebaarde ze, waarna ze haar vinger naar hem ophief alsof ze een ondeugend jongetje vermanend toesprak.

Hij glimlachte zwakjes. Vroeger kon het hem niet schelen als Jennifer naar hem keek, maar de laatste tijd had hij liever dat ze dat niet deed. Het liefst had hij een zak over zijn hoofd gedragen. Adam was zich zijn gezicht scherp bewust geworden en hij vond dat zulke mooie ogen als de hare geen lelijke dingen zouden moeten zien.

Jennifer raakte zachtjes zijn arm aan. 'Je bent niet gelukkig vandaag, Adam. Waarom niet?'

Hij dacht lang en intens na. Ze moest het toch weten. 'Ik ga terug naar Berkely, Jenny.'

Haar gezicht lichtte op. 'Mag ik ook mee?'

'Nee, ik ga er niet op bezoek, ik ga voorgoed terug.'

Jenny's glimlach vervaagde. Haar ogen werden ernstig. 'Waarom?'

'Het is tijd dat ik wegga. Ik ben hier bijna acht jaar geweest. Ik heb je alles geleerd wat ik weet. Mijn taak is volbracht. Er is geen reden om te blijven.'

Ze keek hem even aan; vervolgens wendde ze zich af en bracht haar handen naar haar gezicht.

Het zal haar even verdriet doen, dacht Adam. En dan word ik gewoon een herinnering...

Hij balde zijn handen tot vuisten, gefrustreerd door zijn beperkte communicatiemiddelen.

Ze wendde zich weer naar hem toe, haar wangen waren nat van de tranen.

'Niet weggaan,' gebaarde ze.

'De school heeft me nodig.'

'Ik heb je nodig.'

Hij sloot de ogen. Adam zag de toekomst maar al te goed voor zich. Als hij vertrokken was, zou het niet lang duren of Jenny zou worden omringd door mannen die naar haar hand dongen. Adam had wel gezien hoe de mannen naar haar keken, altijd met een mengeling van begeerte en eerbied. Er was geen reden waarom Jenny niet zou trouwen en een normaal leven zou leiden. Adams taak als tolk was lang geleden al beëindigd toen dr. Hargrave, meneer en mevrouw Gant en zelfs juffrouw Peoples het vingeralfabet hadden geleerd. Iedere huwelijkskandidaat had het zo onder de knie.

'Adam, Adam,' gebaarde ze steeds weer.

Hij pakte haar bij de polsen. 'Je hebt me niet meer nodig!' riep hij uit. 'Ik ben een blok aan je been. Als ik steeds bij je in de buurt ben, zullen de andere mannen wegblijven. Ik geef je je vrijheid, Jenny!'

Haar ogen keken aandachtig naar zijn lippen, maar ze begreep nauwelijks wat hij zei. Toen trok ze zich los. 'Niet weggaan,' gebaarde ze in paniek. 'Niet weggaan, niet weggaan.'

Adam zag het prieel door een waas van opkomende tranen. Hij was bang dat hij waar zij bij was zijn zelfbeheersing zou verliezen, daarom vloog hij overeind, aarzelde, draaide zich toen om en vluchtte het pad af.

Jennifer stak haar handen uit en probeerde ermee te schreeuwen; ze snikte geluidloos terwijl haar vingers snelle bewegingen maakten: Ik hou van je. Maar Adam zag haar smeekbede niet. Hij liep met onzekere stappen het huis binnen, de lange gang door, langs een verbaasde juffrouw Peoples, en ging aan de voorkant weer naar buiten, naar Fillmore Avenue waar op de hoek een brievenbus stond.

5

Samantha keek op haar polshorloge. Ze wilde eigenlijk nog lunchen voordat ze haar ronde maakte, maar er was nog zo veel af te handelen, dat liet ze niet graag liggen. Bijvoorbeeld een bestelling voor nieuwe bloedstelpende middelen waarvan alom werd beweerd dat ze een revolutie betekenden voor buikoperaties, een bestelling voor een paar rubber handschoenen. Een chirurg van Johns Hopkins, dr. Halsted, had zijn verpleegster, die handen vol kloven had van de carbol, een stel handschoenen gegeven om tijdens een operatie te dragen. Hij had een plotselinge daling van het aantal infecties geconstateerd. Samantha wilde ze wel eens proberen en ze stuurde haar maat naar de Goodyear Rubber Company. Dan lag er nog het verzoek, dat naar de beheerders moest worden gezonden, om een van die nieuwe röntgenapparaten waarmee je botten kon zien zonder iemand te opereren.

Verder lag er een bestelling voor een zending tegengif tegen difterie, een nieuw wondermiddel dat duizenden kinderen het leven zou redden. Elf jaar te laat voor de kleine Clair, die op een heuvel in San Francisco begraven lag.

Bovendien moesten er nog allerlei brieven worden beantwoord. Een kwam van een Schot, John Muir, die dringend steun vroeg voor zijn pas opgerichte Sierra Club. Andere brieven waren afkomstig van dankbare patiënten, een paar gingen vergezeld van giften, een was een verzoek om een Chinese baby te adopteren. En ten slotte waren er brieven van kranten en tijdschriften die Samantha had aangeschreven. Stanton Weatherby had gelijk: de pers wilde niets te maken hebben met haar campagne voor een betere controle op geneesmiddelen.

Ze schudde haar hoofd. En haar bureau thuis lag al even vol.

Samantha's gezicht versomberde. Op haar bureau thuis lag de brief die ze gisteren van meneer Wilkinson, van de school in Berkely, had ontvangen. Adam Wolff, zei hij, had gevraagd of hij kon terugkomen.

Kennelijk was dat de reden dat Jenny de laatste tijd zo bedrukt was. Drie weken geleden was Samantha naar haar werk gegaan; ze had Jenny in het prieel achtergelaten waar ze tevreden een gedichtenbundel zat te lezen. Toen ze die avond terugkwam, was Jenny stil en gesloten en haar ogen zagen rood. Adam was niet samen met hen aan tafel verschenen en sinds die dag waren ze allebei in een sombere stemming. Ze had kunnen vleien wat ze wilde, maar geen van beiden wilde bekennen wat er aan de hand was, en toen die brief was gekomen had Samantha ineens alles begrepen.

Vanavond zou ze eens rustig en ernstig met hen praten.

Een klopje op de deur ging vooraf aan de komst van zuster Constance. 'Dr. Hargrave? Het spijt me dat ik u moet storen, maar we zitten met een probleempje. Het is dr. Canby's beurt om de nieuwe patiënten te ontvangen, maar ze is nog in de operatiekamer en er zit een dame op haar te wachten.'

'Ik zorg er wel voor, Constance.'

Toen Samantha binnenkwam, stond de vrouw op en stak haar een gehandschoende hand toe alsof ze Samantha op de thee ontving. 'Hoe maakt u het, dokter?'

'Goedemorgen. Gaat u zitten, alstublieft.' Samantha was er bedreven in geworden een patiënt te bestuderen zonder dat het al te veel opviel. Deze vrouw was kennelijk een dame – uit iedere beweging, ieder woord, ieder haartje van haar volmaakte kapsel sprak verfijning en beschaving. Achter in de dertig, knap, slank en zelfverzekerd, en zo te zien in uitstekende gezondheid. Samantha vroeg zich af wat haar probleem zou zijn.

'Ik ben nog niet goed bekend in San Francisco, dokter, want we zijn pas uit

St.-Louis gekomen. Ik ben daar bij specialisten geweest, die me geen van allen enige hoop gaven, maar uw ziekenhuis staat zo goed bekend, dat ik vond dat ik u ook moest proberen.'
'Wat is uw probleem?'
'Ik wil graag een kind. Zes jaar geleden heb ik een baby gehad, maar direct na de bevalling kreeg ik kraamvrouwenkoorts. Ik had het bijna niet overleefd en de baby is gestorven. Sindsdien ben ik niet weer zwanger geworden. Mijn man en ik verlangen vurig naar een kind!'
'Dat begrijp ik. Ik kan nog niet zeggen of ik iets voor u kan doen. Ik zal u moeten onderzoeken. Weet uw man dat u bij mij bent gekomen?'
'Jazeker. Eerlijk gezegd wilde ik de moed al opgeven, omdat ik al bij zo veel dokters ben geweest, maar hij stond erop dat ik dit ziekenhuis zou proberen. Hij heeft groot vertrouwen in de geneeskunde.' Ze glimlachte.
'Vanzelfsprekend, hij is zelf arts. Hij zit in de staf van het University Medical College.'
'In St.-Louis? Misschien ken ik hem wel . . .'
'We komen eigenlijk uit New York. Hij heet Mark Rawlins.'
Samantha staarde haar strak aan. 'Wat zei u?'
'Mijn man – hij heet Mark Rawlins.'
'Dat kan niet. Mark Rawlins is dood.'
'Pardon? Heeft u hem gekend? O – die rampzalige gebeurtenis op zee! Dat is heel lang geleden, dat was voordat ik hem leerde kennen. Mark werd gered door een vissersboot, samen met elf andere passagiers.'
Samantha voelde alle gevoel uit zich wegtrekken. Ze keek naar haar handen. 'Ik heb al die jaren gedacht dat hij dood was.'
'Heeft u hem dan gekend?'
'Inderdaad, ja, een hele tijd geleden.'
'Ik wist niet . . . Toen we het erover hadden dat ik hierheen zou gaan, heeft Mark uw naam niet genoemd. Kende u hem goed?'
Samantha hief haar hoofd op; haar ogen stonden star en glazig. 'Ik kende zijn familie,' zei ze.
'Ik heb Marks ouders helaas nooit ontmoet. Ze waren allebei al gestorven voordat ik naar New York kwam.'
'Een vissersboot . . .'
'Hij en die andere elf waren de enigen die de ramp met de *Excalibur* overleefden. Ze zaten al twee weken in een reddingboot toen ze werden opgepikt. Ze waren doodop, ziek en geestelijk uitgeput. Mark heeft maandenlang aan geheugenverlies geleden; niemand in het vissersdorp wist wie hij was en met wie ze contact moesten opnemen. Maar toen sterkte hij aan en geleidelijk kwam zijn geheugen grotendeels terug. Zijn terugkeer in New York heeft nogal wat opzien gebaard. Het verbaast me dat het de kranten in San Francisco niet heeft gehaald.'
'Dat heeft het misschien wel . . . ik was hier pas en had het vreselijk druk. Maar hoe dan ook, ik ben blij dat hij het goed maakt. Hij heeft zijn geheugen grotendeels terug, zei u?'

'Er zitten nog hiaten in.'

'Uiteraard. Het moet een afschuwelijke ervaring zijn geweest.'

'Zijn mede-opvarenden zeiden dat hij zijn eten en waterrantsoen aan de vrouwen en kinderen heeft gegeven. Hebt u hem goed gekend, dokter?'

'Onze verhouding was beroepsmatig. Ik heb eens de gelegenheid gehad hem bij een operatie te assisteren.'

'Dat zal ik hem zeker vertellen. En wat doen we aan mijn probleem, dokter?'

Samantha keek op haar horloge. 'Ik vrees dat ik een andere afspraak heb en het onderzoek zal tijd vergen. Kunt u morgen misschien terugkomen?'

'Jazeker.'

De twee vrouwen stonden op. 'Ik hoop u morgen te kunnen vertellen hoe uw kansen liggen. Zullen we zeggen om twee uur?'

'Hartelijk bedankt, dokter. Goedemorgen.'

'Je hebt me zó aan het schrikken gemaakt! Je stond daar maar te huilen bij de deur!'

Samantha sloot zich af voor Hilary's scherpe stem. Nadat mevrouw Rawlins was weggegaan, had Samantha nog een hele tijd als verlamd in de onderzoekkamer gezeten. Toen was ze opgesprongen, had zuster Constance verteld dat er een spoedgeval was en ze had zich naar California Street gehaast, naar Hilary. Mevrouw Mainwaring had de deur opengedaan toen er zo aanhoudend werd geklopt en was geschrokken van dr. Hargraves gezicht. Tegen Hilary die de trap afkwam, had Samantha eenvoudigweg gezegd: 'Hij leeft.'

Nu was het inmiddels twee uur later en ze was de eerste schok een beetje te boven.

'Mark,' fluisterde ze. 'Hier, in San Francisco. Nu heeft ze het hem wel verteld, Hilary. Hij weet dat ik hier ben.' Samantha keek naar de salondeur alsof ze verwachtte dat er geklopt zou worden. 'Ik wil hem niet zien, Hilary.'

'Waarom niet?'

'Omdat het het beste is de dingen te laten zoals ze zijn. Hij is inmiddels getrouwd en . . .' Ze boog haar hoofd en probeerde haar tranen te bedwingen. 'Ik ben bang.'

'Waarvoor?'

'In mijn herinnering houdt Mark nog steeds van me. 's Avonds in bed, als ik mijn ogen sluit, dan zijn we weer samen zoals vroeger. Maar als hij in levende lijve voor me staat, verandert dat allemaal. Vooral als . . . als ik pas in dat stukje geheugen dat hij nog niet terug heeft. Onze liefde, de weken die we samen hadden, die nachten . . . Alles is voorbij . . .'

Hilary ging naast Samantha zitten. Ze had zin om mee te huilen. Ze had ook zin om een lepel Farmer te nemen, maar dat had ze niet in huis. Nadat ze van haar val was hersteld, was Hilary's eerste gedachte, God zij dank heb ik geen miskraam gekregen! Ze had Samantha toen beloofd het drankje

383

niet meer in te nemen. Maar tot haar afschuw had ze gemerkt dat dat niet zo eenvoudig was als ze had verwacht. Iedere dag kwam het verlangen, en iedere dag moest ze daartegen vechten. Maar ze zou het winnen, dat wist Hilary zeker, want ze was geschrokken, iedereen was geschrokken. Vooral Darius, die haar nu met een toewijding behandelde alsof ze pas getrouwd waren.

'Ik ben voor twee dingen bang, Hilary,' zei Samantha rustig. 'Ik ben bang dat hij zich mij òf niet meer herinnert – dat alles wat we ooit hebben gedeeld voorgoed verloren is gegaan – òf dat hij zich me nog wel herinnert en dat zijn liefde nog leeft. Ik geloof niet dat ik dat zou kunnen verdragen, Hilary. Dat Mark nog steeds verliefd op me is, dezelfde hartstocht voelt en dat verlangen, maar dat we weten dat we elkaar nooit weer kunnen bezitten, niet eens aanraken...'

Een poosje bleven ze, ieder in eigen gedachten verzonken, bij elkaar zitten, waarna Hilary zei: 'Je weet dat je alles voor haar zult moeten doen wat in je vermogen ligt, Sam. Ze is de vrouw van Mark, de vrouw van wie hij houdt. En ze willen een baby.'

Samantha kneep haar ogen stijf dicht. *Wij hebben ook eens een baby gehad...*

'Het is dertien jaar geleden, Sam. Jullie zijn nu allebei heel anders.'

'Maar hij is bij me gebleven. Hij is nooit bij me weg geweest.'

'Dat is een andere Mark, Sam, niet de Mark die nu hier is. Praat morgen met haar. Je weet dat, als er iemand is die haar kan helpen, jij het bent. Jij bent misschien haar laatste hoop. Sam... sluit vrede met het verleden.'

Ze vermande zich. De vrouw zat op haar te wachten – *mevrouw Rawlins.* Samantha hoopte maar dat ze de donkere kringen onder haar ogen had kunnen camoufleren. Hilary had gelijk – ze leefden nu in een andere wereld, ze waren veranderd. Mark had zijn vrouw en zijn praktijk. Samantha had het Ziekenhuis, Jenny en Adam, de hervormingen waarvoor ze zich inzette. Van dat intermezzo van dertien jaar geleden was maar zo weinig overgebleven. Baby Clair niet eens...

Met een glimlach om de lippen ging ze naar binnen. 'Hallo,' zei ze.

'Hallo, dokter,' zei mevrouw Rawlins.

'Ik zal u precies vertellen wat ik ga doen. Ten eerste moet ik u vragen om op deze onderzoektafel te gaan zitten. Als u ondergoed draagt, wilt u dat dan alstublieft uittrekken.'

Samantha draaide zich om en verschikte iets aan haar instrumenten. Ze hoorde de beschaafde stem van mevrouw Rawlins zeggen: 'Ik heb mijn man gisteravond over u verteld, dokter, dat u hem vroeger in New York had ontmoet. Hij zegt dat hij zich u niet kan herinneren.'

6

Samantha keek tevreden naar de pamfletten. Nadat ze de dossiers van het ziekenhuis had doorgenomen en cijfers had verzameld over patiënten die verslaafd waren geweest aan patentgeneesmiddelen of die er schade van hadden ondervonden, had Samantha een schimpschrift opgesteld tegen merkgeneesmiddelen, waarin ze de vrouwen waarschuwde tegen de verborgen gevaren. Zelfs had ze bepaalde merken met name genoemd; ze had haar betoog laten drukken, met de bedoeling het in het ziekenhuis te verspreiden. Ze legde tien exemplaren opzij die ze naar diverse tijdschriften en kranten wilde versturen, waarna ze haar bril afzette en over de brug van haar neus wreef.

De proeven die Samantha die middag bij Lilian Rawlins had gedaan, gaven aan dat ze nog steeds zwanger zou kunnen worden. Een bekkenontsteking zoals de kraamvrouwenkoorts die ze zes jaar daarvoor had gehad, veroorzaakte vaak littekens op de eileiders, waardoor de doorgang voor het ei werd geblokkeerd. Samantha had voorzichtig een steriele zoutoplossing in mevrouw Rawlins' baarmoeder gespoten; ze had zorgvuldig geschat wanneer de uterus vol zou zijn en wanneer, als de eileiders verstopt waren, het water terug zou lopen. Maar dat gebeurde niet. De hele hoeveelheid ging erin, waarna Lilian klaagde over kramp in haar bekken, wat betekende dat de zoutoplossing zijn weg had gevonden. Haar eileiders waren open.

Na afloop daarvan had Samantha haar vragen gesteld (pijnlijke vragen voor haarzelf). 'Hoe vaak hebben u en uw man gemeenschap?' ('Een keer per week.') 'Staat u direct daarna op of blijft u in bed liggen?' ('Meestal blijf ik in bed.') 'Irrigeert u na afloop?' ('Mark zegt dat ik dat niet moet doen.') Daarna had Lilian gevraagd of Samantha iets voor haar kon doen.

'Het kan zijn,' had Samantha geantwoord, 'dat de stand waarin u tijdens de gemeenschap ligt problemen geeft. Daar het noodzakelijk is dat uw man zo diep mogelijk binnendringt, zou ik u aanbevelen op uw rug te gaan liggen, met een kussentje onder uw heupen. U moet geen glijmiddel gebruiken, want men neemt aan dat vaseline het sperma verzwakt. Er wordt op dit gebied research gedaan, mevrouw Rawlins, en er wordt verondersteld dat hoe langer een man geen gemeenschap heeft, hoe minder sperma hij aanmaakt. Ik raad u en uw man aan vaker dan een maal per week omgang te hebben.'

Samantha stond op en liep naar de openslaande deuren die toegang gaven tot de tuin. Het was een avond vroeg in december, en er hing een geur van rottend blad en vochtige aarde. Samantha leunde tegen de deurpost en sloot haar ogen.

Mark, lieve Mark...

Nu ze de schok van zijn terugkeer na al die jaren wat te boven was, ontdekte Samantha dat hij nog steeds bij haar was, aan haar zijde, en dat er niets was veranderd. Degene die met Lilian Rawlins was getrouwd, was een andere Mark. In zekere zin was het een godsgeschenk dat hij zich Samantha niet herinnerde, want nu kon ze op de oude voet verder gaan. Ze kon van hem blijven houden en de dagen van lang geleden steeds opnieuw blijven beleven.

Ze opende haar ogen en haalde diep adem. Samantha hoopte oprecht dat Lilian Rawlins over een paar maanden met goed nieuws zou terugkomen. Ze hoorde een geluid achter zich en draaide zich om. 'Ik kom afscheid nemen, dr. Hargrave.'

Adam Wolff stond in de deuropening, met hetzelfde valies in zijn hand waarmee hij acht jaar geleden was gearriveerd. Hij stond in de schaduw, waardoor hij een lange, trotse jongeman leek, knap en goed gekleed, met een verzorgde, beheerste stem, helemaal niet de stem van een dove. Maar toen deed hij een stap naar voren, waardoor er licht op zijn gezicht viel en Samantha's hart ging naar hem uit.

Ze liep naar hem toe en zei langzaam, zorgvuldig articulerend: 'Ik wou dat je niet wegging, Adam.'

'Ik moet gaan, dokter. Het is hoog tijd.'

'Jenny is erg ongelukkig.'

'Ze komt er wel overheen.'

'Adam.' Samantha ging nog dichter naar hem toe en legde haar hand op zijn arm. 'Ik geloof dat je eigenlijk helemaal niet weg wilt.'

Hij aarzelde. 'Nee, dat wil ik ook niet. Maar u hebt me niet meer nodig, de school wel.'

'Maar je hoort toch bij ons, Adam.'

Ja, dacht hij somber. En als Jenny trouwt mag ik als broer haar huwelijk bijwonen en toekijken hoe ze aan de arm van een ander de kerk uitloopt.

Met tegenzin trok Samantha aan het bellekoord en toen juffrouw Peoples verscheen, vroeg ze of het rijtuig kon voorkomen. Daarna liep Samantha naar haar bureau, deed een la van het slot en haalde er een envelop uit.

'Ik wil dat je dit aanneemt, Adam. Alsjeblieft, weiger het niet. Als je het niet voor jezelf wilt gebruiken, geef het dan aan de school.'

Hij liet de envelop in zijn jas glijden en ging verlegen van de ene voet op de andere staan, alsof dit weer zijn eerste avond hier was, en alsof hij dr. Hargrave voor het eerst ontmoette.

Ze wisselden geen woord meer, al hadden ze allebei nog veel te zeggen, en toen de koetsier op de voordeur klopte, liep Adam er houterig naartoe. Hij keek naar de trap.

'Ik zal Jenny wel halen,' zei Samantha.

'Nee.'

'Ze begrijpt er niets van, Adam. Ze denkt dat je weggaat omdat je dat zo wilt. Vertel haar dan de waarheid, Adam.'

Maar hij antwoordde niet. Onhandig legde hij een arm om haar heen en verborg zijn gezicht in Samantha's hals. Adam onderdrukte een snik, en haastte zich naar buiten, de stoep af.

Samantha stond vanaf het trottoir het rijtuig na te kijken dat in de vochtige avondlucht verdween.

De volgende dag was Jenny verdwenen.

'Het is mijn schuld!' riep Samantha uit en ijsbeerde voor de open haard heen en weer. 'Ik heb het helemaal verkeerd aangepakt! Ik wist dat ze niet gelukkig was, maar ik dacht dat het allemaal wel goed zou komen als ik haar met rust liet! Maar Jenny is anders dan wij. Ze heeft het nog nooit meegemaakt dat iemand uit haar leven verdween. Niet zoals nu, niet van iemand van wie ze houdt!'
De andere aanwezigen in het vertrek zwegen en leefden met haar mee. Darius leunde tegen de schoorsteenmantel en keek aandachtig naar de cognac in zijn glas; Hilary zat in een fauteuil met haar voeten op een bankje en staarde in de vlammen; Stanton Weatherby stond in de erker naar de decemberregen te kijken die als goudstof neerdwarrelde in het licht van de straatlantaarns.
Het was al laat en nog steeds hadden ze niets van de politie gehoord.
'Het komt wel weer goed, Sam,' zei Hilary rustig.
Samantha bleef stilstaan, haar gezicht stond gekweld. 'Hoe kan dat nu? Ze is nog nooit eerder alleen van huis geweest, nog nooit, nog niet eens naar de hoek van de straat. Ze kan niet *horen*, Hilary. Ze kan een rijtuig of een tram niet horen aankomen. Ze kan overreden worden. En ze kan niet *praten*. Hoeveel mensen zijn er denk je die gebarentaal begrijpen?'
'Hé,' zei Stanton. 'Daar komt een rijtuig aan.'
Iedereen rende naar de deur.
Toen ze Adam op het trottoir zag stappen en zag dat hij zich omdraaide om Jenny uit het rijtuig te helpen, vloog Samantha op hen af. 'O, God zij dank,' riep ze uit. 'Waar hebben jullie gezeten? Wat is er gebeurd?'
Adam en Jenny stonden hand in hand in de motregen. 'Zij heeft me teruggehaald, dr. Hargrave,' zei hij glimlachend. 'Jenny is helemaal alleen naar de school gekomen en heeft me weer meegenomen. We willen trouwen.'

'Dat was werkelijk de mooiste bruiloft die ik ooit heb gezien!' verklaarde Dahlia Mason. 'En wat een roerend gezicht, die dominee die de hele dienst in gebarentaal deed. Eerlijk, heel ontroerend!'
Samantha zei: 'Dank je,' en dacht terug aan Dahlia's eerste reactie op het huwelijk. 'Je laat ze toch zeker niet trouwen, of wel soms? Denk je eens in wat voor kinderen ze misschien krijgen! En de dienst in gebarentaal! Is dat wel toegestaan?'
Maar iedereen was gekomen, zelfs meneer Wilkinson en een paar van Adams vrienden van de school, en de januaridag had hen allen beschenen met een warm zonnetje terwijl Adam en Jenny onder het rozenprieel stonden.
Samantha kon niet ontkennen dat ze zich toch zorgen maakte. Adam was vastbesloten voor hem en Jenny de kost te verdienen in hun eigen huis (en hij was begonnen met twee doofstomme leerlingen op Russian Hill), maar over de gezondheid van hun eventuele kinderen hoefde ze niet in te zitten,

want Adams doofheid was veroorzaakt door een ongeluk en die van Jenny hoogstwaarschijnlijk door roodvonk. Samantha maakte zich zorgen over andere zaken: hoe zouden ze zich staande weten te houden in een wereld die hen als buitenbeentjes zou beschouwen.

Ze stond met Dahlia en LeGrand Mason, Darius en Hilary Gant, en Stanton Weatherby in de weelderige lounge van Opera House; ze wachtten tot het doek weer op zou gaan voor Sarah Bernhardt in *Cyrano de Bergerac*. Alle zes hieven hun wijnglazen om op de bruid en bruidegom te drinken, die niet aanwezig waren. Samantha voelde zich die avond tevreden over allerlei zaken: Jenny en Adam waren gelukkig getrouwd, in het Ziekenhuis ging alles naar wens, en haar pamfletten werden door haar patiënten gelezen en velen beloofden ze onder hun vriendinnen te verspreiden.

'Hoe voel je je, lieveling?' vroeg Darius aan Hilary.

Ze gaf hem een kneepje in zijn arm. Hilary, die bijna zes maanden zwanger was, choqueerde haar vrienden door in het openbaar te verschijnen in een empirejapon die speciaal voor haar door Magnin was ontworpen. 'Ik voel me uitstekend, Darius. Zeur toch niet zo!' Ze nam een slokje wijn – de behoefte aan Farmer was overwonnen.

Darius betrok Weatherby in een debat over het dynamiet van Alfred Nobel en of dat nu al dan niet een eind zou maken aan alle oorlogen, zoals de Zweedse geleerde hoopte. Hilary leunde naar Samantha toe en vroeg zachtjes: 'Wie is die man die je zo staat op te nemen? Draai je terloops eens om, hij staat rechts van je bij de tafel met wijn. Hij kan zijn ogen niet van je afhouden!'

Al voor ze had omgekeken wist Samantha wie het was.

Ze draaide zich om en verstarde toen hun ogen elkaar ontmoetten en bleven vasthouden in die drukke lounge.

Ze had geweten dat het zou gebeuren; in een stad van vijfenzeventig vierkante kilometer moesten hun wegen elkaar wel kruisen. 'Het is Mark,' antwoordde ze rustig.

Hilary pakte haar zachtjes bij de arm. 'Hij komt naar ons toe.'

Toen Mark vlak bij hen was stond hij stil en keek haar strak aan. 'Samantha?'

'Inderdaad. Dag Mark.'

Hij fronste zijn wenkbrauwen. 'Ben je het werkelijk? Samantha Hargrave?'

'Je herinnert het je dus toch.'

'Of ik het me herinner? Natuurlijk. Ik heb je nooit kunnen vergeten. Maar ik begrijp er niets van. Wat doe je in San Francisco?'

'Ik dacht dat je vrouw je dat wel had verteld.'

'Lilian? Ben *jij* de dokter bij wie ze is geweest?'

'Ze zei dat ze het jou had verteld – over mij. Ze zei dat je aan geheugenverlies leed en dat je je mij niet meer kon herinneren.'

'Maar ze had het over een dr. Canby!' riep hij uit.

Dr. Canby! Samantha dacht even na. De dag dat Lilian voor het eerst naar het Ziekenhuis was gekomen, was dr. Canby opgehouden in de operatiekamer. Lieve hemel, had Constance mevrouw Rawlins niet verteld dat ze een andere dokter te spreken zou krijgen?

'Dat was een misverstand,' zei Samantha. 'Ik vrees dat ze uw vrouw niet hebben verteld dat ze een andere dokter zou krijgen, en ik heb haar in haar plaats onderzocht. Ik heb me niet voorgesteld. En toen ze de volgende dag terugkwam, tja... het misverstand is nooit...' Hij keek op haar neer. Het was weer net als op die avond van *Annabel Lee*. 'Dr. Rawlins, laat me u even voorstellen aan mijn vrienden. Meneer Darius Gant en zijn vrouw...'

Hij mompelde een beleefd 'Hoe maakt u het,' maar zijn ogen lieten Samantha's gezicht niet los.

Vervolgens drong Darius er op aan dat ze weer gingen zitten, want de bel was gegaan om aan te kondigen dat het doek weer opging. Stanton Weatherby keek de onbekende eens onderzoekend aan. Hij had de gezegende leeftijd van zestig niet bereikt zonder het een en ander te leren. Hij snoof eens en haalde zijn schouders op. Dit was het dus – het was zo klaar als een klontje – waarom geen enkele man in San Francisco Samantha Hargraves hart had kunnen veroveren...

'Ik kan je niet zeggen hoe verbaasd ik ben,' ging Mark rustig verder. 'Toen ik jou zag staan, dacht ik dat ik droomde. Je bent niets veranderd...'

'Jij ook niet,' antwoordde Samantha zachtjes. Het was alsof de drukke mensenmenigte in de lounge oploste, vervolgens de lounge zelf, en de grond onder haar voeten en de kroonluchters boven haar hoofd, totdat er alleen nog maar twee intens bruine ogen overbleven, waarvan Samantha dertien jaar lang iedere nacht had gedroomd. 'Ik dacht dat je dood was.'

'Ik kon je niet vinden... niemand wist...'

'Hallo, dokter,' zei Lilian Rawlins die naast haar echtgenoot opdook. Ineens kwam alles weer terug: het geroezemoes, de lampen, en de krioelende mensenmassa.

'Goedenavond, mevrouw Rawlins.'

'Lilian, ik blijk haar toch te kennen. Ze is dr. Hargrave, niet dr. Canby.' Samantha legde het misverstand uit en Lilian zei: 'Wat leuk! Dat moet na al die jaren voor jullie een heerlijke verrassing zijn. Jullie hebben vast een heleboel te bepraten. Dr. Hargrave, zou u met uw gezelschap na de voorstelling bij ons kunnen komen dineren?'

Voor Samantha waren het de pijnlijkste momenten in haar leven.
Geleidelijk vulden ze de ontbrekende jaren in, Samantha met haar avonturen in San Francisco (hoewel ze baby Clair niet noemde), Mark met een opmerkelijk verslag van zijn redding en herstel. Het gesprek was oppervlakkiger en beleefder dan Samantha lief was en toen Mark zei dat hij graag haar ziekenhuis eens zou bekijken, maakte Samantha's hart een sprongetje. Ze nodigde hem uit voor de volgende week en Lilian, die bekende een hekel te hebben aan ziekenhuizen, excuseerde zich.

Maar toen de dag aanbrak, en vervolgens het afgesproken tijdstip, viel Samantha bijna flauw van spanning en opwinding. Op hun eerste ontmoeting in de lounge na, toen ze elkaar hadden staan aanstaren, hadden ze zich goed gedragen, net als twee oude bekenden die beiden belangstelling voor microben en stethoscopen hadden. Maar *zij* wisten het allebei, ze konden het voor elkaar niet verbergen. Ze had een sterke onderstroom gevoeld en wist dat Mark het verlangen in haar blik niet had misverstaan. Hun liefde was nog springlevend; de dertien jaar waren in een oogwenk uitgewist: het was weer 1882.

Zuster Constance merkte de hoogrode wangen van dr. Hargrave op en vroeg zich af of ze soms een ziekte onder de leden had. Ze verbaasde zich ook over haar jurk – Samantha droeg een prachtige middagjapon van lavendelblauwe zijde, afgezet met wijnrode kant – niets voor dr. Hargrave, die zich in het ziekenhuis altijd sober kleedde. Ten slotte verbaasde zuster Constance zich over het bijzondere theeservies en het gebak, want dr. Hargrave had een hekel aan uitingen van luxe in het ziekenhuis. Die chirurg uit New York moest inderdaad wel een heel bijzonder iemand zijn.

Samantha liep heen en weer en sprak zichzelf vermanend toe. Dit is waanzin; ik ben bijna zesendertig jaar oud, en geen meisje van zestien meer. Maar toen de deur openging schrok ze op; Mark beende binnen.

'Dr. Rawlins,' zei ze en wendde zich naar hem toe.

'Hallo, Samantha.' Ze keken elkaar lang en aandachtig aan, waarna Samantha, die zich Constances aanwezigheid bewust was, zei: 'Gaat u toch zitten, dr. Rawlins. Ik heb thee voor ons laten komen.'

Hij ging zitten en keek om zich heen. 'Je hebt het ver gebracht, Samantha,' zei hij rustig.

Ze ging aan haar bureau zitten. 'We zijn allemaal trots op het Ziekenhuis.' Ze had moeite het trillen van haar handen te bedwingen toen ze twee kopjes thee inschonk. 'Went het al een beetje in San Francisco?'

'We hebben een huis in Marina gevonden.' Hij nam haar voortdurend op. De korte, pijnlijke stilte werd verbroken door zuster Constance, die haar keel schraapte, zich terugtrok en de deur achter zich sloot.

Samantha hief haar kopje naar haar lippen, maar daar bleef het bij. 'Ik kan niet drinken,' zei ze uiteindelijk.

'Ik ook niet.'

Het kopje rammelde op het schoteltje. 'Mark, dit is allemaal net een droom.'

'O Samantha! Het is alsof het bal bij de Astors weer terugkomt. Alsof de jaren zijn weggevallen, alsof er niets anders is gebeurd. Ik heb het gevoel alsof ik thuiskom, Samantha. Ik ben altijd aan je blijven denken. Ik vroeg me steeds af wat er van je geworden was, en ik verlangde naar je.'

'En ik naar jou,' fluisterde ze. 'Soms was het ondraaglijk...'

'Weet je nog,' zei hij zachtjes, zijn stem net zo indringend als vroeger. ' "Ik was een kind en zij was een kind, In dat koninkrijk bij de zee, Maar we hadden elkander lief, en onze liefde was meer dan liefde..." '

Ze sloot haar ogen. 'Ja,' fluisterde ze. *'Annabel Lee.'*

'Ik verlang naar je, Samantha, ik verlang vurig naar je.'

'O Mark! Het kan niet meer. We hebben onze tijd gehad en die is nu voorbij. Alsjeblieft. Dit is te pijnlijk.'

'Ik heb overal naar je gezocht, Samantha,' zei hij gespannen. 'Toen ik ten slotte in New York terugkwam, was ik gek van verlangen. Niemand wist waar je was gebleven! Je was gewoon verdwenen! Janelle vertelde me van haar laatste bezoek aan jou, en dat je koffers gepakt stonden. Maar je hebt niemand verteld waar je heen ging. Je was van de aardbodem weggevaagd. Ik heb Landon Fremont in Europa geschreven, maar ik heb niets van hem gehoord. Ik heb zelf naar je gezocht. Ik dacht dat je weer naar Engeland was gegaan. Ik heb een verkeerd spoor van Londen naar Parijs gevolgd; ze zeiden dat een jonge vrouwelijke arts overtocht had geboekt – het liep allemaal op niets uit. Vandaar ben ik naar Wenen gereisd om Fremont op te zoeken, en daar hoorde ik dat hij was overleden. Ik heb vier jaar naar je gezocht, Samantha. Waarom? Waarom ben je verdwenen?'

Het lag haar op de lippen om hem over Clair te vertellen, hun kind. Maar dit was niet het goede moment, misschien kwam dat wel nooit. 'Ik dacht dat je dood was,' zei ze.

Hij knikte, en was niet in staat iets te zeggen.

Samantha haalde diep adem. 'Het verleden is voorbij, Mark. We leven hier en nú. Ik zou je graag mijn ziekenhuis laten zien, als je dat goedvindt.'

Hij keek haar treurig en verlangend aan en zei toen: 'En ik zou het dolgraag willen zien.'

Toen hij de deur voor haar openhield en Samantha dicht langs hem heen liep, bedwong Mark de impuls haar tegen zich aan te trekken. Later, toen ze de trap opliepen naar de operatiekamer en Mark zijn hand onder haar elleboog hield, had Samantha al haar kracht nodig om zich niet in zijn armen te werpen. Het begin was moeilijk, bijna onverdraaglijk, maar terwijl ze de zalen door liepen, de patiënten bespraken en terwijl Mark vragen stelde en Samantha uitleg gaf, werd de pijn geleidelijk minder. Ze waren nu gewoon twee oude vrienden met een gemeenschappelijke belangstelling voor de geneeskunde.

Mark was onder de indruk maar niet verbaasd. 'En hoe noem je dit?' vroeg hij en stond stil voor een grote metalen kast op wielen.

'Dat is een van onze etenswagens. Ik zou graag met de eer gaan strijken, maar dat kan niet. Ik heb het idee overgenomen van het Buffalo General Hospital. Kijk' – ze deed de deur open – 'de bladen worden op planken bewaard en onderin staat een klein kacheltje om het eten warm te houden. De banden zijn van rubber en maken weinig lawaai.'

'Je bent buitengewoon goed voorzien.'

'Het is een eeuwige strijd. Als ons ijverig Vrouwencomité niet zo hard werkte en steeds geldinzamelingen organiseerde, had ik niet geweten wat we hadden moeten beginnen.'

Mark keek de kleine kinderkamer binnen, waar de baby's werden verzorgd van wie de moeder was gestorven of te ziek was om voor haar kind te zorgen. Een min zat in een schommelstoel met een pasgeboren baby aan de borst. 'De hand van Samantha Hargrave is overal in te herkennen,' zei hij zachtjes.

Mark keek op Samantha neer met een blik die ze zich in haar fantasieën duizenden malen had voorgesteld, en de bekende pijn werd weer voelbaar. Als je me aanraakt, dacht ze. Als je me kust...

Ze hervond haar stem. 'Ga je een praktijk beginnen, Mark, of ga je je helemaal aan de universiteit wijden?'

Ze liepen langzaam verder. 'Toen de University of California vroeg of ik les wilde komen geven aan hun medische faculteit, beschouwde ik dat als een gelegenheid mij te wijden aan iets wat ik al een hele tijd wilde.'

Ze deden een stapje opzij om een brancard te laten passeren.

'Mijn praktijk in St.-Louis vergde veel tijd, waardoor ik niet meer aan andere dingen toekwam. Maar een professoraat laat me enige vrijheid.'

'Wat wil je gaan doen?'

Hij stond stil en keek op haar neer. 'Ik wil onderzoek gaan doen.'

'Onderzoek! Op welk gebied?'

'Kanker. Jij wist het, hè? En moeder had je verboden er met mij over te praten.'

Ze sloeg haar ogen naar hem op en zei zachtjes: 'Ik hoop dat ze op het laatst niet heeft geleden.'

Zijn gezicht kreeg een droeve uitdrukking. 'Ze was al dood toen ik uit dat vissersdorp terugkwam.'

Plotseling was het warm en bedompt op de gang. Samantha liep naar het raam aan het eind ervan. 'Research naar kanker is een geweldig goed idee, Mark. We weten nog zo weinig, we kunnen nog zo weinig doen.'

Ze keek naar buiten, verwachtend dat hij bij haar zou komen staan. De achterzijde van het Ziekenhuis grensde aan wat eens een opiumkit was geweest. In tegenstelling tot ieders waarschuwing dat het ziekenhuis zich in een slechte buurt vestigde en daardoor de vrouwen zou afschrikken, had de komst van het Ziekenhuis het tegenovergestelde effect gehad: het had de buurt veranderd. Langzaam aan hadden de speelholen hun deuren gesloten en hadden keurige bedrijfjes hun plaats ingenomen. De opiumkit achter het ziekenhuis was nu een bakkerij.

Mark kwam dicht bij haar staan en hij keek naar boven, naar de loodgrijze februarihemel.

'Het spijt me van je moeder, Mark. Ik had het je wel willen vertellen, maar...'

Zijn hand zocht de hare; hun vingers raakten elkaar, verstrengelden zich en hielden elkaar in een stevige greep.

'Waar ga je je onderzoek doen?' vroeg ze fluisterend.

'Ik zoek laboratoriumfaciliteiten. Helaas is er weinig ruimte nu er zo veel gedaan wordt op het gebied van tegengif en vaccins.'

Samantha keek naar hem op. Mark was in dertien jaar weinig veranderd; hij droeg zijn haar nog altijd een beetje aan de lange kant en het grijs aan zijn slapen maakte hem eerder gedistingeerd dan oud. Hij stond nog steeds

kaarsrecht, zijn schouders waren nog even breed, en de snit van zijn jagers-groene jas toonde dat zijn lichaam daaronder nog atletisch gevormd was. 'Mark,' zei ze, 'de overheid geeft ons subsidie voor een pathalogisch laboratorium. We gaan voortaan al het weefsel van de operaties onderzoeken in plaats van het weg te gooien. Een deel van de kelder wordt verbouwd; er komt de standaard-laboratoriumapparatuur, een microscoop en een incubator. Ik hoop zelfs ook een centrifuge. Onze pathologe werkt daar maar een gedeelte van de tijd. Als je dat zou willen, Mark, ben je van harte welkom...' Haar stem stierf weg. Hij keek haar aandachtig aan.
Even later zei Mark: 'Alleen als je het goedvindt dat ik een bijdrage lever voor de centrifuge.'

7

Lilian Rawlins was laat, en dat was niets voor haar.
Dit zou haar vijfde bezoek aan Samantha worden en ze gingen iets nieuws proberen. Na vijf maanden was Lilian nog steeds niet zwanger; Samantha wilde een proef nemen met iets waarover ze pas in een medisch tijdschrift had gelezen.
Ze stond op en liep naar het raam. Het was een schitterende aprildag: warm en zonnig, met die onstuimige wind die zo typerend was voor San Francisco. Buiten haastten mannen en vrouwen zich voort; ze hielden hun hoed vast en een automobiel claxonneerde luid om een doorgang tussen de rijtuigen voor zich op te eisen.
Samantha zuchtte. Er was veel om dankbaar voor te zijn. Jenny en Adam waren gelukkig en redden zich aardig (ze waren op zoek naar een eigen huisje); Hilary, die de vorige maand een baby had gekregen, zat met Darius in Los Angeles – een vakantie zonder de kinderen; het Ziekenhuis draaide voorspoedig en Mark Rawlins boog zich op dit moment beneden in het laboratorium over een microscoop.
Er gingen dagen voorbij dat Samantha hem niet zag, maar de wetenschap dat hij onder hetzelfde dak verbleef, was voldoende. Dinsdag en zaterdag waren zijn dagen; dan sneed hij stukjes weefsel af, prepareerde ze, onderzocht ze en maakte aantekeningen. Volgens Mark waren kankercellen niet uniek, maar in feite normale cellen waarmee iets mis was gegaan. Het was een niet zo populaire theorie, maar hij bleef erbij, vastbesloten de oorzaak en vervolgens, naar hij hoopte, een geneeswijze te vinden voor deze dodelijke ziekte.
Samantha keek op haar horloge en fronste. Lilian Rawlins was een halfuur te laat voor haar afspraak.
Samantha liep naar de deur en keek de gang in. Zuster Constance haastte zich net voorbij. 'Zuster, hebt u mevrouw Rawlins gezien?'
'Jazeker, dokter. Ze is op de Ongevallenafdeling.'
Samantha trok haar wenkbrauwen op. 'Is ze gewond?'

'O nee, dokter! Ze helpt!'

Samantha's ergernis maakte plaats voor verwondering. Lilian Rawlins' afkeer voor ziekenhuizen zat diep; ze moest zich al dwingen om naar Samantha te gaan voor een behandeling.

Samantha liep door de drukke gangen naar de Ongevallenafdeling, en werd onderweg twee keer staande gehouden om te horen dat het emfyseem van mevrouw Jenkins was verergerd en dat Rosie Tubbs de operatie voor spataderen niet had overleefd. Op de Ongevallenafdeling was het druk. Dr. Canby en de verpleegsters deden alles, van kelen aanstippen tot gebroken ledematen zetten.

Samantha vond Lilian Rawlins in een hoekje, waar ze bij een brancard met een klein jongetje zat te praten. Toen Samantha dichterbij kwam, zag ze dat de rechterarm van het jongetje pas verbonden was.

'Dag mevrouw Rawlins.'

Lilian keek op. 'Hallo, dokter. Ik zat net Jimmy een verhaaltje te vertellen.' Samantha keek glimlachend op het kind neer en merkte op dat zijn gezichtje rood en dik van het huilen was en dat zijn pupillen verkleind waren door een morfine-injectie. Hij was ook bijzonder vies en zag er ondervoed uit.

'Jimmy heeft een ongelukje gehad, hè?' zei Lilian terwijl ze het vuile handje dat onder het verband uitkwam een klopje gaf. 'Maar alles komt weer goed, hè, Jimmy?'

Hij knikte en lachte verlegen.

Lilian stond op en zei rustig: 'Het spijt me dat ik te laat ben voor onze afspraak, dokter, maar ze brachten hem net binnen toen ik aankwam. Hij maakte zo'n misbaar en voelde zich zo ongelukkig, het arme kind. Ik heb zijn aandacht van zijn arm afgeleid door hem een verhaaltje te vertellen.'

Dr. Canby kwam naar hen toe, rood aangelopen en molliger dan ooit. 'Als mevrouw Rawlins er niet was geweest, hadden we grote moeite gehad die arm te hechten. U kunt fantastisch goed met kinderen omgaan, mevrouw Rawlins.'

Twee broeders verschenen en namen ieder een uiteinde van de brancard op.

'O,' zei Lilian, 'waar brengen ze hem naar toe?'

'Naar de Kinderafdeling,' zei Samantha. 'U kunt wel met hem meegaan als u dat wilt.'

Lilian verbleekte. 'De Kinderafdeling...'

'Hij blijft een paar dagen,' zei dr. Canby vriendelijk. 'U kunt hem bezoeken wanneer u maar wilt.'

'Dag mevrouw,' klonk een klein stemmetje, en toen ze zich omdraaiden zagen ze allemaal hoe Jimmy met zijn goede arm zwaaide.

'Ik ga de cervix oprekken, mevrouw Rawlins,' zei Samantha. 'Dat is de opening van de baarmoeder. Recente onderzoeken hebben aangetoond dat een nauwe baarmoederhals de oorzaak kan zijn van onvruchtbaarheid. Als de

opening wat groter is, heeft het sperma een betere kans om binnen te komen. Kom, als het goed is doet het geen pijn, en ik zal het langzaam en voorzichtig doen. Als het onaangenaam wordt, moet u het maar zeggen.'
'Ik ben niet bang voor pijn, dokter,' zei Lilian. Even later vroeg ze: 'Dokter, waar kan ik de Kinderafdeling vinden?'

In het begin ging ze alleen bij Jimmy op bezoek, daarna ook bij het jongetje in het bed ernaast, toen bij het meisje met oorontsteking, en ten slotte kwam Lilian Rawlins iedere dag om alle kinderen een bezoekje te brengen. Ze arriveerde nooit met lege handen: ze bracht mooie tekeningen mee, lappenpoppen, houten soldaatjes, en trekdieren. Ze nam dropveters en zuurstokken mee, kandij en chocola. De kinderen die konden lopen kwamen aan haar voeten zitten en hun las ze verhaaltjes voor; degenen die in bed moesten blijven kregen apart een bezoekje. In het begin huilde Lilian veel bij het zien van al die ziekten en verwondingen en wanneer er een kind stierf of wees werd, en ook toen Jimmy koudvuur kreeg en dood ging. Maar toen ontdekte ze haar eigen innerlijke kracht en leerde haar verdriet te verbergen. Tegen het kleine meisje dat zulke vreselijke brandwonden had opgelopen, vertelde ze dat ze eruitzag als een prinses en kamde haar haar. Tegen het jongetje dat herstellende was van zijn zevende operatie aan een klompvoet, zei ze dat hij eens officier bij de cavalerie zou worden. Ze praatte met de kinderen, luisterde naar hen, nam hun angsten weg, maakte hen aan het lachen en al gauw stond ze bekend als Moeder Rawlins. Maar toen een lief klein meisje haar armen om Lilians hals sloeg en vroeg of ze met haar mee naar huis mocht, trok Lilian zich voorzichtig terug en zei dat dat niet kon.

'Waarom niet?' vroeg Samantha toen ze op een middag het laboratorium bezocht.
Mark, zonder jasje en met opgerolde hemdsmouwen, was bezig een objectglaasje klaar te maken. 'Lilian en ik hebben het een keer over adoptie gehad, maar ze was er toen zo uitgesproken tegen, dat ik het onderwerp heb laten rusten.'
'Maar ze is dòl op kinderen, Mark. En ze zou een geweldig goede moeder zijn. Iedere ochtend kijken de kinderen al uit naar Moeder Rawlins. Ze heeft zo veel gedaan om de kinderen beter te maken!'
Mark bestudeerde het glaasje dat hij net had gekleurd. 'Dat is ook zo. Haar hele leven draait om de Kinderafdeling, Samantha. Toen we pas in San Francisco woonden, was Lilian vreselijk eenzaam. Ze miste haar familie heel erg en ze had totaal geen zin om kennis te maken met de vrouwen in onze nieuwe buurt – ze hebben allemaal kinderen en daar heeft ze het moeilijk mee. Toen ze haar behandeling bij jou begon was Lilian er zo zeker van dat het zou werken, dat ze een van de slaapkamers in een kinderkamer veranderde. Nu gaat al haar tijd zitten in het inrichten van die kinderkamer, of het maken van dingen voor de Kinderafdeling. Voor Lilian is het moeder-

schap een obsessie geworden. Zozeer zelfs dat. . .' Hij zweeg. Mark had willen zeggen: Zozeer zelfs dat ze vergeet dat ze een man heeft. Maar dat kon hij Samantha niet vertellen. Ook kon hij haar niet vertellen dat Lilians liefkozingen niet spontaan kwamen en onpersoonlijk waren geworden. Voor haar was de daad een middel geworden om een baby te krijgen en Mark had vaak het gevoel dat liefde er niet meer aan te pas kwam.

Samantha begreep wel een beetje wat hij doormaakte. Tijdens haar behandeling praatte Lilian onophoudelijk over de kinderen van haar zusters in St.-Louis, bij elkaar elf. Ze had foto's van hen in haar tas zitten en liet ze altijd zien. 'Dat is een reden te meer om een kind te adopteren, Mark.'

Hij schudde zijn hoofd. 'Ze wil zelf een kind baren. Misschien zou ze het overwogen hebben voordat de baby kwam, voordat ze wist hoe het was om er zelf een te hebben. Maar toen haar eigen kind stierf. . . Ach, ik denk dat Lilian het wil vervangen.'

Samantha ging op de hoge kruk aan de werkbank zitten. Ja, een kind vervangen dat was gestorven. Daar kon ze zich heel goed in verplaatsen! Kleine Clair, die lag te rusten op een grazige heuvel. . .

Mark liep naar de gootsteen en waste zijn handen. Terwijl hij ze stond af te drogen zei hij: 'Ik ben blij dat je vandaag bent gekomen, Sam. Ik wil iets met je bespreken.'

'En dat is?'

Hij rolde zijn mouwen naar beneden, knoopte de manchetten dicht en liep met grote passen naar het cilinderbureau. 'Dit.' Hij pakte iets en hield het omhoog. Het was een van haar anti-geneesmiddelen-pamfletten.

'Kloppen deze cijfers?'

'Het zijn allemaal gegevens uit de archieven van het ziekenhuis.'

Mark woog het pamflet op zijn hand. 'Daar zit een heleboel werk in, in het verzamelen van al dat materiaal. En wat je beweert over die medicijnen – Ellisons elixer bijvoorbeeld. Veertig procent alcohol?'

'Ik heb zelf de proeven gedaan.'

Hij keek haar lang en peinzend aan, waarna hij zei: 'Ik heb dit pamflet vanmorgen toen ik binnenkwam bij de Opname meegenomen. Het zat tussen de brochures over zuigflessen en huishoudelijke hygiëne. Het zat weggestopt, Sam.'

'Ik weet het. De zusters proberen alle literatuur uit elkaar te houden, maar. . .'

'Er raken dingen weg,' zei hij rustig. 'Daar op dat bureau raakt het weg. Informatie als deze zou openbaar gemaakt moeten worden.'

'Dat heb ik ook geprobeerd, Mark! Ik heb mijn pamfletten naar alle tijdschriften en kranten gestuurd waarvan ik dacht dat ze er belangstelling voor zouden hebben, maar zonder resultaat.'

'Dat verbaast me niets. Ellisons elixer is een grote adverteerder. Tijdschriften kunnen het zich niet permitteren zo iemand kwijt te raken.'

'Mark, ik maak de cijfers dan wel niet over het hele land bekend, maar in ieder geval licht ik mijn patiënten voor.'

'Is dat voldoende?'
Ze aarzelde. 'Nee.'
'Mooi.' Hij liep naar de kapstok en stopte het pamflet in zijn jaszak. 'Wat staat er voor vandaag verder op je programma?'
'Na de lunch moet ik mijn ronde maken en dan heb ik tot het avondeten dienst op de Ongevallenafdeling.'
'Kan iemand anders dat van je overnemen?'
'Ik denk het wel. Hoezo?'
'Omdat,' zei hij met een geheimzinnige glimlach, 'er iemand is die ik aan je wil voorstellen.'

De redactielokalen van *Woman's Companion* besloegen de bovenste verdieping van het Wing Fah importgebouw aan Battery Street, en toen Samantha de deur waar REDACTIE op stond doorging, wist ze niet wat haar overkwam. De laatste jaren was de oplage van het *Woman's Companion* langzaam teruggelopen, tot het blad vorig jaar, naar ze had gehoord, helemaal was ingezakt. En toch leidde het zo te zien een bloeiend bestaan, schrijfmachines ratelden, mensen liepen druk heen en weer en de bureaus stonden drie rijen dik. Een keurige jongeman kwam naar hen toe. 'Kan ik u van dienst zijn?'
'We zouden graag meneer Horace Chandler spreken. Zegt u maar dat Mark Rawlins er is.'
Even later gingen ze door een deur met een bordje PRIVÉ erop. Aan de andere kant van het kantoor, tegen een achtergrond van open ramen en binnenstromend zonlicht, zat een man achter een enorm bureau. Hij sprong op. 'Mark!'
'Hallo, Horace.' Ze schudden elkaar de hand. 'Sta mij toe dat ik je dr. Hargrave voorstel, van het San Francisco Ziekenhuis.'
'Hoe maakt u het, dr. Hargrave. Het is me een groot genoegen kennis met u te maken. U bent een hele beroemdheid, weet u.' Horace Chandler was fors, vooral wat omvang betrof, en als hij stond had hij wel iets van een steigerende grijze beer. 'Ga zitten, alstublieft. Mark, wat een leuke verrassing! Hoe gaat het met Lilian?'
'Prima, Horace. En met Gertrude?'
'Beter dan ooit. En, gaat het om zaken of iets leukers?'
'Zaken, Horace. We hebben je hulp nodig.'
Tijdens de rit van het ziekenhuis naar Battery Street had Mark Samantha over zijn vriend Horace Chandler verteld. Hij had de uitgever in St.-Louis leren kennen toen Chandler bij een tijdschrift werkte dat *Gentleman's Weekly* heette. Horace Chandler, had hij uitgelegd, had naam gemaakt door de noodlijdende tijdschriften die hij opkocht weer tot leven te wekken. Hij was een jaar geleden naar San Francisco gekomen om *Woman's Companion* nieuw leven in te blazen.
Samantha probeerde zich voor de geest te halen wanneer ze het laatst een exemplaar van *Woman's Companion* had gelezen. Dat was jaren geleden

en ze had het als een zouteloos blad terzijde gelegd. Het stond vol mode-artikelen, recepten, flauwe romantische verhaaltjes en gedichten die de moeite van het onthouden niet waard waren. Ze had drie oude dames voor zich gezien die in de keuken een blaadje samenstelden. Maar sindsdien had ze het niet meer in handen gehad. 'Wat voor een soort tijdschrift is het nu?' had ze Mark gevraagd.

'Nog steeds een vrouwenblad,' had hij in het rijtuig uitgelegd. 'Maar een blad dat ervan uitgaat dat een vrouw hersens heeft. Ze schrijven nog steeds over mode en geven recepten, maar dan op de exotische, gewaagde toer. Ze doen ook nieuws en achtergrondartikelen en schrikken niet terug voor een gezonde pennestrijd. In een van de laatste nummers stond een artikel over overbevolking, dat veel reacties heeft opgeroepen omdat de schrijfster het lef had te beweren dat anticonceptie iets waardevols was.'

Nu ze in Chandlers kantoor zaten, vertelde Mark zijn vriend over Samantha's onderzoek naar patentgeneesmiddelen en haar vruchteloze pogingen de resultaten gepubliceerd te krijgen.

'Niemand durfde er iets mee te beginnen, klopt dat, dr. Hargrave?' vroeg Chandler. 'Er is in dit land nauwelijks een blad te vinden dat het risico durft te nemen de grote geneesmiddelenadverteerders voor het hoofd te stoten door te publiceren wat u voorstelt. Daarom zal het publiek nooit achter de waarheid komen. Maar toevallig heb ik bij de aankoop van *Woman's Companion* een andere gedragslijn ingesteld. Wij publiceren de waarheid, wie we misschien ook mogen beledigen, en u zult zien dat ik in mijn tijdschrift geen reclame heb opgenomen voor patentgeneesmiddelen.'

Hij pakte een exemplaar van zijn bureau en overhandigde het aan Samantha. Ze bladerde het door en was onder de indruk.

'En dus, Mark,' zei Horace, achterover leunend en zijn handen over zijn omvangrijke buik leggend, 'moet ik veronderstellen dat je wilt dat ik die gegevens van dr. Hargrave publiceer?'

Mark tastte in zijn binnenzak en haalde het pamflet te voorschijn. 'Lees het maar eens, Horace. Vertel me wat je ervan vindt.'

Terwijl Chandler het doorlas, waarbij hij hier en daar even wachtte, keek Mark Samantha aan en knipoogde. Ze voelde haar hart op hol slaan. 'Meneer Chandler,' zei ze, 'ik wil dat het publiek zich bewust wordt van de gevaren van patentgeneesmiddelen. Op de etiketten wordt beweerd dat de medicijnen onschadelijk zijn, terwijl dat in werkelijkheid niet zo is. Zwangere vrouwen nemen elixers in die hun ongeboren baby schade berokkenen en ze weten het niet eens. Mensen die kanker hebben, drinken gekleurd water in plaats van medische hulp in te roepen. Het grote publiek heeft er recht op te weten wat ze kopen, meneer Chandler, en wat ze slikken. En daar de fabrikanten van geneesmiddelen het niet willen vertellen, moeten wij het wel doen.'

Horace Chandler legde het pamflet neer en keek Samantha aandachtig aan. 'Bent u zeker van uw cijfers?'

'Ja.'

'Kunt u me nog meer materiaal verschaffen? Dit is niet zo veel. Drie fabrikanten. Het artikel zou meer gewicht in de schaal leggen als we er nog anderen bij konden halen.'

'Ik heb er nog geen tijd voor gehad,' zei Samantha, 'maar ik heb overwogen om Sara Fenwicks wonderdrank te analyseren.'

Zijn wenkbrauwen vlogen omhoog. 'De grootste in het hele land.'

'Ik zal het wel voor je doen, Sam,' zei Mark. 'Het enige dat ik nodig heb is een fles van het spul en een bunsenbrander.'

Horace Chandler wreef eens over zijn kin. 'Uw pamflet zit goed in elkaar, dr. Hargrave, maar het is zo droog als gort. Zou u het erg vinden als ik mij wat redactionele vrijheden veroorloofde?'

'Helemaal niet.' Samantha werd steeds opgewondener.

'Dr. Hargrave, ik zal ervoor zorgen dat mijn lezers denken dat het met de volgende pil die ze innemen met hen gedaan is. Algemene verontwaardiging en de artsen, dat zullen uw wapens zijn. Weet u, dr. Hargrave, dit soort wroeterij zorgt ervoor dat de wet wordt veranderd.'

'En dat de oplage van bepaalde tijdschriften omhoog gaat,' voegde Mark er met een brede glimlach aan toe.

Horace stond op. 'Het spijt me, maar ik heb nog een andere afspraak. Mark, doe mijn groeten aan Lilian. Dr. Hargrave, het was me een waar genoegen. Zullen we elkaar volgende week weer ontmoeten?'

Toen ze uit het koele gebouw de warme augustusmiddag instapten, voelde Samantha haar ziel huizenhoog opstijgen. Mark plantte zijn hoed stevig op zijn hoofd, kneep zijn ogen dicht tegen het felle licht en keek glimlachend op Samantha neer. 'Dr. Hargrave,' zei hij, 'ik heb zo'n idee dat u en ik de wereld gaan veranderen!'

8

Samantha staarde met niets ziende ogen naar de woorden die ze net had opgeschreven; ze zat met haar hand onder haar hoofd, terwijl de pen in haar andere hand boven het papier hing alsof hij op inspiratie wachtte. Dit zou hun tweede artikel voor *Woman's Companion* worden. Het eerste, dat vorige maand was verschenen onder de titel: 'Dit Mag U Niet Overkomen' had zo veel belangstelling bij de lezers gewekt, dat Horace Chandler direct een vervolg wilde publiceren. Dit artikel zou de analyse bevatten van tien bekende medicamenten die in apotheken verkrijgbaar waren.

Samantha legde ten slotte haar pen neer en leunde achterover in haar stoel. Achter haar gesloten deur ging het ziekenhuis een nacht van half slapen en half waken in (een ziekenhuis sliep eigenlijk nooit helemaal) en er heerste een rustige intimiteit in de kamer. Samantha ademde diep in en liet de lucht in een langzame, melancholieke zucht ontsnappen. Ze wist niet wat haar vanavond mankeerde; het was vreemd, maar ze had het gevoel dat ze de greep op de dingen kwijt was.

Vermoeid stond ze op en trok de zware velours gordijnen open om de oktobernacht in te kunnen kijken. Het tafereel beneden haar maakte een onwerkelijke indruk. Het was een geheimzinnig plaatje uit een of ander bovennatuurlijk toneelstuk. De straat lag er zo goed als verlaten bij, een paar voetgangers worstelden met de onstuimige wind om het bezit van hun hoed; het was alsof ze zich van de ene lichtkring van de gaslantaarns naar de andere haastten, alsof ze achterna werden gezeten, of bang waren voor de najaarsschaduwen. Het was het seizoen van Halloween, van uitgeholde pompoenen, het stervensuur...

Samantha staarde naar haar spiegelbeeld en dacht, waarom kwam die gedachte nu bij me op? Het stervensuur. Het is waar. We beginnen al te sterven zodra we zijn geconcipieerd, we worden geboren alleen om weer te sterven, van windsels tot lijkwade, wat voor zin heeft het allemaal?

Peinzend ging haar hand naar haar borst en ze streelde de turkooizen steen. Sinds de dag (hoe vele jaren geleden?) dat ze er een ketting voor had laten maken, had ze hem op haar hart gedragen. Hij brengt geluk. Maar is dat wel zo? Ben ik gelukkig?

Samantha wist dat ze zich normaal gesproken niet gauw aan gefantaseer overgaf, dat ze niet echt romantisch van aard was, zoals dr. Canby (die liedjes van Caruso speelde en zich omringde met portretten van Edwin Booth en Napoleon Bonaparte). Samantha was pragmatisch ingesteld, ze was een realiste. Waarom verviel ze dan af en toe in deze melodramatische buien? Vooral de laatste tijd...

Ze wist wel waarom.

Samantha wendde zich van het raam af, keek om zich heen en plotseling zag ze alles door een waas. Lieve hemel, ik ben bijna in tranen!

Er was zo veel om gelukkig mee te zijn, om zich over te verheugen (de overheid had hun subsidie verlengd, de Crockers zouden een nieuwe operatiekamer financieren, en, het mooiste van alles, Jenny was in verwachting). Er was geen enkele reden voor deze trieste stemming.

Samantha legde haar hand tegen haar voorhoofd, als om de tranen terug te dringen. *Ik heb het recht niet. Ik heb hem lang geleden opgegeven, hij is niet meer van mij...*

Ze zuchtte weer, maar het klonk eerder als een ingehouden snik. Hoe lang hield ze dit nog vol? Samantha wist dat ze in alle andere opzichten een sterke vrouw was, maar wat dit betreft... Ze verlangde naar hem, ze had hem nodig. *Ik overleef het niet als ik niet nog één keer in zijn armen kan liggen.*

Ze had gedacht dat ze het wel aankon om Mark als een oude vriend te behandelen, aan zijn zijde te werken en hun verhouding zuiver zakelijk te houden. Maar iedere dag die voorbij ging, iedere keer dat hij naar haar kantoor kwam, ieder bezoek aan Horace Chandler, een diner bij de Gants thuis met Mark aan haar ene kant en Lilian aan de andere... dat alles maakte het haar steeds moeilijker.

Samantha voelde zich ineens opgesloten. De muren kwamen op haar af. Ze liep naar de deur en deed hem open. De vaag verlichte gang lag er verlaten

en stil bij, net als de herfstige straat daar buiten. Het zou haar niet verbaasd hebben als ze oranjerode bladeren over de grond had zien dwarrelen...
Ik moet eigenlijk naar huis. Waarom ben ik hier nog?
Een groteske schaduw dook op uit het diepe duister aan het eind van de gang en kwam langzaam op haar af. Het was een grote, vierkante massa op geluidloze wielen, schijnbaar op eigen kracht voortrollend, kletterend en ratelend. Terwijl het naderbij kwam, zag Samantha de handen aan weerszijden, het op en neer knikkende hoofd en uiteindelijk de ritmisch bewegende rug van de portier. 'G'navond, dok,' mompelde hij en duwde de etenswagen langs haar heen.
Samantha deed haar mond open, maar kon geen woord uitbrengen. Ze keek de portier en de etenswagen na tot ze om de hoek waren verdwenen, waarna ze in de richting tuurde waarvandaan hij gekomen was.
De trap.
De pijn werd ondraaglijk. Weer een nacht dat ze in bed aan Mark zou liggen denken, en zou proberen zich te herinneren hoe zijn lijf aanvoelde, hoe zijn lippen smaakten, hoe hij rook...
O, Willella, maak jij dit iedere dag van je leven door? Ik had er geen idee van.
Samantha werd plotseling overvallen door een gevoel van diepe droefheid, om de arme Willella en haar gelaten wanhoop, om zichzelf en om al die anderen die verlangen naar de liefde maar die nooit zullen kennen.
Ze was zich er nauwelijks van bewust dat ze bewoog; haar voeten waren hun eigen baas en ze droegen haar, onafhankelijk van haar wil, naar de trap. Ze bleef bij de spil van de wenteltrap staan, aan de rand van de afgrond balancerend, en ze dacht, *hij is er niet. Hij is uren geleden al weggegaan.*
Aarzelend liep ze de trap af, alsof ze iedere tree op zijn sterkte moest beproeven, niet zeker wetend of ze haar en de ongelooflijk zware last die ze droeg wel zouden houden. Naar beneden, steeds verder, van het ene duister naar het andere duister, de zwakke lichtkringen van de elektrische lampen in en weer uit, als een slaapwandelaarster die aan de genade van haar voeten is overgeleverd, zo daalde ze onverbiddelijk af terwijl ze in zichzelf zei: *Er is toch niemand.*
Onder aan de trap verstarde ze. De holle ruimte van de hal in het keldergedeelte werd verlicht door een enkel peertje, dat gesloten deuren en afgesloten kasten onthulde. Koud, stil. En onder die laatste deur, aan het eind van de gang, de deur naar het laboratorium, *die* deur, daaronder vandaan sijpelde licht...
Het volgende moment stond ze ervoor. Natuurlijk: dr. Mary Johns, de pathologe, was daar nog aan het werk.
Samantha klopte.
'Binnen,' zei Mark aan de andere kant van de deur.
Ze opende de deur en stond daar, omlijst door het duister en een spookachtig licht. Hem strak aankijkend, terwijl hij zich oprichtte van zijn micro-

scoop, dacht Samantha, *het duurt nog niet eens een jaar. Hoe lang moet ik dit nog volhouden? Hoe vele oktobers zullen nog volgen?*

Zijn knappe gezicht lag in de schaduw. Samantha kon niet zien of hij glimlachte of fronste; het leek wel of hij allebei deed. 'Sam,' zei hij zachtjes. 'Jij bent nog laat bezig.'

'Ja, ik werk aan dat artikel.' Ze had moeite met ademhalen. 'Jij werkt ook nog laat.'

'Ik ben weefselproeven aan het kleuren...'

Weer leek haar lichaam een eigen wil te hebben. Haar hand sloot de deur achter zich, haar voeten droegen haar naar de werkbank en haar stem, die klonk alsof hij van iemand anders was, zei: 'Ik werk liever hier in het ziekenhuis aan dat artikel. Als ze me dan nodig hebben, ben ik bij de hand en hoeven ze me niet te halen...'

Zijn ogen, nu niet lichtbruin maar donker en doordringend, keken op haar neer, door haar heen. 'Je werkt de laatste tijd vaak erg laat.'

'Jij ook.'

Zijn blik dwaalde af naar haar borst. Een fronsje verscheen tussen zijn wenkbrauwen. 'Wat is dat?' Hij stak zijn hand uit naar de steen en Samantha voelde hoe zijn hand langs haar borst streek.

'Letitia heeft hem me gegeven. Herinner je je haar nog?'

'Jazeker.'

'En Janelle?'

'Ja.'

'En Landon Fremont?' Ze struikelde nu bijna over haar woorden. 'En dr. Prince, en dr. Weston, en mevrouw Knight...? O Mark! We hebben nooit over het verleden gepraat. We hebben het tussen ons begraven! Ik wil het weer tot leven brengen!'

Het gebeurde zo snel dat het haar overviel. Zijn armen omsloten haar, trokken haar tegen zich aan en zijn lippen bedekten de hare. Ineens waren ze weer terug in dat kleine kamertje in St.-Brigid's Hospital. Mark was net binnen komen stormen en had gezegd: 'Verdomme, Samantha, ik houd van je!' en luid gelach en banjoklanken klonken door de dunne wanden! Ze klampte zich als een drenkeling aan hem vast; hij verslond haar als iemand die verhongerd was. Toen zijn hand in haar blouse gleed en zich om haar borst sloot, waren veertien jaren in een oogwenk vervlogen: de *Excalibur,* zijn moeders dood, de lange, eenzame reis het hele land door, de geboorte van Clair en haar dood, Jenny, Hilary, het Ziekenhuis – niets bestond meer, het was nooit gebeurd. Het was allemaal een droom geweest en eindelijk werd Samantha wakker.

'O god,' fluisterde Mark in haar haar. 'Ik geloofde niet dat ik het nog zou volhouden. Iedere dag zag ik je, en ik moest doen alsof we alleen maar oude vrienden waren.'

Hij pakte haar bij de schouders en hield haar op armsafstand, terwijl hij haar onderzoekend aankeek, eindelijk op de manier zoals hij al die maanden al naar haar had willen kijken. Hij had zijn blik langzaam over haar willen laten dwalen, vol liefde, om haar exquise schoonheid in zich op te nemen: de parelgrijze ogen, het ravezwarte haar dat nu over haar schouders viel, een beeld dat hij veertien jaar lang 's avonds in bed bij zich had gedragen. Vervolgens liet hij voorzichtig haar blouse van haar schouders glijden en daarna de bandjes van haar kamisool. Hij boog zijn hoofd en kuste haar borst. Samantha's adem stokte.

Toen hij zijn hoofd weer ophief, verdwenen zijn vingers in haar haar en hij fluisterde hees: ' "Het was vele, vele jaren geleden, in een koninkrijk bij de zee, dat daar een meisje woonde dat u misschien kent als Annabel Lee – En dat meisje koesterde geen andere gedachte dan haar liefde voor mij, en mijn liefde voor haar." '

'Neem me mee terug, Mark,' fluisterde Samantha. 'Draag me mee naar het verleden. Laten we nog eenmaal de dagen van vóór de *Excalibur* beleven.' Ze deed de ketting over haar hoofd en liet de turkooizen hanger op de werkbank vallen. 'Laten we voor één keer vergeten waar we zijn en wie we zijn geworden.' Hete tranen rolden haar over de wangen. Haar handen begonnen trillend zijn overhemd los te knopen. 'Vertel me over president Garfield. Klaag over je vaders koppigheid. Vertel me over je broers, over Stephen, die zo kwistig met geld omspringt en over die eeuwige preken van je moeder. Dan zal ik jou vertellen over de controverse over de bacteriëntheorie in het ziekenhuis en over dr. Princes halsstarrige weigering me in de operatiekamer te laten. . .'

De vloer van het laboratorium scheen Mark en Samantha een bed van zwanedons. Hij spreidde zijn jas uit en ze begonnen aarzelend, maar al gauw kenden ze geen remmingen meer, al hun hartstocht en begeerte werden bevredigd en deze éne nacht gaven ze zich aan elkaar over om de frustraties van het verleden uit te wissen.

Later, vlak voor de ochtendschemering, terwijl de geluiden van een ontwakend ziekenhuis hen bereikten, praatten ze verder en probeerden de realiteit onder ogen te zien. Ze waren het erover eens dat ze niet vrij waren, dat het niet weer mocht gebeuren, dat ze rekening moesten houden met anderen, vooral met Lilian, en dat ze met beide benen in het heden moesten staan. Samantha vertelde hem over de kleine Clair en ze probeerde, al was dat niet eenvoudig, te aanvaarden dat het verleden voorgoed voorbij was en dat ze hun tijd hadden gehad. Maar nu was deze éne nacht voor hen. En al zouden de dag van morgen en al die andere dagen die volgden aan anderen behoren, deze nacht was van hen en ze zouden met hun hele hart en hun hele ziel proberen in een paar korte uurtjes een heel leven aan liefde te beleven.

9

Het was eind 1896 en het nieuws dat er in Alaska goud te vinden was, begon zich te verspreiden. Weer was San Francisco het middelpunt van een opleving van de goudkoorts. De goudzoeker in zijn flanellen hemd en wollen parka werd weer een vertrouwde verschijning, en in de kranten verschenen de eerste berichten over de gevaren van de kampen in Yukon. Iedereen werd door de goudkoorts aangestoken, incluis Darius Gant, die een paar goudzoekers van een uitrusting voorzag, in ruil voor de helft van de winst, en een poosje gonsde het in San Francisco weer net zo levendig als in vroeger dagen.

Dit had tot gevolg dat Samantha's artikelen voor *Woman's Companion* moesten wedijveren met een heleboel ander nieuws dat de belangstelling van het publiek trok.

Het decembernummer bevatte een artikel getiteld 'Er Zit Vergif in dat Drankje!' en het januarinummer 'Hoe Gemakkelijk Laat U Zich Beetnemen?'. Dit laatste artikel werd gepresenteerd in de vorm van een vragenlijst om de kennis van de lezers op het gebied van patentgeneesmiddelen te testen. Maar de reacties waren minder talrijk dan naar aanleiding van het eerste artikel – de mensen waren weggelokt door mooie verhalen over Yukon en de enige manier om hen er weer bij te halen, verklaarde Horace Chandler, was iets echt sensationeels te schrijven.

Daarom schreef Samantha, als ze niet opereerde of op zaal werkte, in haar vrije tijd thuis een verhaal getiteld 'Mijn Nachtmerrie als Verslaafde'. Hoewel het in de ik-vorm was geschreven onder een gefingeerde naam, was het geval gebaseerd op een van Samantha's dossiers. Het gaf een realistisch en schokkend beeld van iemand die aan patentgeneesmiddelen was verslaafd.

De dagen gingen voorbij in een eindeloze stroom patiënten, behandelingen, tragedies en overwinningen; de natte winter van San Francisco naderde de lente, terwijl de goudkoorts in de stad naar een hoogtepunt steeg.

Samantha en Mark zagen elkaar gedurende die regenachtige maanden vrij vaak, maar nooit volgde een herhaling van hun nacht in het laboratorium. Vaak zaten ze gewoon in haar kantoor thee te drinken, en luisterden naar de etenswagens die door de gang rolden en de regen die tegen het raam tikkelde. Ze hadden geen behoefte aan lichamelijke liefde: ze bedreven die met hun ogen, met af en toe een aanraking, en in hun gedachten die zich vermengden. Ze werkten aan de artikelen over geneesmiddelen – Mark deed in het lab analyses van elixers en Samantha verzorgde het achtergrondverhaal en de cijfers. Maar ze spraken nooit weer over wat er werkelijk in hun harten leefde, want dat was niet nodig; ze wisten het allebei. Ze waren verliefd op elkaar en ze verlangden naar elkaar.

'Ontspannen, alstublieft, mevrouw Sargent. Mooi zo.' Samantha keek strak naar de wand tegenover zich en in gedachten zag ze het inwendige van de vrouw voor zich. 'Zo is het goed. U kunt zich weer aankleden.' Ze deed een stapje achteruit en liep naar het fonteintje om haar handen te wassen.

Op het tafeltje naast de wasbak lagen de tas en de handschoenen van mevrouw Sargent, en het exemplaar van *Saterday Evening Post* waarin ze had zitten lezen. Het blad lag nog open op een stuk over president McKinley,

die pas zijn ambt had aanvaard. Samantha's oog viel op de advertentie eronder. 'Operaties niet meer nodig' luidde de kop. 'Verwaarloos uzelf niet
en blijf niet sukkelen tot u wel naar het ziekenhuis móet. Versterk uw vrouwelijk gestel en genees kleine afwijkingen die erop duiden dat er iets aan de
hand is. Een dagelijkse dosis van Sara Fenwicks wonderdrank herstelt en behoudt het tere vrouwelijke gestel. Lees hieronder de brieven van vrouwen
die pijn hebben geleden en die zich tot mevrouw Fenwick hebben gewend.'
'Kunt u iets voor me doen, dokter?'
'Mevrouw Sargent, u hebt een grote vleesboom. Die is de oorzaak van uw
bloedingen.' Samantha droogde haar handen af aan een schone handdoek
en draaide zich om terwijl ze haar manchetten dichtknoopte. 'Wanneer is
het begonnen?'
Mevrouw Sargent was een klein vrouwtje en ze was erg nerveus. 'Ongeveer
vijf jaar geleden, nadat Timothy was geboren. Toen was het nog niet zo
erg, af en toe een paar druppeltjes. Maar ongeveer drie jaar geleden duurde
mijn maandelijkse ongesteldheid wel twee weken.'
'Heeft u daar toen iets aan gedaan?'
'Als ik vrijaf had genomen om naar een dokter te gaan, was ik mijn baan bij
de bakkerij kwijtgeraakt, daarom heb ik naar Sara Fenwick geschreven. In
haar advertenties beweert ze dat ze wonderen kan verrichten.'
Samantha keek peinzend naar de advertentie. Sara Fenwick keek haar vanuit een ovaal lijstje welwillend aan; op haar knappe oma-achtige gezicht lag
een serene glimlach. 'En wat heeft ze u aangeraden?'
'Ze heeft me een flesje van haar elixer gestuurd. Zodra ik dat innam, begon
ik me beter te voelen.'
Samantha knikte; daar zorgde het hoge alcoholgehalte wel voor.
'Maar het vloeien ging door. Ik heb toen weer geschreven en ze antwoordde
dat ik de dagelijkse dosis van het drankje moest verhogen. Maar het hielp
niet,' zei mevrouw Sargent met gebogen hoofd. 'Ik heb het drankje dage-
lijks ingenomen, tot ik er op het laatst niet meer tegen kon. Het vloeien
werd erger en ik voel me nu vreselijk slap.'
Samantha trok een stoel bij en ging naast haar zitten. 'Mevrouw Sargent,'
zei ze zo geruststellend mogelijk, 'die vleesboom is niet kwaadaardig, maar
moet wel verwijderd worden.'
Het vrouwtje verbleekte. 'U bedoelt dat ik geopereerd moet worden?'
'Ja.'
'Wat voor soort operatie?'
'Uw baarmoeder moet eruit.'
Mevrouw Sargent slaakte een verschrikte kreet en barstte in snikken uit.
Samantha klopte haar op de knie. 'Als u meteen naar een dokter was ge-
gaan, had er nog iets aan gedaan kunnen worden, maar nu is het te laat.'
'We kunnen een dokter niet betalen!' snikte ze klaaglijk in haar zakdoek.
'We kunnen nauwelijks de kinderen te eten geven!'
'Mevrouw Sargent, het Ziekenhuis is gratis voor mensen die het niet kun-
nen betalen.'

'Maar mijn baarmoeder! Dr. Hargrave, alstublieft, probeer iets anders!'
Samantha voelde even iets van verdriet.
'Het gaat niet om mij, maar om Harry! Hij houdt daarna vast niet meer van
me!'
'Natuurlijk wel, mevrouw Sargent.'
'Maar ik ben nog geen veertig! Alstublieft, dr. Hargrave,' smeekte me-
vrouw Sargent. 'U mag het niet doen! Ik ga nog liever dood!'
Samantha legde haar hand troostend op haar schouder. 'Ik zou willen dat er
een andere oplossing was.'
'Heeft dat drankje dan helemaal niet geholpen?'
'Sara Fenwick is een elixer, mevrouw Sargent, iets waardoor u zich beter
voelt. Het geneest niets.'
'Maar mijn zuster had een gezwel in de buik en één flesje van Sara Fenwick
heeft dat helemaal doen verdwijnen. En verder voel ik me goed. Maar als ik
nu thuiskom uit de bakkerij, na tien uur werken, kan ik me nauwelijks de
stoep opslepen. Dan neem ik mijn drankje in en meteen krijg ik het gevoel
dat ik kan gaan koken en schoonmaken.' Ze pakte Samantha bij de hand.
'Alstublieft, dokter...'
Samantha voelde de tranen in haar ogen prikken; het was niet eenvoudig
om je ware gevoelens achter een masker van beroepsmatigheid te verbergen. Ze zei vriendelijk: 'Als we u niet opereren, mevrouw Sargent, doen er
zich ernstige complicaties voor.'
'Maar ik wil niet *oud* worden.'
'Oud, mevrouw Sargent?'
Ze fluisterde: *'De menopauze*. Dat krijg je als je baarmoeder wordt wegge-
haald.'
'Dat is een sprookje, mevrouw Sargent. Alleen als de eierstokken worden
verwijderd begint de menopauze. In uw geval halen we alleen de uterus
weg, dat is gewoon een spier, meer niet.'
'Maar dan ben ik geen echte vrouw meer...'
Samantha voelde een brok in haar keel. *'Natuurlijk* wel!'
'O, dokter, ik ben zo bang...'

'Mark, kan ik je even spreken?'
Hij keek op van zijn microscoop en de vreugde die op zijn gezicht lag, deed
Samantha's hart opspringen. 'Natuurlijk, Sam! Kom eens hier, ik wil je iets
laten zien!'
Ze boog zich over de microscoop, met haar oog tegen de lens, terwijl Mark
de spiegel bijstelde om haar beter licht te geven. 'Dit is een stukje van het
borstweefsel dat je gisteren hebt weggehaald. Zie je die normale cellen
rechtsboven?'
'Ja.' Hij stond vlak bij haar en raakte haar bijna aan.
'Die zijn goed van vorm, karakteristiek, gelijk van grootte en een paar zijn
bezig zich te delen.'
'Ja,' zei ze zachtjes. 'Ik zie het.'

406

'Kijk nu eens naar de cellen aan de rand. Ze zijn afwijkend en vervormd. En kijk eens hoe gemakkelijk ze zich losmaken. Sam, *dat zijn allemaal dezelfde cellen!*'

Ze richtte zich weer op en zag dat hij haar stralend stond aan te kijken. 'Ik heb nog nooit zo'n goed voorbeeld gezien,' vervolgde hij. 'Dat ene glaasje bewijst bijna mijn theorie over het begin van kanker. En als ik gelijk heb, als die kwaadaardige cellen eenvoudigweg afwijkingen zijn van cellen die eerst normaal waren, dan hebben we een uitgangspunt om een geneeswijze op te baseren!'

'Het is geweldig, Mark.' Ze keek naar het logboek waarin hij zijn proeven beschreef. 'Maar wat vindt de universiteit er eigenlijk van dat je aldoor hier zit?'

Hij wendde zich af en verschikte iets op zijn werktafel. 'Ik heb een jaar verlof gevraagd, Sam. Mijn werk hier is veel te belangrijk. Zowel het kankeronderzoek als onze campagne tegen de geneesmiddelen. En...'

'En?'

Hij draaide zich om en keek haar vol aan; zijn glimlach was verdwenen. 'Ik maak me zorgen om Lilian.'

'Wat is er dan?'

'Ik weet het niet. Ze lijkt me niet erg gelukkig. Al heeft ze het druk met de Kinderafdeling...' Hij schudde zijn hoofd. 'Ik weet het niet. We zien elkaar nauwelijks nog. En als we elkaar ontmoeten, is het alsof we niets meer te bepraten hebben.'

'Denk je dat ze iets vermoedt... dat wij...'

Hij wendde zich af en liep naar de gootsteen. 'Ik weet het niet, Sam. Ik geloof van niet. Lilian is zo recht door zee. Als ze iets vermoedde, zou ze wel iets zeggen. Er is iets anders aan de hand. Haar verlangen naar een kind, denk ik.'

Mark waste zijn handen, droogde ze af en rolde zijn mouwen naar beneden. Hij draaide zich om en leunde tegen de gootsteen. 'Waar wilde je me over spreken?'

Ja, laten we ons op veiliger terrein begeven. 'Over onze campagne tegen de geneesmiddelen. Chandler zegt dat het aantal brieven afneemt. Het publiek schenkt er nauwelijks aandacht aan.'

'Misschien zouden we het volgende artikel moeten noemen "Drugverslaving aan de Klondike".'

'Je hebt waarschijnlijk gelijk. Maar ik heb eens nagedacht. Misschien versnipperen we onze aandacht te veel, misschien proberen we de mensen te veel feiten en cijfers onder de neus te wrijven.'

'Wat ben je dan van plan?'

Ze hoorden de deur opengaan en draaiden zich om. Dr. Mary Johns, de pathologe, kwam binnen. 'Goedemiddag, meneer, mevrouw,' zei ze opgewekt en trok haar jas uit.

'Hallo, Mary,' zei Mark. 'Ik was net van plan om weg te gaan.'

'Haast je niet. Ik moet eerst een kop thee!' Dr. Johns liep regelrecht naar

een werkbank tegen een van de wanden, waar, tussen allerlei potjes, flesjes formaldehyde, reageerbuisjes en branders, een petroleumstelletje met een keteltje erop stond. 'Hoe gaat het met uw dochter, dr. Hargrave?'
'Met Jenny gaat het uitstekend, dank u. Wat aan de zware kant voor zes maanden. Ik denk dat het wel eens een tweeling zou kunnen worden.'
Dr. Johns draaide zich om. 'Maar dat zou enig zijn!'
Terwijl Mark de pathologe het weefsel liet zien dat uit de operatiekamer was gekomen en ook haar mening vroeg over het glaasje in de microscoop, liep Samantha naar de deur. 'Mark, ik ben op zaal.'

'Ik zou me het liefst concentreren op één fabrikant van geneesmiddelen,' zei Samantha toen ze allemaal in Horace Chandlers kantoor zaten. 'Ik denk dat we misschien eerder de aandacht van het publiek trekken als we ons richten op één populair, bekend merk.'
Horace leunde achterover in zijn stoel en vouwde zijn handen over zijn buik. Achter hem joeg de harde maartse wind de regen striemend tegen de ruiten. 'Hebt u er al een in gedachten?'
'Een groot aantal van mijn patiënten neemt zijn toevlucht tot Sara Fenwicks wonderdrank voordat men naar het Ziekenhuis komt. Ik denk dat het zo'n geneesmiddel is dat je in ieder huishouden tegenkomt.'
Horace liet een langgerekt gefluit horen. 'Sara Fenwick is de allergrootste in het land, dokter. En het bedrijf heeft grote invloed in Washington. U noemt daar even een geweldig krachtige tegenstander.'
'Bent u bang om eraan te beginnen?'
Horace lachte kort. 'Niet in het minst! Maar ik zal u wèl vertellen' – hij boog zich voorover en legde zijn handen plat op zijn bureau – 'als u Sara Fenwick wilt aanpakken, moet u uitermate stevig in uw schoenen staan.'
Hij wendde zich tot Mark. 'Heb je al een analyse gemaakt?'
'Alleen op alcohol, en dat zit er genoeg in.'
'Denkt u dat er schadelijke bestanddelen in zitten, dr. Hargrave?'
'Daar wil ik hen niet op aanvallen, meneer Chandler, want ik geloof dat het drankje op zichzelf onschadelijk is. Waar ik tegen in het geweer kom, is hun werkwijze. Ze stellen een diagnose en schrijven een behandeling voor via correspondentie. Alle patiënten die een bezoek aan mij hadden uitgesteld omdat ze het drankje innamen, hadden naar Fenwick geschreven. Ze ontvingen de verzekering dat ze genezen zouden worden. Daartegen, meneer Chandler, protesteer ik.'
Horace dacht even na. 'Hier zullen we meer voor nodig hebben dan een paar laboratoriumanalyses en een handjevol ongelukkige gebruiksters.' Hij stond op en beende naar de boekenkast die een hele wand besloeg. Hij schoof een van de deurtjes open, waarna een plank vol flessen en glazen zichtbaar werd. Horace Chandler schonk zich iets in. Hij bood de beide artsen niets aan, wetend dat ze zouden weigeren. Hij liep weer naar zijn bureau, maar ging nu op het blad zitten in plaats van in zijn stoel. Hij zei: 'Toevallig dat u vandaag langskomt, want ik zou vanmiddag naar u toe gaan.'

Hij liet de whisky in zijn glas ronddraaien en keek ernaar maar dronk er niet van. 'Deze keer had *ik u* namelijk iets te melden. Hebt u ooit van de "rode clausule" gehoord?'

'Nee.'

Chandler legde vervolgens uit dat hij zelf op onderzoek was uitgegaan; hij zocht naar iets wat hun artikelen actueel zou maken, zodat ze de aandacht van het publiek zouden trekken. Hij had een detective in de arm genomen: hij moest een exemplaar te pakken zien te krijgen van het contract dat de geneesmiddelenfabrikanten gebruiken als ze een advertentieregeling afspreken met tijdschriften en kranten. De agent van Pinkerton had gedaan alsof hij advertentie-manager van een streekblad was en was naar het kantoor van J.C. Ayer Company gegaan, waar hij een van hun advertentiecontracten had bemachtigd. Daarin was sprake van een 'rode clausule'.

Horace trok een la open en overhandigde Samantha en Mark het document. 'Weinig mensen weten ervan,' zei hij terwijl ze de bewuste clausule bestudeerden, die zo werd genoemd omdat hij in rode inkt was afgedrukt. 'Er staat in dat het contract vervalt mochten er wettelijke stappen worden ondernomen tegen patentgeneesmiddelen, of mocht er in het tijdschrift iets ten nadele van de geneesmiddelenfabrikanten verschijnen. Het is een clausule die in dezelfde bewoordingen in alle contracten voorkomt en de pers zeer efficiënt muilkorft.'

Samantha en Mark keken naar elkaar en vervolgens naar Horace. 'Ik dacht dat de mensen wel zouden willen weten dat de grondwet wordt geschonden. Vrijheid voor de pers, maar alleen zolang het de winst niet nadelig beïnvloedt.'

Mark gaf hem het contract terug. 'Ga je dit publiceren?'

'Het hele stuk.' Horace sloeg zijn whisky, die hij nog niet had aangeraakt, achterover en ging weer in zijn stoel zitten. 'Ik ben nu van plan om diezelfde Pinkerton – Cy Jeffries heet hij – te gebruiken om eens rond te snuffelen in die fabriek van Sara Fenwick. Misschien ontdekt hij wel een paar verborgen feitjes waar het publiek grote belangstelling voor heeft. En ik heb zo'n idee,' zei hij en keek hen betekenisvol aan, 'dat meneer Jeffries inderdaad heel interessante ontdekkingen gaat doen.'

10

Het leek in niets op de oude operatie-amfitheaters: Samantha en haar team droegen schone, witte schorten over hun jurken, en kapjes die het haar bedekten. De instrumenten waren steriel, mevrouw Sargent lag tussen steriele lakens te slapen, en de narcotiseur hield haar pols en ademhaling bij op een nieuwe kaart, ontworpen door Massachusetts General Hospital. Dit zou een routine-operatie worden; Samantha's gewaagde experimenten in St.-Brigid's werden gemeengoed.

Ze werkten zwijgend. Willella, die tegenover Samantha stond en de wondklemmen vasthield, had de indruk dat dr. Hargrave er vanmorgen niet helemaal bij was met haar gedachten. Maar ja, de directrice had dan ook vele andere dingen aan haar hoofd.

Een van de zaken die Samantha op deze zonnige ochtend in mei bezighield was het feest dat die avond bij de Masons zou worden gegeven: een verjaardagsfeest voor Samantha. Ze had ertegen geprotesteerd, omdat ze er niet aan herinnerd wilde worden dat ze vandaag zevenendertig werd. Maar haar vrienden waren er niet vanaf te brengen geweest, vooral Hilary niet die, nu de kleine Winifred ruim een jaar oud was, de vrijheid had haar nieuwe leven te beginnen.

Hilary had geluk gehad. Na het ongeluk op de trap had ze rustig met Darius kunnen praten die had beloofd, hoewel hij het allemaal nog niet helemaal begreep, anticonceptiemiddelen te gebruiken en Hilary wat meer vrijheid te gunnen. Hij bleef weigeren haar een eigen chequeboekje te geven, maar in alle andere opzichten was hij in ieder geval bereid mee te werken. Samantha's gedachten waren ook bij Jenny. Hilary had haar lange weg van het moederschap beëindigd, en Jenny begon juist. Hoewel de aanstaande geboorte (ze was over twee weken uitgerekend) met vreugde werd verwacht, kon Samantha toch een zekere bezorgdheid niet van zich afzetten. Jenny was vreselijk zwaar, en toen Samantha haar onderzocht, dacht ze twee hartjes te horen. Een tweeling zou leuk zijn, maar het verhoogde ook de kans op complicaties. Samantha wenste dat ze meer wist over Jenny's achtergrond.

Jenny zelf wachtte rustig en geduldig af. Alsof het grootste levensdoel werd bereikt, beidde ze uiterst vredig haar tijd, met haar handen op haar enorme buik, terwijl Adam niet van haar zijde week.

Samantha concentreerde zich weer op de operatie. De baarmoeder was nu verwijderd, en nadat ze de buikholte had schoongespoeld om beter te kunnen zien, inspecteerden Willella en zij de andere organen; vervolgens maakten ze de wond dicht.

'Zuster, wilt u dr. Johns alstublieft vragen deze uterus te onderzoeken? En als dr. Rawlins ook in het lab is, wilt u hem dan zeggen dat ik over een half-uur kom?'

Terwijl ze met de hechtingen begon, merkte Samantha dat ze opgewonden raakte. Na haar ronde zouden zij en Mark naar Horace Chandler gaan, om de laatste hand te leggen aan het artikel over Sara Fenwick.

Ongetwijfeld zou hun plan – de ontmaskering van de toonaangevende geneesmiddelenfabrikant in Amerika – een sensatie teweegbrengen. Toen Horace Chandler het contract met Ayer had gepubliceerd, onder de kop 'Geneesmiddelenfabrikant Spot met de Persvrijheid' was de verkoop van Ayers bitter scherp gedaald, *Woman's Companion* werd overspoeld met brieven, en de advocaten van Ayer hadden Chandler een bezoek gebracht. Kennelijk las het publiek wat ze publiceerden, en het vroeg om meer.

Nu, Cy Jeffries had ervoor gezorgd dat het volgende artikel een van de sensationeelste stukken was dat ooit van de persen was gerold.

De man van Pinkerton had fenomenaal goed werk verricht. Nadat hij kans had gezien een baantje te krijgen op de verzendafdeling van Fenwick, had de detective nog sensationeler materiaal ontdekt dan ze hadden durven hopen. Hij had gehoord dat voor vele van de gepubliceerde brieven werd betaald (vijfentwintig dollar voor iedere vrouw die een brief zou schrijven waarin ze beweerde dat ze was genezen) en hij had gezien dat de werkomstandigheden in de bottelarij verre van hygiënisch waren. De grote doorbraak was gekomen toen hij zich toegang had verschaft tot de correspondentiekamer waar, zoals de advertenties van Fenwick beweerden: 'Geen Man Ooit Een Voet Zet.' Jeffries telde diverse mannelijke werknemers en zag dat twee jongens in een hoekje stonden te gniffelen over een brief die net was binnengekomen.

De grootste vondst was echter de foto.

Horace Chandler ging die publiceren op de eerste pagina van het septembernummer. Het was een foto van Sara Fenwicks grafsteen, waarop de data duidelijk te lezen waren: Sara Fenwick was zes jaar voor de oprichting van het bedrijf overleden. Eronder zou Horace een gedeelte uit hun advertentie reproduceren waarin stond: 'Mevrouw Fenwick kan in haar salon meer doen voor de zieke vrouwen in dit land dan welke dokter ook.'

Mark en Samantha hadden ook hun bijdrage geleverd. In het lab had Mark een gedegen analyse gemaakt van het drankje, waarbij hij had ontdekt dat het niet zo onschadelijk was als ze hadden gedacht. Een van de ingrediënten was een vruchtafdrijvend middel. Samantha op haar beurt had een aantal brieven naar Sara Fenwick geschreven, zonder haar titel bij haar naam te vermelden. In de eerste beschreef ze een vaag gevoel van zich onwel voelen en Sara Fenwick antwoordde met de raad iedere dag een eetlepel van het drankje in te nemen. Samantha stuurde een tweede brief, waarin ze haar symptomen verder aandikte, en Sara Fenwick antwoordde dat ze de dosis moest verdubbelen. Samantha schreef toen dat haar dokter haar een operatie had aanbevolen en Sara Fenwicks reactie was dat een halve fles per dag Samantha van de scalpel zou redden.

Er was zo veel materiaal dat Horace Chandler besloot bijna het hele septembernummer van *Woman's Companion* aan Sara Fenwick te wijden. Behalve het artikel over Fenwick, publiceerde hij nog minder belangrijke, aanvullende ontmaskeringen. Op aanraden van Samantha en Mark richtte Horace zich op Wertzs bitters, Tante Trudy's Kickapoo kuur en Sears geheime vloeibare geneesmiddel. Voor dit laatste was Horace van plan de advertentie uit de Sears-catalogus over twee pagina's te reproduceren: een foto van een vrouw die stiekem iets in de koffie van haar niets vermoedende echtgenoot giet; er werd gesuggereerd dat dit zijn nachtelijke zwelgpartijen zou tegengaan. Horace's bijschrift zou luiden: 'Inderdaad houdt ze hem zo wel thuis 's avonds, want het middel bevat zo veel narcoticum dat hij gevloerd wordt zodra hij zijn koffie op heeft.' Verder onder de kop 'Voor het geval de vloeistof tè goed werkt' een reproduktie van Sears geneesmiddel voor de opium- en morfineverslaafden. Het hele nummer verscheen onder

411

motto, dat in felrode letters op het omslag stond: CAVEAT EMPTOR, *Kopers, Opgelet!*
Terwijl Samantha mevrouw Sargents wond verbond, kwam zuster Constance de operatiekamer binnen. 'Dr. Hargrave, mevrouw Rawlins vraagt of ze u op uw kantoor kan spreken.'
'Jazeker, Constance. Wil je alsjeblieft bij mevrouw Sargent blijven tot ze bijkomt?'

'Hallo, Lilian,' zei ze toen ze haar kantoor binnenliep. 'Kan ik je een kopje thee aanbieden?'
'Nee, dank u, dokter.'
Samantha liep om haar bureau heen en vroeg zich af wat de reden van dit bezoek was. Lilians behandeling was beëindigd – Samantha kon niets meer voor haar doen. Lilian en Mark moesten nu samen een oplossing vinden. Bovendien was het lunchtijd in het ziekenhuis en Lilian hielp om deze tijd altijd bij het voeren van de kinderen.
'Wat kan ik voor je doen, Lilian?' zei Samantha terwijl ze ging zitten en haar handen gevouwen op het bureau legde.
'Dr. Hargrave, ik wil u bedanken voor alles wat u voor me hebt willen doen. De behandeling, de goede raad, uw medeleven. Het was meer dan de andere artsen hebben gedaan.'
'U mag de hoop niet opgeven.'
'Maar dokter, ik heb alle hoop al lang opgegeven.'
Samantha keek haar strak aan. Het was er zo rustig uitgekomen, zo beheerst, en haar houding was ontspannen. Ze gedroeg zich als een vrouw die zich ergens bij heeft neergelegd. 'Alsjeblieft, geef het nog niet op,' zei Samantha.
Lilian stak een gehandschoende hand op. 'Nee, dr. Hargrave. Toen ik in St.-Louis de hoop had laten varen, heb ik me bij mijn lot neergelegd. Maar toen ik hier kwam gaf u me nieuwe hoop en daar ben ik dankbaar voor. Maar een derde keer, dat kan ik niet, dokter. Ik zou het niet kunnen verdragen.'
'Maar er is geen reden om u er nu al bij neer te leggen.'
'Ik word dit jaar veertig, dokter. Ik ben laat getrouwd. Eerlijk gezegd, toen ik Mark ontmoette, had ik me al verzoend met het idee dat ik een oude vrijster zou worden. Ik koester geen illusies meer. Ik begrijp nu dat het nooit voor me was weggelegd.'
Samantha zei vriendelijk: 'U moet echt niet denken dat u te kort geschoten bent omdat u geen tweede kind hebt kunnen baren. Voor de jongens en meisjes op de Kinderafdeling bent u een goede moeder.'
'Ik doel niet op het moederschap, dokter. Toen ik zei dat het nooit voor me was weggelegd, had ik het over mijn huwelijk met Mark.'
De twee vrouwen keken elkaar strak aan.
'We waren verliefd op elkaar toen we trouwden, dr. Hargrave,' klonk de rustige stem, 'en we houden nog steeds van elkaar, maar de laatste ander-

half jaar, hier in San Francisco, heb ik veel nagedacht en aan zelfonderzoek gedaan. Ik weet nu dat mijn bedoelingen niet zuiver waren toen ik met Mark trouwde. Ik was eenzaam. Ik was de dertig gepasseerd en ik was bang om over te blijven. En ik verlangde wanhopig' – haar stem daalde tot gefluister – 'wanhopig naar een kind.'

Lilian haalde eens diep adem en ging verzitten. 'Mark en ik hadden eigenlijk niets gemeenschappelijks. Ach ja, toneelstukken, gedichten, dat soort dingen wel, maar niets wezenlijks, niets dat standhield. Toen ik in New York bij familie op bezoek was, ontmoette ik Mark tijdens een picknick. Ik geloof dat hij zich om dezelfde redenen tot mij aangetrokken voelde: hij wilde een gezin stichten. En ik geloof dat we, als we een gezin hadden gehad, een gezamenlijke belangstelling hadden gehad. Maar nadat' – ze keek naar haar handen – 'nadat onze baby was gestorven, zijn we langzaam uit elkaar gegroeid. Mark werd rusteloos in St.-Louis. Hij wilde meer dan een gewone huisartsenpraktijk. Toen de universiteit hem uitnodigde, zag hij dat als dè kans van zijn leven. Hoewel ik niet bij mijn familie weg wilde, wilde ik toch ook doen wat voor Marks carrière het beste was, en daarom stemde ik in met een verhuizing.'

Lilian hief haar hoofd en keek Samantha vol aan. 'Mark vond hier in San Francisco wat hij zocht. Hij is nu gelukkig, zijn werk neemt hem helemaal in beslag. En daar ben ik blij om.'

Samantha vouwde haar handen open en ging achterover zitten.

'Dr. Hargrave, ik wil naar huis.' Voor het eerst verried Lilians kalme uiterlijk enige emotie: haar kin trilde. 'Ik verlang naar mijn familie. Ik wil mijn neefjes en nichtjes in de armen sluiten. Ik hunker ernaar, ik voel me zo leeg. Ik weet wel dat ik hier de kinderen van de Kinderafdeling heb, maar die zijn er maar zo kort. Als ik aan ze gehecht ben geraakt, dan gaan ze weer weg. Ik ben bang van ze te gaan houden vanwege het verdriet dat erop volgt. Dr. Hargrave, ik wil kinderen die bij me blijven, kinderen die in zekere zin bij me horen, van mijn eigen vlees en bloed zijn. Mijn zusters...' Haar stem haperde.

Samantha stond op en trok aan het schellekoord. Toen ging ze naast Lilian zitten.

'Mijn zusters,' vervolgde ze, 'willen dat ik naar huis kom, dr. Hargrave.' Lilians lichtbruine ogen schoten vol tranen. 'Daar hoor ik thuis.'

Eindelijk kwamen de tranen. Samantha gaf haar een zakdoek; ze vertrouwde haar eigen stem niet.

Even later vermande Lilian zich weer. 'Ik houd van Mark, dr. Hargrave, en ik zou hem voor geen goud verdriet willen doen. Maar ik ben niet de vrouw met wie hij had moeten trouwen. Ik kan hem niet geven wat hij nodig heeft – ik kan de belangstelling voor zijn werk niet met hem delen. Eerlijk gezegd, dokter, vind ik zijn werk in dat laboratorium onplezierig. Ik bewonder wat hij doet, maar ik hoor hem er liever niet over praten en ik heb zo het gevoel dat hij mijn voortdurende gepraat over mijn neefjes en nichtjes vervelend vindt.'

413

Er werd geklopt en zuster Hampton verscheen. 'Wil je ons alsjeblieft wat thee brengen?' vroeg Samantha gespannen.

Nadat de deur weer dicht was, zei Lilian: 'Dit is geen overhaaste beslissing, dokter. Ik heb er maandenlang over nagedacht. Toen mevrouw Gant vorig jaar haar baby kreeg, was ik buiten mezelf van verlangen. Dr. Hargrave, ik ga naar huis.'

Samantha had haar willen vragen: Heb je het Mark verteld? Wat zegt hij ervan? Maar ze bleef zwijgen.

Alsof ze haar gedachten kon lezen, vervolgde Lilian: 'Mark is helemaal niet gelukkig met mijn besluit. Ik heb het hem gisteravond verteld. We hebben lang zitten praten. Het was ons eerste eerlijke gesprek sinds lange tijd. Hij wijt het aan zichzelf en ik kan hem niet van het tegendeel overtuigen.'

Haar stem werd krachtiger. 'Mark en ik behoren tot verschillende werelden. Liefde alleen is niet genoeg. Het is ook een kwestie van vervulling. *Ik* heb behoefte aan de kinderen van mijn zusters, en Mark heeft behoefte aan zijn werk en carrière. Maar ik kan mijn wensen hier in San Francisco niet vervullen, en hij kan zijn droom niet in St.-Louis verwezenlijken. We staan elkaar in de weg en verhinderen elkaar te bereiken wat we eigenlijk willen, en dat strookt niet met het doel van een huwelijk. Hij moet hier blijven, en ik moet terug naar St.-Louis.'

Eindelijk was Lilian uitgepraat, alsof ze een toespraak uit haar hoofd had geleerd en die had beëindigd. Samantha dacht, waarom vertel je me dit allemaal. Maar ze wist de reden wel...

Toen zuster Hampton een blad binnenbracht, zei Samantha: 'Wil je samen met mij theedrinken, Lilian?'

Mevrouw Rawlins forceerde een glimlach. 'Graag, dr. Hargrave.'

Nog lang daarna zat Samantha in haar kantoor; ze had gevraagd om niet gestoord te worden, en toen ze zover was, stond ze op en liep de gang in. Ze daalde de trap af die naar de keuken, de wasserij en het mortuarium leidde, en stond aarzelend stil voor de deur waar LABORATORIUM op stond.

Toen ze naar binnen ging, zag ze Mark bij zijn microscoop staan. Hij keek op.

11

Jenny hield voet bij stuk. Al stond Samantha erop dat ze in het ziekenhuis zou bevallen, haar dochter wilde er niet van horen. Adams kind zou thuis worden geboren, in Adams aanwezigheid.

'Maar er kunnen zich complicaties voordoen,' pleitte Samantha.

'Geen complicaties,' gebaarde Jenny. 'Alles is prima.'

Niettemin zorgde Samantha voor een complete set verloskundige instrumenten en vroeg Willella of ze haar wilde helpen als dat nodig mocht zijn.

414

Jenny stak de draak met haar moeders angst. Ze zag de komende gebeurtenis met dezelfde serene kalmte tegemoet als waarmee ze alles in haar leven bekeek.

'Ik weet het niet,' zei Samantha handenwringend. 'Ze is te zwaar. En ik hoor nog maar één hartje. En ze is een week over tijd.'

'Dr. Hargrave,' zei Willella, 'luister nu eens goed naar wat u zegt. Jenny is helemaal niet te dik, u weet niet zéker of u wel twee hartjes hebt gehoord en het is heel gewoon dat een eerste kind een beetje over tijd is.'

Het was een drukkende avond in juni. Ze zaten allemaal in de salon bij Samantha limonade te drinken en probeerden het beetje koelte dat er was via het open raam op te vangen. Willella wuifde zich koelte toe en wenste dat ze haar korset een beetje kon laten vieren. Hilary, die weer even slank was als toen ze met Darius trouwde, had geen last van de warmte – de gloed op haar voorhoofd werd veroorzaakt door bezorgdheid om Jenny. De heren hadden hun colbertjes uitgetrokken en hun boordjes losgemaakt. Darius voegde een hartversterkertje aan zijn limonade toe en aan die van Stanton, maar Mark had geweigerd. Hij leunde tegen de deurpost, met zijn handen in zijn zakken en keek uit over de stad met al haar lichtjes. Samantha wist waar hij was met zijn gedachten.

Juffrouw Peoples verscheen op de trap.

'Hoe gaat het met haar?' vroeg Samantha en liep naar haar toe.

'Het gaat uitstekend, dokter. Ze rust eventjes. Meneer Wolff past op haar. Ik vond dat ik nog maar wat limonade moest maken.'

Samantha had zo'n drukte gemaakt aan Jenny's bed, dat die haar uiteindelijk had gevraagd om weg te gaan. 'Ik word doodmoe van je, moeder. Laat me alsjeblieft even rusten. Ik roep je wel, dat beloof ik.'

Beneden had zowel Willella als Hilary er bij Samantha op aangedrongen haar dochter wat rust te gunnen. Samantha's moederlijke bezorgdheid maakte Jenny alleen maar zenuwachtig.

'Je zou bijna gaan denken,' zei Willella glimlachend, 'dat dr. Hargrave niet al talloze baby's had gehaald.'

'Ik denk dat het anders is als het om je eigen dochter gaat.' Hilary dacht aan haar eigen Merry Christmas, dertien jaar oud en op de drempel van haar vrouw-zijn. Het zou niet lang duren of Hilary zou hetzelfde doormaken als Samantha nu.

'Ik moet echt naar boven,' zei Samantha.

Maar Willella stond op. 'Laat ik maar eens gaan kijken, dokter. Ik bezorg het arme kind tenminste geen doodsschrik.'

Samantha liep met haar mee naar de deur en zei zachtjes, zodat de anderen het niet konden horen: 'Blijf vijf minuten bij haar en controleer hoe vaak de weeën komen. Ze had een uur geleden vier centimeter ontsluiting en ze beweerde nog steeds dat ze niets voelde.'

Willella gaf haar een klopje op haar hand. 'Ik weet wel wat ik moet doen, hoor dokter.'

Weer handenwringend liep Samantha de salon binnen en ging bij Mark staan. De warme avondlucht was doordrongen van de zoete geur uit de tuin: de bloemen, de perzik- en abrikozebomen, en het pas gemaaide gras. Af en toe ving ze een pittige rooklucht op, een teken dat haar buren zich wijdden aan een Californische specialiteit: de barbecue.

Mark keek op haar neer en glimlachte. 'Hoe gaat het met je?'

'Goed. En met jou?'

'Ik stond net te denken.'

'Waaraan?'

Hij bleef haar aankijken. 'Ik dacht aan Lilian. Ik vraag me af of ze het wist, of ze voelde wat jij en ik voor elkaar betekenen. Als dat zo is, dan is ze nog geweldiger dan ik had gedacht.'

'Ze is nu gelukkig, Mark. Haar jongste zuster is weer in verwachting.'

'Ja...' Hij keek weer uit over de tuin.

Hoewel Samantha en Mark vele uren over Lilian hadden zitten praten, bleef iets heel belangrijks altijd onuitgesproken: hun eigen plannen voor de tijd na de scheiding. Het was alsof Mark er niet over wilde praten en Samantha wilde niet aandringen. Maar ze dacht er wel aan, en hoopte...

'Alles gaat goed,' verkondigde Willella toen ze de salon weer binnenkwam. 'Jenny ligt er uitstekend bij.' Ze liep naar Samantha toe en zei zachtjes: 'De weeën komen om de vijf minuten en ze heeft zes centimeter ontsluiting.'

'Heeft ze veel pijn?'

'Ze zegt van niet. Ik voelde wanneer ze een wee had en ik heb naar haar gezicht gekeken. Ik geloof dat het mij meer pijn deed dan haar!'

Nu wist Samantha pas wat vaders doormaakten in hun speciale wachtkamertje in het Ziekenhuis. Het was het enige vertrek waar gerookt mocht worden, en hoewel drinken verboden was, wist al het personeel dat het binnen werd gesmokkeld.

Juffrouw Peoples kwam terug met een kan verse limonade en een schaal Chinese amandelkoekjes. Terwijl Darius zijn eigen en Stantons glas bijvulde – en er een scheutje uit zijn flacon bij deed – pakte Hilary een spel kaarten en vroeg of Willella zin had in een spelletje. Samantha liep weer naar de openstaande deuren, waar ze samen met Mark zwijgend bleef staan.

Even later keek Willella op van haar kaarten en zei: 'De katten zijn vanavond actief! Er is zeker een poes in de buurt. Hoor die kater eens!'

Samantha luisterde glimlachend naar het indringende gemiauw in de verte. Katten hadden het maar goed; hun behoeften waren snel bevredigd. Als ze iets wilden hebben, eisten ze het gewoon op. Geen ingewikkelde spelregels, geen diplomatie, geen manieren of etiquette...

'Dat is geen kat!' zei Mark en kwam bij de deur vandaan.

'O mijn god!' riep Samantha uit.

Zij en Willella vlogen de trap op, terwijl de anderen met bezorgde gezichten in de salon achterbleven. Samantha klopte niet, ze stormde de kamer binnen.

Adam keek op, glimlachte, en wijdde zich toen weer aan het kleine lijfje dat hij met een zachte doek schoon veegde.

'Jennifer!' zei Samantha en haastte zich naar het bed. Ze onderzocht eerst de baby – hij maakte het uitstekend; toen, met tranen in haar ogen, half lachend en half huilend, maakte ze bruuske, vermanende gebaren naar dochter en schoonzoon.

Adam legde de baby even neer, lang genoeg om te gebaren: 'Het was niet nodig om u erbij te halen, moeder,' waarna hij de baby weer oppakte en hem in Jenny's afwachtende armen legde.

Maar Jenny werd al gauw moe en vond het ten slotte goed dat de twee artsen het overnamen. Samantha bestudeerde het kind nog eens aandachtig. Hij was in alle opzichten recht van lijf en leden, en nu al, vond ze, heel mooi. Als hij opgroeide zouden ze allemaal kunnen zien hoe Adam er eigenlijk uitzag.

Samantha ging op de rand van het bed zitten en gebaarde: 'Hoe gaan we hem noemen?'

Adam zei: 'We hebben Richard gekozen – naar de koning.'

Samantha kon haar tranen niet langer bedwingen. Ze vielen in grote druppels op de sprei. 'Richard Wolff. Wat een prachtjongen.'

Toen het nieuws de salon beneden bereikte, mompelde Stanton Weatherby iets over 'koppige vrouwen, die Hargraves' en vulde zijn glas nog eens bij, waarbij hij deze keer de limonade maar helemaal achterwege liet.

12

Het 'Caveat'-nummer kwam in september in de kiosken en was in drie dagen uitverkocht. Het kantoor van *Woman's Companion* werd overspoeld door telefoontjes en brieven; de persen konden de vraag niet bijhouden. Aan het eind van die week kwamen er telegrammen uit alle delen van het land – andere tijdschriften die om exemplaren vroegen – en nog een paar dagen later werd de goudkoorts van de voorpagina van alle kranten in het land verdrongen. De meningen liepen uiteen van een oproep om het hoofdkwartier van *Woman's Companion* plat te branden, tot openlijke lof van de *Saturday Evening Post*. Samantha's pamfletten verdwenen snel van de receptie in het Ziekenhuis en haar drukker kon de voorraad nauwelijks op peil houden. San Francisco gonsde ineens van het schandaal; overal zag je mensen met opgerolde exemplaren van *Woman's Companion* onder de arm; apothekers werden belaagd met vragen en door mensen die hun geld terug wilden. Binnen een maand was de verkoop van Sara Fenwicks wonderdrank gekelderd.

'Maar dit wil nog niet zeggen dat de mensen patentgeneesmiddelen afzweren,' zei Horace van achter zijn met telegrammen bezaaide bureau. 'Op dit moment is het gewoon gek om een flesje wonderdrank in huis te hebben. Mijn informanten vertellen me dat de verkopen van andere merken zijn gestegen. Wat we nu moeten doen,' zei hij tegen Samantha en Mark, 'is het vuur aanwakkeren. We hebben de mensen verontwaardigd gekregen, ze zijn laaiend, en die energie moeten we kanaliseren tot de roep om wetswijzigingen.' Hij maakte een handgebaar naar alle brieven en telegrammen. 'Dit ziet er misschien indrukwekkend uit, maar vanuit Washington klinkt een onheilspellende stilte. Zoals het spreekwoord luidt: We moeten het ijzer smeden nu het heet is.'

Hierna stelden ze vijf van de populairste medicijnen in het land aan de kaak en redigeerden een februarinummer 'dat 1898 een knallend begin zou bezorgen'.

Op een regenachtige middag in november kwam Mark naar Samantha's kantoor. Hij had net per post zijn kopie van de scheidingsdocumenten gekregen van Lilians advocaat; ook had hij een brief ontvangen.

Samantha ging bij het raam in het licht staan om hem te lezen.

'Mijn lieve Mark,' luidde Lilians brief. 'Ik hoop dat alles goed met je gaat. Ik kan je niet zeggen hoe gelukkig ik ben. Deirdre weet zeker dat ze deze keer een tweeling krijgt, en als dat zo is zal ik daar letterlijk mijn handen aan vol hebben! Ik ben nu zo tevreden en gelukkig, lieve Mark, te midden van mijn familie. Ik heb het gevoel dat ik hier thuishoor en dat hier mijn bestemming ligt. Isabels huis is altijd een en al leven en ik heb nooit een moment voor mezelf, want er wordt altijd wel bij me aangeklopt! Iedereen zegt dat ik de kinderen verwen, maar weet je, Mark, eigenlijk verwen ik mezelf. Ik vraag me wel eens af waaraan ik zoveel geluk heb verdiend.

We lezen allemaal dat geweldige tijdschrift van je en we zijn allemaal vreselijk trots op jou en dr. Hargrave. Ik ben er trots op dat ik jullie heb gekend. Moge God jullie zegenen.'

Samantha bleef lange tijd bij het raam staan staren naar Lilians keurig verzorgde handschrift; toen wendde ze zich tot Mark.

'Ik heb vanmorgen ook nieuws gehoord,' zei ze gespannen. 'Horace is vanmorgen langs geweest.' Ze pakte een envelop van haar bureau en reikte hem Mark aan. 'We komen voor de rechter, Mark. Sara Fenwick begint een proces tegen ons.'

Maar hij maakte de envelop niet open. Over het bureau heen keek hij haar strak aan, zonder de verre straatgeluiden of een voorbij komende brancard op de gang te horen.

Samantha zei: 'O Mark...'

Met één grote stap kwam hij om het bureau heen en nam haar in zijn armen. Samantha verborg haar gezicht in zijn hals. Toen zijn mond de hare ontmoette, volgde een lange, ongehaaste kus. Ze wisten nu dat ze alle tijd van de wereld hadden.

13

De ironie van het toeval ontging niemand toen het februarinummer van *Woman's Companion*, getiteld 'Het Schandaal Schrijdt Voort', op dezelfde dag verscheen dat de zaak Sara Fenwick versus *Woman's Companion* voor de rechter kwam. Beide kwesties waren zo sensationeel dat het andere nieuws die dag – het zinken van de *Maine* in de haven van Havana – maar weinig aandacht kreeg in de kranten van San Francisco. Het gerucht deed de ronde dat Sara Fenwick Company zo woedend was over het september-nummer, dat het bedrijf van plan was *Woman's Companion* het zwijgen op te leggen en dr. Hargrave en haar Ziekenhuis een slechte naam te bezorgen.

Op de avond voor het proces had Hilary iedereen te dineren gevraagd, alsof ze de stad wilde laten zien dat zij niet bang waren voor het op handen zijnde conflict. Achter de schermen echter voelde men wel degelijk angstige spanning.

Samen met Samantha en Mark zaten hun intiemste vrienden aan de lange tafel: de Masons, de Gants, Horace en Gertrude Chandler, Stanton Weatherby en Willella Canby, Merry Christmas, Jennifer en Adam. De kleine Richard lag boven in dezelfde kinderkamer waarnaar zijn moeder eens werd verbannen als de volwassenen feest vierden; bij hem waren de andere kinderen van de familie Gant en de drie wildebrassen van de Masons. Op Hilary's menu stond rosbief met Yorkshire pudding en jus, aardappelen in de schil, en als dessert een echt Engels gerecht, bestaande uit wel zes lagen van onder andere custardvla, fruit en room. Darius had wijn gehaald uit zijn privé-voorraad waardoor iedereen in een goede stemming kwam, hoewel de gedachte bij Stanton Weatherby opkwam dat dit diner wel iets had van een galgemaal.

Hoewel iedereen wat prikkelbaar was, werd het toch nog een feestelijke maaltijd.

'Wat ik niet begrijp,' zei Darius en beet in een spruitje, 'is waarom die gekken beslist een proces willen voeren! Een onderhandse schikking lijkt me veel eerder in hun belang. Een proces kan hen alleen ongunstige publiciteit opleveren.'

'Integendeel,' zei Stanton, die zijn verdediging al had opgesteld. 'Fenwick denkt dat dit *goede* publiciteit voor hen is. Ze geloven dat zij uit het proces als martelaars naar voren zullen komen. Ze zijn niet helemaal achterlijk. Hun advocaten zijn de besten die er voor geld te koop zijn. Zij zorgen er wel voor, Horace, dat alles wat je hebt gepubliceerd wordt verdraaid, zodat jij voor leugenaar wordt gezet. Vervolgens vinden ze er wel iets op om Samantha's en Marks reputatie te bezoedelen en hun geloofwaardigheid in een kwaad daglicht te zetten. De pers zal ieder vuiligheidje breed uitgemeten op alle voorpagina's in het hele land brengen.'

Samantha huiverde bij het idee. Zouden ze erachter kunnen komen dat er vijftien jaar geleden een onwettig kind was geboren? Ze keek naar Mark aan de andere kant van de tafel en hij glimlachte haar geruststellend toe. Met Mark naast haar zou Samantha niet bang zijn.

Hun verdediging zou niet eenvoudig zijn. Vanwege de fijngevoelige kwestie – de intieme problemen van vrouwen – zou het erg moeilijk zijn getuigen à décharge te vinden. Samantha maakte zich bezorgd om de patiënten die schade hadden ondervonden van het drankje en die nu bereid waren in de getuigenbank te verschijnen.

'Ik kan nog steeds niet begrijpen,' zei Darius, 'hoe iemand in dit stadium aan *hun* kant kan staan.'

'Dat is niet zo verwonderlijk,' antwoordde Stanton. 'In de allereerste plaats is Sara Fenwick een oud en bekend gezicht in de Amerikaanse huiskamers. Ze is een symbool voor moederschap en vrouwelijke kuisheid. Ik wil wedden dat er geen dressoir in dit land is zonder een flesje van dat drankje erin. Fenwick is een goed bekend staand bedrijf, net zo typisch Amerikaans als baseball, en de mensen vinden het niet leuk als hun idolen worden aangevallen. Een heleboel mensen geloven dat wij hen van hun vrijheden willen beroven. Overheidscontrole op geneesmiddelen? Wat is de volgende stap? Hoe lang duurt het dan nog tot we een regering hebben die uitmaakt wat we mogen denken?'

'Maar daar gaat het helemaal niet om!' bulderde Darius. 'Wij willen alleen maar dat er eerlijk op het etiket staat hoe een geneesmiddel is samengesteld, zodat de mensen zèlf kunnen uitmaken of ze vergiftigd willen worden! Wij ontzeggen de mensen geen vrijheid, wij beschermen die juist!'

'Darius, lieveling,' zei Hilary en klopte hem op de arm, 'we zijn het allemaal met je eens. Je hoeft niet zo te schreeuwen.'

'Ik vrees dat er tijdens het proces een heleboel geschreeuwd zal worden,' zei Stanton. 'Plus nog heel wat andere narigheid.'

Even was iedereen stil, waarna Stanton er rustig aan toevoegde: 'Ambrose Bierce heeft een gerechtelijk proces eens omschreven als een machine waar je als varken ingaat en als een saucijsje weer uitkomt.'

Niemand lachte.

De rechtszaal was tot de nok toe gevuld. De mensen hadden een uur voor de deuren opengingen al in de rij gestaan. Het was flink rumoerig en er werd druk gebruik gemaakt van de kwispedoors; het vertrek stond vol rook, er klonken luide mannenstemmen en af en toe plofte er een flitslampje, terwijl de verslaggevers achter de perstafel al het begin zaten te krabbelen van hun kleurrijke verslagen. Er waren geen vrouwen aanwezig, want de rechtszaal was alleen toegankelijk voor mannen.

Isaac Venables was de rechter, een man die bekend stond als eerlijk en onbevooroordeeld. De jury (die uitsluitend uit mannen bestond, want vrouwen namen geen zitting in een jury) was streng geselecteerd en kwam nu de banken innemen, terwijl het hof zijn gesprekken staakte en opstond. Samantha was de enige vrouw in de zaal en toen zij samen met Mark en Horace aan de tafel van de verdediging ging staan, waren aller ogen op haar gericht. 'De aantrekkelijke dr. Hargrave,' noteerde een journalist op zijn notitieblok, 'was opvallend elegant gekleed in een uiterst eenvoudige japon; ze heeft een vorstelijke houding, alsof ze een koningin is die terechtstaat, en de trotse manier waarop ze het hoofd hoog houdt, toont een onverzettelijkheid en een moed die men bij het zwakke geslacht zelden aantreft.'

420

De drie gedaagden – Samantha Hargrave, Mark Rawlins en Horace Chandler – werden ervan beschuldigd 'smadelijke en schadelijke aantijgingen' te hebben geuit jegens 'een oud, alom geacht bedrijf'. Magnesiumpoeder ontplofte in de flitsapparaten van de fotografen, rechter Venables sloeg met zijn hamer op tafel en het proces nam een aanvang.

Cromwell, de eerste raadsman voor de aanklager John Fenwick, begon zijn openingsbetoog, een langdradig, bloemrijk verhaal dat de twaalf leden van de jury moest doordringen van de ongekende laaghartigheid van de schanddaad die de drie beklaagden hadden begaan. Berrigan, de jonge partner van Stanton Weatherby, antwoordde met een betoog waarin hij niet alleen Cromwells beschuldigingen van de hand wees, maar ook aankondigde dat hij het onweerlegbare bewijs zou leveren van de misdadige bedoelingen van Fenwick.

Cromwell riep zijn eerste getuige op.

Dr. Smith was een gedrongen, bebrild mannetje, dat door een creatieve verslaggever werd geschetst als een mol in een wit pak. Hij was de oudste chemicus in de fabriek van Fenwick.

'Dr. Smith, wilt u ons alstublieft de samenstelling van de wonderdrank vertellen?'

'Jazeker. Het bevat fenegriekzaad, levenswortel, zwarte kokos, eenhoornwortel en pleuritiswortel.'

'Bevat de drank ook alcohol?'

'Inderdaad.'

'Met welk doel?'

'Om het chemisch evenwicht te bewaren.'

'Heeft Fenwick Company ooit geprobeerd het percentage alcohol geheim te houden?'

'Nee, meneer Cromwell. We nodigen een ieder uit om een gedetailleerde beschrijving van de samenstelling aan te vragen.'

'Als een vrouw een kuur met Fenwick wil doen, is ze dan gedwongen alcohol tot zich te nemen?'

'Nee, want het middel bestaat ook in tabletvorm.'

'Zijn u gevallen van alcoholverslaving bekend die te wijten zouden zijn aan het gebruik van Sara Fenwicks wonderdrank?'

'Nee, daar weet ik niets van.'

'Zo, dr. Smith.' Cromwell, een reus van een man met een ruige, rode baard die over zijn bef hing, vulde de rechtszaal met zijn prachtige stem. 'Onder welke omstandigheden wordt de drank gefabriceerd?'

'Wat bedoelt u?'

'Is het laboratorium schoon of vies?'

'Maar meneer, het is er steriel!'

'Heeft u de leiding van het laboratorium?'

'Inderdaad.'

'In hoeverre houdt u oog op het proces?'

'Ik volg het stap voor stap.'

'Is het mogelijk dat er ongerechtigheden of schadelijke ingrediënten in de drank terechtkomen?'

'Nee, dat is onmogelijk.'

'Zouden er schadelijke bacteriën in kunnen komen?'

'Nee, meneer Cromwell. Iedere fase van het fabricageproces vindt plaats onder uiterst steriele omstandigheden.'

'Nog één vraag, dr. Smith. Zou u er bezwaar tegen hebben als uw vrouw of uw dochter Sara Fenwicks wonderdrank innam?'

'Zeker niet.'

'Dank u. Geen vragen meer, edelachtbare.'

Berrigan, Stantons ernstige, jonge partner, verhief zich in al zijn magere lengte, en had wel iets van een blonde Abe Lincoln. Samantha kon er niets aan doen, maar ze twijfelde aan zijn bekwaamheid. Hij maakte een veel te jongensachtige indruk.

'Goedemorgen, dr. Smith,' zei hij glimlachend en met zijn voeten schuifelend. 'Ik zal het niet lang maken. Ik weet dat u graag weer terug wilt naar uw gezin. Tussen twee haakjes, hebben uw vrouw en uw dochter u naar San Francisco vergezeld?'

De chemicus kreeg een hoogrode kleur. 'Eh... ik heb geen vrouw en dochter.'

'O?' Berrigans blonde wenkbrauwen schoten omhoog en hij keek de rechtszaal rond. 'De vergissing is geheel aan mijn kant, dr. Smith! Ik zou *zweren* dat ik meneer Cromwell over uw vrouw en dochter hoorde spreken.'

'Ik neem aan dat hij het theoretisch bedoelde.'

'Ik begrijp het. Wel, dr. Smith, wanneer u zegt dat de drank onder steriele omstandigheden wordt gefabriceerd, wat bedoelt u daar dan precies mee?'

'Pardon?'

'Wilt u ter wille van de jury de term "steriel" nader aanduiden? Aangenomen natuurlijk dat er een andere definitie is dan die we meestal voor stieren gebruiken.'

Een waarderend gelach verspreidde zich door de zaal.

'Steriel betekent vrij van bacteriën.'

'En hoe maakt u uit of er al dan niet bacteriën aanwezig zijn, dr. Smith?'

'Hoe bedoelt u?'

'Hoe weet u of er in het laboratorium van Fenwick bacteriën aanwezig zijn of niet?'

'Tja, eh...'

'Controleert u dat onder een microscoop?'

'Ja, onder de microscoop.'

'Kunt u ons dan een voorbeeld geven van een bacterie? Kunt u bijvoorbeeld beschrijven hoe een cholera vibrio eruitziet?'

'Tja, ziet u, ik maak meestal gebruik van boeken als ik mijn controle uitvoer.'

'Natuurlijk, dat bewijst hoe gedegen u te werk gaat, dokter. Vertelt u eens, waar hebt u uw graad behaald?'

'Mijn graad?'

'In de scheikunde.'

De ogen van het kleine mannetje gingen schichtig naar de tafel waarachter John Fenwick en zijn advocaten zaten. 'Eh, aan het Jamestown College of Natural Sciences.'

'Was u intern op de universiteit toen u daar studeerde, of had u een kamer in de stad?'

'Ik protesteer, edelachtbare. Ik zie de zin van die vraag niet in.'

'Edelachtbare,' zei Berrigan, 'mijn volgende vraag maakt heel duidelijk waar ik heen wil. Kan ik verder gaan?'

'Protest afgewezen. Beantwoord de vraag, dr. Smith.'

'Nee, ik woonde niet op het terrein van de universiteit.'

'Waarom niet?'

'Omdat het Jamestown College...'

'Iets harder graag, dr. Smith.'

'Omdat het Jamestown College of Natural Sciences een instituut voor schriftelijk onderwijs is.'

'En hoe lang duurde die cursus?'

Dr. Smiths gezicht werd tomaatrood. 'Dat kan ik me niet meer herinneren.'

'Is het niet zo, dokter, dat men van die school een diploma kan verkrijgen door eenvoudigweg honderd dollar over te maken?'

Stilte. 'Inderdaad.'

'En u hebt op die manier uw graad in de scheikunde behaald?'

'Inderdaad.'

'Het is dus een *theoretische* graad!'

Er ging geroezemoes door de zaal en rechter Venables hamerde om stilte te verkrijgen.

'En is de Fenwick Company van die zogenaamde graad op de hoogte?'

'Ja.'

'Dank u, *dokter* Smith. Ik heb verder niets te vragen.'

Cromwell riep de volgende getuige op, dr. John Morgani, onderdirecteur van de Fenwick Company.

Cromwell streek peinzend met zijn hand door zijn baard. 'Kunt u het hof vertellen, dr. Morgani, wat uw functie is bij Fenwick Company?'

'Ik ben verantwoordelijk voor de produktie van het middel.'

'Ik dacht dat dat de taak van dr. Smith was.'

'Hij staat aan het hoofd van het laboratorium. Hij is aan mij ondergeschikt.'

'Dr. Smith volgt dus uw bevelen op?'

'Inderdaad.'

'Controleert u de toestand in het laboratorium wel eens?'

'Regelmatig.'

Aan de perstafel schetste de verslaggever die dr. Smith als mol had afgeschilderd, dr. Morgani als een fret.

'Hoe gaat u na of er bacteriën in het lab aanwezig zijn?'
'Onder een microscoop.'
'Kunt u ons vertellen, hoe een cholera vibrio eruitziet?'
'Ja, die heeft heel veel van een komma.'
'Wel, dr. Morgani, kunt u het hof vertellen waar u in de scheikunde bent afgestudeerd?'
'Aan de Johns Hopkins University in Maryland.'
'Woonde u op het universiteitsterrein of in de stad?'
De zaal begon te lachen, en rechter Venables hanteerde de hamer.
'Ik woonde op de campus.'
'En hoelang duurde de cursus die u hebt gevolgd?'
'Vier jaar.'
'Uw graad, dr. Morgani,' schalde Cromwells theatrale stem, 'is dus niet *theoretisch!*'
Terwijl de zaal in lachen uitbarstte, krabbelde Mark een aantekening en overhandigde die aan Stanton. 'Dat hebben ze met opzet gedaan.' En Weatherby schreef terug: 'Dat weet ik. Maar zo gemakkelijk komen ze er niet af. Let maar op.
Berrigan stond op voor het kruisverhoor, wendde zich tot het publiek en glimlachte verontschuldigend, waarna hij naar de getuigenbank beende. 'Johns Hopkins,' zei hij beminnelijk. 'Zeer indrukwekkend. Weet u, dokter, de samenstelling van het drankje is me niet helemaal duidelijk. Dr. Smith noemde een paar dingen waar ik nog nooit van had gehoord. Misschien kunt u die ingrediënten ter wille van de jury nader verklaren. Bijvoorbeeld die levenswortel die hij noemde. Staat dat ook nog bekend onder een andere naam?'
'Het wordt ook wel Indiaans kruid genoemd.'
'Waarom denkt u dat het zo genoemd wordt?'
'Ik heb geen idee,' antwoordde de chemicus ijzig.
De slungelige jonge advocaat liep terug naar zijn tafel en pakte er een boek vanaf. 'Ik heb hier, dr. Morgani, een exemplaar van John Kings *American Dispensary*. Kent u dat?'
'Ja.'
'Wilt u het hof alstublieft vertellen wat erin staat?'
'Het is een naslagwerk waar alle bekende kruiden in staan, met een beschrijving van hun eigenschappen, uitwerking en toepassingen.'
'Is het een betrouwbaar boek?'
'Het is een voortreffelijk naslagwerk.'
Berrigan slenterde terug naar de getuigenbank en bladerde het boek door. 'Ik vond hier het Indiaans kruid. Er staat dat het ook levenswortel wordt genoemd, maar er wordt ook vermeld dat het wel de "Vrouwelijke Regulator" heet. Wat denkt u dat dat betekent?'
'Het spreekt voor zichzelf, het betekent dat het gevallen van amenorroe kan genezen.'
'Wilt u die term ter wille van de jury nader verklaren?'

'Dat betekent het ophouden van de menstruatie, of maandelijkse ongesteldheid.'

'Indiaans kruid, of levenswortel zoals Sara Fenwick het noemt, herstelt de cyclus als die is weggebleven?'

'Inderdaad.'

'En wat zijn de oorzaken van amenorroe?'

'Er zijn vele oorzaken.'

'Is zwangerschap er een van?'

'Uiteraard.'

'In feite is levenswortel, en daarmee de drank, dus een vruchtafdrijvend middel.'

De mensen in de zaal schuifelden op hun stoelen heen en weer. Rechter Venables riep hen tot de orde.

'Dr. Morgani, is dat zo?'

'Maar zo wordt het niet aangeprezen!'

'Ja of nee, alstublieft. Zijn de ingrediënten van de drank vruchtafdrijvend?'

'Ja.'

Terwijl Berrigan weer ging zitten en een opgewonden geroezemoes door de zaal ging, stond Cromwell op. 'Dr. Morgani,' riep hij uit, 'schrijft Sara Fenwick het drankje voor aan zwangere vrouwen?'

'Volstrekt niet.'

'Hoe handelt zij in een dergelijke situatie?'

'Sara Fenwick adviseert zwangere vrouwen uitdrukkelijk de drank niet in te nemen.'

'Dank u, dr. Morgani.'

Op de vierde dag van het proces riep Cromwell een mevrouw Mary Llewellyn in de getuigenbank. Stanton Weatherby volgde met zijn vinger een lijst en zag dat zij een van de getuigenissen had geschreven die Cy Jeffries had kunnen weerleggen. Bij een glas limonade op een snikhete augustusdag had de huisvrouw uit Omaha de knappe 'borstelverkoper' toevertrouwd dat ze de brief tegen een vergoeding had geschreven en nog nooit van het drankje had gepróefd. Maar nu stond ze daar als getuige voor Fenwick; Stanton keek over zijn schouder naar Jeffries achter in de zaal, die met een verbaasd gezicht zijn schouders ophaalde.

'Mevrouw Llewellyn,' zei Cromwell, 'hebt u op 23 april 1890 een lovende brief naar Sara Fenwick geschreven?'

'Ja.'

'Wat stond er in grote lijnen in die brief?'

'Ik bedankte haar omdat ze mijn leven had gered en me weer gezond had gemaakt. Ik was weer gelukkig met mijn gezin.'

'Hoe bent u ertoe gekomen die brief te schrijven?'

'Jarenlang heb ik vreselijk last gehad van een vrouwenkwaaltje; ik werd er bijna gek van, en mijn man heeft zelfs het huis verlaten. Ik verwaarloosde de kinderen en ging niet langer naar de kerk. Iemand raadde me aan naar Sara Fenwick te schrijven. Dat heb ik gedaan en ze stuurde met haar ant-

425

woord meteen een gratis fles van haar drankje mee. Ik moest het iedere dag innemen, dan zou ik weer beter worden. Nu, edelachtbare, niet alleen ging mijn gezondheid vooruit, ik kon mijn echtgenoot weer in de armen sluiten, we vormen weer een gelukkig gezin, en ik ga iedere zondag naar de kerk.'
Samantha wierp een zijdelingse blik op de perstafel en zag dat de verslaggevers alles opschreven. Een van hen, een heer met een woeste bos wit haar en een hangsnor, ving haar blik op en knipoogde. Mark Twain was al jaren weg uit San Francisco, maar dit sensationele proces had hem weten terug te lokken.
De jonge Berrigan was aan de beurt om de vrouw te ondervragen. 'Vertelt u me eens, mevrouw Llewellyn, bent u voor het eerst in San Francisco?'
'Ja.'
'Wat vindt u van onze stad?'
'Het is een schitterende stad, meneer!'
'Waar logeert u?'
'Ik protesteer!'
'Protest toegewezen.'
'Mevrouw Llewellyn, waarom bent u hier vandaag in San Francisco?'
'Nou, meneer Fenwick heeft me gevraagd te komen.'
'Ik begrijp het. En heeft hij uw treinkaartje betaald?'
'Inderdaad, en eersteklas nog wel!'
'En uw hotel?'
'Die meneer Fenwick is royaal, hoor. Ik logeer in het Palace Hotel!'
Er ging een golf van gelach door de zaal.
'Mevrouw Llewellyn, is u iets in het vooruitzicht gesteld als u hier vandaag wilde getuigen?'
Ze keek langs hem heen naar de tafel waar de aanklagers zaten. John Fenwicks gezicht was als uit steen gehouwen.
Rechter Venables zei: 'Mevrouw, wilt u de vraag alstublieft beantwoorden.'
'Tja, heren.' Ze ging eens verzitten. 'Mijn huis moet nodig eens een verfje hebben.'
'Wilt u de vraag rechtstreeks beantwoorden, mevrouw Llewellyn. Heeft Fenwick u iets geboden om hier vandaag te komen getuigen?'
'Inderdaad. Honderd dollar.'
Het publiek begon te roezemoezen.
'Maar nu, mevrouw Llewellyn. Kunt u zich herinneren dat u in augustus vorig jaar een borstelverkoper in uw keuken een glas limonade hebt aangeboden?'
Ze werd rood in haar gezicht. 'Dat kan ik me niet herinneren.'
'O nee? Hij zei dat hij Peterson heette. U hebt een haarborstel van hem gekocht, waarna u hem limonade en een stuk cake hebt gegeven. Weet u dat niet meer?'
Ze ging nogmaals nerveus verzitten. 'Nee.'
'Mevrouw Llewellyn, mag ik u eraan herinneren dat u onder ede staat?'
'Ik kan me geen borstelverkoper herinneren!'

'Geen vragen meer, edelachtbare.'

Gedurende de vijf dagen die volgden, verscheen een hele reeks briefschrijfsters in de getuigenbank. Ze stonden allemaal op de lijst die Cy Jeffries aan Stanton had gegeven, en in tegenstelling tot mevrouw Llewellyn verklaarden ze allemaal nadrukkelijk dat ze niets kregen voor hun getuigenis.

Horace Chandler kon zijn woede nauwelijks bedwingen. Hij ijsbeerde over Samantha's oosterse tapijt alsof hij het dessin eruit wilde stampen. 'Hel en verdoemenis!' riep hij uit zonder zich daarvoor te verontschuldigen. 'Ik weet wel waar ze op uit zijn. Stuk voor stuk, één voor één, worden de verklaringen uit onze artikelen ontzenuwd! Hoe zijn ze in godsnaam aan de namen van die vrouwen gekomen?'

Cy Jeffries, die eruitzag als een Barbarijse zeerover, kon alleen maar zijn schouders ophalen.

'Ik weet het,' zei Mark, die tegen de schoorsteenmantel stond geleund. 'Het is bij Fenwick gewoonte om af en toe nog eens contact te zoeken met hun briefschrijfsters. Aan al die vrouwen, en anderen ook, is door de Fenwick Company gevraagd of iemand ooit naar hun brieven had geïnformeerd. Ik kan me voorstellen dat ze stuk voor stuk een bepaalde kwieke borstelverkoper hebben genoemd.' Hij glimlachte naar Cy, maar de detective bleef boos kijken.

'Wat nu?' vroeg Darius.

Stanton draaide de onyx ring aan zijn vinger om en om. 'Het heeft geen zin die vrouwen nog eens op te roepen. Ze zijn omgekocht. Het enige wat we kunnen doen is onze ziel in lijdzaamheid bezitten. Ik ben benieuwd hoe ze zich eruit redden als blijkt dat Sara Fenwick niet bestaat. We moeten ze toch minstens kunnen vastpinnen op valse voorlichting en gefingeerde brieven. Ze laten haar gezicht zien, verklaren dat het recept van haar afkomstig is, en beweren dat ze iedere brief die uitgaat ondertekent.'

'Misschien gebruiken ze een medium,' zei Mark; niemand lachte erom.

Op de tiende dag van het proces waren er eindelijk vrouwen onder het publiek. Hilary zat, ondanks Darius' tegenwerpingen, op de voorste rij en naast haar zat Jennifer, die van meer dan een verslaggever bewonderende blikken trok. De tekenaar beperkte zich niet tot de deelnemers aan het proces; hij pikte ook een paar toehoorders eruit. Jenny werd als vlinder uitgebeeld, Hilary Gant, in haar bontjas, als herdershond. Andere aanwezige vrouwen vertegenwoordigden de christelijke geheelonthoudstersbond, de beweging voor vrouwenkiesrecht, een schrijfstersclub en er waren ook een paar bekende feministes, die brutaalweg sigaretten zaten te roken. Er bevonden zich ook nog enkele illustere vrouwelijke dokters van de oostkust onder de toehoorders.

Cromwells volgende getuige was een verrassing voor de verdediging. Tijdens zijn onderzoek had Cy overlijdensakten boven water gehaald van vrouwen die al waren overleden, maar die door Fenwick nog steeds in advertenties werden gebruikt als 'wonderbaarlijke genezingen'. Drie doktoren verschenen nu om een en ander uit te leggen.

'Kende u mevrouw Saunders goed, dokter?'
'Heel goed.'
'Was u bij haar toen ze stierf?'
'Inderdaad.'
'Is dit uw handschrift op de overlijdensakte?'
'Ja.'
'Wilt u het hof alstublieft vertellen waaraan mevrouw Saunders is gestorven?'
'Een bloedstolsel in de hersenen.'
'Wist u dat mevrouw Saunders dagelijks Sara Fenwicks wonderdrank gebruikte?'
'Jazeker.'
'Waar nam ze dat voor in?'
'Voor buikklachten.'
'Heeft het drankje dat probleem opgelost?'
'Ze beweerde van wel.'
'Zou u daarom kunnen zeggen, dokter, dat, al is mevrouw Saunders aan de ene kwaal overleden, de wonderdrank die andere kwaal, die daar niets mee te maken had, heeft genezen?'
'Jazeker.'
Stanton zat nijdig driehoekjes te tekenen op zijn notitieblok. Toen krabbelde hij: 'Ze hebben ze allemaal te pakken gekregen,' en liet het aan Samantha zien. Ze knikte, pakte de pen en schreef: 'En het heeft ze een hoop geld gekost. Wat nu?'

De strakke gezichten van de juryleden voorspelden niet veel goeds. Samantha wist dat Fenwick er beter voor stond. Maar niet lang meer. Als het de beurt van de verdediging was, zouden haar getuigen naar voren komen, de vrouwen die schadelijke gevolgen hadden ondervonden van het drankje, waarna Cy Jeffries zijn verklaring zou afleggen. Alles bij elkaar koesterde ze nog steeds hoop.
'In onze advertenties beloven we dat geen enkele man de brieven van de vrouwen onder ogen krijgt, en daar houden we ons aan. De correspondentiekamer is alleen toegankelijk voor dames.'
Stanton keek om naar Cy die zijn hoofd schudde.
Op de twaalfde dag zorgde de bombastische Cromwell voor zijn grootste verrassing. 'Ik roep Jane Fenwick naar de getuigenbank.'
Iedereen draaide zich om naar de deur die openzwaaide en Stanton mompelde tegen Mark: 'Wie is Jane Fenwick nu weer, verdorie?'
Een keurig dametje van midden vijftig liep ingetogen het middenpad af, ging naar de getuigenbank, herhaalde de eed met haar hand op de bijbel, waarna ze ging zitten. Op Cromwells verzoek vertelde ze het hof hoe haar relatie met de familie Fenwick in elkaar zat. 'De grootmoeder van mijn man was Sara Fenwick.'
'U bent dus getrouwd?'

'Ja.'

'Dan zal ik u als *mevrouw* Fenwick aanspreken. Hebt u Sara Fenwick tijdens haar leven gekend?'

'Jazeker. Ik kwam bij de Fenwicks nog voor ik twintig was en ik heb Sara Fenwick gedurende de laatste drie jaar van haar ziekte gezelschap gehouden.'

'En wat is er gedurende die jaren tussen u beiden gebeurd?'

'Mevrouw Fenwick heeft me alles geleerd wat ze wist over vrouwenkwaaltjes, hoe een diagnose gesteld moest worden en wat voor raad daarbij hoorde. Voor haar dood uitte ze een oude wens, namelijk dat een lang gekoesterde droom werkelijkheid zou worden. Ze had een bedrijf willen oprichten dat een medicijn produceerde en op de markt bracht, waarbij zij jarenlang veel baat had gehad, en dat ze in haar keuken altijd zelf maakte. Voor ze stierf heeft Sara Fenwick me het recept ingefluisterd.'

'Is dat de wonderdrank?'

'Inderdaad.'

'Het klopt dus dat het drankje inderdaad van Sara Fenwick is, en dat de raad die in de brieven wordt gegeven eigenlijk van haar afkomstig is?'

'Ja.'

'Wat is uw tegenwoordige functie bij de Fenwick Company?'

'Ik werk op de correspondentiekamer.'

Er klonk gemompel uit de zaal (later beweerde Cy Jeffries met grote stelligheid dat Jane Fenwick in de zes maanden dat hij daar had gewerkt, nooit in het bedrijf was geweest).

'Vertel me eens, mevrouw Fenwick, wordt u ook genoemd in de advertenties van Fenwick?'

'Jazeker.'

'Wilt u ons alstublieft vertellen in welk verband?'

'De advertenties beloven dat mevrouw Fenwick alle brieven persoonlijk leest en beantwoordt. *Ik* ben die mevrouw Fenwick.'

Vier verslaggevers sprongen overeind en stormden naar buiten naar de telefoon. In de rechtszaal ontstond een chaotisch lawaai waar de hamer nauwelijks bovenuit te horen was. Samantha sloot de ogen en haalde een paar maal diep adem. Ze dacht, je had gelijk, Horace, ze hebben onze zaak helemaal verknoeid.

Ze deed haar ogen weer open en draaide haar hoofd naar links. John Fenwick zat met zijn armen gevouwen over zijn tonronde buik, en uit zijn ogen straalde een intense voldoening. En in gedachten voegde ze eraan toe, maar we zijn nog niet verslagen...

Life en *Saturday Evening Post* stonden aan de kant van de drie beklaagden en publiceerden satirische cartoons van een grote kater die op John Fenwick leek, die trillend tegenover drie kleine muisjes met geheven knotsen stond. De rest van de verslagen was echter ongunstig voor hen. Samantha's albasten profiel was een gewilde foto voor de voorpagina's en ieder beweginkje, ieder gebaartje dat ze maakte, werd plichtsgetrouw onder de ogen van het publiek gebracht. 'Dr. Samantha Hargrave houdt zich opmerkelijk goed, ze zit onbeweeglijk en haar aristocratische houding is werkelijk een uitdaging voor John Fenwick aan de tafel ernaast.'

'Wat nu, Stanton?'

De vijf zaten rustig te dineren bij de Gants thuis. Buiten miezerde het en er dreigde slecht weer. 'Wat nu? Tja, Cromwell heeft misschien nog een paar getuigen achter de hand, maar ik zou zo zeggen dat hij aan een rustpauze toe is. Hij heeft het de jury nu wel ingepeperd dat alles wat in *Woman's Companion* heeft gestaan gelogen is.' Stanton zweeg en bracht zijn gedachten niet verder onder woorden. In de afgelopen twee weken had hij Cromwells karakter goed kunnen bestuderen en hij had een angstig vermoeden van wat er nu ging komen; maar nu wilde hij daar nog niet over praten.

Op de veertiende dag volgde de zet waarvoor Stanton inwendig al bang was geweest. Toen juffrouw Hains, Chandlers secretaresse, werd opgeroepen, was Stanton de enige in de rechtszaal die niet verbaasd opkeek.

'Kent u dr. Hargrave, juffrouw Hains?'

'Jazeker, meneer Cromwell.' De arme vrouw keek haar werkgever met grote, verontschuldigende ogen aan. Horace moest zijn blik afwenden; hij vermoedde waar Cromwell op aanstuurde en hij kon de aanblik van zijn gekwelde secretaresse niet verdragen.

'Kwam dr. Hargrave vaak naar het kantoor van meneer Chandler?'

'Ik weet niet wat u bedoelt met vaak.'

'Eén keer per week?'

'Eerder eens in de veertien dagen.'

'En wat speelde zich tijdens die bezoeken af?'

'Ik protesteer.'

'Protest toegewezen.'

'Zat er ooit iemand anders bij?'

'Ja. Dr. Rawlins.'

'Duurden die bezoeken wel eens tot in de avond?'

Berrigan kwam abrupt overeind. 'Ik protesteer! Edelachtbare, deze manier van ondervragen ligt niet in de lijn van dit proces.'

Rechter Venables zei: 'Meneer Cromwell, ik neem aan dat u met uw vragen ergens op aanstuurt?'

'Edelachtbare, wij proberen vast te stellen wat voor soort mensen mijn cliënt hebben aangevallen. Meneer Fenwick heeft zijn inkomen achteruit zien gaan; zijn gezondheid, zijn gezin en zijn geloofwaardigheid in de zakenwereld lijden hieronder. Het is derhalve noodzakelijk dat we te weten zien te komen wíe de beschuldigingen hebben geuit.'

Samantha voelde haar maag samentrekken en ze kon niet verhinderen dat haar ogen even naar de 'lijdende' John Fenwick dwaalden. Alle verslaggevers zagen het. 'Ze keek hem venijnig aan,' schreef een van de kranten. 'Als blikken konden doden...' merkte een andere op. De *Chronicle* beschreef haar blik als 'oprecht verontwaardigd'.

'Protest afgewezen. Juffrouw, wilt u de vraag alstublieft beantwoorden.'
'Ja, de bijeenkomsten duurden soms tot in de avond.'
'Zat u er wel eens bij?'
'Nee, meneer Cromwell.'
'Dr. Hargrave was dus alleen met die twee heren?'
'Inderdaad.'
'Bracht u hen wel eens iets te drinken?'
De handen van juffrouw Hains speelden nerveus met het handvat van haar tas. 'Thee met koekjes.'
'Heeft u ooit alcohol geserveerd?'
Toen het handvat afknapte, was het alsof er een pistoolschot klonk.
'Juffrouw Hains?'
Ze boog haar hoofd. 'Ik heb een keer cognac binnengebracht.'
Stanton Weatherby keek naar de twaalf juryleden en voor het eerst zag hij dat er oprechte belangstelling op hun gezichten te lezen stond.
'Weet u waarover ze in het kantoor van meneer Chandler zaten te praten?'
'Het ging allemaal over geneesmiddelen.'
'Eén geneesmiddel in het bijzonder?'
'Vooral Sara Fenwick.'
'In andere woorden, een medicament voor vrouwenkwaaltjes.'
'Ja.'
'Maakten ze daarbij gebruik van materiaal zoals boeken?'
'Het bureau van meneer Chandler lag altijd vol pamfletten, brieven en medische tijdschriften.'
'Wat stond daarin te lezen?'
Haar gezicht zag zo rood dat het erop leek alsof het arme mens erin zou blijven. 'Het ging vooral over... over vrouwenkwaaltjes.'
'Kijk eens aan!' Cromwell hief als een echte orator zijn vinger omhoog. 'U beweert dus dat de drie beklaagden, een vrouw en twee mannen, *alleen*, tot 's avonds laat in het kantoor van meneer Chandler zaten, terwijl ze alcohol dronken en de intiemste lichaamsdelen van de vrouw bespraken!'
Toen de verslaggevers zich naar de telefoons haastten, hamerde rechter Venables luid en verdaagde toen de zitting, opdat 'de heren van de pers in een ander vertrek een lesje konden aanhoren over hoe men zich in de rechtszaal diende te gedragen'.
Juffrouw Hains moest worden ondersteund toen ze de zaal verliet.

De volgende ochtend, onder een loodgrijze hemel waaruit ieder moment een forse regenbui kon neerkomen, werd er voor het gerechtsgebouw gedemonstreerd door een aantal vrouwen. Ze hadden borden bij zich waarop stond dat de tactiek van Cromwell verwerpelijk was. De fotografen leefden zich uit op dit 'legertje formidabele kenaus'.
Tijdens de verhoren die dag brak de bui los. Luid onweersgerommel deed het gerechtsgebouw schudden en Berrigans betoog werd meer dan eens overstemd.

Die avond dineerden ze bij Samantha. Ze zaten met z'n allen om de tafel en hun gesprekken werden onderbroken door huilende windvlagen die de ramen deden klapperen.

'Er zit me iets dwars, Stanton,' zei Samantha, die haar eten nauwelijks aanraakte. 'Nu ik Cromwell in actie heb gezien, maak ik me bezorgd om mijn patiënten. Ik weet niet of ze zijn aanpak wel kunnen weerstaan.'

Weatherby kreeg de kans niet om antwoord te geven, want juist op dat moment vermengde het geluid van de bel zich met dat van de donder, en even later kwam een doorweekte Berrigan binnenstuiven.

'Wat is er?' zei Mark terwijl hij opstond.

'Cy Jeffries!' barstte Berrigan los, waarna hij een stoel naar zich toe trok. 'Hij heeft een ongeluk gehad.'

'Wat!'

'Darius, whisky, snel alsjeblieft!'

'Kom, Berrigan, ga hier maar even zitten.'

'Hoe gaat het met hem?'

'Hij ligt in het County Hospital, hij leeft nog, maar daar is alles mee gezegd.'

'Hoe...'

'Wat...'

De doornatte jongeman keek op naar de gespannen gezichten die hij om zich heen zag. 'Ze zeggen dat hij uit de tram in Hyde Street is gevallen' – iedereen hield de adem in – 'waarna hij door een passerend rijtuig is geraakt.'

Hilary liet zich in een stoel vallen, haar ogen vulden zich met tranen, terwijl de mannen binnensmonds stevig vloekten. Mark nam de karaf van Darius over en schonk Berrigan een forse borrel in. Toen keek hij naar Samantha.

Haar gezicht was als een masker van steen.

Ze had nog twee dagen om zich voor te bereiden, want de detective had op vrijdag het ongeluk gehad en het hof kwam pas maandag weer bijeen. Samantha had een heleboel te bedenken en te organiseren.

De meedogenloos zware regen hield San Francisco nog steeds in zijn verlammende greep, en terwijl de stortregen in bakken naar beneden bleef komen, zat Samantha alleen thuis in haar kantoor bij een behaaglijk vuur, met een glas rode wijn in de hand.

Ze hoorde Mark door de voordeur binnenkomen. Hij wisselde een paar woorden met juffrouw Peoples terwijl hij zijn natte jas uittrok. Even later knielde hij naast Samantha neer en kuste haar.

'Hoe gaat het met hem?' vroeg ze.

'Niet goed. Hersenletsel.' Mark stond op en liep naar de serveerwagen.

'Mark,' zei ze rustig.

'Ja, lieveling.'

'Ik ga getuigen.'

Hij draaide zich om. 'Wat zeg je?'
'Cromwell gaat mijn patiënten aanvallen. Dat kan ik ze niet aandoen.'
'Nee, Samantha.'
Ze kwam overeind en voelde zich ongewoon moe. Ze liet zich door hem
omhelzen. 'We hebben lang genoeg naar hun kant van de zaak zitten luiste-
ren, Mark. Nu wil ik opstaan en de wereld de waarheid vertellen.'
'Laat het maar aan Stanton over, Sam. Hij weet het beter.'

14

In de rechtszaal rook het naar vochtige kleren. De sfeer was bedompt en kil
en het buitensporig grote aantal mensen dat in de zaal was samengepakt
droeg er weinig toe bij die sfeer te verbeteren. Afgelopen vrijdag had de
aanklager zijn betoog afgesloten, nu was het de beurt van de verdediging.
Berrigan moest zijn verklaring steeds onderbreken als het hard onweerde.
'Het was de bedoeling geweest, edelachtbare, onze kroongetuige, meneer
Cy Jeffries, op te roepen. Helaas is de heer Jeffries een ernstig ongeluk overkomen en hij ligt nu in kritieke toestand in het County Hospital. Men verwacht niet dat hij het overleeft.'
Samantha moest zich beheersen om niet naar John Fenwick te kijken die,
daar was ze zeker van, het 'ongeluk' had geënsceneerd.
'De verdediging zou graag mevrouw Joan Sargent naar voren roepen.'
De deur van de rechtszaal ging open en iedereen keek om. Een kleine, ver-
legen vrouw stapte binnen en terwijl ze naar de getuigenbank liep, tekende
de kunstzinnige verslaggever een muis in een te grote jas.
'Mevrouw Sargent,' zei Berrigan, 'wilt u alstublieft aan het hof vertellen
wanneer u voor het eerst bij dr. Hargrave bent geweest?'
'Dat is een jaar geleden.'
'Het spijt me, mevrouw Sargent, maar u zult iets harder moeten spreken.'
'Een jaar geleden,' zei ze nu iets harder.
'En, mevrouw Sargent, wilt u ons alstublieft vertellen waarom u naar dr.
Hargrave bent gegaan?'
Mevrouw Sargent moest voortdurend gemaand worden wat luider te praten
en bij iedere donderslag schrok ze op. 'Het begon allemaal na de geboorte
van mijn Timmy, zes jaar geleden...'
Het was griezelig stil in de zaal terwijl iedereen vol aandacht naar de zachte
stem luisterde. Het verhaal van mevrouw Sargent werd alleen onderbroken
door het holle geluid als een tabakspruim in een kwispedoor verdween, of
door het verre gerommel van onweer. Ze vertelde van haar brieven aan Sara
Fenwick, de dosis die geleidelijk steeds groter werd, Sara Fenwicks raad zich
vooral niet te laten opereren en ten slotte haar wanhopige bezoek aan dr.
Hargrave. Toen ze bij het gedeelte over de hysterectomie kwam, begon haar
stem te trillen. 'Ik was bang dat mijn man niet meer van me zou houden
omdat ik dan niet meer echt een vrouw was.'

Samantha hield mevrouw Sargent scherp in het oog, bang als ze was dat ze het niet zou volhouden.

'Mevrouw Sargent,' zei Berrigan, 'wilt u het hof nu misschien vertellen wat de oorzaak van al deze ellende is?'

'Ja!' riep ze zo luid dat iedereen opschrok. 'Dr. Hargrave heeft me verteld dat me een hoop verdriet bespaard was gebleven als ik naar een dokter was gegaan in plaats van aan mevrouw Fenwick te schrijven. Ik heb mevrouw Fenwick geschreven dat ik héél erg ziek was, en ze antwoordde gewoon dat ik meer moest gaan innemen!' Ze hief haar arm en wees met bevende vinger naar John Fenwick. 'Jij daar! Ik heb je leugens nog geloofd ook!'

Er klonk geroezemoes; Fenwick boog zich naar Cromwell toe en fluisterde hem iets in het oor. Berrigan wachtte op een teken van Stanton en toen hij dat kreeg zei hij: 'Op dit moment heb ik geen vragen meer.'

Toen Cromwell opstond, fluisterde Samantha Stanton toe: 'Kunnen we hier geen stokje voor steken?'

'We hebben geen keus.'

'Dit kan nooit goed gaan. Hij maakt haar kapot.'

'Mevrouw Sargent,' bulderde Cromwell, terwijl hij vlak voor haar heen en weer begon te lopen, alsof hij haar in verwarring wilde brengen. 'U hebt het hof verteld dat u een vleesboom had. Was dat een chronische kwaal, dat wil zeggen had u daar aldoor last van?'

'Zo goed als altijd.'

'Hoever was de ziekte gevorderd toen u naar mevrouw Fenwick schreef?'

'Nog niet zo ver.'

Cromwell zette grote ogen op. 'Wilt u dus beweren dat u haar schreef over een ziekte die u nog niet had?'

'Dat bedoelde ik niet. U verdraait mijn woorden.'

'Ik begrijp er niets meer van, mevrouw Sargent. Als u niet wist wat u toentertijd mankeerde, hoe hebt u mevrouw Fenwick dan voldoende informatie kunnen geven waarop zij haar diagnose kon baseren?'

'Ik had last van bepaalde symptomen.'

'En wat voor symptomen waren dat, mevrouw?'

'U bent een man, dat zou u niet begrijpen.'

'Mevrouw Sargent! Wilt u beweren dat het merendeel van het hof, zijne edelachtbare incluis, en de heren van de jury, alleen omdat het mannen zijn niet kunnen begrijpen hoe u er toe kwam die eerste brief te schrijven? Hoe moeten wij dan vaststellen of die brief wel gerechtvaardigd was?'

'Hij *was* gerechtvaardigd!' riep ze en barstte in snikken uit.

'Meneer Cromwell,' zei rechter Venables, 'u tiranniseert de getuige. Mevrouw Sargent, u mag de getuigenbank verlaten.'

Terwijl de gerechtsbode de getuige de zaal uit bracht, werd er aan de tafel van de verdediging kort overleg gepleegd, waarbij vier mannen hun hoofd schudden en een vrouw heftig ja knikte. Toen stond Berrigan op en zei met grote tegenzin: 'Edelachtbare, de verdediging wil dr. Samantha Hargrave als volgende getuige oproepen.'

De verslaggever met het schetsboek kon zijn keus moeilijk bepalen. De anderen waren allemaal eenvoudig geweest: Cromwell had hij als een grote grijze beer getekend, Berrigan als een wilde kraanvogel, Stanton Weatherby als een bloedhond en rechter Venables als een sint-bernard. Maar op dr. Hargrave kon hij geen vat krijgen. Hij begon met een Egyptische kat met een lange nek, vanwege haar opvallende ogen, maar toen verwierp hij dat idee omdat het een ijdel, egocentrisch dier was. Vervolgens probeerde hij een gestroomlijnd paard, maar dat was niet vrouwelijk genoeg; daarna een hert, dat hij te timide vond. Op het allerlaatste moment kreeg hij de inspiratie haar af te schilderen als een totaal nieuw fantasiedier met bladvormige ogen, compleet met vleugels en vacht, élégance en kracht, en toen hij begon te schetsen en Samantha rustig begon te spreken, was boven de woelige zee het langzaam naderend onweer te horen.

Vanaf het eerste moment stond iedereen versteld en voelde ook een zekere teleurstelling, want ze hadden verwacht dat ze emotioneel tekeer zou gaan, en voor een geweldig spektakel zou zorgen. In plaats daarvan echter zat Samantha daar in een zelfverzekerde houding en sprak met een stem die goed verstaanbaar en tegelijkertijd heel beheerst klonk. Er viel een onaardse stilte in de zaal en deze keer verstoorde zelfs de kwispedoor de rust niet. Het onweer scheen haar te hulp te komen en haar zinnen te onderstrepen in plaats van met haar te wedijveren.

'Edelachtbare, geachte leden van de jury, beste vrienden en aanwezige journalisten. Dit is werkelijk een onzalige dag in de geschiedenis van ons land, want door het feit dat we hier aanwezig zijn tonen we ons aan de hele wereld als een volk van egoïsten belust op winstbejag, dat eer en levens opoffert in de jacht naar geld. Maar ik durf te beweren dat de strijd van meneer Fenwick hem vandaag geen winst zal opleveren, want een doodshemd heeft geen zakken.'

Toen Samantha hem een koele blik toewierp, voelde ze een intens vermoeid gevoel over zich komen, waardoor ze zich aan de balustrade moest vastgrijpen. Mark, die haar scherp in het oog hield, vond dat Samantha ongewoon bleek zag.

'Ik heb velen die voor me zouden willen getuigen, maar ik geef er de voorkeur aan namens hen het woord te doen, als dat is toegestaan. Een vrouw ontdekte op een ochtend dat ze een klein zweertje had op een intieme plek. Ze was een ongetrouwde vrouw, die haar hele leven haar kuisheid had bewaard. Daarom geloofde ze wat er in de advertenties van Fenwick wordt beweerd, namelijk dat een vrouw zich nooit aan iemand mag tonen, zelfs niet aan een dokter. Ze schreef naar mevrouw Fenwick en in het antwoord dat ze ontving stond dat een eetlepel per dag van het drankje haar kwaal zou verlichten. In die brief werd met geen woord gerept over het zweertje, noch bleek dat mevrouw Fenwick enige aandacht schonk aan deze bepaalde klacht. Mettertijd werd de zweer steeds groter en er kwam vuil uit. Weer schreef de vrouw naar mevrouw Fenwick en weer kreeg ze te horen dat het drankje genezing zou brengen. Omdat ze vertrouwen had in die machtige instelling, niet wetend dat hun advertenties leugens bevatten, en omdat ze vertrouwen had in dat vriendelijke gezicht van het ovale portret, niet wetend dat het gezicht toebehoorde aan een al lang overleden vrouw, verhoogde mijn patiënte haar dagelijkse dosis van het wonderdrankje.

De ontsteking werd steeds ernstiger en werd al gauw onverdraaglijk. In goed vertrouwen en naïef als ze was, schreef ze voor de derde keer. Er werd een lotion opgestuurd, met de aanwijzing erbij dat die dagelijks moest worden aangebracht, plus de raad de dosis van het drankje op te voeren. Mijn patiënte nam inmiddels zo veel van dat drankje in, dat voor vijfentwintig procent uit alcohol bestaat, dat ze geen eetlust meer had; ze viel af. De zweer werd steeds groter.

Na herhaaldelijk aandringen van haar zuster werd ik er uiteindelijk bijgehaald. Ik trof de vrouw aan in een vergevorderd stadium van bloedarmoede, ondervoeding en depressie; zozeer zelfs dat ik vreesde dat ik er niets meer aan kon doen. Toen ik haar onderzocht, wachtte mij de hartverscheurende taak deze vrouw te moeten vertellen dat ze kanker had.'

Samantha zweeg even om het effect te verhogen en om zich te vermannen. Tot haar schrik merkte ze dat ze licht in haar hoofd werd.

'Als die vrouw, die in haar drieënveertigste levensjaar is, meteen bij me was gekomen, had ik die kleine zweer kunnen wegnemen en had ze haar gelukkige, produktieve leven kunnen voortzetten. Nu geef ik haar niet meer dan een jaar te leven, en die laatste maanden zullen een onbeschrijflijke kwelling zijn. Dank zij Sara Fenwicks wonderdrank.'

Samantha keek naar de gezichten in de rechtszaal, die allemaal naar haar toe gewend waren en allemaal even uitdrukkingloos stonden. Zelfs de heren aan de perstafel waren de potloden in hun hand vergeten.

'Een ander slachtoffer van de Fenwick Company is een jonge vrouw die op een avond helaas ten prooi viel aan de avances van een dronken kostganger bij haar moeder thuis. Ze was een onschuldig meisje dat niet besefte wat haar was aangedaan. Ze hield het vreselijke voorval geheim. Toen haar menstruatie ophield dacht ze dat ze ziek was, omdat ze van dit soort zaken niets wist en derhalve het stoppen van haar menstruatie niet in verband bracht met dat vreselijke voorval. In angst en vreze schreef ze naar mevrouw Fenwick. Dat onschuldige meisje, de kinderschoenen nauwelijks ontwassen, volgde vol vertrouwen mevrouw Fenwicks raad op en dronk een hele fles van het drankje leeg. Zoals in de brief was beloofd, liet "de tumor in de baarmoeder" los en werd uitgedreven, wat gepaard ging met veel pijn en bloedverlies. Toen het meisje zag wat die "tumor" eigenlijk was, werd ze zo hysterisch dat alleen de meest drastische behandeling haar heeft kunnen genezen. Maar ze is een gebroken vrouw en zal nooit een normaal leven kunnen leiden.'

Samantha haalde een keer diep adem; haar duizeligheid werd steeds erger. Ze ging een beetje verzitten en vestigde haar blik rustig op de twaalf mannen in de jurybank. 'Heren, ik heb geneesmiddelenfabrikanten moordenaars genoemd. En daar blijf ik bij. Vandaag zit hier in deze rechtszaal een

436

man die alleen met acht kinderen is achtergebleven omdat zijn vrouw dr. Rupert Wells kankerkuur heeft ingenomen, in plaats van naar een dokter te gaan. Hoevelen van u hebben nu, op dit moment, een vrouw of een dochter of een moeder of een zuster die haar arme zieke lichaam volgiet met het elixer van valse hoop en schaamteloze misleiding? Meneer Cromwell heeft in zijn eerste betoog gesproken over rechten en vrijheid. Hij wilde u doen geloven dat overheidsbemoeienis betekent dat u allen slaven wordt. Maar ik zal u vertellen wiens slaaf u werkelijk bent: van die geneesmiddelenfabrikanten, *zij* zijn uw echte heer en meester. Want zij hebben u door middel van hun leugens tot marionetten gemaakt. Zij doen beloften die ze niet kunnen nakomen, terwijl ze wel uw geld opstrijken, en ze behandelen u als kleine kinderen en imbecielen. Ze houden de samenstelling van hun middeltjes geheim alsof u te dom zou zijn om er iets van te begrijpen. En omdat er niemand is die u beschermt, vertrouwt u op hen, als lammeren die naar de slachtbank gaan. U betaalt hun uw zuurverdiende geld, terwijl zij u vergif, verslaving en de dood in ruil geven.

Waarom laat u zich voorliegen, heren? En waarom zou u dat voor lief nemen? Als u een fles koopt waarop "rum" staat, verwacht u dan dat er rum in die fles zit? En toch heeft u vaak genoeg medicijnen gekocht die dingen beweren die ze niet waar kunnen maken! Meneer Cromwell verklaart dat ik u van uw rechten wil beroven,' zei ze met luide, heldere stem, die in tegenspraak was met een eigenaardige lichthoofdigheid die over haar kwam. 'Ik wil u juist rechten *geven!* Het recht om te weten wat er in de medicijnen zit die u koopt! Want dat, heren, is de manier waarop Amerikanen zoiets doen!'

Haar stem verhief zich, ze begon te beven. Toen het donker werd in de zaal dacht Samantha dat het elektrische licht het door het onweer niet meer deed, maar toen realiseerde ze zich dat er met het licht niets aan de hand was. *Ik ga flauwvallen,* dacht ze.

Ze duwde zich overeind en zocht steun bij de tafel van de rechter. Samantha zei met een stem die klonk als een klok: 'Er moet een einde komen aan deze onmenselijke uitbuiting. En als u het voor uzelf niet wilt doen, doe het dan voor uw vrouw en kinderen. Doe het voor de kleine Willie Jenkins, die in mijn armen stierf nadat hij hoestbonbons had gegeten die bij de apotheek op de hoek waren gekocht. Doe het voor een onschuldige wasvrouw, Nellie, die met haar arm tussen een wringer kwam nadat ze een geneesmiddel had ingenomen waar zo veel narcoticum in zat, dat ze niet helder meer was...'

Samantha's stem stokte. Tranen welden op. Met een fluisterstem die overkwam alsof ze stond te schreeuwen, zei ze: 'Doe het voor de kleine baby's die in hun slaap sterven omdat Milikins kalmerende siroop genoeg opium bevat om een man eronder te krijgen. En doe het voor de arme, diepbedroefde moeders van die baby's, die verder moeten leven in de wetenschap dat zij zonder het te weten hun kinderen hebben vermoord...'

Samantha sloot de ogen en wankelde. De donderslag vlak bij deed het ge-

437

rechtsgebouw schudden. De zaal bood een chaotische aanblik en terwijl ze vaag zag hoe verslaggevers overeind sprongen en naar de telefoons renden, en het luide gejuich hoorde van wel honderd mensen, dacht ze onsamenhangend, *maar ik ben nog niet klaar...*

Toen opende de vloer van de getuigenbank zich als een valluik en Samantha voelde dat ze in de koude, donkere kelder eronder viel. Maar Mark ving haar net op tijd op en het laatste dat ze zag voordat de bewusteloosheid haar overmande, waren zijn zachte, liefdevolle, bezorgde, bruine ogen.

15

Zweven.

De hemel was rood en ze zag kleine witte, draaiende sterretjes. Ze voelde zich zo licht als een veertje. Toen werd ze vreselijk misselijk en ze was bang dat ze in de getuigenbank ging overgeven. Opeens realiseerde ze zich dat ze helemaal niet in de getuigenbank stond, maar dat ze op de bovenste rij van de operatiezaal van het North London Hospital zat. Meneer Bomsie hield zijn scalpel tussen zijn tanden en zijn schort zat onder het bloed van een pas verrichte sectie. Hij stond op het punt de borst van een jonge vrouw af te zetten en Samantha probeerde hem toe te roepen dat hij was vergeten zijn instrumenten te steriliseren en de patiënte ether toe te dienen, opdat ze niet meer zou schreeuwen. Freddy, die naast haar zat, vertelde haar dat meneer Bomsie niet beter wist en dat ze zich dus maar niet moest opwinden.

Daarna kreeg ze het koud, ijskoud, en ze gleed glibberend over het ijs en stak haar hand in dat wervelende zwarte water om het rode haar te grijpen dat net verdween.

Ze rolde haar hoofd van links naar rechts, opende haar zware oogleden en zag de donkere, grauwe regen langs de ruiten spoelen. Ze dacht, *het water in de baai stijgt, we verdrinken allemaal...*

'Hoe voel je je nu?' klonk een diepe stem.

Samantha knipperde met haar ogen en keek naar Mark. 'Wat is er gebeurd?'

'Je bent flauwgevallen. Hoe voel je je?'

Ze rolde haar hoofd heen en weer en kreunde.

'Ik vrees dat je je hoofd hebt gestoten voordat ik je kon opvangen. Blijf maar stil liggen, Sam. We hebben geen haast. De zitting is verdaagd.'

Ze keek het vertrek rond; het was de kamer van rechter Venables. 'Hoe lang ben ik hier al?'

'Een paar minuten pas. Zodra je wat bent opgeknapt, breng ik je naar huis.' Mark hield een glas cognac aan haar lippen, maar ze weigerde het te drinken. 'Hoe kwam het dat je flauwviel, Sam?'

Ze had moeite zijn gezicht scherp te zien, maar toen ze merkte hoe diep bezorgd hij keek, glimlachte ze. 'De dokter weet het weer als laatste! Wat

dom van me, Mark. Ik ben zo geconcentreerd met het proces bezig geweest, dat ik geen aandacht aan de symptomen heb besteed.'
'Welke symptomen?'
'De symptomen van zwangerschap.'
'Van zwang... O Sam! Is het echt waar?'
Haar glimlach verbreedde zich. 'Ik sta nog steeds onder ede, hè?'
Mark antwoordde door haar in zijn armen te nemen.
Rechter Venables stak zijn hoofd om de hoek van de deur. 'Hoe gaat het met haar?'

Samantha's patiënten getuigden en zoals voorzien deed Cromwells theatrale stijl afbreuk aan hun getuigenissen; de jury had zes dagen nodig om tot een oordeel te komen en besliste uiteindelijk in het voordeel van de Fenwick Company.
'Ze hadden geen keus,' zei Stanton Weatherby, terwijl hij nog een houtblok op het vuur legde. 'De Fenwicks hebben alles kunnen waarmaken wat ze in hun advertenties beweren. Maar het is een Pyrrusoverwinning.'
Juridisch gezien stonden de Fenwicks in hun recht; moreel en ethisch beschouwd lag de zaak echter heel anders. De overwinning van de Fenwicks was kortstondig, want de rechter kende hun maar een schadeloosstelling van vijftig dollar toe en las meneer Fenwick vervolgens streng de les over zijn toekomstige praktijken. Bovendien had de pers de campagne van dr. Hargrave zo luid toegejuicht, dat zij het proces ogenschijnlijk had gewonnen.
'Zo,' zei Samantha. Ze zette haar voeten op een bankje en keek glimlachend de kring vrienden rond. 'We hebben iets op gang gebracht. De *Chronicle* heeft een speciale afdeling moeten openen om de post die binnenstroomt af te handelen, allemaal brieven om onze kruistocht te steunen. Maar ik zou onze campagne graag willen uitbreiden. Ik vind dat we onze krachten en die van Harvey Wiley moeten bundelen om te proberen er ook een warenkeuring door te krijgen, omdat we in beginsel strijden voor de eerlijke etikettering van *alles* wat we binnen krijgen...'
'Samantha, liefje,' zei Hilary, 'wanneer heb je daar allemaal de tijd voor? Je zult het kalmer aan moeten doen, hoor.'
'Waarom in hemelsnaam? Ik ben in verwachting, ik ben niet ziek! Horace, wat vind jij ervan om met Wiley te gaan samenwerken?'
'Tja' – hij haalde een tandestoker uit zijn mond – 'ik denk dat we op dat gebied wel belangstelling kunnen kweken bij het publiek. Mijn lezers zal het bijzonder interesseren te weten dat de rum en de cognac die ze kopen vaak niets anders is dan pure alcohol met kleurstof.'
'Onze soldaten op de Filippijnen krijgen blikjes geprepareerd vlees toegezonden,' zei Darius.
'En mevrouw Gossett in de keuken,' voegde Willella er nog aan toe, 'zweert dat er formaldehyde in blikjes maïs zit.'
'Weet je nog van Toby Watson?' zei Samantha. 'Herinner je je nog hoe ziek

hij werd van die stroop? We hebben er zwavelzuur in gevonden.' Samantha's ogen lichtten op. 'Ja, inderdaad, we moeten onze aandacht nu richten op alles wat we binnen krijgen, geneesmiddelen èn voedsel. En we moeten direct beginnen.'

Mark kwam op de armleuning van haar stoel zitten en Samantha pakte zijn hand in de hare. Nu ze daar zo zat, in het schijnsel van het vuur, terwijl de regen buiten neerstroomde, te midden van haar vrienden, had Samantha zich nog nooit zo gelukkig gevoeld. Ze dacht aan de strijd die ze voor de boeg had, de processen, Marks kankeronderzoek, en een veelbelovende toekomst wat medische vooruitgang betreft. Ze zag een uitbreiding van het Ziekenhuis voor zich en dacht aan de nieuwe eeuw, die over anderhalf jaar begon. Ze zei rustig: 'Misschien hebben we de eerste slag dan verloren, maar reken maar dat we doorvechten...'